D0184454

RUDYARD KIPLING
DIE DSCHUNGELBÜCHER

NEU ÜBERSETZT

UND HERAUSGEGEBEN

VON

GISBERT HAEFS

RUDYARD KIPLING

DIE DSCHUNGEL-BÜCHER

Neu übersetzt

von

GISBERT HAEFS

ZWEITAUSENDEINS

"THE JUNGLE BOOK" UND "THE SECOND JUNGLE BOOK"
ERSCHIENEN ZUERST 1894 UND 1895
BEI MACMILLAN & CO., LONDON, UND THE CENTURY CO., NEW YORK.

DIE ERSTAUSGABEN DIESER NEUÜBERSETZUNGEN ERSCHIENEN 1987
IM HAFFMANS VERLAG ZÜRICH

UMSCHLAGZEICHNUNG VON
NIKOLAUS HEIDELBACH

LIZENZAUSGABE MIT FREUNDLICHER GENEHMIGUNG DER
HAFFMANS VERLAG AG FÜR ZWEITAUSENDEINS, POSTFACH,
D-60381 FRANKFURT AM MAIN.

ALLE RECHTE VORBEHALTEN, INSBESONDERE DAS RECHT DER MECHANISCHEN,
ELEKTRONISCHEN ODER FOTOGRAFISCHEN VERVIELFÄLTIGUNG,
DER EINSPEICHERUNG UND VERARBEITUNG IN ELEKTRONISCHEN SYSTEMEN,
DES NACHDRUCKS IN ZEITSCHRIFTEN ODER ZEITUNGEN,
DES ÖFFENTLICHEN VORTRAGS, DER VERFILMUNG ODER DRAMATISIERUNG,
DER ÜBERTRAGUNG DURCH RUNDFUNK, FERNSEHEN ODER VIDEO,
AUCH EINZELNER TEXT- UND BILDTEILE.

DER GEWERBLICHE WEITERVERKAUF UND DER GEWERBLICHE VERLEIH
VON BÜCHERN, PLATTEN, VIDEOS ODER ANDEREN SACHEN AUS DER
ZWEITAUSENDEINS-PRODUKTION BEDÜRFEN IN JEDEM FALL DER
SCHRIFTLICHEN GENEHMIGUNG DURCH DIE GESCHÄFTSLEITUNG VOM
ZWEITAUSENDEINS VERSAND IN FRANKFURT.

PRINTED IN GERMANY 1998.

DIESES BUCH GIBT ES NUR BEI ZWEITAUSENDEINS IM VERSAND,
POSTFACH, D-60381 FRANKFURT AM MAIN,
TELEFON 0 18 05-23 2001 ODER 0 69-4 20 8000, FAX 0 18 05-24 2001 ODER 0 69-4 17 089.
INTERNET WWW.ZWEITAUSENDEINS.DE, E-MAIL INFO@ZWEITAUSENDEINS.DE.
ODER IN DEN ZWEITAUSENDEINS-LÄDEN IN BERLIN, DÜSSELDORF, ESSEN,
FRANKFURT, FREIBURG, HAMBURG, KÖLN, MANNHEIM, MÜNCHEN,
NÜRNBERG, SAARBRÜCKEN, STUTTGART.
IN DER SCHWEIZ ÜBER BUCH 2000, POSTFACH 89, CH-8910 AFFOLTERN A. A.

ALLE RECHTE AN DIESER NEUEDITION
UND NEUÜBERSETZUNG VORBEHALTEN
COPYRIGHT © 1987, 1998 BY
HAFFMANS VERLAG AG ZÜRICH
ISBN 3-86150-275-5

INHALT

DAS DSCHUNGELBUCH

DAS ZWEITE DSCHUNGELBUCH

DAS DSCHUNGELBUCH

VORWORT

Die Anforderungen, die ein Werk dieser Art an die Großzügigkeit von Spezialisten stellt, sind überaus zahlreich, und der Herausgeber wäre der großzügigen Behandlung, die man ihm angedeihen ließ, keinesfalls wert, wollte er hier nicht seine Dankesschuld so vollständig wie nur möglich anzeigen.

Sein Dank gebührt zuallererst dem gelehrten und vortrefflichen Bahadur Shah, Lasten-Elefant 174 auf der Indischen Dienstrolle, der zusammen mit seiner liebenswürdigen Schwester Padmini so freundlich war, die Geschichte von »Toomai von den Elefanten« zur Verfügung zu stellen sowie auch einen Großteil der Informationen, die in »Diener Ihrer Majestät« enthalten sind. Mowglis Abenteuer wurden zu verschiedenen Zeiten und an verschiedenen Orten bei einer Vielzahl von Informanten gesammelt, deren die meisten strengste Anonymität zu wahren wünschen. Der Herausgeber glaubt jedoch, sich nach all der Zeit und aus dieser Entfernung die Freiheit nehmen zu können, einem Hindu-Gentleman vom alten Schlag, einem geschätzten Bewohner der oberen Hänge des Jakko-Berges, zu danken für seine überzeugende, wenngleich bisweilen ätzende Darlegung der nationalen Charakteristika seiner Kaste – der Priester. Sahi, ein Wissenschaftler von unendlichem Forschungsgeist und Eifer, ein Mitglied des kürzlich aufgelösten Seoni-Rudels, und ein Künstler, der wohlbekannt ist auf den meisten Jahrmärkten Südindiens, wo sein Tanz mit Maulkorb und seinem Meister die Jungen, Schönen und Kultivierten vieler Dörfer anzieht, haben äußerst wertvolle Daten über Leute, Sitten und Gebräuche beigetragen. Diese fanden freimütige Verwendung in den Geschichten »Tiger! Tiger!«, »Kaas Jagd« und »Mowglis Brüder«. Für die Grundzüge von »Rikki-Tikki-Tavi« ist der Herausgeber einem der führenden Herpetologen

Oberindiens zu Dank verpflichtet, einem furchtlosen und unabhängigen Forscher, der in der Absicht, »nicht zu leben sondern zu wissen«, vor kurzem sein Leben opferte, infolge allzu intensiver Hingabe an das Studium unserer östlichen Thanatophidia. Ein glücklicher Reisezufall erlaubte es dem Herausgeber, als er Passagier auf der *Empress of India* war, einem Mitreisenden eine geringfügige Gefälligkeit zu erweisen. Wie reich seine ärmlichen Dienste belohnt wurden, mögen Leser von »Die weiße Robbe« selbst beurteilen.

MOWGLIS BRÜDER

Now Chil the Kite brings home the night
    That Mang the Bat sets free—
The herds are shut in byre and hut
    For loosed till dawn are we.
This is the hour of pride and power,
    Talon and tush and claw.
Oh hear the call!—Good hunting all
    That keep the Jungle Law!
        Night-Song in the Jungle.

[Der Geier Chil bringt nun die Nacht;
    die Fledermaus Mang ließ sie frei –
die Herden sind eingesperrt in Stall und Hütte,
    denn bis zum Morgen sind wir los.
Dies ist die Stunde von Stolz und Macht,
    Klaue und Hauer und Kralle.
O hört den Ruf! – Gutes Jagen allen
    die das Dschungelgesetz achten!
        Nachtlied im Dschungel]

Es war sieben Uhr an einem sehr warmen Abend in den Seoni-Hügeln, als Vater Wolf von seiner Tagesrast erwachte, sich kratzte, gähnte und seine Pfoten eine nach der anderen ausstreckte, um das schläfrige Gefühl in den Spitzen loszuwerden. Mutter Wolf lag mit ihrer großen grauen Nase quer über den vier taumeligen, quietschenden Jungen, und der Mond schien in den Mund der Höhle, in der sie alle lebten. »Aogrh!« sagte Vater Wolf, »es ist wieder Zeit zum Jagen«; und er wollte eben den Hügel hinabspringen, als ein kleiner Schatten mit buschigem Schwanz die Schwelle überschritt und winselte: »Glück mit Euch, o Haupt der Wölfe; und viel Glück und starke weiße Zähne den edlen Kindern, daß sie nie die Hungrigen dieser Welt vergessen.«

Es war der Schakal – Tabaqui der Schüssellecker –, und Indiens Wölfe verachten Tabaqui, weil er geschwätzig herumläuft, Unfug und Unheil anrichtet und Lumpen und Lederstücke von den Abfallhaufen der Dörfer frißt. Aber sie fürchten ihn auch, denn leichter als jeder andere im Dschungel wird Tabaqui manchmal verrückt, und dann vergißt er, daß er jemals Angst vor irgendwem gehabt hat, rennt durch den Wald und beißt alles, was ihm in den Weg läuft. Sogar der Tiger flüchtet und versteckt sich, wenn der kleine Tabaqui verrückt wird, denn Wahnsinn ist das Schlimmste, was einem wilden Geschöpf zustoßen kann. Wir nennen es Tollwut, aber sie nennen es *dewanee* – Wahnsinn – und fliehen.

»Dann komm herein und sieh dich um«, sagte Vater Wolf unwirsch; »aber Essen gibt es hier nicht.«

»Nicht für einen Wolf«, sagte Tabaqui; »aber für eine so unbedeutende Person wie mich ist ein blanker Knochen schon ein Festmahl. Wer sind wir denn, die Gidur-log [Schakal-Leute], daß wir wählerisch sein könnten?« Er lief ans Ende der Höhle, wo er den Knochen eines Bocks mit noch etwas Fleisch daran fand, und er setzte sich und knackte ihn munter.

»Großen Dank für dieses feine Mahl«, sagte er; dabei leckte er sich die Lippen. »Wie schön die edlen Kinder sind! Wie groß ihre Augen! Und das schon so jung! Aber natürlich hätte ich daran denken sollen, daß Königskinder von Anfang an Männer sind.«

Nun wußte Tabaqui so gut wie jeder andere, daß es nichts Unheilvolleres gibt, als Kinder zu loben, wenn sie zuhören; und es machte ihm Vergnügen, Mutter und Vater Wolf unbehaglich dreinblicken zu sehen.

Tabaqui saß ruhig da, genoß den Schaden, den er angerichtet hatte, und sagte schließlich gehässig: »Shere Khan, der Große, hat seine Jagdgründe verlegt. Den nächsten Mond über wird er in diesen Hügeln hier jagen; das hat er mir jedenfalls gesagt.«

Shere Khan war der Tiger, der nahe dem Wainganga-Fluß lebte, zwanzig Meilen entfernt.

»Dazu hat er kein Recht!« begann Vater Wolf zornig. »Nach dem Gesetz des Dschungels hat er kein Recht, ohne gehörige Vorwarnung seinen Bereich zu wechseln. Im Umkreis von zehn Meilen wird er jedes Stück Beute verscheuchen, und ich – ich muß in diesen Tagen für zwei töten.«

»Seine Mutter hat ihn nicht umsonst Langri [der Lahme] genannt«, sagte Mutter Wolf ruhig. »Seit seiner Geburt ist er auf einem Fuß lahm. Deshalb hat er auch nur Vieh getötet. Jetzt sind die Dörfler am Wainganga wütend auf ihn und er kommt her, um *unsere* Dörfler wütend zu machen. Sie werden den Dschungel nach ihm absuchen, wenn er weit fort ist, und wir und unsere Kinder müssen fliehen, wenn das Gras angezündet wird. Wir sind Shere Khan wirklich sehr dankbar.«

»Soll ich ihm von Eurer Dankbarkeit berichten?« sagte Tabaqui.

»Raus!« schnappte Vater Wolf. »Hinaus und jag mit deinem Meister. Für eine Nacht hast du genug Unheil angerichtet.«

»Ich gehe«, sagte Tabaqui gelassen. »Ihr könnt Shere Khan schon unten im Dickicht hören. Ich hätte mir die Botschaft sparen können.«

Vater Wolf lauschte, und unten im Tal, das zu einem kleinen Fluß abfiel, hörte er das trockene, böse, knurrende Singsang-wimmern eines Tigers, der nichts erlegt hat und sich nicht darum kümmert, ob der ganze Dschungel es erfährt.

»Der Narr!« sagte Vater Wolf. »Ein Nachtwerk mit diesem Krach zu beginnen! Meint er denn, unsere Wildböcke wären wie seine fetten Wainganga-Ochsen?«

»Sch! Heute nacht jagt er weder Bulle noch Bock«, sagte Mutter Wolf. »Er jagt Mensch.« Das Winseln war zu einer Art summenden Schnurrens geworden, das aus allen Himmelsrichtungen zu kommen schien. Es war jenes Geräusch, das Holzfäller und Zigeuner, die im Freien schlafen, verwirrt und sie manchmal genau ins Maul des Tigers laufen läßt.

»Mensch!« sagte Vater Wolf; er zeigte all seine weißen

Zähne. »Pah! Gibt es denn in den Tümpeln nicht genug Käfer und Frösche, daß er Mensch essen muß, und noch dazu auf unserem Boden?«

Das Gesetz des Dschungels, das niemals etwas grundlos anordnet, verbietet es jedem Tier, Mensch zu essen, außer wenn es tötet, um seinen Kindern zu zeigen, wie man tötet, und dann muß es außerhalb der Jagdgründe seines Rudels oder Stammes jagen. Der wahre Grund hierfür ist, daß Menschentöten früher oder später die Ankunft weißer Männer auf Elefanten bedeutet, mit Gewehren und Hunderten brauner Männer mit Gongs und Raketen und Fackeln. Dann leiden alle im Dschungel. Der Grund, den Tiere untereinander angeben, ist, daß der Mensch das schwächste und wehrloseste aller Lebewesen sei, und daher sei es unsportlich, ihn anzugehen. Sie sagen auch – und es stimmt –, daß Menschenesser die Räude bekommen und ihre Zähne verlieren.

Das Schnurren wurde lauter und endete im vollkehligen »Aaarr!«, mit dem der Tiger angreift.

Dann hörte man ein Jaulen – ein untigerisches Jaulen – von Shere Khan. »Er hat die Beute verfehlt«, sagte Mutter Wolf. »Was war es?«

Vater Wolf lief ein paar Schritte hinaus und hörte Shere Khan wütend murmeln und murren, während er im Buschwerk herumwühlte.

»Der Narr hat so wenig Verstand gehabt, daß er ins Lagerfeuer eines Holzfällers gesprungen ist und sich die Füße verbrannt hat«, sagte Vater Wolf mit einem Grunzen. »Tabaqui ist bei ihm.«

»Etwas kommt den Hügel herauf«, sagte Mutter Wolf; sie zuckte mit einem Ohr. »Paß auf.«

Einzelne Büsche im Dickicht raschelten ein wenig, und Vater Wolf kauerte sich auf die Hinterschenkel, zum Sprung bereit. Hättet ihr ihn beobachtet, so hättet ihr anschließend den herrlichsten Anblick auf der Welt gesehen – den Wolf, wie er mitten im Sprung abbremst. Er machte seinen Satz, ehe er noch sehen konnte, gegen was er da sprang, und versuchte dann anzuhalten. Das Ergebnis war, daß er vier oder fünf Fuß gerade in die Luft schoß und fast genau dort landete, wo er den Boden verlassen hatte.

»Ein Mensch!« stieß er hervor. »Ein Menschenjunges. Sieh doch!«

Gerade vor ihm, an einen niedrigen Zweig geklammert, stand ein nacktes braunes Kind, das eben erst gehen konnte – ein so weiches und mit Grübchen und Kringeln versehenes Wesen, wie nie zuvor nachts eines zu einer Wolfshöhle gekommen war. Es blickte auf, in Vater Wolfs Gesicht, und lachte.

»Ist das ein Menschenjunges?« sagte Mutter Wolf. »Ich habe noch nie eins gesehen. Bring es her.«

Ein Wolf, der daran gewöhnt ist, seine eigenen Jungen zu tragen, kann notfalls ein Ei im Maul halten, ohne es zu zerbrechen, und obwohl Vater Wolfs Kiefer die Brust des Kindes berührten, hatte kein Zahn die Haut auch nur angekratzt, als er es zwischen seine Jungen legte.

»Wie klein! Wie nackt, und – wie mutig!« sagte Mutter Wolf leise. Der Kleine wühlte sich zwischen den Wölflingen hindurch, um nahe ans warme Fell zu kommen. »Ahai! Er nimmt mit den anderen sein Mahl ein. Das ist also ein Menschenjunges. Sag, hat sich je eine Wölfin rühmen können, ein Menschenjunges unter ihren Kindern zu haben?«

»Hin und wieder habe ich so etwas gehört, aber nie in unserem Rudel oder zu meiner Zeit«, sagte Vater Wolf. »Er ist ganz unbehaart, und ich könnte ihn durch eine Berührung mit meinem Fuß töten. Aber sieh, er blickt auf und fürchtet sich nicht.«

Das Mondlicht konnte nicht mehr in die Höhlenöffnung eindringen, denn Shere Khans großer eckiger Kopf und seine Schultern schoben sich in den Eingang. Hinter ihm quäkte Tabaqui: »Mein Herr, mein Herr, hier ist es hineingegangen!«

»Shere Khan bereitet uns eine große Ehre«, sagte Vater

Wolf, aber seine Augen waren sehr zornig. »Was benötigt Shere Khan?«

»Meine Beute. Ein Menschenjunges ist hiergewesen«, sagte Shere Khan. »Seine Eltern sind fortgelaufen. Gib es her.«

Shere Khan war ins Lagerfeuer eines Holzfällers gesprungen, wie Vater Wolf gesagt hatte, und er war wütend wegen der Schmerzen in seinen verbrannten Füßen. Aber Vater Wolf wußte, daß der Mund der Höhle zu eng war, um einen Tiger einzulassen. Selbst wo er nun stand, waren Shere Khans Schultern und Vordertatzen eingeklemmt, wie es die eines Mannes wären, der in einem Faß zu kämpfen versuchte.

»Die Wölfe sind ein freies Volk«, sagte Vater Wolf. »Befehle nehmen sie vom Führer des Rudels entgegen, nicht von einem hergelaufenen Rindermörder mit Streifen. Das Menschenjunge gehört uns – auch zum Töten, wenn wir wollen.«

»Ihr wollt und ihr wollt nicht! Was ist das für ein Geschwätz über Wollen? Bei dem Stier, den ich getötet habe – soll ich etwa hier stehenbleiben und in eurem Hundeloch nach dem schnüffeln, was mir zusteht? Shere Khan ist es, der hier spricht!«

Das Gebrüll des Tigers füllte die Höhle mit Donner. Mutter Wolf schüttelte ihre Jungen ab und sprang nach vorn; ihre Augen, wie zwei grüne Monde in der Finsternis, begegneten den flammenden Augen von Shere Khan.

»Und ich bin es, Raksha [die Dämonin], die antwortet. Das Menschenjunge ist mein, Langri – mein allein! Er wird nicht getötet werden. Er wird leben, um mit dem Rudel zu laufen und mit dem Rudel zu jagen; und am Ende, sieh dich vor, du Jäger kleiner nackter Jungen – Froschesser – Fischmörder, wird er *dich* jagen! Nun verschwinde, oder bei dem Sambhur, den ich getötet habe (*ich* esse *keine* verhungerten Rinder), wirst du dahin gehen, wo deine Mutter ist, du verbranntes Dschungelbiest, und zwar lahmer als du bei deiner Geburt warst! Geh!«

Vater Wolf schaute völlig verblüfft zu. Er hatte die Tage schon fast vergessen, da er Mutter Wolf in fairem Kampf gegen fünf andere Wölfe gewonnen hatte, da sie mit dem Rudel lief und nicht zum Spaß die Dämonin genannt wurde. Shere Khan hätte Vater Wolf vielleicht die Stirn geboten, aber mit Mutter Wolf konnte er es nicht aufnehmen, denn er wußte, daß sie, wo sie stand, alle Vorteile des Geländes für sich hatte und bis zum Tod kämpfen würde. Also zog er sich grollend aus dem Höhleneingang zurück, und im Freien schrie er:

»Jeder Hund bellt im eigenen Hof! Wir werden schon sehen, was das Rudel zu dieser Aufzucht von Menschenjungen zu sagen hat. Der Junge gehört mir, und zwischen meine Zähne wird er am Schluß kommen, ihr büschelschwänzigen Diebe!«

Mutter Wolf warf sich keuchend zwischen den Jungen nieder, und Vater Wolf sagte sehr ernst: »Damit sagt Shere Khan die Wahrheit. Der Junge muß dem Rudel vorgeführt werden. Willst du ihn immer noch behalten, Mutter?«

»Behalten!« ächzte sie. »Nackt ist er gekommen, in der Nacht, allein und sehr hungrig; und dennoch hatte er keine Furcht! Sieh, er hat schon eins meiner Kinder beiseite geschoben. Und dieser lahme Schlächter hätte ihn getötet und wäre dann zum Wainganga verschwunden, während die Dörfler hier zur Rache all unsere Lagerstätten zerstören! Ihn behalten? Natürlich werde ich ihn behalten. Lieg still, kleiner Frosch. O du Mowgli – denn Mowgli der Frosch, will ich dich nennen –, die Zeit wird kommen, da du Shere Khan jagen wirst, wie er dich gejagt hat.«

»Aber was wird unser Rudel sagen!« sagte Vater Wolf.

Das Gesetz des Dschungels legt ganz eindeutig fest, daß sich jeder Wolf, wenn er eine Gefährtin nimmt, aus dem Rudel, dem er angehört, zurückziehen kann; aber sobald seine Jungen alt genug sind, um auf ihren eigenen Füßen zu stehen, muß er sie zum Rudelrat bringen, der im allgemeinen einmal im Monat bei Vollmond abgehalten wird, damit die anderen Wölfe sie erkennen. Nach dieser Musterung dürfen die Jungen überall frei herumlaufen, und ehe sie nicht ihren ersten Bock getötet haben, wird keine Entschuldigung angenommen, wenn ein erwachsener Wolf des Rudels eines der Jungen tötet. Wenn der Mörder gefunden werden kann, ist die Strafe der Tod; und wenn ihr eine Minute nachdenkt, werdet ihr einsehen, daß dies so sein muß.

Vater Wolf wartete, bis seine Jungen ein wenig laufen konnten, und in der Nacht des Rudeltreffens brachte er dann sie und Mowgli und Mutter Wolf zum Ratsfelsen – einer mit Steinen und Blöcken bedeckten Hügelkuppe, wo sich hundert Wölfe verbergen konnten. Akela der große graue Einsame Wolf, der das ganze Rudel mit Stärke und List lenkte, legte sich in voller Länge auf seinen Felsen, und unter ihm saßen vierzig oder mehr Wölfe aller Größen und Farben, von dachsfarbenen Veteranen, die allein mit einem Bock fertigwerden konnten, bis zu jungen schwarzen Dreijährigen, die meinten, sie könnten es auch. Der Einsame Wolf hatte sie nun seit einem Jahr geführt. Zweimal war er in seiner Jugend in eine Wolfsfalle geraten, und einmal hatte man ihn geschlagen und als tot liegengelassen; er kannte also die Gebräuche und Gepflogenheiten der Menschen. Beim Felsen wurde sehr wenig gesprochen. Im Mittelpunkt des Kreises, in dem ihre Mütter und Väter saßen, purzelten die Jungen übereinander, und hin und wieder ging ein älterer Wolf leise zu einem Jungen, musterte ihn sorgsam und kehrte auf lautlosen Füßen zu seinem Platz zurück. Manchmal stieß eine Mutter ihr Junges weit hinaus ins Mondlicht, um sicher zu sein, daß man es nicht übersehen hatte. Auf seinem Felsen rief Akela: »Ihr kennt das Gesetz – ihr kennt das Gesetz. Gut wägen, Wölfe!« und die besorgten Mütter nahmen den Ruf auf: »Seht – gut wägen, Wölfe!«

Schließlich – und Mutter Wolfs Nackenborsten sträubten sich, als es soweit war – schob Vater Wolf »Mowgli den Frosch«, wie sie ihn nannten, in die Mitte, wo er sich hinsetzte und lachte und mit ein paar Kieseln spielte, die im Mondlicht glitzerten.

Akela hob seinen Kopf nicht von den Pfoten, sondern wiederholte den eintönigen Ruf: »Gut wägen!« Dumpfes Röhren drang hinter einem der Felsen hervor – die Stimme von Shere Khan, der rief: »Das Junge ist mein! Gebt es mir. Was hat das Freie Volk mit einem Menschenjungen zu schaffen?« Akela zuckte nicht einmal mit den Ohren; alles was er sagte war: »Gut wägen, Wölfe! Was hat das Freie Volk mit den Befehlen von irgendwem außer dem Freien Volk zu schaffen? Gut wägen!«

Tiefes Grollen erhob sich im Chor, und ein junger Wolf in seinem vierten Jahr warf Akela erneut Shere Khans Frage vor: »Was hat das Freie Volk mit einem Menschenjungen zu schaffen?«

Nun bestimmt das Gesetz des Dschungels, daß bei einem Streit darüber, ob ein Junges das Recht hat, vom Rudel aufgenommen zu werden, mindestens zwei Mitglieder des Rudels, die nicht Vater und Mutter des Jungen sind, für es sprechen müssen.

»Wer spricht für dieses Junge?« sagte Akela. »Wer aus dem Freien Volk spricht für es?« Niemand antwortete, und Mutter Wolf bereitete sich auf das vor, was, wie sie wußte, ihr letzter Kampf sein würde – wenn es zum Kampf kam.

Da erhob sich das einzige andere Geschöpf, das im Rudelrat zugelassen ist – Baloo, der schläfrige braune Bär, der die Wolfsjungen das Gesetz des Dschungels lehrt; der alte Baloo, der kommen und gehen darf, wie es ihm gefällt, denn er ißt nur Nüsse und Wurzeln und Honig – setzte sich auf die Hinterbeine und knurrte.

»Das Menschenjunge – das Menschenjunge?« sagte er. »*Ich* spreche für das Menschenjunge. Ein Menschenjunges ist ohne Harm. Ich kann keine schönen Reden halten, aber ich sage die Wahrheit. Laßt ihn mit dem Rudel laufen, nehmt ihn mit den anderen auf. Ich selbst werde ihn lehren.«

»Wir brauchen noch einen«, sagte Akela. »Baloo hat gesprochen, und er ist der Lehrer unserer Jungen. Wer spricht noch außer Baloo?«

Ein schwarzer Schatten tropfte in den Kreis hinab. Es war Bagheera, der Schwarze Panther, tintenschwarz über und über, aber mit der Leopardenzeichnung, die bei bestimmtem Licht wie das Muster gewässerter Seide aufleuchtet. Alle kannten Bagheera, und niemand mochte ihm in die Quere kommen; denn er war listig wie Tabaqui, mutig wie der wilde Büffel und tollkühn wie der wunde Elefant. Er hatte aber eine Stimme so mild wie wilder Honig, der von einem Baum tröpfelt, und eine Haut weicher als Daunen.

»O Akela, und ihr, Freies Volk«, schnurrte er, »ich habe kein Recht in eurer Versammlung; aber das Gesetz des Dschungels sagt, wenn es um ein neues Junges Zweifel gibt, die nichts mit einem Töten zu tun haben, dann kann das Leben dieses Jungen für einen Preis gekauft werden. Und das Gesetz sagt nicht, wer den Preis bezahlen darf und wer nicht. Stimmt das?«

»Gut! gut!« sagten die jungen Wölfe, die immer hungrig sind. »Hört Bagheera an. Das Junge kann für einen Preis gekauft werden. Das ist das Gesetz.«

»Da ich weiß, daß ich kein Recht habe, hier zu sprechen, bitte ich um eure Erlaubnis.«

»Dann sprich«, riefen zwanzig Stimmen.

»Ein nacktes Junges töten ist Schande. Außerdem kann er für euch ein besseres Spielzeug abgeben, wenn er erwachsen ist. Baloo hat für ihn gesprochen. Nun will ich Baloos Worten einen Bullen hinzufügen, und zwar einen fetten, frisch getötet, keine halbe Meile von hier, wenn ihr das Menschenjunge gemäß dem Gesetz aufnehmt. Ist die Entscheidung schwierig?«

Darauf klangen Dutzende Stimmen durcheinander: »Was solls? Er wird ohnehin im Winterregen sterben. Er wird in der Sonne verbrennen. Welchen Schaden kann uns denn ein nackter Frosch zufügen? Soll er doch mit dem Rudel laufen. Wo ist der Bulle, Bagheera? Nehmt ihn ruhig auf.« Und dann erklang das tiefe Bellen von Akela, der rief: »Gut wägen – gut wägen, Wölfe!«

Mowgli war noch immer zutiefst interessiert an den Kieseln und bemerkte nichts, als die Wölfe nacheinander kamen und ihn musterten. Schließlich liefen sie alle den Hügel hinab nach dem toten Bullen, und nur Akela, Bagheera, Baloo und Mowglis eigene Wölfe blieben zurück. Shere Khan brüllte noch immer in die Nacht, denn er war sehr wütend, weil man ihm Mowgli nicht ausgeliefert hatte.

»Ja, brüll du nur«, sagte Bagheera leise in seinen Bart; »es wird nämlich die Zeit kommen, in der dieses nackte Ding dich ein anderes Lied brüllen läßt, oder ich verstehe nichts mehr von Menschen.«

»Gut gemacht«, sagte Akela. »Menschen und ihre Jungen sind sehr klug. Mit der Zeit kann er uns eine Hilfe sein.«

»Das stimmt; eine Hilfe in Zeiten der Not; es kann nämlich niemand erwarten, das Rudel ewig zu führen«, sagte Bagheera.

Akela sagte nichts. Er dachte an die Zeit, die für jeden Führer jeden Rudels kommt, wenn seine Kraft ihn verläßt und er schwächer und schwächer wird, bis er am Ende von den Wölfen getötet wird und ein neuer Führer aufsteht – um seinerseits getötet zu werden.

»Nimm ihn mit«, sagte er zu Vater Wolf, »und erzieh ihn, wie es einem vom Freien Volk zukommt.«

Und so wurde Mowgli in das Rudel der Seoni-Wölfe aufgenommen, um den Preis eines Bullen und auf Baloos Zureden.

Nun müßt ihr euch damit begnügen, zehn oder elf ganze Jahre zu überspringen und euch das wundervolle Leben selbst auszumalen, das Mowgli mit den Wölfen führte; aufgeschrieben würde es nämlich so viele Bücher wie Jahre füllen. Er wuchs mit den Wolfsjungen auf, wenn sie auch natürlich erwachsene Wölfe waren, fast bevor er ein Kind wurde, und Vater Wolf lehrte ihn sein Geschäft und die Bedeutung der Dinge im Dschungel, bis jedes Rascheln im Gras, jeder Hauch der warmen Nachtluft, jeder Sang der Eulen über seinem Kopf, jedes

Kratzen der Kralle einer Fledermaus, wenn sie sich für eine Weile in einem Baum niederließ, und jedes Platschen jedes kleinen Fisches, der in einem Teich sprang, ihm ebensoviel bedeutete wie einem Geschäftsmann das Funktionieren seines Büros. Wenn er nicht lernte, saß er in der Sonne und schlief und aß und schlief erneut; wenn er sich schmutzig oder heiß fühlte, schwamm er in den Waldweihern; und wenn er Honig haben wollte (Baloo brachte ihm bei, daß Honig und Nüsse genauso gut schmeckten wie rohes Fleisch), kletterte er dafür in die Bäume, und dies brachte Bagheera ihm bei. Bagheera legte sich auf einen Ast und rief »Komm her, Kleiner Bruder«, und zuerst klammerte Mowgli sich an wie das Faultier, aber später schwang er sich durchs Geäst fast so mutig wie der graue Affe. Auch am Ratsfelsen nahm er seinen Platz ein, wenn das Rudel sich versammelte, und dort entdeckte er, daß jeder Wolf, wenn Mowgli ihm in die Augen starrte, bald den Blick senken mußte, und deshalb starrte Mowgli oft aus reinem Übermut. Bei anderen Gelegenheiten zog er die langen Dornen aus den Ballen seiner Freunde, denn an Dornen und Kletten im Fell leiden Wölfe schrecklich. Nachts ging er manchmal hinab ins bebaute Land, um sich sehr neugierig die Dörfler in ihren Hütten anzusehen, aber er mißtraute den Menschen, denn Bagheera hatte ihm einen viereckigen Kasten mit Fallklappe gezeigt, der so geschickt im Dschungel versteckt war, daß er fast hineingelaufen wäre, und der Panther hatte ihm gesagt, daß dies eine Falle sei. Am allerliebsten ging Mowgli mit Bagheera ins dunkle warme Herz des Waldes, um dort den ganzen trägen Tag zu verschlafen und nachts zu sehen, wie Bagheera tötete. Wenn er hungrig war, tötete Bagheera alles, was er bekommen konnte, und Mowgli machte es ebenso – mit einer Ausnahme. Sobald er alt genug war, um gewisse Dinge zu begreifen, brachte Bagheera ihm bei, niemals Vieh zu berühren, weil er um den Preis des Lebens eines Bullen ins Rudel eingekauft worden war. »Der ganze Dschungel gehört dir«, sagte Bagheera, »und du kannst alles töten, wozu du stark genug bist; aber um des Bullen willen, der dich gekauft hat, darfst du niemals junges oder altes Vieh töten oder essen. Das ist das Gesetz des Dschungels.« Mowgli gehorchte gewissenhaft.

Und er wuchs und wurde so stark wie ein Junge werden muß, wenn er nicht weiß, daß er etwas lernt, und der an nichts in der Welt zu denken braucht als an eßbare Dinge.

Mutter Wolf sagte ihm ein- oder zweimal, daß er Shere Khan nicht trauen dürfe, und daß er eines Tages Shere Khan würde töten müssen; während aber ein junger Wolf sich jede einzelne Stunde an diesen Ratschlag erinnert hätte, vergaß Mowgli ihn, weil er nur ein Junge war – wenn er sich auch einen Wolf genannt haben würde, hätte er irgendeine menschliche Sprache sprechen können.

Sehr oft kreuzte Shere Khan im Dschungel seinen Weg, denn als Akela älter und schwächer wurde, schloß der lahme Tiger dicke Freundschaft mit den jüngeren Wölfen des Rudels, die ihm folgten und fraßen, was er übrigließ – etwas, was Akela niemals erlaubt hätte, wenn er gewagt hätte, seine Autorität bis an die vorgesehenen Grenzen durchzusetzen. Bei solchen Gelegenheiten schmeichelte Shere Khan ihnen und wunderte sich, daß so feine junge Jäger es duldeten, von einem sterbenden Wolf und einem Menschenjungen geführt zu werden. »Ich habe gehört«, pflegte Shere Khan zu sagen, »daß ihr beim Rat nicht wagt, ihm in die Augen zu sehen«; und dann knurrten die jungen Wölfe und sträubten das Fell.

Bagheera, der seine Augen und Ohren überall hatte, wußte davon, und ein- oder zweimal setzte er Mowgli gründlich auseinander, daß Shere Khan ihn eines Tages töten würde; und dann lachte Mowgli und antwortete: »Ich habe das Rudel und ich habe dich; und Baloo, wenn er auch faul ist, kann doch noch einen oder zwei Schläge für mich austeilen. Warum soll ich mich fürchten?«

Es war an einem sehr warmen Tag, als Bagheera eine neue Idee kam – weil er etwas gehört hatte. Vielleicht hatte Ikki das Stachelschwein es ihm erzählt; jedenfalls sagte er Mowgli, als sie tief im Dschungel waren und der Junge mit dem Kopf auf Bagheeras wunderschönem schwarzen Fell ruhte: »Kleiner Bruder, wie oft hab ich dir gesagt, daß Shere Khan dein Feind ist?«

»So viele Male wie Nüsse auf der Palme da sind«, sagte Mowgli, der natürlich nicht zählen konnte. »Na und? Ich will schlafen, Bagheera, und Shere Khan ist nur langer Schwanz und lautes Schwatzen – wie Mor der Pfau.«

»Aber jetzt ist keine Zeit zum Schlafen. Baloo weiß es; ich weiß es; das Rudel weiß es; und sogar die dummen, dummen Hirsche wissen es. Übrigens hat Tabaqui es dir erzählt.«

»Ho! ho!« sagte Mowgli. »Tabaqui ist zu mir gekommen, das ist noch nicht lange her, und hat mir freche Dinge gesagt, daß ich ein nacktes Menschenjunges bin und nicht mal wert, Erdnüsse auszugraben; aber ich habe Tabaqui am Schwanz gepackt und ihn zweimal gegen eine Palme gehauen, um ihm bessere Manieren beizubringen.«

»Das war sehr dumm; wenn Tabaqui nämlich auch ein Unheilstifter ist, hätte er dir doch etwas erzählt, das dich wirklich angeht. Mach die Augen auf, Kleiner Bruder. Shere Khan kann es nicht wagen, dich im Dschungel zu töten; aber denk dran, Akela ist sehr alt, und bald kommt der Tag, an dem er seinen Bock nicht mehr töten kann, und dann wird er kein Führer mehr sein. Viele von den Wölfen, die dich gemustert haben, als du zum ersten Mal zum Rat gebracht worden bist, sind nun auch alt, und die jungen Wölfe glauben, was Shere Khan ihnen beigebracht hat – daß für ein Menschenjunges kein Platz im Rudel ist. Bald wirst du ein Mann sein.«

»Und was ist mit einem Mann, daß er nicht mit seinen Brüdern laufen darf?« sagte Mowgli. »Ich bin im Dschungel geboren. Ich habe das Gesetz des Dschungels befolgt, und es gibt bei uns keinen Wolf, dem ich nicht einen Dorn aus dem Ballen gezogen habe. Es sind doch meine Brüder!«

Bagheera streckte sich zu voller Länge aus und schloß die Augen halb. »Kleiner Bruder«, sagte er, »faß unter meinen Kiefer.«

Mowgli hob seine starke braune Hand, und genau unter Bagheeras seidigem Kinn, wo all die riesigen rollenden Muskeln von schimmerndem Haar verborgen wurden, fühlte er eine kleine kahle Stelle.

»Keiner im Dschungel weiß daß ich, Bagheera, dieses Mal trage – das Mal des Halsrings; aber es stimmt, Kleiner Bruder: Ich bin unter Menschen geboren, und unter Menschen ist meine Mutter gestorben – in den Käfigen des Königspalasts von Udaipur. Das ist der Grund, weshalb ich den Preis für dich beim Rat gezahlt hab, als du ein kleines nacktes Junges warst. Ja, auch ich bin unter Menschen geboren. Ich hatte nie den Dschungel gesehen. Sie haben mich durch Gitter aus einer Eisenpfanne gefüttert bis zu einer Nacht, in der ich spürte, daß ich Bagheera bin – der Panther – und nicht das Spielzeug eines Menschen, und ich habe den albernen Riegel mit einem Schlag meiner Tatze zerbrochen und war frei; und weil ich Menschendinge kennengelernt habe, bin ich im Dschungel furchtbarer geworden als Shere Khan. Stimmt es nicht?«

»Ja«, sagte Mowgli. »Alle im Dschungel fürchten Bagheera – alle außer Mowgli.«

»Ach, *du* bist ja auch ein Menschenjunges«, sagte der Schwarze Panther ganz zärtlich; »und genau wie ich in meinen Dschungel zurückgekehrt bin, so mußt du am Schluß zu den Menschen zurück – zu den Menschen, die deine Brüder sind –, wenn du nicht im Rat getötet wirst.«

»Aber warum... aber warum sollte mich denn jemand töten wollen?« sagte Mowgli.

»Sieh mich an«, sagte Bagheera; und Mowgli schaute ihm

25

fest in die Augen. Nach einer halben Minute wandte der große Panther den Kopf ab.

»Deshalb«, sagte er; er fuhr mit der Tatze auf dem Laub hin und her. »Nicht einmal ich kann dir in die Augen sehen, und ich bin unter Menschen geboren, und ich liebe dich, Kleiner Bruder. Die anderen hassen dich, weil ihre Augen deine nicht ertragen können; weil du klug bist; weil du ihnen Dornen aus den Füßen gezogen hast – weil du ein Mensch bist.«

»Das alles hab ich nicht gewußt«, sagte Mowgli mürrisch; unter seinen schweren schwarzen Augenbrauen schnitt er eine Grimasse.

»Was ist das Gesetz des Dschungels? Schlag erst und gib dann Laut. Gerade an deiner Sorglosigkeit sehen sie, daß du ein Mensch bist. Aber sieh dich vor. Ich fürchte, wenn Akela nächstens seine Beute verfehlt – und bei jeder Jagd fällt es ihm schwerer, seinen Bock zu erlegen –, dann wird sich das Rudel gegen ihn und gegen dich wenden. Sie werden einen Dschungelrat am Felsen abhalten, und dann ... und dann ... ich habs!« sagte Bagheera; er sprang auf. »Geh du schnell hinab zu den Menschenhütten im Tal und nimm etwas von der Roten Blume, die sie da pflegen, damit du, wenn die Zeit kommt, einen Freund hast, der noch stärker ist als ich oder Baloo oder die vom Rudel, die dich lieben. Hol die Rote Blume.«

Mit der Roten Blume meinte Bagheera Feuer, nur wird kein Geschöpf des Dschungels je das Feuer bei seinem Namen nennen. Jedes Tier lebt in tödlicher Furcht vor ihm und erfindet hundert Arten, es zu umschreiben.

»Die Rote Blume?« sagte Mowgli. »Die wächst im Zwielicht vor ihren Hütten. Ich werde etwas davon holen.«

»Da spricht das Menschenjunge«, sagte Bagheera stolz. »Denk daran, daß sie in kleinen Töpfen wächst. Hol dir schnell einen und halt ihn bereit für die Zeit der Not.«

»Gut!« sagte Mowgli. »Ich gehe. Aber bist du sicher, o mein Bagheera« – er schlang seinen Arm um den glänzenden Hals und sah tief in die großen Augen – »bist du sicher, daß all dies Shere Khans Werk ist?«

»Bei dem Zerbrochenen Riegel, der mich freiließ, ich bin sicher, Kleiner Bruder.«

»Dann will ich, bei dem Bullen der mich kaufte, Shere Khan all dies voll bezahlen und vielleicht noch ein wenig mehr«, sagte Mowgli; und er sprang fort.

»Das ist ein Mensch. Das ist ganz und gar ein Mensch«, sagte Bagheera sich, als er sich wieder niederlegte. »Oh, Shere Khan, nie gab es eine schwärzere Jagd als deine Froschjagd vor zehn Jahren!«

Mowgli hatte eine weite Strecke durch den Wald zurückzulegen; er lief schnell, und sein Herz war heiß. Er kam zur Höhle, als der Abendnebel stieg, und er holte Luft und blickte hinab ins Tal. Die Jungen waren fort, aber Mutter Wolf, hinten in der Höhle, hörte an seinem Atem, daß etwas ihren Frosch bekümmerte.

»Was hast du, Sohn?« sagte sie.

»Fledermausgeschwätz über Shere Khan«, rief er zurück. »Ich jage diese Nacht auf den gepflügten Feldern«, und er stürzte sich durch die Büsche abwärts zum Strom auf dem Grund des Tals. Dort blieb er plötzlich stehen, denn er hörte das Gellen des jagenden Rudels, das Brüllen eines gehetzten Sambhar und das Schnauben des Bocks, als er sich stellte. Dann kam das böse, beißende Heulen der jungen Wölfe: »Akela! Akela! Der Einsame Wolf soll seine Kraft zeigen. Macht Platz für den Führer des Rudels! Spring, Akela!«

Der Einsame Wolf mußte gesprungen sein und gefehlt haben, denn Mowgli hörte seine Zähne schnappen und dann ein Jaulen, als der Sambhar ihn mit dem Vorderfuß niederschlug.

Er wartete nicht länger, sondern rannte weiter; und hinter ihm wurde das Gellen schwächer, als er über das Ackerland lief, wo die Dörfler lebten.

»Bagheera hat die Wahrheit gesagt«, keuchte er, während er

sich neben dem Fenster einer Hütte in einen Haufen Viehfutter preßte. »Morgen steht für Akela und für mich das gleiche auf dem Spiel.«

Dann drückte er sein Gesicht nah ans Fenster und beobachtete das Feuer auf dem Herd. Er sah, wie die Frau des Bauern nachts aufstand und es mit schwarzen Klumpen fütterte; und als der Morgen kam und die Nebel ganz weiß und kalt waren, sah er das Kind des Mannes einen innen mit Lehm bestrichenen Weidenkorb nehmen, Klumpen rotglühender Holzkohle hineinlegen, seine Decke darüberbreiten und hinausgehen, um nach den Kühen im Stall zu sehen.

»Ist das alles?« sagte Mowgli. »Wenn ein Menschenjunges das tun kann, dann gibt es da nichts zu fürchten«; deshalb lief er um die Ecke und zu dem Jungen, nahm ihm den Korb aus der Hand und verschwand im Nebel, während der Junge vor Angst laut heulte.

»Sie sind mir sehr ähnlich«, sagte Mowgli; er blies in den Korb, wie er es von der Frau gesehen hatte. »Dieses Ding wird sterben, wenn ich ihm nichts zu essen gebe«; und er warf Zweige und trockene Borke auf den roten Stoff. Auf der Hälfte des Hügelhangs traf er Bagheera; in seinem Fell glitzerte Morgentau wie Mondsteine.

»Akela hat verfehlt«, sagte der Panther. »Sie hätten ihn letzte Nacht schon getötet, aber dich wollen sie auch. Sie haben auf dem Hügel nach dir gesucht.«

»Ich war auf dem gepflügten Land. Ich bin bereit. Sieh mal!« Mowgli hielt den Feuerkorb hoch.

»Gut! Also, ich hab gesehen, wie Menschen einen trockenen Ast in diesen Stoff tauchen, und bald darauf blüht die Rote Blume am Ende des Asts. Hast du keine Angst?«

»Nein. Wovor denn? Ich erinnere mich jetzt – wenn es kein Traum ist –, wie ich, bevor ich ein Wolf war, neben der Roten Blume gelegen hab, und das war warm und angenehm.«

Diesen ganzen Tag saß Mowgli in der Höhle, kümmerte sich

um seinen Feuertopf und tauchte trockene Zweige hinein, um zu sehen, was mit ihnen geschah. Er fand einen Ast, der ihn zufriedenstellte, und als am Abend Tabaqui in die Höhle kam und ihm reichlich grob mitteilte, man erwarte ihn am Ratsfelsen, lachte er, bis Tabaqui fortlief. Dann ging Mowgli zum Rat, und er lachte noch immer.

Akela, der Einsame Wolf, lag neben seinem Felsen, als Zeichen dafür, daß die Führung des Rudels offen war, und Shere Khan mit seiner Gefolgschaft von abfallfressenden Wölfen wanderte ganz offen hin und her und wurde umschmeichelt. Bagheera lag nahe bei Mowgli, und der Feuertopf stand zwischen Mowglis Knien. Als alle versammelt waren, begann Shere Khan zu reden – etwas, was er nie gewagt hätte, als Akela noch bei voller Kraft war.

»Er hat kein Recht dazu«, flüsterte Bagheera. »Sag es. Er ist ein Hundesohn. Er wird sich fürchten.«

Mowgli sprang auf. »Freies Volk«, rief er, »führt Shere Khan etwa das Rudel? Was hat ein Tiger mit unserer Führerschaft zu tun?«

»Da die Frage der Führerschaft offen ist und man mich gebeten hat zu sprechen . . .« begann Shere Khan.

»Wer hat dich gebeten?« sagte Mowgli. »Sind wir denn *alle* Schakale, daß wir vor diesem Rindermörder auf dem Bauch kriechen? Die Führung des Rudels geht nur das Rudel etwas an.«

Rufe gellten auf wie »Schweig, du Menschenjunges!« und »Laßt ihn reden. Er hat unser Gesetz geachtet«; und schließlich grollten die Ältesten des Rudels: »Der Tote Wolf soll sprechen.« Wenn ein Rudelführer beim Töten verfehlt hat, wird er der Tote Wolf genannt, solange er lebt, was meistens nicht lang ist.

Akela hob müde sein altes Haupt. »Freies Volk, und auch ihr, Schakale von Shere Khan, zwölf Jahre habe ich euch zum Töten und wieder zurück geführt, und in der ganzen Zeit ist keiner in eine Falle geraten oder verstümmelt worden. Nun habe ich beim Töten verfehlt. Ihr wißt, wie dafür gesorgt worden ist. Ihr wißt, wie ihr mich, damit jeder meine Schwäche sieht, zu einem Bock gebracht habt, der noch nicht müde gehetzt war. Das war sehr schlau. Jetzt habt ihr das Recht, mich hier auf dem Ratsfelsen zu töten. Deshalb frage ich – wer kommt und macht dem Einsamen Wolf ein Ende? Es ist nämlich mein Recht, nach dem Gesetz des Dschungels, daß ihr einzeln kommt, einer nach dem anderen.«

Langes Schweigen folgte, denn keiner der Wölfe legte Wert darauf, allein mit Akela bis zum Tod zu kämpfen. Dann brüllte Shere Khan: »Bah! was haben wir mit diesem zahnlosen Narren zu schaffen? Er wird ohnehin bald sterben! Es geht um das Menschenjunge, das schon zu lange lebt. Freies Volk, er war von Anfang an mein Fleisch. Gebt ihn mir. Ich habe dieses dumme Mensch-Wolf-Spiel satt. Er stört den Dschungel seit zehn Jahren. Gebt mir das Menschenjunge, sonst werde ich immer hier jagen und euch keinen einzigen Knochen abgeben. Er ist ein Mensch, ein Kind von Menschen, und bis ins Mark meiner Knochen hasse ich ihn!«

Da gellte mehr als die Hälfte des Rudels: »Ein Mensch! Ein Mensch! Was hat ein Mensch bei uns zu suchen? Er soll gehen, wo er hingehört.«

»Und alle Leute aus den Dörfern auf uns hetzen?« schrie Shere Khan. »Nein; gebt ihn mir. Er ist ein Mensch, und keiner von uns kann ihm in die Augen sehen.«

Akela hob abermals seinen Kopf und sagte: »Er hat unsere Speise gegessen. Er hat mit uns geschlafen. Er hat Wild für uns gejagt. Er hat kein Wort des Dschungelgesetzes gebrochen.«

»Außerdem habe ich für ihn mit einem Bullen bezahlt, als er angenommen wurde. Der Wert eines Bullen ist gering, aber Bagheeras Ehre ist etwas, für das er vielleicht kämpfen wird«, sagte Bagheera mit seiner sanftesten Stimme.

»Ein Bulle, vor zehn Jahren bezahlt!« murrte das Rudel. »Was kümmern uns Knochen, die zehn Jahre alt sind?«

»Und ein Gelübde?« sagte Bagheera; er fletschte seine weißen Zähne. »Und das nennt sich das Freie Volk!«

»Kein Menschenjunges darf mit dem Volk des Dschungels laufen«, heulte Shere Khan. »Gebt ihn mir!«

»Er ist unser Bruder in allem, außer im Blut«, fuhr Akela fort; »und ihr wollt ihn hier töten! Ich habe wirklich zu lange gelebt. Einige von euch sind Viehfresser, und von anderen habe ich gehört, daß sie nach Shere Khans Weisung in dunklen Nächten losziehen und Kinder von den Türschwellen der Dörfler stehlen. Deshalb weiß ich, daß ihr Feiglinge seid, und an Feiglinge wende ich mich. Es steht fest, daß ich sterben muß, und mein Leben ist ohne Wert, sonst würde ich es für das des Menschenjungen bieten. Aber um der Ehre des Rudels willen – ein geringfügiges Ding, das ihr ohne Führer vergessen habt – verspreche ich: Wenn ihr das Menschenjunge gehen laßt, wo es hingehört, werde ich, wenn meine Zeit zum Sterben kommt, keinen Zahn gegen euch blecken. Ich werde sterben, ohne zu kämpfen. Das wird dem Rudel mindestens drei Leben retten. Mehr kann ich nicht tun; aber wenn ihr wollt, kann ich euch wenigstens die Schande ersparen, einen Bruder getötet zu haben, der keine Schuld begangen hat – einen Bruder, für den gesprochen wurde und der ins Rudel gekauft wurde gemäß dem Gesetz des Dschungels.«

»Er ist ein Mensch – ein Mensch – ein Mensch!« knurrte das Rudel; und die meisten Wölfe begannen sich um Shere Khan zu sammeln, dessen Schwanz schon durch die Luft peitschte.

»Nun liegt alles in deiner Hand«, sagte Bagheera zu Mowgli. »*Wir* können nichts mehr tun außer kämpfen.«

Mowgli stand aufrecht da – den Feuertopf in den Händen. Dann streckte er die Arme aus und gähnte der Ratsversammlung ins Gesicht; aber er raste vor Wut und Trauer, denn nach Wolfsart hatten die Wölfe ihm nie gesagt, wie sehr sie ihn haßten. »Hört zu, ihr da!« rief er. »Dieses Hundegekläff ist unnütz. Ihr habt mir heute abend so oft gesagt, daß ich ein Mensch bin (und dabei wäre ich als Wolf bis an mein Lebensende bei euch geblieben), und jetzt fühle ich, daß ihr recht habt. Deshalb werde ich euch nicht mehr meine Brüder nennen, sondern *sag* [Hunde], wie es einem Menschen zusteht. Was ihr tun und was ihr nicht tun werdet, darüber habt ihr nicht zu bestimmen. Das liegt alles bei *mir*; und damit wir die Sache ein wenig deutlicher sehen, habe ich, der Mensch, die Rote Blume hergebracht, vor der ihr, Hunde, euch fürchtet.«

Er warf den Feuertopf zu Boden, und einige der roten Kohlen entzündeten ein trockenes Moosbüschel, das aufloderte; und die ganze Ratsversammlung wich entsetzt vor den springenden Flammen zurück.

Mowgli stieß seinen toten Ast ins Feuer, bis die Zweige sich entzündeten und knisterten, und schwenkte ihn zwischen den kauernden Wölfen über seinem Kopf herum.

»Du bist der Herr«, sagte Bagheera leise. »Rette Akela vor dem Tod. Er ist immer dein Freund gewesen.«

Akela, der grimme alte Wolf, der in seinem Leben nie um Gnade gebeten hatte, warf Mowgli einen kläglichen Blick zu, als der Junge ganz nackt da stand; das lange schwarze Haar strömte ihm über die Schultern, im Licht des lodernden Asts, das die Schatten tanzen und zittern ließ.

»Gut!« sagte Mowgli; er starrte langsam rund um sich. »Ich sehe, ihr seid Hunde. Ich gehe fort von euch zu meinen eigenen Leuten – wenn sie denn meine Leute sind. Der Dschungel ist mir versperrt, und ich muß eure Sprache und eure Gesellschaft vergessen; aber ich will gnädiger sein als ihr. Weil ich in allem außer im Blut euer Bruder war, verspreche ich, daß ich euch, wenn ich ein Mensch unter Menschen bin, nicht an die Menschen verraten werde, wie ihr mich verraten habt.« Er trat mit dem Fuß nach dem Feuer, und Funken flogen auf. »Zwischen uns und dem Rudel soll kein Krieg herrschen. Aber hier ist noch eine Schuld zu begleichen, bevor ich gehe.« Er schritt dorthin, wo Shere Khan saß und blöde in die Flammen blinzelte, und packte ihn am Haarbüschel auf seinem Kinn. Bagheera folgte, für alle Fälle. »Auf, du Hund!« schrie Mowgli. »Auf, wenn ein Mensch redet, oder ich stecke dein Fell in Brand!«

Shere Khans Ohren legten sich flach an den Kopf, und er schloß die Augen, denn der flammende Ast war sehr nah.

»Dieser Viehmörder hat gesagt, er will mich im Rat töten, weil er mich nicht getötet hat, als ich ein Junges war. Da, so, und so, schlagen wir Hunde, wenn wir Menschen sind. Beweg nur ein einziges Barthaar, Langri, und ich ramm dir die Rote Blume in den Rachen!« Er schlug Shere Khan mit dem Ast auf den Kopf, und der Tiger wimmerte und winselte in Todesangst.

»Pah! Versengte Dschungelkatze – geh jetzt! Aber denk dran, wenn ich das nächste Mal zum Ratsfelsen komme, wie ein Mensch es tun sollte, dann komme ich mit Shere Khans Fell auf dem Kopf. Im übrigen ist Akela frei und kann leben, wie es ihm gefällt. Ihr werdet ihn *nicht* töten, weil ich es nicht will. Ich glaube auch nicht, daß ihr hier noch länger herumsitzt und eure Zungen heraushängen laßt, als ob ihr etwas Besseres wärt als Hunde, die ich fortjage – so! Geht!« Das Feuer flackerte heftig am Ende des Asts, und Mowgli schlug um sich, rechts und links, und die Wölfe rannten heulend fort, mit sengenden Funken im Fell. Schließlich blieben nur Akela, Bagheera und vielleicht zehn Wölfe zurück, die sich auf Mowglis Seite gestellt hatten. Dann begann etwas, Mowgli innen weh zu tun, wie nie zuvor in seinem Leben etwas ihm weh getan hatte, und er schnappte nach Luft und schluchzte, und die Tränen rannen sein Gesicht hinab.

»Was ist das? Was ist das?« sagte er. »Ich will den Dschungel nicht verlassen, und ich weiß nicht, was das ist. Sterbe ich etwa, Bagheera?«

»Nein, Kleiner Bruder. Das sind nur Tränen, wie Menschen sie haben«, sagte Bagheera. »Jetzt weiß ich, daß du ein Mann bist und nicht länger ein Menschenjunges. Der Dschungel ist dir nun wirklich in Zukunft versperrt. Laß sie fließen, Mowgli. Es sind nur Tränen.« So saß Mowgli da und weinte, als ob das Herz ihm brechen wollte; und in seinem ganzen Leben hatte er nie zuvor geweint.

»Jetzt«, sagte er, »werde ich zu Menschen gehen. Aber zuerst muß ich meiner Mutter Lebwohl sagen«; und er ging zu der Höhle, wo sie mit Vater Wolf lebte, und er weinte in ihr Fell, während ihre vier Söhne jämmerlich heulten.

»Ihr werdet mich nicht vergessen?« sagte Mowgli.

»Niemals, solange wir noch einer Fährte folgen können«, sagten die jungen Wölfe. »Komm zum Fuß des Hügels, wenn du ein Mensch bist, und wir werden mit dir reden; und wir werden bei Nacht ins Ackerland kommen, um mit dir zu spielen.«

»Komm bald!« sagte Vater Wolf. »O kluger kleiner Frosch, komm bald wieder; denn wir sind alt, deine Mutter und ich.«

»Komm bald«, sagte Mutter Wolf, »mein kleiner nackter Sohn; denn höre, Menschenkind, dich habe ich mehr geliebt als meine eigenen Jungen.«

»Ich komme ganz bestimmt«, sagte Mowgli; »und wenn ich komme, dann wird es sein, um Shere Khans Fell auf dem Ratsfelsen auszubreiten. Vergeßt mich nicht! Sagt denen im Dschungel, daß sie mich nie vergessen sollen!«

Der Morgen brach bereits an, als Mowgli allein den Hügel hinabging, um jenen rätselhaften Wesen zu begegnen, die Menschen genannt werden.

HUNTING-SONG OF THE SEEONEE PACK

As the dawn was breaking the Sambhur belled
    Once, twice and again!
And a doe leaped up, and a doe leaped up
From the pond in the wood where the wild deer sup
This I, scouting alone, beheld,
    Once, twice and again!

As the dawn was breaking the Sambhur belled
    Once, twice and again!
And a wolf stole back, and a wolf stole back
To carry the word to the waiting pack,
And we sought and we found and we bayed on his track
    Once, twice and again!

As the dawn was breaking the Wolf Pack yelled
    Once, twice and again!
Feet in the jungle that leave no mark!
Eyes that can see in the dark—the dark!
Tongue—give tongue to it! Hark! O hark!
    Once, twice and again!

JAGDGESANG DES SEONI-RUDELS

Als der Morgen brach brüllte der Sambhar
    einmal, zweimal und wieder!
Und ein Reh sprang auf, und ein Reh sprang auf
bei dem Teich im Wald wo die Hirsche äsen.
Dies hab ich, einsam auf Kundschaft, gesehn,
    einmal, zweimal und wieder!

Als der Morgen brach brüllte der Sambhar
    einmal, zweimal und wieder!
Und ein Wolf schlich heim, und ein Wolf schlich heim,
um dem wartenden Rudel Bescheid zu geben,
und wir suchten und fanden und bellten auf der Spur
    einmal, zweimal und wieder!

Als der Morgen brach hat das Rudel gegellt
    einmal, zweimal und wieder!
Füße im Dschungel die spurlos sind!
Augen die im Dunkel sehn!
Laut – gib Laut jetzt! Hört! O hört!
    Einmal, zweimal und wieder!

KAAS JAGD

His spots are the joy of the Leopard: his horns are the Buffalo's pride.
Be clean, for the strength of the hunter is known by the gloss of his hide.
If ye find that the bullock can toss you, or the heavy-browed Sambhur can gore;
Ye need not stop work to inform us: we knew it ten seasons before.
Oppress not the cubs of the stranger, but hail them as Sister and Brother,
For though they are little and fubsy, it may be the Bear is their mother.
'There is none like to me!' says the Cub in the pride of his earliest kill;
But the jungle is large and the Cub he is small. Let him think and be still.

Maxims of Baloo.

[Die Flecken sind des Leoparden Freude, die Hörner des Büffels Stolz.
Sei reinlich – die Stärke des Jägers zeigt sich am Glanz seines Fells.
Entdeckt ihr, daß euch der Ochse werfen, der Sambhur aufs Horn nehmen kann –
macht weiter, statt es zu melden: Wir wußten das schon vor zehn Jahren.
Bedrückt nicht die Jungen des Fremden, sondern grüßt sie als Schwester und
    Bruder,
denn wenn sie auch klein sind und feist – vielleicht ist die Bärin die Mutter.
»Keiner kommt mir gleich!« sagt der Wölfling im Stolz seines ersten Tötens;
doch der Dschungel ist groß und der Wölfling ist klein. Er soll denken und
    schweigen. *Maximen von Baloo*]

ALLES was hier erzählt ist geschah einige Zeit bevor Mowgli aus
dem Seoni-Wolfsrudel ausgestoßen wurde und ehe er sich an
Shere Khan dem Tiger rächte. Es war in den Tagen, da
Baloo ihn das Gesetz des Dschungels lehrte. Der große, ernst-
hafte, alte braune Bär war entzückt, einen so gelehrigen Schüler
zu haben, denn die jungen Wölfe mögen vom Gesetz des
Dschungels nur das lernen, was ihr eigenes Rudel und ihren
Stamm betrifft, und sie laufen weg, sobald sie den Jagdspruch
wiederholen können: »Füße, die keinen Lärm machen; Augen,
die im Dunkel sehen können; Ohren, die in ihren Lagern die
Winde hören, und scharfe weiße Zähne, all diese Dinge sind die
Zeichen unserer Brüder, bis auf Tabaqui den Schakal und die
Hyäne, die wir hassen.« Aber Mowgli als Menschenjunges
mußte viel mehr als das lernen. Manchmal kam Bagheera, der
Schwarze Panther, durch den Dschungel geschlendert, um zu

sehen, wie sein Liebling sich machte, und er legte den Kopf an einen Baum und schnurrte, während Mowgli seine Tageslektion für Baloo aufsagte. Der Junge kletterte nun fast so gut wie er schwamm, und er schwamm fast so gut wie er lief; deshalb brachte Baloo, der Lehrer des Gesetzes, ihm die Gesetze von Wald und Wasser bei: wie man einen morschen Ast von einem heilen unterscheidet; wie man höflich zu den wilden Bienen ist, wenn man fünfzig Fuß über dem Boden einem ihrer Schwärme begegnet; was man zu Mang der Fledermaus sagt, wenn man sie um Mittag in den Ästen stört; und wie man die Wasserschlangen in den Teichen warnt, ehe man zwischen ihnen herumplanscht. Keiner vom Dschungel-Volk mag gestört werden, und alle stürzen sich sehr schnell auf einen Eindringling. Weiter lernte Mowgli auch den Jagdruf des Fremdlings, der laut wiederholt werden muß, bis er beantwortet wird, wenn einer vom Dschungel-Volk außerhalb seiner eigenen Gründe jagt. Übersetzt bedeutet er: »Erlaubt mir hier zu jagen, denn ich bin hungrig«; und die Antwort ist: »Dann jage um Nahrung, aber nicht zum Vergnügen.«

All das wird euch zeigen, wieviel Mowgli auswendig zu lernen hatte, und er wurde sehr müde, wenn er hundertmal das gleiche sagen mußte; aber, wie Baloo zu Bagheera sagte, als er Mowgli eines Tages geknufft hatte und der Junge wütend fortgerannt war: »Ein Menschenjunges ist ein Menschenjunges, und er muß das *ganze* Gesetz des Dschungels lernen.«

»Aber bedenk doch, wie klein er ist«, sagte der Schwarze Panther, der Mowgli verzogen hätte, wenn es nach ihm gegangen wäre. »Wie kann sein kleiner Kopf all dein langes Reden aufnehmen?«

»Ist irgendwas im Dschungel zu klein, um getötet zu werden? Nein. Deshalb bring ich ihm all das bei, und deshalb hau ich ihn, ganz sanft, wenn er vergißt.«

»Sanft! Was weißt du denn von Sanftheit, alter Eisenfuß?«
knurrte Bagheera. »Sein Gesicht ist heute ganz wund von deiner – Sanftheit. Ugh.«

»Besser, er ist von Kopf bis Fuß wund durch mich, der ihn
liebt, als daß er durch Unwissenheit zu Schaden kommt«, antwortete Baloo sehr ernst. »Ich lehre ihn jetzt die Meisterworte
des Dschungels, die ihm Schutz verschaffen werden bei den
Vögeln und dem Schlangenvolk und allem, was auf vier Füßen
jagt, außer seinem eigenen Rudel. Wenn er nur die Worte be-
hält, kann er nun von allen im Dschungel Schutz fordern. Ist
das nicht ein bißchen Haue wert?«

»Na ja, dann sieh aber zu, daß du das Menschenjunge nicht
tötest. Er ist kein Baumstumpf, an dem du deine stumpfen
Krallen schärfen kannst. Wie lauten denn diese Meisterworte?
Ich werde wohl eher Hilfe geben als erbitten« – Bagheera
reckte eine Pranke und bewunderte die stahlblauen, reißnagel-
scharfen Krallen an ihrem Ende –, »trotzdem wüßte ich sie
gern.«

»Ich werde Mowgli rufen und er wird sie aufsagen – wenn er
will. Komm, Kleiner Bruder!«

»Mein Kopf summt wie ein Bienenstock«, sagte eine dünne,
mürrische Stimme über ihren Köpfen, und Mowgli glitt sehr
verärgert und entrüstet einen Baumstamm hinab; als er den Boden erreichte, setzte er hinzu: »Ich komme wegen Bagheera und
nicht wegen *dir*, fetter alter Baloo!«

»Das ist mir ganz gleich«, sagte Baloo, obwohl er verletzt und
traurig war. »Dann sag jetzt Bagheera die Meisterworte des
Dschungels, die ich dir heut beigebracht hab.«

»Meisterworte für welches Volk?« sagte Mowgli, der sich
freute, angeben zu können. »Der Dschungel hat viele Zungen.
Ich kenne sie alle.«

»Du kennst ein bißchen, aber nicht viel. Du siehst, o Bagheera, sie danken ihrem Lehrer nie. Kein einziger kleiner Wölfling ist je wiedergekommen, um sich beim alten Baloo für die

Belehrung zu bedanken. Also, sag das Wort für das Jagende Volk – du großer Gelehrter.«

»Wir sind eines Blutes, ihr und ich«, sagte Mowgli; er sprach die Worte mit dem Akzent des Bären aus, den alles Jagende Volk versteht.

»Gut. Jetzt für die Vögel.«

Mowgli wiederholte, mit dem Geierpfiff am Ende des Satzes.

»Jetzt für das Schlangen-Volk«, sagte Bagheera.

Die Antwort war ein vollkommen unbeschreibliches Zischen, und Mowgli schlug einen Purzelbaum, klatschte sich selbst Beifall und sprang auf Bagheeras Rücken, wo er zur Seite gewandt sitzen blieb, mit den Fersen auf das glänzende Fell trommelte und Baloo die schlimmsten Fratzen schnitt, die ihm einfielen.

»Siehst du! Siehst du! Das war doch ein bißchen Wundsein wert«, sagte der braune Bär zärtlich. »Eines Tages wirst du an mich denken.« Dann wandte er sich Bagheera zu und erzählte ihm, wie er die Meisterworte erbeten hatte von Hathi, dem Wilden Elefanten, der alles über diese Dinge weiß, und wie Hathi Mowgli mitgenommen hatte zu einem Tümpel, um das Schlangen-Wort von einer Wasserschlange zu erfahren, weil Baloo es nicht aussprechen konnte, und wie Mowgli nun gegen alles Unglück im Dschungel einigermaßen geschützt war, da weder Schlange noch Vogel noch Tier ihm etwas antun würde.

»Er braucht also keinen zu fürchten«, schloß Baloo; dabei tätschelte er stolz seinen dicken pelzigen Bauch.

»Außer seinem eigenen Stamm«, sagte Bagheera leise; dann, laut, zu Mowgli: »Sei vorsichtig mit meinen Rippen, Kleiner Bruder! Was soll denn das Herumtanzen?«

Mowgli hatte versucht, Gehör zu bekommen, indem er an Bagheeras Schulterfell zerrte und heftig strampelte. Als die beiden sich ihm zuwandten, schrie er so laut er konnte: »Und ich werde meinen eigenen Stamm haben und ihn den ganzen Tag durch die Äste führen.«

»Was ist denn das für ein neuer Unsinn, du kleiner Träumer?« sagte Bagheera.

»Ja, und Äste und Schmutz auf den alten Baloo werfen«, fuhr Mowgli fort. »Sie haben es mir versprochen. Au!«

»*Wuuf!*« Baloos große Tatze fegte Mowgli von Bagheeras Rücken, und als der Junge zwischen den großen Vorderpranken lag, konnte er sehen, daß der Bär böse war.

»Mowgli«, sagte Baloo, »du hast mit den *Bandar-log* geredet – den Affen-Leuten.«

Mowgli schaute Bagheera an um zu sehen, ob auch der Panther zornig sei, und Bagheeras Augen waren hart wie Jadesteine.

»Du bist beim Affen-Volk gewesen – den grauen Affen – dem Volk ohne Gesetz – den Allesfressern. Es ist eine große Schande.«

»Als Baloo mir am Kopf wehgetan hat«, sagte Mowgli (er lag noch immer auf dem Rücken), »bin ich fortgegangen, und die grauen Affen sind aus den Bäumen gekommen und haben mich bedauert. Niemand sonst hatte Mitleid mit mir.« Er schniefte ein wenig.

»Das Mitleid des Affen-Volks!« Baloo schnaubte. »Die Stille des Gebirgsflusses! Die Kühle der Sommersonne! Und weiter, Menschenjunges?«

»Und dann, und dann, dann haben sie mir Nüsse gegeben und andere leckere Dinge, und sie . . . sie haben mich in den Armen zu den Baumwipfeln getragen und gesagt, ich wäre ihr Blutsbruder, bloß daß ich keinen Schwanz hätte, und irgendwann würde ich ihr Führer sein.«

»Sie haben keinen Führer«, sagte Bagheera. »Sie lügen. Sie haben immer gelogen.«

»Sie waren sehr nett und haben gesagt, ich soll wiederkommen. Warum habt ihr mich nie zum Affen-Volk gebracht? Sie stehen auf den Füßen wie ich. Sie hauen mich nicht mit harten Tatzen. Sie spielen den ganzen Tag. Laß mich aufstehn! Böser Baloo, laß mich hoch! Ich will wieder mit ihnen spielen.«

»Hör zu, Menschenjunges«, sagte der Bär, und seine Stimme grollte wie Donner in einer heißen Nacht. »Ich habe dich das ganze Gesetz des Dschungels für alle Völker des Dschungels gelehrt – außer für die Affen-Leute, die in den Bäumen hausen. Sie haben kein Gesetz. Sie sind Ausgestoßene. Sie haben keine eigene Sprache, sondern benutzen gestohlene Wörter, die sie aufschnappen, wenn sie oben in den Ästen hocken und lauschen und lugen und warten. Ihre Art ist nicht unsere. Sie sind ohne Führer. Sie haben kein Gedächtnis. Sie prahlen und plappern und behaupten, sie seien ein großes Volk und würden bald große Dinge im Dschungel tun, aber sobald eine Nuß fällt, denken sie wieder nur ans Lachen, und alles ist vergessen. Wir aus dem Dschungel wollen nichts mit ihnen zu tun haben. Wir trinken nicht da, wo die Affen trinken; wir gehen nicht, wohin die Affen gehen; wir jagen nicht, wo sie jagen; wir sterben nicht, wo sie sterben. Hast du mich bis heute je von den *Bandar-log* reden hören?«

»Nein«, sagte Mowgli ganz leise, denn der Wald war sehr still, als Baloo geendet hatte.

»Das Dschungel-Volk spricht nicht von ihnen und denkt nicht an sie. Es sind sehr viele, übel, schmutzig, schamlos, und sie wollen, wenn sie überhaupt etwas wirklich wollen, daß das Dschungel-Volk sie beachtet. Aber wir beachten sie *nicht*, nicht einmal, wenn sie uns Nüsse und Dreck auf die Köpfe werfen.«

Er hatte dies kaum gesagt, als ein Schauer von Nüssen und Zweigen durch die Äste herabprasselte; und hoch oben in der Luft zwischen den dünnen Ästen konnten sie es husten und heulen und hüpfen hören.

»Das Affen-Volk ist verboten«, sagte Baloo, »für das Dschungel-Volk verboten. Denk dran.«

»Verboten«, sagte Bagheera; »aber trotzdem finde ich, Baloo hätte dich vor ihnen warnen sollen.«

»Ich? Ich? Woher sollte ich denn wissen, daß er mit diesem Schmutz spielen würde? Das Affen-Volk! Pah!«

Ein neuer Schauer kam über ihre Köpfe, und die beiden trabten davon und nahmen Mowgli mit sich. Was Baloo über die Affen gesagt hatte war die Wahrheit. Sie gehörten in die Baumwipfel, und da Tiere sehr selten aufblicken, gab es kaum Gelegenheiten der Begegnung zwischen den Affen und dem Dschungel-Volk. Doch sooft sie einen kranken Wolf oder einen wunden Tiger oder Bären fanden, quälten die Affen ihn, und nach jedem Tier warfen sie Stöcke und Nüsse, zum Spaß und weil sie hofften, beachtet zu werden. Dann heulten und kreischten sie sinnlose Gesänge und luden das Dschungel-Volk ein, die Bäume zu erklimmen und mit ihnen zu kämpfen, oder sie trugen untereinander wüste Schlachten aus und ließen die toten Affen dort, wo das Dschungel-Volk sie sehen konnte. Immer waren sie unmittelbar davor, einen Führer zu haben und eigene Gesetze und Bräuche, aber daraus wurde nie etwas, weil ihr Gedächtnis nicht von einem Tag bis zum nächsten reichte, und deshalb einigten sie sich auf ein von ihnen erfundenes Sprichwort: »Was die *Bandar-log* heute denken, denkt bald der Dschungel«, und das tröstete sie sehr. Kein Tier konnte sie erreichen, aber andererseits schenkte kein Tier ihnen Beachtung, und deshalb waren sie so erfreut, als Mowgli kam und mit ihnen spielte und als sie hörten, wie verärgert Baloo war.

Mehr wollten sie nicht – die *Bandar-log* wollen nie irgendwas Bestimmtes; aber einer von ihnen hatte etwas, was er für eine glänzende Idee hielt, und er erzählte allen anderen, es wäre nützlich, Mowgli im Stamm zu haben, da er zum Schutz gegen den Wind Zweige zusammenflechten könne; und wenn sie ihn fingen, könnten sie es sich von ihm beibringen lassen. Als Kind eines Holzfällers hatte Mowgli natürlich alle möglichen Instinkte ererbt und machte oft aus abgefallenen Ästen kleine Hütten, ohne darüber nachzudenken, wie er dazu kam, und das Affen-Volk, das von den Bäumen zuschaute, fand seine Spielerei ganz wunderbar. Diesmal, sagten sie, würden sie wirklich einen Führer haben und das klügste Volk im Dschungel werden

– so klug, daß alle anderen sie beachten und beneiden müßten. Deshalb folgten sie Baloo und Bagheera und Mowgli ganz leise durch den Dschungel, bis es Zeit für den Mittagsschlummer war; und Mowgli, der sich sehr schämte, schlief zwischen dem Panther und dem Bären und war entschlossen, nichts mehr mit dem Affen-Volk zu tun zu haben.

Das nächste, woran er sich erinnerte, war das Gefühl von Händen an seinen Beinen und Armen – harten, starken, kleinen Händen –, dann klatschten Zweige in sein Gesicht, und dann starrte er hinab zwischen schwankenden Ästen, während Baloo mit seinen tiefen Schreien den Dschungel weckte und Bagheera, alle Zähne gebleckt, den Stamm hochsprang. Die *Bandar-log* heulten vor Triumph und tobten zu den höchsten Ästen hinauf, wohin Bagheera nicht zu folgen wagte; dabei schrien sie: »Er hat uns bemerkt! Bagheera hat uns beachtet! Das ganze Dschungel-Volk bewundert uns, weil wir geschickt und schlau sind.« Dann machten sie sich auf die Flucht, und die Flucht des Affen-Volks durch Baum-Land ist ein Ding, das keiner beschreiben kann. Sie haben richtige Straßen und Kreuzungen, bergauf und bergab führende Wege, alle zwischen fünfzig und siebzig oder gar hundert Fuß über dem Boden angelegt, und notfalls können sie über diese Straßen sogar bei Nacht reisen. Zwei der stärksten Affen packten Mowgli unter den Armen und schwangen sich mit ihm durch die Wipfel, zwanzig Fuß auf einen Satz. Wären sie allein gewesen, hätten sie doppelt so schnell laufen können, aber das Gewicht des Jungen hielt sie zurück. Mowgli war übel und schwindlig; dennoch konnte er nicht anders als die wilde Jagd genießen, obwohl er erschrak, wenn er flüchtig die Erde tief unten weghuschen sah, und obwohl das schreckliche Rucken und Reißen nach dem weiten Satz über nichts als leere Luft ihm das Herz zwischen die Zähne trieb. Rasend schnell schleppten seine Entführer ihn Bäume hinauf, bis er die dünnsten höchsten Äste sich unter ihnen biegen und knirschen fühlte, und dann warfen sie sich mit einem

Husten und Keuchen vorwärts und hinab in die Luft und fingen sich, indem sie mit Händen oder Füßen an den unteren Ästen des nächsten Baumes hingen. Manchmal konnte er viele Meilen weit über den stillen grünen Dschungel schauen, wie jemand im Masttopp eines Schiffs Meilen weit über die See blicken kann; dann wieder peitschten Zweige und Blätter durch sein Gesicht, und er und seine beiden Wärter waren abermals fast am Boden. So raste der ganze Stamm der *Bandar-log* hüpfend und stürzend und keuchend und kreischend über die Baumstraßen mit Mowgli, ihrem Gefangenen.

Zuerst hatte er Angst, sie könnten ihn fallen lassen; dann wurde er böse, hütete sich aber davor, zu zappeln, und schließlich begann er nachzudenken. Als erstes würde er Baloo und Bagheera eine Nachricht übermitteln müssen, denn er wußte, daß seine Freunde bei dem Tempo, mit dem die Affen flohen, weit zurückbleiben mußten. Hinabschauen war sinnlos, denn er konnte nur die Oberseiten der Äste sehen; deshalb starrte er empor und sah, fern im blauen Himmel, Chil den Geier, der dort schwebte und Kreise zog, während er über dem Dschungel wachte und darauf wartete, daß etwas stürbe. Chil sah, daß die Affen etwas trugen, und ließ sich einige hundert Meter fallen, um herauszufinden, ob ihre Last eßbar war. Er pfiff überrascht, als er sah, wie Mowgli auf einen Baumwipfel geschleppt wurde, und als er ihn den Geierschrei für »Wir sind eines Blutes, du und ich« ausstoßen hörte. Die Wogen der Äste schlossen sich über dem Jungen, aber Chil glitt zeitig genug zum nächsten Baum, um das kleine braune Gesicht wieder auftauchen zu sehen. »Merk dir meine Fährte«, schrie Mowgli. »Sag es Baloo vom Seoni-Rudel und Bagheera vom Ratsfelsen.«

»In wessen Name, Bruder?« Chil hatte Mowgli nie zuvor gesehen, aber natürlich von ihm gehört.

»Mowgli der Frosch. Menschenjunges nennen sie mich. Merk dir meine Fä-hähr-te!«

Die letzten Wörter kreischte er, weil er wieder durch die Luft flog, aber Chil nickte und stieg empor, bis er nicht größer aussah als ein Staubfleck, und da hing er und beobachtete mit seinen Teleskopaugen das Schwanken der Wipfel, durch die Mowgli und seine Wächter wirbelten.

»Die gehen nie weit«, sagte er glucksend. »Die führen nie aus, was sie tun wollen. Picken immer was Neues auf, die *Bandar-log*. Diesmal, wenn meine Augen nicht trügen, haben sie sich Ärger aufgepickt; Baloo ist nämlich kein Küken, und Bagheera kann, wie ich gut weiß, nicht nur Ziegen töten.«

So schaukelte er auf seinen Schwingen, die Füße an den Leib gezogen, und wartete.

Inzwischen waren Baloo und Bagheera rasend vor Zorn und Kummer. Bagheera klomm, wie er nie geklommen war, aber die dünnen Zweige brachen unter seinem Gewicht und er rutschte hinunter, die Krallen voller Borke.

»Warum hast du das Menschenjunge nicht gewarnt?« brüllte er den armen Baloo an, der in einen täppischen Trab gefallen war in der Hoffnung, die Affen zu überholen. »Was nützt es denn, ihn halb totzuprügeln, wenn du ihn nicht warnst?«

»Schnell! Beeil dich doch! Wir... wir holen sie vielleicht noch ein!« keuchte Baloo.

»Bei deinem Tempo! Damit machst du nicht mal eine wunde Kuh müde. Lehrer des Gesetzes – Welpenprügler – noch eine Meile von diesem Rumpeln und Schwanken und dir birst der Bauch. Sitz ruhig und denk! Mach einen Plan. Es ist nicht die Zeit zum Jagen. Wenn wir ihnen zu nahe kommen, lassen sie ihn noch fallen.«

»*Arrula! Whuu!* Vielleicht haben sie ihn schon fallen gelassen, weil sie vom Schleppen müde geworden sind. Wer kann sich denn auf die *Bandar-log* verlassen? Leg mir tote Fledermäuse auf den Kopf! Gib mir morsche Knochen zu essen! Roll mich in die Stöcke wilder Bienen, damit sie mich zu Tode stechen, und begrab mich mit der Hyäne, denn ich bin der erbärmlichste aller Bären! *Arulala! Wahuua!* O Mowgli, Mowgli!

Warum habe ich dich nicht vor dem Affen-Volk gewarnt, statt dir den Kopf einzuschlagen? Vielleicht habe ich ihm ja sogar die Tageslektion aus dem Verstand herausgehauen, und er ist allein im Dschungel ohne die Meisterworte.«

Baloo umklammerte seine Ohren mit den Pranken und rollte jammernd hin und her.

»Immerhin hat er mir vor kurzem noch alle Worte richtig aufgesagt«, sagte Bagheera unwirsch. »Baloo, du hast kein Gedächtnis und keine Selbstachtung. Was würde der Dschungel denken wenn ich, der Schwarze Panther, mich wie Ikki das Stachelschwein zusammenrollte und jaulte?«

»Was kümmerts mich, was der Dschungel denkt? Er ist jetzt vielleicht schon tot.«

»Solange sie ihn nicht zum Spaß aus den Ästen fallen lassen oder ihn aus Langeweile töten, hab ich keine Angst um das Menschenjunge. Er ist schlau und hatte einen guten Lehrer, und vor allem hat er die Augen, vor denen sich das Dschungel-Volk fürchtet. Aber, und das ist sehr schlimm, er ist in der Gewalt der *Bandar-log*, und weil sie in den Bäumen wohnen, haben sie keine Angst vor einem aus unserem Volk.« Nachdenklich leckte Bagheera eine Vorderpranke.

»Was für ein Narr ich bin! O was für ein fetter, brauner, wurzelfressender Narr ich bin«, sagte Baloo; mit einem Ruck setzte er sich aufrecht. »Es stimmt schon, was Hathi, der Wilde Elefant, sagt: ›Jedem seine eigene Angst‹; und sie, die *Bandar-log*, fürchten sich vor Kaa, der Felsenschlange. Er kann genauso gut klettern wie sie. Er stiehlt nachts die jungen Affen. Wenn sein Name geflüstert wird, frieren ihnen die bösen Schwänze. Laß uns zu Kaa gehen.«

»Was soll er für uns tun? Er gehört nicht zu unserem Stamm, er hat ja keine Füße – und sehr schlimme Augen«, sagte Bagheera.

»Er ist sehr alt und sehr schlau. Vor allem ist er immer hungrig«, sagte Baloo hoffnungsvoll. »Versprich ihm viele Ziegen.«

»Er schläft einen ganzen Monat, wenn er einmal gegessen hat. Vielleicht schläft er jetzt auch, und selbst wenn er wach ist – was, wenn er vielleicht seine Ziegen lieber selber tötet?« Bagheera, der nicht viel über Kaa wußte, war natürlich mißtrauisch.

»In dem Fall könnten wir beide, du und ich, alter Jäger, ihn vielleicht zur Vernunft bringen.« Hier rieb Baloo seine angegraute braune Schulter am Panther, und sie machten sich auf die Suche nach Kaa, dem Felspython.

Sie fanden ihn auf einem warmen Steinsims ausgestreckt in der Nachmittagssonne; er bewunderte sein feines neues Kleid, denn die letzten zehn Tage hatte er sich von der Welt zurückgezogen und seine Haut gewechselt, und nun war er ganz prächtig – er ließ seinen großen stumpfnasigen Kopf über den Boden schießen, drehte seinen dreißig Fuß langen Leib zu fantastischen Knoten und Kurven und leckte sich die Lippen beim Gedanken an sein künftiges Mahl.

»Er hat noch nicht gegessen«, sagte Baloo mit erleichtertem Knurren, sobald er das wunderschön gefleckte braungelbe Gewand sah. »Sieh dich vor, Bagheera! Wenn er die Haut gewechselt hat, ist er zuerst immer ein bißchen blind und stößt sehr schnell zu.«

Kaa war keine Giftschlange – tatsächlich verachtete er Giftschlangen, die er für Feiglinge hielt; seine Stärke war seine Umarmung, und wenn er einmal einen mit seinen riesigen Schlingen umhüllt hatte, gab es nicht mehr viel zu sagen.

»Gutes Jagen!« rief Baloo; er hockte sich auf die Hinterbeine. Wie alle Schlangen seiner Art war Kaa ziemlich taub und hörte den Ruf zunächst nicht. Dann rollte er sich zusammen, mit gesenktem Kopf, zu allem bereit.

»Uns allen Gutes Jagen«, antwortete er. »Oha, Baloo, was machst du hier? Gutes Jagen, Bagheera. Wenigstens einer von uns braucht etwas zu essen. Wißt ihr, ob Wild unterwegs ist? Ein Reh etwa, oder sogar ein junger Bock? Ich bin leer wie ein trockener Brunnen.«

»Wir sind auf der Jagd«, sagte Baloo ganz beiläufig. Er wußte, daß man Kaa nicht drängen darf. Er ist zu groß.

»Dann erlaubt, daß ich mit euch komme«, sagte Kaa. »Ein Jagdhieb mehr oder weniger kostet euch nichts, Bagheera oder Baloo, aber ich – ich muß tagelang warten, nichts als warten auf einem Waldweg und die halbe Nacht auf Bäume klettern, nur um vielleicht einen jungen Affen zu erwischen. Pfffsss! Die Äste sind auch nicht mehr, was sie in meiner Jugend einmal waren. Morsche Zweige und dürre Stengel, das ist alles.«

»Vielleicht spielt dein großes Gewicht dabei eine Rolle«, sagte Baloo.

»Ich bin schön lang – sehr schön lang«, sagte Kaa ein wenig stolz. »Aber trotz allem, es liegt an diesem nachgewachsenen Holz. Auf meiner letzten Jagd wäre ich fast gefallen – wirklich, es war knapp –, und als ich abgerutscht bin, mein Schwanz war nämlich nicht dicht genug um den Baum gewickelt, hat das Geräusch die *Bandar-log* geweckt, und sie haben mich mit sehr schlimmen Namen belegt.«

»Fußloser gelber Regenwurm«, sagte Bagheera in seinen Bart, als versuche er, sich an etwas zu erinnern.

»Sssss! Haben sie mich je *so* genannt?« sagte Kaa.

»So etwas Ähnliches haben sie uns letzten Mond zugerufen, aber wir haben sie nicht beachtet. Die sagen ja furchtbar viel – sogar, daß du alle Zähne verloren hast und dich an nichts mehr herantraust, was größer als ein Kitz ist, weil du (diese *Bandar-log* sind wirklich unverschämt) – weil du Angst hast vor den Hörnern des Ziegenbocks«, fuhr Bagheera sanft fort.

Nun zeigt eine Schlange, vor allem ein wachsamer alter Python wie Kaa, sehr selten, daß sie verärgert ist, aber Baloo und Bagheera konnten sehen, wie die großen Schlingmuskeln an beiden Seiten von Kaas Kehle wogten und schwollen.

»Die *Bandar-log* haben ihren Aufenthaltsort gewechselt«, sagte Kaa ruhig. »Als ich heute an die Sonne kam, habe ich sie zwischen den Baumwipfeln johlen hören.«

»Wir . . . wir sind hinter den *Bandar-log* her«, sagte Baloo; aber die Wörter blieben ihm in der Kehle stecken, denn soweit er zurückdenken konnte war es das erste Mal, daß einer vom Dschungel-Volk zugab, am Treiben der Affen interessiert zu sein.

»Dann ist es zweifellos nichts Unwichtiges, was zwei solche Jäger – die gewiß in ihrem eigenen Dschungel Führer sind – auf die Fährte der *Bandar-log* bringt«, erwiderte Kaa höflich; dabei blähte er sich vor Neugier.

»Eigentlich«, begann Baloo, »bin ich nur der alte und manchmal sehr närrische Lehrer des Gesetzes für die jungen Seoni-Wölfe, und Bagheera hier . . .«

»Ist Bagheera«, sagte der Schwarze Panther, und seine Kiefer schlossen sich mit hörbarem Schnappen, denn er hielt nicht viel von Demut. »Es geht um Folgendes, Kaa. Diese Nußdiebe und Palmblattzupfer haben unser Menschenjunges gestohlen, von dem du vielleicht gehört hast.«

»Von Ikki (er ist dreist, weil er Stacheln hat) habe ich etwas über ein Menschending gehört, das in ein Wolfsrudel aufgenommen worden sein soll, aber ich habe es nicht geglaubt. Ikki quillt über von Geschichten, die er nur halb verstanden hat und sehr schlecht erzählt.«

»Aber es stimmt. Er ist ein Menschenjunges, wie es noch nie eines gegeben hat«, sagte Baloo. »Das beste und klügste und mutigste aller Menschenjungen – mein eigener Schüler, der Baloos Name in allen Dschungeln berühmt machen wird; und außerdem – ich . . . wir . . . lieben ihn, Kaa.«

»Ts! Ts!« sagte Kaa; er wog den Kopf hin und her. »Auch ich habe einmal gewußt, was Liebe ist. Ich könnte Geschichten erzählen, die . . .«

»Die man nur in einer klaren Nacht richtig würdigen kann, wenn wir alle gut gegessen haben«, sagte Bagheera schnell. »Unser Menschenjunges ist jetzt in den Händen der *Bandar-log*, und wir wissen, daß sie unter allem Dschungel-Volk nur Kaa fürchten.«

»Sie fürchten mich allein. Dazu haben sie guten Grund«, sagte Kaa. »Geschwätzig, närrisch, eitel – eitel, närrisch, geschwätzig, so sind die Affen. Aber ein Menschending in ihren Händen ist in einer schlimmen Lage. Die Nüsse, die sie pflükken, haben sie bald satt, und dann werfen sie sie auf den Boden. Einen halben Tag lang schleppen sie einen Ast und wollen große Dinge damit tun, und dann brechen sie ihn entzwei. Das Menschending ist nicht zu beneiden. Außerdem haben sie mich wie genannt? ›Gelber Fisch‹, war es das?«

»Wurm ... Wurm ... Regenwurm«, sagte Bagheera, »und noch vieles andere, was ich jetzt nicht wiedergeben kann, ohne mich zu schämen.«

»Wir müssen sie daran erinnern, daß sie über ihren Meister höflich reden sollten. Aaa-sssh! Wir müssen ihrem schweifenden Gedächtnis ein wenig nachhelfen. Also, wohin sind sie mit dem Jungen gegangen?«

»Das weiß allein der Dschungel. Gen Sonnenuntergang, glaube ich«, sagte Baloo. »Wir hatten gedacht, du wüßtest es, Kaa.«

»Ich? Wie denn? Ich nehme sie, wenn sie mir über den Weg laufen, aber ich jage die *Bandar-log* nicht, und auch keine Frösche – oder, was das angeht, grünen Schaum auf einem Wasserloch.«

»Auf, auf! Auf, auf! Hillo! Illo! Illo, schau auf, Baloo vom Seoni-Wolfsrudel!«

Baloo blickte auf um zu sehen, woher die Stimme kam, und da war Chil der Geier; er rauschte herab, und die Sonne schien auf die ragenden Ränder seiner Schwingen. Für Chil war es fast Schlafenszeit, aber er war über dem ganzen Dschungel umhergezogen, hatte den Bären gesucht und ihn im dichten Blattwerk nicht gefunden.

»Was gibt es?« sagte Baloo.

»Ich habe Mowgli gesehen, bei den *Bandar-log*. Er sagte, ich soll es dir erzählen. Ich habe beobachtet. Die *Bandar-log* haben ihn über den Fluß gebracht, zur Stadt der Affen – nach Kalte Stätten. Dort bleiben sie vielleicht eine Nacht, oder zehn Nächte, oder eine Stunde. Ich habe den Fledermäusen aufgetragen, während der Dunkelheit zu wachen. Das ist meine Botschaft. Gutes Jagen, euch allen da unten!«

»Dir eine volle Kehle und tiefen Schlaf, Chil!«, rief Bagheera. »Wenn ich das nächste Mal töte, denke ich an dich und lege den Kopf für dich allein beiseite, du bester aller Geier!«

»Nicht der Rede wert. Nicht der Rede wert. Der Junge hatte das Meisterwort. Weniger konnte ich gar nicht tun«, und Chil stieg wieder in Kreisen auf zu seinem Horst.

»Er hat nicht vergessen, seine Zunge zu gebrauchen«, sagte Baloo, mit einem Kichern des Stolzes. »Wenn man bedenkt, daß einer, der so jung ist, sich an das Meisterwort für die Vögel erinnert, während man ihn durch die Wipfel zerrt!«

»Es ist ihm ja auch gründlich eingebleut worden«, sagte Bagheera. »Aber ich bin stolz auf ihn, und jetzt müssen wir nach Kalte Stätten gehen.«

Sie alle wußten, wo dieser Ort war, aber nur wenige vom Dschungel-Volk gingen je dorthin, denn was sie Kalte Stätten nannten, war eine alte verlassene Stadt, verloren und im Dschungel vergraben, und Tiere nutzen selten einen Ort, den einmal Menschen genutzt haben. Vielleicht tut es der wilde Eber, aber die jagenden Stämme nicht. Überdies lebten die Affen dort, falls man von ihnen sagen kann, daß sie überhaupt irgendwo leben, und kein Tier mit Selbstachtung würde sich der Stelle bis auf Sichtweite nähern, außer in Dürrezeiten, wenn die halbverfallenen Zisternen und Speicher noch ein wenig Wasser bergen.

»Eine halbe Nacht brauchen wir bis dorthin – wenn wir uns beeilen«, sagte Bagheera, und Baloo blickte sehr ernst drein. »Ich laufe, so schnell ich kann«, sagte er besorgt.

»Wir können nicht auf dich warten. Komm hinterher, Baloo. Wir müssen, so schnell die Füße können, dorthin – Kaa und ich.«

»Füße oder nicht, ich bin immer noch schneller als du mit allen vieren«, sagte Kaa knapp. Baloo mühte sich zu laufen, mußte sich aber keuchend hinsetzen; er würde später nachkommen, und sie ließen ihn zurück. Bagheera eilte vorwärts, im schnellen Panthergalopp. Kaa sagte nichts, aber so sehr Bagheera sich auch bemühte, der große Felspython blieb neben ihm. Als sie zu einem Gebirgsbach kamen, gewann Bagheera einen Vorsprung, denn er setzte hinüber, während Kaa schwamm, den Kopf und zwei Fuß Nacken über dem Wasser, aber auf festem Grund holte Kaa gleich wieder auf.

»Bei dem Zerbrochenen Riegel der mich freiließ«, sagte Bagheera, als die Dämmerung begonnen hatte, »du bist kein langsamer Läufer!«

»Ich habe Hunger«, sagte Kaa. »Außerdem haben sie mich einen gesprenkelten Frosch genannt.«

»Wurm – Regenwurm, und gelb noch dazu.«

»Alles eins. Weiter«, und Kaa schien sich über den Boden zu gießen; dabei fand er mit seinen sicheren Augen immer den kürzesten Weg.

In Kalte Stätten dachte das Affen-Volk überhaupt nicht an Mowglis Freunde. Sie hatten den Jungen zur Verlorenen Stadt gebracht und waren im Augenblick sehr zufrieden mit sich. Mowgli hatte nie zuvor eine indische Stadt gesehen, und obwohl diese fast nur ein Haufen Ruinen war, erschien sie ihm doch ganz wundervoll und prächtig. Ein König hatte sie vor langer Zeit auf einem kleinen Hügel erbaut. Man konnte die steinernen Dammstraßen noch immer erkennen, die zu den verfallenen Toren führten, wo letzte Holzsplitter an abgenutzten, rostigen Angeln hingen. Bäume waren in und aus den Wällen gewachsen; die Zinnen waren eingestürzt und zerfallen, und aus den Türmen auf den Mauern hingen wilde Schlingpflanzen in dicken Büschen.

Ein großer unbedachter Palast krönte den Hügel, und der Marmor der Höfe und Brunnen war geborsten und grün und

rot gefleckt, und selbst die Kopfsteine des Hofs, in dem die Elefanten des Königs gewohnt hatten, waren von Gräsern und jungen Bäumen angehoben und zersprengt. Vom Palast konnte
man die unzähligen Reihen dachloser Häuser sehen, aus denen
die Stadt bestand, wie leere Honigwaben, angefüllt mit Dunkel; den formlosen Steinblock, der ein Götze gewesen war, auf
dem Platz, wo vier Straßen zusammenkamen; die Gruben und
Dellen an Straßenecken, wo einst öffentliche Brunnen gestanden hatten, und die zerschmetterten Kuppeln der Tempel, an
deren Wänden nun wilde Feigen sprossen. Die Affen nannten
den Ort ihre Stadt und taten, als verachteten sie das Dschungel-
Volk, weil es im Wald lebte. Und doch erfuhren sie nie, wozu
die Bauwerke gemacht waren noch wie man sie nutzen konnte.
Sie saßen im Kreis auf der Diele der königlichen Ratskammer
und kratzten nach Flöhen und taten wie Menschen; oder sie
rannten durch die dachlosen Häuser und sammelten Mörtel-
stücke und alte Ziegel in einer Ecke und vergaßen, wo sie sie
versteckt hatten, und kämpften und schrien in raufenden Haufen, und dann brachen sie den Kampf ab, um die Terrassen im
Garten des Königs hinauf und hinab zu spielen, wobei sie die
Orangen- und Rosenbäume schüttelten, nur um Früchte und
Blumen fallen zu sehen. Sie erforschten alle Gänge und dunklen
Tunnels im Palast und die Hunderte kleiner düsterer Räume,
aber nie erinnerten sie sich, was sie gesehen hatten und was
nicht; und so trieben sie einzeln oder zu zweit oder in Haufen
umher und erzählten einander, sie benähmen sich wie Menschen. Sie tranken aus den Zisternen und verschmutzten das
Wasser, und dann kämpften sie darum, und schließlich rannten
sie alle in Gruppen herum und schrien: »Niemand im Dschungel ist so klug und gut und schlau und stark und edel wie die
Bandar-log.« Dann begann alles von vorn, bis sie der Stadt über-
drüssig wurden, zu den Baumwipfeln zurückkehrten und hofften, das Dschungel-Volk würde sie beachten.

Mowgli, der unter dem Gesetz des Dschungels erzogen worden war, konnte diese Sorte Leben weder mögen noch verstehen. Spät am Nachmittag schleppten die Affen ihn nach Kalte Stätten hinein, und statt sich schlafenzulegen, wie Mowgli es nach einer langen Reise getan hätte, faßten sie einander bei den Händen und tanzten umher und sangen ihre närrischen Lieder. Einer der Affen hielt eine Rede und sagte seinen Gefährten, Mowglis Gefangennahme bedeute etwas Neues in der Geschichte der *Bandar-log*, denn Mowgli werde ihnen zeigen, wie man Rohr und Zweige zum Schutz gegen Regen und Kälte zusammenflicht. Mowgli nahm einige Schlingpflanzen auf und begann sie zu verflechten, und die Affen versuchten es nachzuahmen; aber schon nach wenigen Minuten verloren sie das Interesse und zogen ihre Freunde an den Schwänzen oder hüpften keckernd auf allen vieren auf und nieder.

»Ich will etwas essen«, sagte Mowgli. »Ich bin fremd in diesem Teil des Dschungels. Bringt mir etwas zu essen oder erlaubt mir, hier zu jagen.«

Zwanzig oder dreißig Affen sprangen fort, um ihm Nüsse und wilde *paupaus* zu bringen; aber unterwegs begannen sie zu raufen und es war zu mühsam, mit den Überresten der Früchte zurückzukehren. Mowgli war wund und wütend und ebenso hungrig, und er streifte durch die leere Stadt und stieß von Zeit zu Zeit den Jagdruf des Fremdlings aus, aber niemand antwortete ihm, und Mowgli empfand, daß er an einen wirklich schlimmen Ort geraten war. ›Alles was Baloo über die *Bandar-log* gesagt hat stimmt‹, dachte er. ›Sie haben kein Gesetz, keinen Jagdruf und keine Führer – nichts als närrisches Gerede und kleine zupfende diebische Hände. Wenn ich also hier verhungere oder getötet werde, ist es ganz und gar meine Schuld. Aber ich muß versuchen, in meinen eigenen Dschungel heimzukehren. Bestimmt wird Baloo mich schlagen, aber das ist besser als mit den *Bandar-log* blöde Rosenblätter jagen.‹

Kaum war er bis zur Stadtmauer gelangt, als die Affen ihn zurückzerrten und ihm erzählten, er wisse gar nicht, wie glücklich er sei; und sie zwickten ihn, damit er dankbar war. Er biß die Zähne zusammen und sagte nichts, sondern ging mit den schreienden Affen zu einer Terrasse oberhalb der roten Sandsteinzisternen, die halb gefüllt waren mit Regenwasser. Mitten auf der Terrasse stand ein zerfallenes Sommerhaus aus weißem Marmor, erbaut für Königinnen, die seit hundert Jahren tot waren. Das Kuppeldach war zur Hälfte eingefallen und versperrte den unterirdischen Gang vom Palast, durch den die Königinnen einzutreten pflegten; aber die Wände waren aus Schichten marmornen Maßwerks gefertigt – wunderschönes milchweißes Gitterwerk, besetzt mit Achat, Karneol, Jaspis und Lapislazuli, und als der Mond über den Hügel stieg, schien er durch die durchbrochene Arbeit und warf auf den Boden Schatten wie schwarze Samtstickerei. So wund, schläfrig und hungrig er auch war, mußte Mowgli doch lachen, als zwanzig von den *Bandar-log* gleichzeitig begannen, ihm zu erzählen, wie großartig und weise und stark und edel sie seien, und wie dumm es von ihm war, daß er sie verlassen wollte. »Wir sind groß. Wir sind frei. Wir sind herrlich. Wir sind das herrlichste Volk im ganzen Dschungel! Wir alle sagen das, also muß es ja stimmen«, schrien sie. »Und weil du ein neuer Zuhörer bist und unsere Worte dem Dschungel-Volk überbringen kannst, damit sie uns in Zukunft beachten, wollen wir dir alles von uns überaus vortrefflichen Wesen erzählen.« Mowgli erhob keine Einwände, und die Affen sammelten sich zu Hunderten und Aberhunderten auf der Terrasse, um ihren eigenen Sprechern zu lauschen, die das Lob der *Bandar-log* sangen, und sooft ein Sprecher atemlos innehielt, schrien sie alle zusammen: »Das ist wahr; wir alle sagen es.« Mowgli nickte und blinzelte und sagte »Ja«, wenn sie ihn etwas fragten, und sein Kopf wirbelte von dem Krach. ›Tabaqui, der Schakal, muß sie alle gebissen haben‹, sagte er sich, ›und jetzt haben sie alle den Wahnsinn. Das ist ganz bestimmt *dewanee*, der Wahnsinn. Ob sie denn niemals schlafen gehn? Da kommt jetzt eine Wolke, die den Mond bedeckt. Wenn sie nur groß genug wär, könnt ich versuchen, in der Dunkelheit wegzurennen. Aber ich bin müde.‹

Die gleiche Wolke wurde von zwei guten Freunden im verfallenen Graben unterhalb der Stadtmauer beobachtet, denn Bagheera und Kaa wußten sehr wohl, wie gefährlich die Affen-Leute in großer Menge waren, und wollten deshalb kein Risiko eingehen. Die Affen kämpfen nie, außer sie sind hundert gegen einen, und im Dschungel legen wenige Wert auf ein solches Zahlenverhältnis.

»Ich gehe zur westlichen Mauer«, flüsterte Kaa, »da kann ich schnell herunterkommen, der Hang hilft mir. Sie werden sich nicht zu Hunderten auf *meinen* Rücken stürzen, aber . . .«

»Ich weiß«, sagte Bagheera. »Wenn Baloo doch hier wäre; aber wir müssen tun was wir tun können. Wenn die Wolke da den Mond bedeckt, gehe ich auf die Terrasse. Sie halten da wohl eine Art Rat ab über den Jungen.«

»Gutes Jagen«, sagte Kaa grimmig und glitt fort zur westlichen Mauer. Diese war noch am besten erhalten, und die große Schlange brauchte einige Zeit, um einen Weg auf die Steine zu finden. Die Wolke verbarg den Mond, und als Mowgli sich eben fragte, was als nächstes geschehen würde, hörte er Bagheeras leichte Füße auf der Terrasse. Der Schwarze Panther war fast lautlos den Hang hinaufgerast und hieb – er war klug genug, keine Zeit mit Beißen zu vergeuden – rechts und links zwischen die Affen, die in fünfzig oder sechzig Kreisen um Mowgli saßen. Ein Geheul von Furcht und Wut erhob sich, und als dann Bagheera über die rollenden strampelnden Körper unter ihm stolperte, schrie ein Affe: »Er ist ja allein! Tötet ihn! Tötet!« Eine tobende Masse von Affen deckte beißend, kratzend, reißend und zerrend Bagheera zu, während fünf oder sechs Mowgli ergriffen, ihn die Wand des Sommerhauses hinaufschleppten und ihn durch das Loch der geborstenen Kuppel stießen. Ein von Menschen erzogener Junge hätte sich schlimm verletzt, bei dem fünfzehn Fuß tiefen Fall, aber Mowgli fiel, wie Baloo es ihn gelehrt hatte, und landete auf seinen Füßen.

»Da kannst du bleiben«, schrien die Affen, »bis wir deine Freunde getötet haben, und später werden wir ein wenig mit dir spielen – wenn das Gift-Volk dich am Leben läßt.«

»Wir sind eines Blutes, ihr und ich.« Mowgli stieß schnell den Schlangenruf aus. Im Schutt ringsumher konnte er es rasseln und zischen hören, und um sicher zu gehen sagte er den Schlangenruf noch einmal.

»Recht ssso! Alle Hauben runter!« sagte ein halbes Dutzend leiser Stimmen. (Früher oder später wird jede Ruine in Indien zur Heimstatt von Schlangen, und das alte Sommerhaus wimmelte von Kobras.) »Steh still, Kleiner Bruder, deine Füße könnten uns weh tun.«

Mowgli stand so ruhig er konnte, spähte durch das durchbrochene Mauerwerk und lauschte dem wilden Kampfgetöse um den Schwarzen Panther – dem Gellen, Keckern und Raufen und Bagheeras tiefem heiseren Keuchen, während er sich unter den Haufen seiner Feinde bäumte und beugte und wand und warf. Zum ersten Mal seit seiner Geburt kämpfte Bagheera um sein Leben.

›Baloo muß in der Nähe sein; Bagheera ist bestimmt nicht allein gekommen‹, dachte Mowgli; und dann rief er laut: »Zur Zisterne, Bagheera. Roll dich zur Zisterne. Wälz dich und spring rein! Zum Wasser!«

Bagheera hörte es, und der Ruf, der ihm sagte, daß Mowgli in Sicherheit war, gab ihm neuen Mut. Mit verzweifelter Kraft erkämpfte er sich Zoll für Zoll den Weg zu den Wasserspeichern; schweigend hieb er um sich. Dann erscholl vom verfallenen Wall gleich am Dschungel Baloos grollender Kriegsschrei. Der alte Bär hatte sein Möglichstes getan, aber nicht schneller kommen können. »Bagheera«, rief er. »Ich bin da. Ich klettere! Ich eile! *Ahuwora!* Die Steine rutschen unter mir weg! Wartet nur, bis ich da bin, o ihr verfluchten *Bandar-log*!« Er keuchte die Terrasse hinauf, wo er sofort bis zum Kopf in einer Welle von Affen verschwand, aber er ließ sich wuchtig auf das Gesäß fallen, streckte die Vorderpfoten aus, drückte so viele Affen an sich, wie er fassen konnte, und hieb dann um sich mit einem gleichmäßigen *batz-batz-batz* ähnlich dem platschenden Schlag eines Schaufelrads. Ein Klatschen und Prasseln sagte Mowgli, daß Bagheera sich zum Wasserbecken durchgekämpft hatte, in das die Affen nicht folgen konnten. Der Panther lag da, den Kopf gerade aus dem Wasser, und rang nach Luft, während die Affen in Dreierreihen auf den roten Stufen standen und vor Wut tanzten, bereit, sich von allen Seiten auf ihn zu stürzen, wenn er herauskäme, um Baloo zu helfen. In diesem Augenblick hob Bagheera sein triefendes Kinn und stieß verzweifelt den Schlangenruf nach Hilfe aus – »Wir sind eines Blutes, ihr und ich« –, denn er glaubte, Kaa habe sich in letzter Minute davongemacht. Selbst Baloo, am Rand der Terrasse halb erdrückt von den Affen, mußte kichern, als er den Schwarzen Panther um Hilfe bitten hörte.

Kaa war eben erst mühsam über die westliche Mauer gekommen; die Wucht seines Aufpralls hatte einen schweren Stein von der Mauerkappe in den Graben geschleudert. Kaa hatte nicht die Absicht, die Vorteile zu vergeuden, die der Boden ihm gab, und ein- oder zweimal ringelte und entringelte er sich, um sicher zu sein, daß jeder Fuß seines langen Leibes in bester Verfassung war. In dieser ganzen Zeit ging der Kampf mit Baloo weiter, und die Affen am Wasserspeicher um Bagheera herum schrien gellend, und Mang die Fledermaus flatterte hin und her und trug die Nachricht von der großen Schlacht über den Dschungel, bis sogar Hathi, der Wilde Elefant, trompetete und weit entfernt verstreute Horden des Affen-Volks erwachten und über die Baum-Straßen gesprungen kamen, um ihren Kameraden in Kalte Stätten zu helfen, und das Tosen des Kampfes alle Tagvögel im Umkreis von Meilen weckte. Dann kam Kaa, geradeaus, schnell und begierig zu töten. Die Kampfkraft eines Python liegt im wuchtigen Stoß seines Kopfes, in den alle Stärke und alles Gewicht seines Körpers fließt. Wenn Ihr Euch eine Lanze vorstellt oder einen Rammbock oder einen Hammer, der fast eine halbe Tonne wiegt und gelenkt wird von einem kühlen, ruhigen Verstand, der in seinem Stiel wohnt, dann habt Ihr eine ungefähre Vorstellung von dem, was Kaa war, wenn er kämpfte. Ein vier oder fünf Fuß langer Python kann einen Mann niederstoßen, wenn er ihn genau an der Brust trifft, und Kaa war dreißig Fuß lang, wie Ihr wißt. Seinen ersten Stoß richtete er ins Herz der Menge um Baloo – ein furchtbarer stiller Hieb mit geschlossenem Mund, und ein zweiter war nicht mehr nötig. Die Affen spritzten auseinander mit dem Schrei: »Kaa! Es ist Kaa! Flieht! Flieht!«

Ganze Affengeschlechter waren von ihren Eltern zu gutem Benehmen gebracht worden mit schrecklichen Geschichten von Kaa, dem Nachträuber, der still, wie Moos wächst, die Äste entlangschlüpfen und den stärksten Affen, den es je gab, schnappen konnte; vom alten Kaa, der aussehen mochte wie ein toter Ast oder morscher Baumstumpf, daß sogar die Klügsten sich täuschen ließen, bis der Ast sie erwischte. Kaa stand für alles, was die Affen im Dschungel fürchteten, denn keiner von ihnen kannte die Grenzen von Kaas Gewalt, keiner von ihnen konnte ihm ins Gesicht sehen, und keiner war je lebend seiner Umarmung entkommen. Deshalb flohen sie auf die Wände und Dächer der Häuser, stammelten vor Grauen, und Baloo holte tief und erleichtert Luft. Sein Fell war viel dicker als Bagheeras; dennoch hatte er im Kampf schlimm gelitten. Dann öffnete Kaa zum ersten Mal seinen Mund und sagte ein langes zischendes Wort, und die Affen von weither, die zur Verteidigung von Kalte Stätten geeilt kamen, blieben wo sie waren, kauerten sich zusammen, bis die beladenen Äste sich unter ihnen bogen und knirschten. Die Affen auf den Mauern und leeren Häusern hörten auf zu schreien, und in der Stille, die sich über die Stadt senkte, hörte Mowgli, wie Bagheera seine nassen Flanken schüttelte, als er aus der Zisterne kletterte. Dann brach der Lärm wieder los. Die Affen klommen höher auf die Mauern; sie klammerten sich an die Hälse der großen Steingötzen und kreischten, als sie über die Dielen rasten, während Mowgli im Sommerhaus auf der Stelle tanzte, das Auge ans marmorne Netzwerk preßte und wie eine Eule dumpf durch die Zähne pfiff, um Hohn und Verachtung zu zeigen.

»Holt das Menschenjunge aus der Falle da; ich kann nicht mehr«, ächzte Bagheera. »Laßt uns das Menschenjunge holen und gehen. Sie könnten noch einmal angreifen.«

»Sie werden sich nicht bewegen, bis ich es ihnen befehle. Bleibt genau ssso!« Kaa zischte, und die Stadt verfiel wieder in Schweigen. »Ich konnte nicht schneller kommen, Bruder, aber kann es sein, daß ich *dich* rufen hörte?« Das galt Bagheera.

»Ich ... eh, vielleicht habe ich im Kampf irgendwas gerufen«, antwortete Bagheera. »Baloo, bist du verletzt?«

»Ich bin nicht sicher, ob sie mich nicht in hundert kleine Bärchen zerrissen haben«, sagte Baloo ernst; nacheinander schüttelte er seine Beine. »Uau! Bin ich wund! Kaa, ich glaube, wir verdanken dir unser Leben – Bagheera und ich.«

»Nicht der Rede wert. Wo ist der Menschling?«

»Hier, in einer Falle. Ich kann nicht rausklettern«, rief Mowgli. Über seinem Kopf wölbte sich die geborstene Kuppel.

»Holt ihn heraus. Er tanzt wie Mor der Pfau. Er wird unsere Kleinen zertreten«, sagten die Kobras drinnen.

»Hah!« sagte Kaa mit einem Glucksen. »Er hat überall Freunde, dieser Menschling. Tritt zurück, Menschling; und ihr, Gift-Leute, versteckt euch. Ich breche die Wand nieder.«

Kaa musterte die Wand sorgfältig, bis er im marmornen Netzwerk einen verfärbten Riß fand, der eine Schwachstelle anzeigte, klopfte zwei- oder dreimal leicht mit seinem Kopf dagegen, um die Entfernung zu prüfen, und dann hob er sechs Fuß seines Körpers senkrecht in die Luft und jagte, mit der Nase voraus, ein halbes Dutzend schmetternder Schläge mit voller

Wucht gegen die Wand. Das Netzwerk zerbrach und stürzte in einer Wolke von Staub und Schutt zu Boden, und Mowgli sprang durch die Öffnung und warf sich zwischen Baloo und Bagheera – einen Arm um jeden großen Hals.

»Bist du verletzt?« sagte Baloo; er umarmte ihn sanft.

»Ich bin wund, hungrig und ganz schön zerschunden; aber euch, o meine Brüder, haben sie übel zugerichtet! Ihr blutet.«

»Andere auch«, sagte Bagheera; er leckte sich die Lippen und blickte auf die toten Affen auf der Terrasse und bei der Zisterne.

»Das macht nichts, das macht gar nichts, wenn du nur in Sicherheit bist, o du mein Stolz unter allen kleinen Fröschen«, wimmerte Baloo.

»Darüber reden wir später«, sagte Bagheera in einem trockenen Tonfall, den Mowgli überhaupt nicht mochte. »Aber dort ist Kaa; wir verdanken ihm die Schlacht, und du verdankst ihm dein Leben. Danke ihm, wie es bei uns üblich ist, Mowgli.«

Mowgli wandte sich um und sah einen Fuß über seinem Kopf den des großen Python schweben.

»Also das ist der Menschling«, sagte Kaa. »Ganz weich ist seine Haut, und er ist den *Bandar-log* gar nicht unähnlich. Sieh dich vor, Menschling, daß ich dich nicht irgendwann einmal im Zwielicht, wenn ich gerade meine Haut gewechselt habe, für einen Affen halte.«

»Wir sind eines Blutes, du und ich«, antwortete Mowgli. »Heute nacht nehme ich mein Leben von dir entgegen. Was ich töte soll sein was du tötest, wenn du je hungrig bist, o Kaa.«

»Großen Dank, Kleiner Bruder«, sagte Kaa, aber seine Augen zwinkerten. »Und was kann ein so kühner Jäger denn wohl töten? Ich frage nur, damit ich folgen kann, wenn er das nächste Mal auszieht.«

»Ich töte nichts – ich bin zu klein –, aber ich treibe denen, die sie verwenden können, Ziegen zu. Wenn du leer bist, komm zu mir und sieh, ob ich die Wahrheit sage. Ich bin ganz geschickt hiermit« – er streckte seine Hände aus –, »und wenn du jemals in eine Falle gerätst, kann ich vielleicht das begleichen, was ich dir, Bagheera und Baloo hier schulde. Gutes Jagen euch allen, meine Meister.«

»Gut gesprochen«, knurrte Baloo, denn Mowgli hatte seinen Dank sehr fein abgestattet. Der Python legte eine Minute lang seinen Kopf leicht auf Mowglis Schulter. »Ein tapferes Herz und eine höfliche Zunge«, sagte er. »Sie werden dich im Dschungel weit bringen, Menschling. Aber nun geh schnell fort mit deinen Freunden. Geh und schlaf, denn der Mond geht unter, und was folgt solltest du besser nicht sehen.«

Der Mond sank hinter die Hügel, und die Reihen bebender Affen, die sich auf den Mauern und Dielen aneinanderdrängten, sahen aus wie zottige zittrige Fransen von Dingen. Baloo ging hinab zur Zisterne um zu trinken, und Bagheera brachte sein Fell in Ordnung, während Kaa hinausglitt in die Mitte der Terrasse. Er klappte seine Kiefer zusammen mit einem klirrenden Biß, der die Augen aller Affen auf ihn zog.

»Der Mond geht unter«, sagte er. »Ist es noch hell genug um zu sehen?«

Von den Mauern kam ein Seufzen wie Wind in den Wipfeln: »Wir sehen, o Kaa.«

»Gut. Es beginnt nun der Tanz – der Tanz des Hungers von Kaa. Sitzt still und seht.«

Zwei- oder dreimal wand er sich zu einem großen Ring, wobei er seinen Kopf von rechts nach links fädelte. Dann begann er mit seinem Leib Schlingen und Achten zu bilden und weiche sickernde Dreiecke, die zu Vierecken und fünfseitigen Figuren schmolzen und Hügeln von Schlingen, ohne Rast, ohne Hast und ohne je seinen leisen summenden Gesang zu unterbrechen. Es wurde immer dunkler, bis schließlich die schleifenden scharrenden Schlingen verschwanden, aber das Rascheln der Schuppen war noch zu hören.

Baloo und Bagheera standen still wie Stein; in ihren Kehlen knurrten sie, ihre Nackenhaare stellten sich auf, und Mowgli schaute und staunte.

»*Bandar-log*«, sagte Kaas Stimme endlich, »könnt ihr Hand oder Fuß ohne meinen Befehl rühren? Sprecht!«

»Ohne deinen Befehl können wir weder Hand noch Fuß rühren, o Kaa!«

»Gut! Kommt alle einen Schritt näher zu mir.«

Die Reihen der Affen schwankten hilflos vorwärts, und mit ihnen machten Baloo und Bagheera einen steifen Schritt nach vorn.

»Näher!« zischte Kaa, und wieder bewegten sich alle.

Mowgli legte seine Hände auf Baloo und Bagheera, um sie fortzubringen, und die beiden großen Tiere fuhren auf, als habe man sie aus einem Traum geweckt.

»Laß deine Hand auf meiner Schulter«, flüsterte Bagheera. »Laß sie da, sonst muß ich zurück – zurück zu Kaa. *Aah!*«

»Es ist doch nur der alte Kaa, der Kreise im Staub macht«, sagte Mowgli. »Laßt uns gehen«; und die drei schlüpften durch eine Mauerlücke zurück in den Dschungel.

»*Uuuf!*« sagte Baloo, als er wieder unter den stillen Bäumen stand. »Nie wieder will ich Kaa zum Verbündeten haben«, und er schüttelte sich am ganzen Leib.

»Er weiß mehr als wir«, sagte Bagheera zitternd. »Wenn ich geblieben wäre, wäre ich sehr bald durch seine Kehle gegangen.«

»Viele werden diese Straße gehen, ehe der Mond wieder steigt«, sagte Baloo. »Er wird gutes Jagen haben – auf seine eigene Art.«

»Aber was hatte das alles zu bedeuten?« sagte Mowgli, der nichts von der hypnotischen Kraft eines Pythons wußte. »Ich habe nichts gesehen als eine große Schlange, die blöde Kreise geschlagen hat, bis es dunkel wurde. Und seine Nase war ganz wund. Ho! Ho!«

»Mowgli«, sagte Bagheera ärgerlich, »seine Nase war *deinetwegen* wund; wie meine Ohren und Flanken und Pranken und Baloos Nacken und Schultern *deinetwegen* zerbissen sind. Baloo und Bagheera werden viele Tage lang nicht fröhlich jagen können.«

»Das macht nichts«, sagte Baloo; »wir haben das Menschenjunge wieder.«

»Das stimmt; aber er hat uns sehr viel Zeit gekostet, die wir auf gutes Jagen hätten verwenden können; und er hat uns Wunden gekostet, und Haare – auf dem Rücken bin ich halb gerupft –, und schließlich auch Ehre. Denn erinnere dich, Mowgli, ich, der Schwarze Panther, mußte Kaa um Hilfe bitten, und durch den Hungertanz sind Baloo und ich beide so dumm gemacht worden wie kleine Vögel. Und all das, Menschenjunges, weil du mit den *Bandar-log* gespielt hast.«

»Das stimmt; das stimmt ja«, sagte Mowgli bekümmert. »Ich bin ein schlimmes Menschenjunges, und mein Magen ist ganz traurig in mir.«

»*Mf!* Was sagt das Gesetz des Dschungels, Baloo?«

Baloo wollte Mowgli in keine weiteren Schwierigkeiten bringen, aber das Gesetz durfte er nicht verdrehen, deshalb murmelte er: »Bedauern schützt nicht vor Strafe. Aber denk daran, Bagheera, er ist sehr klein.«

»Ich werde daran denken; aber er hat Schaden angerichtet, und nun müssen Schläge sein. Mowgli, hast du etwas zu sagen?«

»Nichts. Ich habe Unrecht getan. Baloo und du, ihr seid verwundet. Es ist gerecht.«

Bagheera gab ihm ein halbes Dutzend liebevolle Klapse; vom Standpunkt eines Panthers hätten sie kaum ausgereicht, eines seiner eigenen Kleinen zu wecken, aber für einen siebenjährigen Jungen waren es sehr schlimme Prügel, wie man sie am liebsten vermeidet. Als alles vorbei war, nieste Mowgli und raffte sich wortlos auf.

»Und jetzt«, sagte Bagheera, »spring auf meinen Rücken, Kleiner Bruder; wir gehen nach Hause.«

Eine der schönen Seiten des Dschungelgesetzes ist, daß Strafe alle Rechnungen begleicht. Hinterher gibt es kein Zanken.

Mowgli legte seinen Kopf auf Bagheeras Rücken und schlief so tief, daß er nicht einmal aufwachte, als er in der heimischen Höhle neben Mutter Wolf gelegt wurde.

ROAD-SONG OF THE BANDAR-LOG

Here we go in a flung festoon,
Half-way up to the jealous moon!
Don't you envy our pranceful bands?
Don't you wish you had extra hands?
Wouldn't you like if your tails were—*so*—
Curved in the shape of a Cupid's bow?
   Now you're angry, but—never mind,
   Brother, thy tail hangs down behind!

Here we sit in a branchy row,
Thinking of beautiful things we know;
Dreaming of deeds that we mean to do,
All complete, in a minute or two—
Something noble and grand and good,
Won by merely wishing we could.
   Now we're going to—never mind,
   Brother, thy tail hangs down behind!

All the talk we ever have heard
Uttered by bat or beast or bird—
Hide or fin or scale or feather—
Jabber it quickly and all together!
Excellent! Wonderful! Once again!
Now we are talking just like men.
   Let's pretend we are . . . never mind,
   Brother, thy tail hangs down behind!

Then join our leaping lines that scumfish through the pines,
That rocket by where, light and high, the wild-grape swings.
By the rubbish in our wake, and the noble noise we make,
Be sure, be sure, we're going to do some splendid things!

WANDERLIED DER BANDAR-LOG

In Schwinggirlanden, so toben wir
fast bis zum neidischen Mond hinauf!
Wärt ihr nicht gern prächtig mit dabei?
Hättet ihr nicht gern Extrahände?
Hättet ihr nicht gern Schwänze – *so* –
fein gekrümmt wie Cupidos Bogen?
  Jetzt seid ihr böse, bloß – was? egal,
  Bruder, dein Schwanz schleift hinten nach!

Im Geäst sitzen wir in Reihen,
denken an all die feinen Dinge;
träumen von Taten die wir gleich tun,
ganz komplett in ein paar Minuten –
irgendwas Edles und Großes und Gutes,
fertig, wenn wir nur wollten, wir könnten.
  Jetzt machen wir gleich – was? egal,
  Bruder, dein Schwanz schleift hinten nach!

Alles Gerede das wir je hörten
von Fledermaus oder Tier oder Vogel –
Fell oder Flosse oder Schuppe oder Feder –
plappert es schnell und alle zusammen!
Großartig! Wunderbar! Gleich noch mal!
Jetzt reden wir genau wie Menschen.
  Tun wir mal, als wären wir – was? egal,
  Bruder, dein Schwanz schleift hinten nach!

Also komm, hüpf mit uns, wenn wir durch die Bäume wuseln,
zischen wo wilder Wein schaukelt, licht und hoch.
Bei dem Müll, den wir machen, und bei unsrem feinen Lärm,
seid sicher, seid gewiß, wir tun gleich ganz was Tolles!

»TIGER! TIGER!«

What of the hunting, hunter bold?
Brother, the watch was long and cold.
What of the quarry ye went to kill?
Brother, he crops in the jungle still.
Where is the power that made your pride?
Brother, it ebbs from my flank and side.
Where is the haste that ye hurry by?
Brother, I go to my lair—to die.

[Was macht das Jagen, Jäger kuhn?
Bruder, die Wacht war lang und kalt.
Was macht die Beute, die du töten wolltest?
Bruder, sie weidet noch immer im Dschungel.
Wo ist die Kraft, die dein Stolz war?
Bruder, sie ebbt aus meiner Flanke.
Wohin die Hast, mit der du eilst?
Bruder, ich geh in mein Lager – zum Sterben.]

Nun müssen wir zurück zur ersten Geschichte. Als Mowgli nach dem Kampf mit dem Rudel am Ratsfelsen die Wolfshöhle verließ, ging er zu den gepflügten Landen hinab, wo die Dörfler lebten, aber dort wollte er nicht anhalten, weil es zu nah am Dschungel war und er wußte, daß er sich mindestens einen schlimmen Feind im Rat gemacht hatte. Deshalb eilte er weiter; er hielt sich an den unebenen Weg, der talabwärts führte, und folgte ihm in gleichmäßigem Schlendertrab fast zwanzig Meilen weit, bis er in eine Gegend kam, die er nicht kannte. Das Tal öffnete sich zu einer weiten Ebene, übersät mit Felsen und zerschnitten von Hohlwegen. An einem Ende stand ein kleines Dorf und am anderen zog sich der dichte Dschungel bis zu den Weideflächen hinab und endete dort wie abgehackt. Auf der ganzen Ebene grasten Rinder und Büffel, und als die kleinen Hütejungen Mowgli sahen, schrien sie und liefen davon, und die gelben streunenden Hunde, die bei jedem indischen Dorf herumlungern, bellten. Mowgli ging weiter, denn er hatte Hunger, und als er den Eingang des Dorfs erreichte, sah er den großen Dornbusch, der bei Anbruch des Zwielichts vor das Tor gezogen wurde, seitlich verschoben.

»Umph!« sagte er, denn bei seinen nächtlichen Streifzügen auf der Suche nach eßbaren Dingen hatte er mehr als einmal solche Sperren gesehen. »Dann fürchten sich die Menschen also auch hier vor dem Dschungel-Volk.« Er ließ sich neben dem Tor nieder, und als ein Mann herauskam, stand er auf, öffnete seinen Mund und deutete hinein, um zu zeigen, daß er Nahrung brauchte. Der Mann starrte ihn an und lief die eine Straße des Dorfs hinauf, wobei er nach dem Priester rief, einem großen dicken Mann in weißem Gewand mit einem rotgelben Zeichen auf der Stirn. Der Priester kam zum Tor, und mit ihm mindestens hundert Leute, die starrten und redeten und riefen und auf Mowgli deuteten.

›Sie haben keine Manieren, diese Mensch-Leute‹, sagte Mowgli sich. ›Nur die grauen Affen würden sich benehmen wie sie.‹ Deshalb warf er sein langes Haar zurück und blickte die Menge finster an.

»Wovor habt ihr denn Angst?« sagte der Priester. »Seht doch die Male auf seinen Armen und Beinen. Das sind Wolfsbisse. Er ist nur ein Wolfskind, das aus dem Dschungel geflohen ist.«

Natürlich hatten die jungen Wölfe beim gemeinsamen Spielen Mowgli oft härter gezwickt als sie eigentlich wollten, und seine Arme und Beine waren ganz bedeckt von weißen Narben. Aber er hätte sie niemals Bisse genannt, denn er wußte, was wirkliches Beißen bedeutete.

»Arré! Arré!« sagten zwei oder drei Frauen gleichzeitig. »Armes Kind, von Wölfen gebissen zu werden! Er ist ein hübscher Junge. Er hat Augen wie rotes Feuer. Bei meiner Ehre, Messua, er sieht deinem Jungen ganz ähnlich, den der Tiger geholt hat.«

»Laßt mich sehen«, sagte eine Frau mit schweren Kupferringen an Handgelenken und Knöcheln, und unter der Handfläche hinweg betrachtete sie Mowgli. »Das stimmt, er sieht ihm ähnlich. Er ist dünner, aber er sieht fast genau so aus wie mein Junge.«

Der Priester war schlau und wußte, daß Messua die Frau des reichsten Dorfbewohners war. Deshalb blickte er eine Minute lang zum Himmel empor und sagte dann feierlich: »Was der Dschungel nahm, das gab der Dschungel zurück. Nimm deinen Jungen in dein Haus auf, o Schwester, und vergiß nicht, den Priester zu ehren, der so tief in das Leben der Menschen schaut.«

›Bei dem Bullen, um den ich gekauft worden bin‹, sagte Mowgli sich, ›all dieses Gerede ist ja wie eine zweite Musterung durch das Rudel! Na, wenn ich denn ein Mensch bin, muß ich mich wohl damit abfinden.‹

Die Menge teilte sich, als die Frau Mowgli zu ihrer Hütte winkte; dort gab es ein rotes lackiertes Bett, eine große irdene Getreidelade mit seltsamen hervortretenden Mustern, ein halbes Dutzend kupferner Kochtöpfe, das Standbild eines Hindugottes in einem kleinen Alkoven und an der Wand einen richtigen Spiegel, wie man ihn bei Jahrmärkten auf dem Land verkauft.

Sie gab ihm viel Milch und etwas Brot, und dann legte sie die Hand auf seinen Kopf und sah ihm in die Augen; sie dachte nämlich, er könne vielleicht wirklich ihr Sohn sein, heimgekehrt aus dem Dschungel, in den der Tiger ihn geschleppt hatte. Deshalb sagte sie: »Nathoo, o Nathoo!« Mowgli zeigte durch nichts, daß er den Namen kannte. »Erinnerst du dich nicht mehr an den Tag, wo ich dir deine neuen Schuhe gegeben habe?« Sie berührte seinen Fuß, und der war fast so hart wie Horn. »Nein«, sagte sie traurig; »diese Füße haben nie in Schuhen gesteckt, aber du bist meinem Nathoo ganz ähnlich, und du sollst mein Sohn sein.«

Mowgli fühlte sich unbehaglich, denn er war nie zuvor unter einem Dach gewesen; als er aber das Stroh betrachtete, sah er, daß er es jederzeit herausreißen konnte, falls er würde fliehen wollen, und daß das Fenster nicht fest zu verschließen war. ›Was nützt es, ein Mensch zu sein‹, sagte er sich schließlich, ›wenn man die Menschenrede nicht versteht? Hier bin ich so dumm und stumm wie ein Mensch es bei uns im Dschungel wäre. Ich muß ihre Sprache lernen.‹

Er hatte ja bei den Wölfen nicht umsonst gelernt, wie der Kampfschrei der Dschungelhirsche und das Grunzen des kleinen Wildschweins nachzuahmen sind. Sobald nun Messua ein Wort sagte, ahmte Mowgli es nahezu vollkommen genau nach, und bis zum Abend hatte er die Namen vieler Dinge in der Hütte gelernt.

Zur Schlafenszeit gab es eine Schwierigkeit, denn Mowgli wollte keineswegs in etwas schlafen, das so sehr einer Pantherfalle glich wie diese Hütte, und als die Tür geschlossen wurde, kletterte er aus dem Fenster. »Laß ihm seinen Willen«, sagte Messuas Mann. »Vergiß nicht, daß er bis heute nie auf einem Bett geschlafen haben kann. Wenn er uns wirklich anstelle unseres Sohnes geschickt worden ist, wird er nicht fortlaufen.«

So streckte Mowgli sich in langem sauberen Gras am Rand des Feldes aus, aber noch ehe er die Augen schließen konnte, stupste eine weiche graue Nase ihn unter dem Kinn.

»Puh!« sagte Grauer Bruder (er war das älteste von Mutter Wolfs Kindern). »Das ist kein guter Lohn dafür, daß ich dir zwanzig Meilen gefolgt bin. Du riechst nach Holzrauch und Vieh – schon ganz wie ein Mensch. Wach auf, Kleiner Bruder; ich habe Neuigkeiten.«

»Sind im Dschungel alle wohlauf?« sagte Mowgli; dabei umarmte er ihn.

»Alle außer den Wölfen, die von der Roten Blume verbrannt worden sind. Aber hör zu. Shere Khan ist fortgegangen; er will weit entfernt jagen, bis sein Kleid wieder gewachsen ist; er ist nämlich schlimm versengt. Er schwört, wenn er wiederkommt, wird er deine Knochen in den Wainganga werfen.«

»Dazu gehören zwei. Ich habe auch ein kleines Versprechen abgelegt. Aber Neuigkeiten höre ich immer gern. Ich bin müde heute nacht – ganz müde von neuen Dingen, Grauer Bruder –, aber bring mir immer die Neuigkeiten.«

»Du wirst nicht vergessen, daß du ein Wolf bist? Die Menschen werden es dich nicht vergessen lassen?« sagte Grauer Bruder besorgt.

»Niemals. Ich werde immer daran denken, daß ich dich und alle in unserer Höhle liebe; ich werde aber auch immer daran denken, daß ich aus dem Rudel ausgestoßen wurde.«

»Und daß du aus einem weiteren Rudel ausgestoßen werden kannst. Menschen sind nur Menschen, Kleiner Bruder, und ihr Gerede ist wie das von Fröschen in einem Tümpel. Wenn ich wieder herkomme, werde ich im Bambus am Rand der Weideflächen auf dich warten.«

Nach dieser Nacht kam Mowgli drei Monate lang kaum je vor das Dorftor, so sehr war er damit beschäftigt, Art und Gebräuche der Menschen zu lernen. Als erstes mußte er sich in ein Tuch hüllen, was ihn schrecklich störte; und dann mußte er den Umgang mit Geld lernen, was er überhaupt nicht begriff, und alles über das Pflügen, dessen Sinn er nicht einsah. Dann ärgerten ihn die kleinen Kinder im Dorf sehr. Zum Glück hatte das Gesetz des Dschungels ihn gelehrt, sich zu beherrschen, denn im Dschungel hängen Leben und Nahrung davon ab, daß man sich beherrschen kann; aber wenn sie ihn verspotteten, weil er nicht mit ihnen spielen oder Drachen steigen lassen wollte oder weil er irgendein Wort falsch aussprach, dann hielt ihn nur das Wissen, daß es unsportlich war, kleine nackte Junge zu töten, davon ab, sie zu packen und entzweizureißen.

Er wußte gar nicht, wie stark er war. Er wußte, daß er im Dschungel schwach war, verglichen mit den Tieren, aber im Dorf sagten die Leute, er sei stark wie ein Bulle.

Und Mowgli hatte auch nicht die geringste Ahnung von den Unterschieden zwischen den Menschen, die verschiedenen Kasten angehören. Als der Esel des Töpfers in die Lehmgrube rutschte, zog Mowgli ihn am Schwanz heraus und half auch, die Töpfe für die Reise zum Markt in Kaniwara zu verstauen. Auch das war ganz schlimm, denn der Töpfer gehört einer niedrigen Kaste an, und sein Esel ist noch übler. Als der Priester ihn schalt, drohte Mowgli, ihn auch auf den Esel zu setzen, und der Priester sagte Messuas Mann, Mowgli solle am besten so schnell wie möglich ans Arbeiten gebracht werden; und der Dorfälteste sagte Mowgli, am nächsten Tag müsse er mit den Büffeln hinausgehen und sie hüten, während sie grasten. Niemand freute sich mehr darüber als Mowgli; und weil er damit sozusagen als Diener des Dorfs angestellt war, ging er an diesem Abend zu dem Zirkel, der sich jeden Abend auf einer gemauerten Plattform unter einem großen Feigenbaum traf. Es war der Dorfclub, und der Dorfälteste und der Wächter und der Barbier (der allen Klatsch im Dorf kannte) und der alte Buldeo, der Dorfjäger, der eine Tower-Muskete hatte, trafen sich dort und rauchten. Die Affen hockten oben auf den Ästen und schwatzten, und unter der Plattform gab es ein Loch, in dem eine Kobra lebte, die jeden Abend ein Schüsselchen mit Milch bekam, denn sie war heilig; und die alten Männer saßen um den Baum herum und schwatzten und sogen an den großen *hookahs* (den Wasserpfeifen) bis tief in die Nacht hinein. Sie erzählten wundervolle Geschichten von Göttern und Menschen und Geistern; und Buldeo erzählte noch wundervollere über das Leben der Tiere im Dschungel, bis die außerhalb des Kreises sitzenden Kinder Glubschaugen bekamen. Die meisten Geschichten handelten von Tieren, denn der Dschungel lag ja vor der Tür. Die Hirsche und Wildschweine fraßen die Ernten ab, und hin und wieder schleppte in der Dämmerung der Tiger einen Menschen fort, in Sichtweite der Dorftore.

Mowgli, der natürlich einiges über das wußte, wovon sie redeten, mußte sein Gesicht bedecken, damit sie nicht sahen, wie er lachte, während Buldeo mit seiner Tower-Muskete quer über den Knien sich von einer wunderlichen Geschichte zur nächsten steigerte und Mowglis Schultern zuckten.

Buldeo erklärte eben, der Tiger, der Messuas Sohn verschleppt hatte, sei ein Geistertiger, und sein Körper sei bewohnt vom Geist eines bösen alten Geldverleihers, der vor einigen Jahren gestorben war. »Und ich weiß, daß das stimmt«, sagte er, »weil Purun Dass immer gehumpelt hat von dem Hieb, den er bei einem Aufruhr abkriegte, als seine Kontobücher verbrannten, und der Tiger, von dem ich rede, der humpelt auch; die Spuren, die er hinterläßt, sind nämlich ungleich.«

»Das stimmt; das stimmt; so muß es wohl sein«, sagten die Graubärte; alle nickten.

»Sind all eure Geschichten so, Spinnweben und das Geschwätz von Mondsüchtigen?« sagte Mowgli. »Dieser Tiger humpelt, weil er lahm geboren wurde, wie jeder weiß. Dieses Gerede von der Seele eines Geldverleihers in einem Tier, das nie auch nur soviel Mut hatte wie ein Schakal, das ist doch Kindergeschwätz.«

Buldeo war einen Moment lang sprachlos vor Überraschung, und der Älteste stierte.

»Oha! Das ist der Dschungelbalg, oder?« sagte Buldeo. »Wenn du so schlau bist, dann schaff doch am besten das Tigerfell nach Kaniwara; die Regierung hat nämlich hundert Rupien auf ihn ausgesetzt. Noch besser wärs aber, wenn du den Mund hieltest, während Ältere reden.«

Mowgli stand auf um zu gehen. »Den ganzen Abend habe ich hier gelegen und zugehört«, rief er über die Schulter zurück, »und außer ein- oder zweimal hat Buldeo über den Dschungel, der direkt vor seiner Tür liegt, kein wahres Wort gesagt. Wie soll ich da die Geschichten von Geistern und Göttern und Gnomen glauben, die er gesehen haben will?«

»Höchste Zeit, daß der Junge ans Viehhüten kommt«, sagte der Älteste, während Buldeo wegen Mowglis Unverschämtheit schnaubte und pustete.

In den meisten indischen Dörfern ist es üblich, daß ein paar Jungen früh am Morgen die Rinder und Büffel zum Weiden hinaustreiben und abends wieder zurückbringen; und die gleichen Rinder, die einen erwachsenen Weißen zu Tode trampeln würden, lassen sich von Kindern, die ihnen kaum bis zur Nase reichen, knuffen und schlagen und anschreien. Solange die Jungen bei den Herden bleiben, sind sie in Sicherheit, denn nicht einmal der Tiger wagt es, eine große Rinderherde anzugreifen. Aber wenn sie herumbummeln, um Blumen zu pflücken oder Eidechsen zu jagen, werden sie bisweilen verschleppt. Mowgli zog in der Morgendämmerung durch die Dorfstraße; er saß auf dem Rücken von Rama, dem großen Leitbullen; und die schieferblauen Büffel mit ihren langen, zurückgebogenen Hörnern und wilden Augen kamen nacheinander aus ihren Ställen und folgten ihm, und Mowgli machte den Kindern, die mitkamen, ganz klar, daß er der Meister war. Mit einem langen glatten Bambusstock trieb er die Büffel, und einem der Jungen, Kamya, sagte er, sie sollten allein die Rinder hüten, während er mit den Büffeln weiterzog, und sie sollten sich vorsehen und sich nicht von der Herde entfernen.

Ein indischer Weidegrund besteht ganz aus Felsen und Gestrüpp und Grasbüscheln und kleinen Spalten, in denen die Herden sich verstreuen und verschwinden. Die Büffel halten sich gewöhnlich an die Tümpel und schlammigen Stellen, wo sie sich herumwälzen oder im warmen Schlamm stundenlang sonnen. Mowgli trieb sie weiter bis zum Rand der Ebene, wo der Wainganga-Fluß aus dem Dschungel kam; dann ließ er sich von Ramas Nacken fallen, trabte zu einem Bambusgesträuch und fand Grauer Bruder. »Ah«, sagte Grauer Bruder, »ich habe hier sehr viele Tage gewartet. Was soll diese Rinderhüterei bedeuten?«

»Das ist ein Befehl«, sagte Mowgli. »Für die nächste Zeit bin ich ein Dorfhirt. Was gibt es Neues über Shere Khan?«

»Er ist zurückgekommen und hat hier sehr lange auf dich gewartet. Nun ist er wieder fort, weil das Wild hier knapp ist. Aber er hat vor, dich zu töten.«

»Sehr gut«, sagte Mowgli. »Solange er fort ist, solltest du oder einer der vier Brüder hier auf dem Felsen sitzen, damit ich es sehen kann, wenn ich aus dem Dorf komme. Wenn er zurückkehrt, warte auf mich in der Senke neben dem *dhâk*-Baum mitten in der Ebene. Wir müssen Shere Khan nicht unbedingt ins Maul rennen.«

Dann suchte Mowgli sich einen schattigen Platz, legte sich nieder und schlief, während die Büffel um ihn her grasten. Viehhüten in Indien ist eines der bequemsten Dinge auf der Welt. Die Rinder wandern herum und kauen und legen sich hin und gehen weiter, aber sie brüllen nicht einmal. Sie grunzen nur, und die Büffel sagen selten überhaupt etwas; nacheinander klettern sie in die schlammigen Tümpel und wühlen sich in den Schlamm, bis nur noch die Nasen und die porzellanblauen Glotzaugen über der Oberfläche sind, und da bleiben sie liegen wie die Baumstämme. Die Sonne läßt die Felsen in der Hitze tanzen, und die Hütejungen hören einen Geier (niemals mehr als einen) fast außer Sichtweite über ihnen pfeifen, und sie wissen, wenn sie sterben oder eine Kuh stirbt, wird der Geier sich herabstürzen, und der nächste Geier, Meilen entfernt, wird ihn stürzen sehen und folgen, und der nächste und wieder der nächste, und fast bevor man tot ist, sind Dutzende dieser Geier wie aus dem Nichts gekommen. Also schlafen die Jungen und wachen auf und schlafen wieder ein, und sie flechten aus trockenem Gras kleine Körbe und setzen Grashüpfer hinein; oder sie fangen zwei Gottesanbeterinnen und lassen sie gegeneinander kämpfen; oder sie reihen rote und schwarze Dschungelnüsse zu einem Halsband auf; oder sie schauen einer Eidechse zu, die auf einem Felsen ein Sonnenbad nimmt, oder einer Schlange, die bei den Suhlen einen Frosch jagt. Dann singen sie lange, lange Gesänge mit merkwürdigen Eingeborenen-Trillern am Ende, und der Tag scheint länger zu sein als das ganze Leben für die meisten Leute, und vielleicht bauen sie eine Lehmburg mit Lehmfiguren von Männern und Pferden und Büffeln und stecken den Männern Halme in die Hände und tun so, als wären sie Könige und die Figuren ihre Heere, oder Götter, die man anbetet. Dann kommt der Abend, und die Kinder rufen, und die Büffel wühlen sich aus dem klebrigen Schlamm mit Geräuschen wie nacheinander abgefeuerte Böller, und in langer Reihe ziehen sie über die graue Ebene zurück zu den zwinkernden Lichtern des Dorfs.

Tag für Tag führte Mowgli die Büffel hinaus zu ihren Suhlen, und Tag für Tag sah er den Rücken von Grauer Bruder aus anderthalb Meilen in der Ebene (so wußte er, daß Shere Khan noch nicht zurückgekommen war), und Tag für Tag lag er im Gras und lauschte den Geräuschen ringsumher und träumte von den alten Zeiten im Dschungel. Wenn Shere Khan mit seiner lahmen Pfote im Dschungel am Wainganga einen falschen Schritt getan hätte, dann hätte Mowgli ihn an diesen langen stillen Vormittagen gehört.

Endlich kam ein Tag, an dem er Grauer Bruder nicht an der vereinbarten Stelle sah, und er lachte und lenkte die Büffel zur Senke neben dem *dhâk*-Baum, der ganz von rotgoldenen Blüten bedeckt war. Dort saß Grauer Bruder; alle Borsten seines Rükkens waren gesträubt.

»Einen Monat lang hat er sich versteckt, damit du nicht mehr achtgibst. Letzte Nacht ist er mit Tabaqui über die Berge gekommen, ganz heiß auf deiner Fährte«, sagte der Wolf keuchend.

Mowgli schnitt eine Grimasse. »Ich habe keine Angst vor Shere Khan, aber Tabaqui ist sehr gerissen.«

»Keine Sorge«, sagte Grauer Bruder; er leckte sich leicht die Lippen. »Ich bin Tabaqui im Morgengrauen begegnet. Jetzt vertraut er seine ganze Weisheit den Geiern an, aber *mir* hat er alles erzählt, bevor ich ihm den Rücken gebrochen habe. Shere Khan hat vor, heute abend auf dich am Dorftor zu warten – auf dich und sonst keinen. Jetzt schläft er im großen trockenen Arm des Wainganga.«

»Hat er heute gegessen oder jagt er leer?« sagte Mowgli; die Antwort bedeutete Leben oder Tod für ihn.

»Er hat im Morgengrauen getötet – ein Schwein –, und getrunken hat er auch. Du weißt doch, Shere Khan hat noch nie fasten können, nicht einmal, wenn es um Rache ging.«

»Ach, der Narr! Narr! Was für eine dumme Welpe er ist! Hat gegessen und auch getrunken und meint, ich warte, bis er ausgeschlafen hat! Also, wo genau schläft er? Wenn wir bloß zu zehn wären, dann könnten wir ihn erledigen, wo er jetzt liegt. Diese Büffel hier werden nicht angreifen, ehe sie ihn wittern, und ich spreche ihre Sprache nicht. Können wir auf seine Fährte kommen, damit sie ihn riechen?«

»Er ist den Wainganga weit hinabgeschwommen, um das zu verhindern«, sagte Grauer Bruder.

»Das hat ihm bestimmt Tabaqui gesagt. Allein wäre er nie darauf gekommen.« Mowgli stand da mit dem Finger im Mund und überlegte. »Die große Wainganga-Schlucht. Die mündet keine halbe Meile von hier in die Ebene. Ich kann die Herde durch den Dschungel zum Kopf der Schlucht führen und dann hindurchjagen – aber er würde sich am unteren Ende verdrücken. Den Ausgang müssen wir blockieren. Grauer Bruder, kannst du für mich die Herde in zwei Teile trennen?«

»Ich vielleicht nicht – aber ich habe einen weisen Helfer mitgebracht.« Grauer Bruder trabte fort und verschwand in einem Loch. Dann hob sich dort ein großer grauer Kopf, den Mowgli gut kannte, und die heiße Luft wurde erfüllt vom schaurigsten Schrei des ganzen Dschungels – dem Jagdheulen eines Wolfs zur Mittagszeit.

»Akela! Akela!« sagte Mowgli; er klatschte in die Hände. »Ich hätte wissen müssen, daß du mich nicht vergißt. Wir haben schwere Arbeit zu erledigen. Trenn die Herde in zwei

Teile, Akela. Halt die Kühe und Kälber zusammen, und die Bullen und Pflügebüffel auch.«

Wie im Wechseltanz liefen die beiden Wölfe durch die Herde; die Tiere schnaubten und warfen die Köpfe hoch und teilten sich in zwei Haufen. In einem standen die Büffelkühe mit den Kälbern in der Mitte und stierten und stampften, bereit, sich auf einen Wolf zu stürzen und ihn zu Tode zu trampeln, wenn er nur lange genug stillstand. Im anderen Haufen grunzten und stampften die Bullen und Jungbullen; aber wenn sie auch furchterregender aussahen, waren sie doch viel weniger gefährlich, denn sie hatten keine Kälber zu schützen. Sechs Männer hätten die Herde nicht so sauber teilen können.

»Was jetzt?« keuchte Akela. »Sie versuchen, wieder zusammenzukommen.«

Mowgli glitt auf Ramas Rücken. »Treib die Bullen weg, nach links, Akela. Grauer Bruder, wenn wir fort sind, halt die Kühe zusammen und treib sie zum Fußende der Schlucht.«

»Wie weit?« sagte Grauer Bruder; er hechelte und schnappte.

»Bis dahin, wo die Seiten höher sind als Shere Khan springen kann«, schrie Mowgli. »Da halt sie fest, bis wir runterkommen.« Die Bullen stürmten los, als Akela bellte, und Grauer Bruder baute sich vor den Kühen auf. Sie stürzten sich auf ihn und er rannte immer knapp vor ihnen zum unteren Ende der Schlucht, während Akela die Bullen weit nach links trieb.

»Gut so! Noch einmal angehen, dann sind sie gut in Schwung. Vorsicht jetzt – Vorsicht, Akela. Ein Biß zuviel und die Bullen gehen auf dich los. *Hujah!* Das ist wildere Arbeit als Schwarzböcke jagen. Hast du gewußt, daß sie so schnell laufen können?« rief Mowgli.

»Ich hab... hab sie auch gejagt, zu meiner Zeit«, keuchte Akela im Staub. »Soll ich sie in den Dschungel drängen?«

»Ja, abdrehen! Ganz schnell! Rama rast vor Wut. Ach, wenn ich ihm doch sagen könnte, wozu ich ihn heut brauch!«

Diesmal wurden die Bullen nach rechts gedrängt und krachten ins hohe Dickicht. Die anderen Hütekinder, die eine halbe Meile entfernt bei den Rindern zuschauten, liefen ins Dorf, so schnell ihre Beine sie trugen, und schrien dabei, die Büffel seien verrückt geworden und fortgerannt.

Aber Mowglis Plan war einfach genug. Er wollte nur einen großen Bogen bergauf schlagen und zum Kopf der Schlucht gelangen und dann die Bullen hindurchjagen, so daß Shere Khan zwischen die Bullen und die Kühe geriet; denn er wußte, daß Shere Khan, nachdem er gegessen und viel getrunken hatte, weder würde kämpfen noch die Wände der Schlucht hinaufklimmen können. Er besänftigte die Büffel nun durch Zurufe, und Akela hatte sich weit zurückfallen lassen; nur ein- oder zweimal jaulte er noch, um die Nachhut zur Eile zu treiben. Es war ein langer, langer Bogen, denn sie durften nicht zu nah an die Schlucht kommen und Shere Khan warnen. Endlich ließ Mowgli die verwirrte Herde am Kopfende der Schlucht schwenken, auf einem Stück Grasbodens, der sich steil zur eigentlichen Schlucht senkte. Aus dieser Höhe konnte man über die Baumwipfel hinab auf die Ebene blicken; aber Mowgli blickte auf die Wände der Schlucht und sah zu seiner Zufriedenheit, daß sie überall fast senkrecht waren, während die Schling- und Kletterpflanzen an ihnen einem Tiger, der hinauswollte, keinen Halt geben würden.

»Laß sie verschnaufen, Akela«, sagte er; er hob die Hand. »Sie haben ihn noch nicht gewittert. Laß sie verpusten. Ich muß Shere Khan sagen, wer zu ihm kommt. Wir haben ihn in der Falle.«

Er legte die Hände an den Mund und schrie die Schlucht hinunter – es war beinahe, als riefe er in einen Tunnel hinein –, und die Echos hüpften von Fels zu Fels.

Nach langer Zeit ertönte das schleppende schläfrige Knurren eines eben aufgewachten, vollgefressenen Tigers.

»Wer ruft da?« sagte Shere Khan, und ein prächtiger Pfau flatterte kreischend aus der Schlucht.

»Ich, Mowgli. Rinderdieb, es ist Zeit, zum Ratsfelsen zu kommen! Runter – jag sie runter, Akela! Runter, Rama, runter!«

Die Herde hielt einen Moment am Rand des Abhangs, aber Akela stieß sein lautestes Jagdgellen aus, und einer nach dem anderen stürzten sie sich hinunter, ganz wie Dampfer Stromschnellen hinabschießen; Sand und Steine spritzten um sie auf. Einmal in Schwung waren sie nicht mehr zu halten, und noch ehe sie die Sohle der Schlucht erreicht hatten, witterte Rama Shere Khan und brüllte.

»Ha! Ha!« sagte Mowgli auf seinem Rücken. »Jetzt weißt du es!« und die Sturzflut schwarzer Hörner, schäumender Schnauzen und stierender Augen toste die Schlucht hinab wie Felsblöcke in einer Überschwemmung; die schwächeren Büffel wurden hinausgeschleudert an die Wände der Schlucht, wo sie durch die Schlingpflanzen rasten. Sie wußten, welche Art Werk vor ihnen lag – der furchtbare Ansturm der Büffelherde, dem sich kein Tiger stellen kann. Shere Khan hörte das Donnern der Hufe, raffte sich auf und torkelte die Schlucht hinunter, wobei er auf allen Seiten nach einem Fluchtweg suchte; aber die Wände der Schlucht waren steil und er mußte weiter, schwer vom Essen und Trinken und zu allem anderen eher bereit als zum Kämpfen. Die Herde platschte durch den Tümpel, den er eben verlassen hatte und brüllte, bis das enge Tal hallte. Mowgli hörte vom Fuß der Schlucht die Antwort brüllen, sah Shere Khan sich drehen (der Tiger wußte, wenn es zum Schlimmsten kam, war es besser, sich den Bullen zu stellen als den Kühen mit ihren Kälbern), und dann strauchelte Rama, stolperte und rannte weiter über etwas Weiches, und mit den Bullen auf seinen Fersen krachte er voll in die andere Herde, während es die schwächeren Büffel durch die Wucht des Zusammenpralls glatt von den Beinen riß. Der Ansturm trug beide

Herden hinaus in die Ebene, stoßend und stampfend und schnaubend. Im günstigsten Moment glitt Mowgli von Ramas Nacken und schlug mit seinem Stock rechts und links um sich.

»Schnell, Akela! Auflösen! Treib sie auseinander, sonst bringen sie sich um. Treib sie weg, Akela. *Hai*, Rama! *Hai! hai! hai!* meine Kinder. Ruhig, ganz ruhig jetzt! Es ist ja alles vorbei.«

Akela und Grauer Bruder rannten hin und her, schnappten nach den Beinen der Büffel, und obwohl die Herde einmal schwenkte, um wieder die Schlucht hinaufzustürmen, gelang es Mowgli, Rama zu wenden, und die anderen folgten ihm zu den Suhlen.

Shere Khan brauchte kein Trampeln mehr. Er war tot, und es näherten sich ihm die Geier.

»Brüder, das war ein Tod wie für einen Hund«, sagte Mowgli; er tastete nach dem Messer, das er, seit er bei den Menschen lebte, immer in einer Scheide am Hals trug. »Aber er hätte sich nie zum Kampf gestellt. Sein Fell wird sich auf dem Ratsfelsen gut machen. Wir müssen schnell an die Arbeit gehen.«

Ein unter Menschen erzogener Junge hätte nicht im Traum daran gedacht, einen zehn Fuß großen Tiger allein zu häuten; Mowgli wußte jedoch besser als jeder andere, wie einem Tier die Haut angepaßt ist und wie man sie abnehmen kann. Aber es war harte Arbeit, und Mowgli schlitzte und riß und grunzte eine Stunde lang, während die Wölfe die Zungen hängen ließen oder auf seinen Befehl hin kamen und zerrten.

Plötzlich fiel eine Hand auf seine Schulter, und als er aufblickte, sah er Buldeo mit der Tower-Muskete. Die Kinder hatten dem Dorf von den durchgegangenen Büffeln berichtet, und Buldeo war verärgert aufgebrochen, nur zu gern bereit, Mowgli zu bestrafen, weil er nicht besser auf die Herde aufgepaßt hatte. Die Wölfe verschwanden, sobald sie den Mann kommen sahen.

»Was soll denn dieser Unsinn?« sagte Buldeo zornig. »Sich einzubilden, du könntest allein einen Tiger häuten! Wo haben die Büffel ihn getötet? Es ist der Lahme Tiger, auch das noch, und auf seinen Kopf sind hundert Rupien ausgesetzt. Na ja, wir wollen ein Auge zudrücken, daß du die Herde hast laufen lassen, und vielleicht geb ich dir eine Rupie von der Belohnung, wenn ich das Fell nach Kaniwara gebracht hab.« Er kramte in seiner Westentasche nach Stahl und Feuerstein und bückte sich, um Shere Khans Schnurrbarthaare abzusengen. Die meisten eingeborenen Jäger sengen die Haare des Tigers ab, damit sein Geist sie nicht heimsucht.

»Hm!« sagte Mowgli halb zu sich selbst, als er das Fell an einer Vordertatze aufschlitzte. »Wegen der Belohnung willst du also das Fell nach Kaniwara bringen und mir vielleicht eine Rupie abgeben? Ich glaub aber, daß ich die Haut für meine eigenen Zwecke brauch. Heh! alter Mann, nimm das Feuer da weg!«

»Wie redest du denn mit dem Oberjäger des Dorfs? Dein Glück und die Dummheit deiner Büffel haben dir geholfen, den hier zu töten. Der Tiger hatte eben gegessen, sonst wäre er jetzt zwanzig Meilen weit weg. Du kannst ihn ja nicht mal richtig häuten, kleiner Bettlerlümmel, und dann muß ich, Buldeo, mir sagen lassen, ich soll seinen Bart nicht absengen. Mowgli, ich werde dir keinen Anna von der Belohnung geben, bloß eine sehr große Tracht Prügel. Weg vom Kadaver!«

»Bei dem Bullen, um den ich gekauft wurde«, sagte Mowgli, der an die Schulter zu kommen suchte, »muß ich den ganzen Tag mit einem alten Affen schnattern? Hierher, Akela, dieser Mann ist mir lästig.«

Buldeo, der sich noch immer über Shere Khans Kopf bückte, fand sich ausgestreckt im Gras wieder, unter einem grauen Wolf, während Mowgli mit dem Häuten weitermachte, als ob er in ganz Indien allein wäre.

»Ja-a«, sagte er durch die Zähne. »Du hast ganz recht, Buldeo. Du wirst mir nicht einmal einen Anna von der Belohnung geben. Ein alter Krieg herrscht zwischen diesem lahmen Tiger und mir – ein sehr alter Krieg, und – ich hab gewonnen.«

Um gerecht zu Buldeo zu sein – wäre er zehn Jahre jünger gewesen, dann hätte er es auf einen Kampf mit Akela ankommen lassen, wenn er den Wolf im Wald getroffen hätte; aber ein Wolf, der den Befehlen dieses Jungen gehorchte, der Privatkriege mit menschenfressenden Tigern austrug, war kein gewöhnliches Tier. Das war Hexerei, schlimmste Magie, dachte Buldeo, und er fragte sich, ob das Amulett an seinem Hals ihn schützen würde. Er lag so still er nur konnte und rechnete jederzeit damit, daß Mowgli sich auch in einen Tiger verwandelte.

»Maharadsch! Großer König!« sagte er schließlich mit heiserem Flüstern.

»Ja«, sagte Mowgli, ohne den Kopf zu wenden; er kicherte leise.

»Ich bin ein alter Mann. Ich wußte doch nicht, daß du etwas anderes bist als ein Hütejunge. Darf ich aufstehen und fortgehen, oder wird dein Diener mich in Stücke reißen?«

»Geh, und Friede sei mit dir. Nur misch dich nicht noch mal in meine Angelegenheiten. Laß ihn gehen, Akela.«

Buldeo hinkte zurück zum Dorf, so schnell er konnte; dabei blickte er über seine Schulter zurück, falls Mowgli sich in etwas Furchtbares verwandeln sollte. Als er ins Dorf kam, erzählte er eine Geschichte von Magie und Zauber und Hexerei, und der Priester schaute sehr ernst drein.

Mowgli fuhr mit seiner Arbeit fort, aber es war beinahe Zwielicht, bis er und die Wölfe das große bunte Fell vom Körper abgezogen hatten.

»Das müssen wir jetzt verstecken und die Büffel heimbringen! Hilf mir, sie zusammenzutreiben, Akela.«

Im nebligen Zwielicht sammelte sich die Herde, und als sie in die Nähe des Dorfs kamen, sah Mowgli Lichter und hörte, wie die Muschelhörner und Glocken des Tempels geblasen und geschlagen wurden. Das halbe Dorf schien ihn am Tor zu erwarten. ›Das ist wohl, weil ich Shere Khan getötet habe‹, sagte er sich; aber ein Steinschauer pfiff um seine Ohren, und die Dörfler schrien: »Hexer! Wolfsbalg! Dschungeldämon! Geh fort! Geh schnell fort, oder der Priester wird dich wieder zum Wolf machen. Schieß, Buldeo, schieß!«

Die alte Tower-Muskete ging mit einem Knall los, und ein junger Büffel brüllte vor Schmerzen.

»Noch mehr Hexerei!« schrien die Dörfler. »Er kann Kugeln ablenken. Buldeo, das war *dein* Büffel.«

»Also, was soll *das* denn?« sagte Mowgli verblüfft, als die Steine dichter flogen.

»Sie sind dem Rudel ganz ähnlich, diese deine Brüder«, sagte Akela; gelassen setzte er sich nieder. »Ich glaube fast, wenn Kugeln irgendwas zu bedeuten haben, dann wollen sie dich ausstoßen.«

»Wolf! Wolfskind! Geh fort!« schrie der Priester; dabei schwenkte er einen Sproß der heiligen *tulsi*-Pflanze.

»Schon wieder? Letztes Mal war es, weil ich ein Mensch war. Diesmal, weil ich ein Wolf bin. Komm, Akela, wir gehen.«

Eine Frau – es war Messua – kam zur Herde herübergelaufen und rief: »O mein Sohn, mein Sohn! Sie sagen, du bist ein Hexer, der sich in ein Tier verwandeln kann. Ich glaube es nicht, aber geh, sonst töten sie dich. Buldeo sagt, du bist ein Zauberer, aber ich weiß, daß du Nathoos Tod gerächt hast.«

»Komm zurück, Messua!« schrie die Menge. »Komm zurück, oder wir steinigen dich.«

Mowgli lachte ein kleines häßliches Lachen, denn ein Stein hatte ihn am Mund getroffen. »Lauf zurück, Messua. Das ist eine von den närrischen Geschichten, die sie in der Abenddämmerung unter dem großen Baum erzählen. Wenigstens hab ich für das Leben deines Sohnes gezahlt. Lebwohl; und lauf rasch, ich werde nämlich die Herde schneller hineinschicken als ihre Ziegelbrocken. Ich bin kein Zauberer, Messua. Lebwohl!«

»Jetzt nochmal, Akela«, rief er. »Treib die Herde hinein.«

Die Büffel wollten ohnehin schnell ins Dorf. Akelas Gellen war kaum nötig; sie stürmten durch das Tor wie ein Wirbelwind und zerstreuten die Menge nach rechts und links.

»Zählt sie gut!« schrie Mowgli voller Verachtung. »Vielleicht hab ich ja einen gestohlen. Zählt sie, ich werde sie nämlich nicht mehr für euch hüten. Lebt wohl, ihr Kinder von Menschen, und dankt Messua dafür, daß ich nicht mit meinen Wölfen ins Dorf komm und euch eure Straße rauf und runter jage.«

Er drehte sich jäh um und ging mit dem Einsamen Wolf fort; und als er zu den Sternen hinaufblickte, fühlte er sich glücklich. »Ich brauche nicht mehr in Fallen zu schlafen, Akela. Laß uns Shere Khans Fell holen und weggehen. Nein; wir wollen dem Dorf nichts tun, denn Messua war lieb zu mir.«

Als der Mond über die Ebene stieg und sie ganz milchig machte, sahen die entsetzten Dörfler Mowgli, wie er mit zwei Wölfen auf den Fersen und einem Bündel auf dem Kopf in dem gleichmäßigen Wolfstrab dahinlief, der die langen Meilen wie Feuer frißt. Da schlugen sie die Tempelglocken und bliesen die Muschelhörner lauter als je zuvor; und Messua weinte, und Buldeo schmückte die Geschichte von seinen Abenteuern im Dschungel aus, bis er schließlich behauptete, Akela habe auf den Hinterbeinen gestanden und geredet wie ein Mensch.

Der Mond ging eben unter, als Mowgli und die beiden Wölfe den Hügel des Ratsfelsens erreichten, und vor Mutter Wolfs Höhle hielten sie an.

»Sie haben mich aus dem Menschenrudel verstoßen, Mutter«, rief Mowgli, »aber ich komme mit Shere Khans Haut, um mein Wort zu halten.« Mutter Wolf kam steif aus der Höhle, gefolgt von den Jungen, und ihre Augen glühten, als sie das Fell sah.

»Ich hab es ihm gesagt, an dem Tag, als er mit seinem Kopf und seinen Schultern den Höhleneingang verstopft hat und dir ans Leben wollte, Kleiner Frosch – da hab ich ihm gesagt, daß der Jäger der Gejagte sein würde. Es ist gut so.«

»Kleiner Bruder, es ist gut so«, sagte eine tiefe Stimme im Dickicht. »Wir waren einsam im Dschungel ohne dich«, und Bagheera kam zu Mowglis nackten Füßen gelaufen. Zusammen kletterten sie auf den Ratsfelsen, und Mowgli breitete das Fell auf dem flachen Stein aus, wo Akela immer gesessen hatte, und steckte es mit vier Bambussplittern fest, und Akela legte sich darauf nieder und rief den alten Ruf an den Rat, »Seht – gut wägen, Wölfe!«, genau wie er gerufen hatte, als Mowgli zum ersten Mal dorthin gebracht worden war.

Seit Akelas Absetzung war das Rudel ohne Führer gewesen, hatte gekämpft und gejagt, wie es den Wölfen gerade gefiel. Aber aus Gewohnheit antworteten sie auf den Ruf, und einige waren lahm, weil sie in Fallen gestürzt waren, und einige hinkten von Schußwunden, und einige waren räudig, weil sie schlechte Dinge gegessen hatten, und viele fehlten; aber sie kamen zum Ratsfelsen, alle, die noch übrig waren, und sahen Shere Khans gestreiftes Fell auf dem Felsen, und die riesigen Krallen baumelten am Ende der leeren, baumelnden Füße. Da war es, daß Mowgli ein Lied machte ohne jeden Reim, ein Lied, das ganz von selbst in seine Kehle stieg, und er schrie es laut und sprang dabei auf dem raschelnden Fell herum und schlug mit seinen Fersen den Takt, bis er keine Luft mehr übrig hatte, während Grauer Bruder und Akela zwischen den Strophen heulten.

»Gut wägen, Wölfe. Hab ich mein Wort gehalten?« sagte Mowgli, als er fertig war; und die Wölfe bellten »Ja«, und ein zerfetzter Wolf heulte:

»Führ uns wieder, o Akela. Führ uns wieder, o Menschenjunges, denn wir sind krank von dieser Gesetzlosigkeit, und wir wollen wieder das Freie Volk sein.«

»Nein.« Bagheera schnurrte. »Das kann nicht sein. Wenn ihr vollgefressen seid, mag der Wahnsinn wieder über euch kommen. Nicht umsonst werdet ihr das Freie Volk genannt. Ihr habt für die Freiheit gekämpft, und sie gehört euch. Nun freßt sie, o Wölfe.«

»Menschenrudel und Wolfsrudel haben mich ausgestoßen«, sagte Mowgli. »Jetzt werde ich allein im Dschungel jagen.«

»Und wir jagen mit dir«, sagten die vier Wolfsjungen.

Also ging Mowgli fort und jagte von diesem Tag an mit den vier Wolfsjungen im Dschungel. Aber er blieb nicht immer allein, denn Jahre später wurde er ein Mann und heiratete.

Aber das ist eine Geschichte für Erwachsene.

MOWGLI'S SONG

The Song of Mowgli—I, Mowgli, am singing. Let the jungle
listen to the things I have done.

Shere Khan said he would kill—would kill! At the gates in the
twilight he would kill Mowgli, the Frog!

He ate and he drank. Drink deep, Shere Khan, for when wilt
thou drink again? Sleep and dream of the kill.

I am alone on the grazing-grounds. Gray Brother, come to me!
Come to me, Lone Wolf, for there is big game afoot.

Bring up the great bull-buffaloes, the blue-skinned herdbulls
with the angry eyes. Drive them to and fro as I order.

Sleepest thou still, Shere Khan? Wake, oh wake! Here come I,
and the bulls are behind.

Rama, the King of the Buffaloes, stamped with his foot. Waters
of the Waingunga, whither went Shere Khan?

He is not Ikki to dig holes, nor Mor, the Peacock, that he should
fly. He is not Mang, the Bat, to hang in the branches. Little
bamboos that creak together, tell me where he ran?

Ow! He is there. *Ahoo!* He is there. Under the feet of Rama lies
the Lame One! Up, Shere Khan! Up and kill! Here is meat;
break the necks of the bulls!

Hsh! He is asleep. We will not wake him, for his strength is
very great. The kites have come down to see it. The black
ants have come up to know it. There is a great assembly in his
honour.

MOWGLIS GESANG

DEN

ER AM RATSFELSEN SANG

ALS ER AUF SHERE KHANS FELL TANZTE

Mowglis Gesang – ich, Mowgli, singe. Der Dschungel soll hören, was ich getan habe.

Shere Khan sagte, er würde töten – töten! In der Dämmerung am Tor Mowgli töten, den Frosch!

Er aß und er trank. Trink dich satt, Shere Khan, denn wann wirst du wieder trinken? Schlaf und träum vom Töten.

Ich bin allein auf den Weideplätzen. Grauer Bruder, komm zu mir! Komm zu mir, Einsamer Wolf, denn großes Wild ist unterwegs!

Bringt die großen Büffelbullen, die blauhäutigen Herdenbullen mit den bösen Augen. Treibt sie hin und her wie ich es sage.

Schläfst du noch immer, Shere Khan? Wach auf, o wach auf! Hier komme ich, gefolgt von den Stieren.

Rama, der König der Büffel, stampfte mit seinem Fuß. Wässer des Wainganga, wohin ist Shere Khan denn gegangen?

Er ist nicht Ikki, gräbt keine Löcher, auch nicht Mor der Pfau, daß er fliegen könnte. Er ist nicht Mang, die Fledermaus, hängt nicht in den Ästen. Kleine Bambusstäbe die zusammen ächzen, sagt mir, wohin ist er gerannt?

Ah! Da ist er. *Ahoo!* Er ist da. Unter den Füßen von Rama liegt der Lahme! Auf, Shere Khan! Auf und töte! Hier ist Fleisch; brich die Nacken der Stiere!

Scht! Er schläft. Wir wollen ihn nicht wecken, denn seine Kraft ist sehr groß. Die Geier sind heruntergekommen, um sie zu sehen. Die schwarzen Ameisen sind heraufgekommen, um sie zu erfahren. Eine große Versammlung, ihn zu ehren.

Alala! I have no cloth to wrap me. The kites will see that I am naked. I am ashamed to meet all these people.

Lend me thy coat, Shere Khan. Lend me thy gay striped coat that I may go to the Council Rock.

By the Bull that bought me, I have made a promise—a little promise. Only thy coat is lacking before I keep my word.

With the knife—with the knife that men use—with the knife of the hunter, the man, I will stoop down for my gift.

Waters of the Waingunga, bear witness that Shere Khan gives me his coat for the love that he bears me. Pull, Gray Brother! Pull, Akela! Heavy is the hide of Shere Khan.

The Man-Pack are angry. They throw stones and talk child's talk. My mouth is bleeding. Let us run away.

Through the night, through the hot night, run swiftly with me, my brothers. We will leave the lights of the village and go to the low moon.

Waters of the Waingunga, the Man-Pack have cast me out. I did them no harm, but they were afraid of me. Why?

Wolf-Pack, ye have cast me out too. The jungle is shut to me and the village gates are shut. Why?

As Mang flies between the beasts and the birds, so fly I between the village and the jungle. Why?

I dance on the hide of Shere Khan, but my heart is very heavy. My mouth is cut and wounded with the stones from the village, but my heart is very light because I have come back to the jungle. Why?

Alala! Ich habe kein Tuch, mich zu umhüllen. Die Geier werden sehen daß ich nackt bin. Ich schäme mich, all diesen Leuten so zu begegnen.

Leih mir deinen Mantel, Shere Khan. Leih mir deinen bunten gestreiften Mantel, daß ich zum Ratsfelsen gehen kann.

Beim Stier der mich kaufte, ich habe ein Versprechen gegeben – ein kleines Versprechen. Nur dein Mantel fehlt noch, damit ich mein Wort einhalte.

Mit dem Messer – mit dem Messer, das die Menschen verwenden – mit dem Messer des Jägers, des Mannes, will ich mich bücken nach meinem Geschenk.

Wässer des Wainganga, ihr seid Zeugen, daß Shere Khan mir sein Fell schenkt wegen der Liebe die er für mich hegt. Zieh, Grauer Bruder! Zieh, Akela! Schwer ist das Fell von Shere Khan.

Das Menschen-Rudel ist zornig. Sie werfen Steine und reden wie Kinder. Mein Mund ist blutig. Laßt uns fortlaufen.

Durch die Nacht, durch die heiße Nacht, lauft schnell mit mir, meine Brüder. Wir wollen die Lichter des Dorfs verlassen und zum niedrigen Mond gehen.

Wässer des Wainganga, das Menschen-Rudel hat mich ausgestoßen. Ich habe ihnen nichts Böses getan, aber sie hatten Angst vor mir. Warum?

Wolfs-Rudel, auch ihr habt mich ausgestoßen. Der Dschungel ist mir verschlossen und die Dorftore sind verschlossen. Warum?

Wie Mang fliegt zwischen den Tieren und Vögeln, so fliege ich zwischen Dorf und Dschungel. Warum?

Ich tanze auf dem Fell von Shere Khan, aber mein Herz ist sehr schwer. Mein Mund ist zerschnitten und wund von den Steinen, aber mein Herz ist sehr leicht, denn ich bin zurückgekommen zum Dschungel. Warum?

These two things fight together in me as the snakes fight in the
    spring.
The water comes out of my eyes; yet I laugh while it falls.
    Why?
I am two Mowglis, but the hide of Shere Khan is under my feet.
All the jungle knows that I have killed Shere Khan. Look—look
    well, O Wolves!
Ahae! My heart is heavy with the things that I do not under-
    stand.

Diese beiden Dinge kämpfen in mir miteinander wie die
    Schlangen im Frühling.
Das Wasser kommt mir aus den Augen; aber ich lache, während
    es fällt. Warum?
Ich bin zwei Mowglis, aber die Haut von Shere Khan ist unter
    meinen Füßen.
Der ganze Dschungel weiß, daß ich Shere Khan getötet habe.
    Seht – gut wägen, Wölfe!
Ahae! Mein Herz ist schwer von den Dingen die ich nicht ver-
    stehe.

DIE WEISSE ROBBE

Oh! hush thee, my baby, the night is behind us,
  And black are the waters that sparkled so green.
The moon, o'er the combers, looks downward to find us
  At rest in the hollows that rustle between.
Where billow meets billow, there soft be thy pillow;
  Ah, weary wee flipperling, curl at thy case!
The storm shall not wake thee, nor shark overtake thee,
  Asleep in the arms of the slow-swinging seas.
                                          Seal Lullaby.

[O schlaf nun, mein Kleines, die Nacht hat uns wieder
  und schwarz sind die Wasser die funkelten grün.
Der Mond über Schaumkronen sucht uns und sieht uns
  wie wir in den rauschenden Tälern jetzt ruhn.
Dein Kissen sei weich, dort wo Woge trifft Woge;
  ach müd sind die Flossen, drum kuschel dich fein!
Kein Sturm soll dich wecken, kein Hai soll dich holen,
  schlaf sanft in den Armen der wiegenden See.
                                          Robbenschlaflied]

ALL diese Dinge geschahen vor einigen Jahren an einem Ort
namens Novastoshna oder Nord-Ost-Punkt, auf der Insel
St. Paul, weit oben in der Bering-See. Limmershin, der Win-
terkönig, hat mir die Geschichte erzählt, als es ihn auf die Take-
lung eines nach Japan fahrenden Dampfers wehte und ich ihn
mit in meine Kabine nahm und wärmte und ein paar Tage lang
fütterte, bis er kräftig genug war, um wieder zurück nach
St. Paul zu fliegen. Limmershin ist ein komischer kleiner Vogel, aber er erzählt die Wahrheit.

Niemand kommt je nach Novastoshna, außer in Geschäften;
und die einzigen Leute, die dort regelmäßig Geschäfte zu erledigen haben, sind die Robben. In den Sommermonaten kommen
sie zu vielen Hunderttausenden aus der kalten grauen See; unter allen Plätzen der Welt bietet nämlich der Strand von Novastoshna die beste Unterkunft für Seehunde.

Seekerl wußte das, und jedes Frühjahr schwamm er von dem

Ort, wo er gerade war – schwamm wie ein Torpedoboot direkt nach Novastoshna, und dort kämpfte er einen Monat lang mit seinen Genossen um einen guten Platz auf den Felsen, so nah wie möglich am Meer. Seekerl war fünfzehn Jahre alt, ein großer grauer Seebär mit fast schon einer Mähne auf den Schultern und langen, bösen Hundezähnen. Wenn er sich auf den Vorderflossen hochstemmte, ragte er mehr als vier Fuß über den Boden, und wäre jemand mutig genug gewesen, ihn zu wiegen, hätte er festgestellt, daß Seekerl an die siebenhundert Pfund wog. Am ganzen Körper war er von den Narben wilder Kämpfe gezeichnet, aber immer zu dem einen weiteren Kampf bereit. Dabei legte er seinen Kopf auf die Seite, als hätte er Angst, dem Feind ins Gesicht zu sehen; dann ließ er ihn blitzartig vorschnellen, und wenn die großen Zähne sicher im Nacken des anderen Seehunds saßen, mochte dieser versuchen, zu entkommen, aber Seekerl half ihm nicht dabei.

Seekerl jagte jedoch niemals eine unterlegene Robbe, denn das verstieß gegen das Gesetz des Strandes. Alles was er wollte war Platz am Meer für sein Kinderzimmer; aber das wollten auch vierzig- oder fünfzigtausend andere Seehunde jedes Frühjahr, deshalb waren das Pfeifen, Brüllen, Röhren und Prusten auf dem Strand ziemlich furchterregend.

Von einem kleinen Hügel namens Hutchinsons Berg konnte man über dreieinhalb Meilen Boden blicken, der bedeckt war von kämpfenden Robben; und in der Brandung wimmelten Punkte, die Köpfe von Robben, die an Land stürzten, um mit ihrem Teil des Kampfs zu beginnen. Sie kämpften in den Brechern, sie kämpften im Sand, und sie kämpften auf den glattgeschliffenen Basaltfelsen der Kinderstuben; sie waren nämlich genauso dumm und ungefällig wie Menschen. Ihre Frauen kamen nie vor Ende Mai oder Anfang Juni auf die Insel, denn sie legten keinen Wert darauf, in Stücke gerissen zu werden; und die jungen zwei-, drei- und vierjährigen Seehunde, die noch keinen Haushalt hatten, gingen durch die Reihen der

Kämpfenden hindurch etwa eine halbe Meile landeinwärts, wo sie in Herden und Legionen auf den Sanddünen tollten und alles noch so kleine Grünzeug, das dort wuchs, abrieben. Man nannte sie die *hollustschickie* – die Junggesellen –, und allein bei Novastoshna gab es vielleicht zwei- oder dreihunderttausend von ihnen.

In einem Frühjahr hatte Seekerl eben seinen fünfundvierzigsten Kampf beendet, als Matkah, seine weiche, geschmeidige, sanftäugige Frau aus dem Meer auftauchte; er packte sie am Genick und ließ sie auf sein erkämpftes Reservat plumpsen. Dabei sagte er unwirsch: »Ziemlich spät, wie gewöhnlich. Wo hast du bloß gesteckt?«

In den vier Monaten am Strand aß Seekerl nie etwas, deshalb war er normalerweise schlecht gelaunt. Matkah wußte das und hütete sich zu antworten. Sie schaute sich um und gurrte: »Wie aufmerksam von dir! Du hast wieder unseren alten Platz genommen.«

»Natürlich hab ich das«, sagte Seekerl. »Sieh mich bloß mal an!«

Er war zerkratzt und blutete an zwanzig Stellen; ein Auge war fast blind, und seine Flanken hingen in Fetzen.

»Ach, ihr Männer, ihr Männer!« sagte Matkah; sie befächelte sich mit ihrer Hinterflosse. »Warum könnt ihr denn nicht vernünftig sein und die Plätze ganz ruhig aushandeln? Du siehst aus, als ob du mit dem Mörderwal gekämpft hättest.«

»Seit Mitte Mai hab ich überhaupt *nur* gekämpft. Dieses Jahr ist der Strand so überlaufen, das ist schon eine Schande. Ich hab mindestens hundert Robben vom Lukannon-Strand getroffen, die hier Unterkunft suchen. Warum bleiben die Leute nicht einfach da, wo sie hingehören?«

»Ich habe schon oft überlegt, ob wir nicht auf dem Otter-Eiland viel glücklicher wären als hier in diesem Gedränge«, sagte Matkah

»Pah! Zum Otter-Eiland gehen nur die *hollustschickie*. Wenn wir dahin gingen, würde es heißen, wir haben Angst. Wir müssen das Gesicht wahren, meine Liebe.«

Seekerl zog den Kopf stolz zwischen die fetten Schultern und tat, als wolle er ein paar Minuten schlafen; dabei hielt er die ganze Zeit scharf Ausschau nach einem Kampf. Nun, da alle Seehunde und ihre Frauen an Land waren, konnte man über den lautesten Sturm hinweg ihr Geschrei meilenweit auf See hinaus hören. Selbst bei ganz vorsichtiger Zählung gab es über eine Million Robben am Strand – alte Seehunde, Mutterrobben, winzige Babies und *hollustschickie*, die miteinander kämpften, rauften, blökten, krabbelten und spielten; in Gruppen und Regimentern gingen sie zur See hinab und kamen wieder zurück; soweit das Auge reichte lagen sie auf jedem Fußbreit Bodens, und zu Brigaden plänkelten sie im Nebel herum. Bei Novastoshna ist es fast immer neblig, außer wenn die Sonne durchkommt und alles für kurze Zeit perlig und regenbogenfarben aussehen läßt.

Kotick, Matkahs Baby, wurde mitten in diesem Durcheinander geboren, und er bestand ganz aus Kopf und Schultern und hatte helle, wasserblaue Augen, wie es sich für kleine Robben gehört; aber etwas an seinem Fell ließ die Mutter sehr genau hinsehen.

»Seekerl«, sagte sie schließlich, »unser Baby wird weiß sein!«

»Leere Muscheln und dürrer Seetang!« grunzte Seekerl. »Sowas hats auf der Welt noch nie gegeben, eine weiße Robbe.«

»Da kann man nichts machen«, sagte Matkah; »jetzt gibt es eben eine«; und sie sang den leisen, summenden Seehund-Gesang, den alle Mutterrobben ihren Babies vorsingen:

> You mustn't swim till you're six weeks old,
>   Or your head will be sunk by your heels;
> And summer gales and Killer Whales
>   Are bad for baby seals.

Are bad for baby seals, dear rat,
  As bad as bad can be;
But splash and grow strong,
And you can't be wrong,
  Child of the Open Sea!

[Mit sechs Wochen darfst du schwimmen, nicht eher,
    dein Schwanz zieht den Kopf sonst hinab;
und Sommerstürme und Mörderwale
    sind schlecht für kleine Robben.

Sind schlecht für kleine Robben, du Ratz,
    und schlechter geht es nicht;
aber platsch und werd stark,
dann wird alles gut,
    du Kind der offenen See!]

Natürlich verstand der kleine Kerl am Anfang die Worte nicht. Er paddelte und krabbelte neben seiner Mutter her und lernte es, aus dem Weg zu kriechen, wenn sein Vater mit einem anderen Seehund kämpfte und die beiden die glitschigen Felsen hinauf und hinab rollten und röhrten. Matkah schwamm in die See hinaus, um Essen zu beschaffen, und der Kleine wurde nur jeden zweiten Tag gefüttert; aber dann aß er, soviel er konnte, und es bekam ihm gut.

Das erste, was er selbständig tat, war landeinwärts zu kriechen, und da traf er Zehntausende Babies in seinem Alter, und wie Welpen spielten sie miteinander, gingen auf dem sauberen Sand schlafen und spielten wieder. Die alten Leute in den Kinderstuben beachteten sie nicht, und die *hollustschickie* blieben auf ihrem eigenen Gelände, also konnten die Babies wunderbar spielen.

Wenn Matkah von ihren Tiefsee-Fischzügen heimkam, ging sie gleich zum Spielplatz und rief, wie ein Mutterschaf nach dem Lamm ruft, und wartete, bis sie Kotick blöken hörte. Dann ging sie auf dem allerkürzesten Weg zu ihm und schlug dabei mit den Vorderflossen um sich, daß die Kleinen rechts und links kopfüber durcheinanderpurzelten. Auf den Spielplätzen suchten immer ein paar hundert Mütter nach ihren Kindern, und die Babies wurden in Bewegung gehalten; aber, wie Matkah Kotick sagte: »Solange du nicht in schmutzigem Wasser liegst und die Räude kriegst oder dir den harten Sand in einen Riß oder Kratzer reibst und solange du nie schwimmen gehst wenn schwerer Seegang ist, so lange wird dir hier nichts Böses passieren.«

Kleine Robben können genausowenig schwimmen wie kleine Kinder, aber sie sind erst glücklich, wenn sie es gelernt haben. Als Kotick das erste Mal ins Meer ging, trug eine Welle ihn in tiefes Wasser hinaus, und sein großer Kopf sank und seine kleinen Hinterflossen flogen hoch, genau wie seine Mutter es ihm im Lied gesagt hatte, und wenn die nächste Welle ihn nicht zurückgespült hätte, wäre er ertrunken.

Danach lernte er, wie man sich in einen Priel am Strand legt, wo die Ausläufer der Wellen einen gerade noch bedecken und anheben, wenn man paddelt, aber er hielt die Augen immer offen nach der großen Welle, die ihm wehtun würde. Zwei Wochen lang lernte er, mit seinen Flossen umzugehen; und die ganze Zeit platschte er ins Wasser und wieder heraus und hustete und grunzte und kroch auf den Strand und hielt im Sand ein Nickerchen und ging wieder zurück, bis er endlich wußte, daß er nun wirklich ins Wasser gehörte.

Ihr könnt Euch vorstellen, wieviel Spaß er jetzt mit seinen Gefährten hatte, wenn sie unter den Wogen durchtauchten; oder wenn sie auf einem Wellenkamm ritten und mit Platschen und Spritzen landeten, während die große Welle den Strand hinauf toste; oder wenn er sich auf den Schwanz stellte und den Kopf kratzte, wie es die alten Leute taten; oder wenn sie »Ich bin der König der Burg« spielten, auf schlüpfrigen, tangbewachsenen Felsen, die eben noch aus dem abfließenden Wasser ragten. Manchmal sah er eine dünne Rückenflosse, wie die eines großen Hais, langsam an der Küste entlangtreiben, und er wußte, daß dies der Mörderwal war, der Butzkopf, der junge Seehunde ißt, wenn er sie kriegen kann; und dann floh Kotick wie ein Pfeil zum Strand, und die Rückenflosse tanzte langsam fort, als ob sie überhaupt gar nichts gesucht hätte.

Spät im Oktober begannen die Robben, St. Paul zu verlassen und in Familien und Stämmen in die hohe See hinauszuziehen, und es gab keine Kämpfe mehr um Kinderstuben, und die *hollustschickie* konnten überall spielen, wo sie wollten. »Nächstes Jahr«, sagte Matkah zu Kotick, »wirst du auch ein *hollustschick* sein; aber dieses Jahr mußt du Fische fangen lernen.«

Sie machten sich gemeinsam auf den Weg über den Pazifik, und Matkah zeigte Kotick, wie er auf dem Rücken schlafen konnte, die Flossen eng an die Seiten gelegt und seine kleine Nase gerade eben über Wasser. Keine Wiege ist so gemütlich wie die lange, schaukelnde Dünung des Pazifik. Als Kotick auf der ganzen Haut ein Kribbeln fühlte, sagte Matkah ihm, er lerne jetzt das »Gefühl fürs Wasser« und daß kribblige, pricklige Gefühle schlimmes Wetter bedeuteten, und dann müsse er sehr schnell fortschwimmen.

»Bald wirst du wissen«, sagte sie, »wohin du dann schwimmen mußt, aber jetzt folgen wir einfach Seeschwein, dem Tümmler, der ist nämlich sehr weise.« Eine Schule von Tümmlern tauchte und schoß durchs Wasser, und der kleine Kotick folgte ihnen, so schnell er konnte. »Woher wißt ihr, wo ihr hinmüßt?« keuchte er. Der Führer der Schule rollte seine weißen Augen und tauchte. »Mein Schwanz kribbelt, Kleiner«, sagte er. »Das bedeutet, ein Sturm ist hinter mir her. Komm schon! Wenn du südlich von Klebriges Wasser bist [er meinte den Äquator] und dein Schwanz kribbelt, dann heißt das, ein Sturm ist vor dir und du mußt nach Norden schwimmen. Komm schon! Das Wasser hier fühlt sich schlimm an.«

Dies war eins von sehr vielen Dingen, die Kotick lernte, und er lernte dauernd. Matkah brachte ihm bei, wie man den Kabeljau und den Heilbutt die Untersee-Bänke entlang verfolgt und die Seequappe aus ihrem Loch im Tang herausreißt; wie man um die Wracks schwimmt, die hundert Faden tief im Wasser liegen, und wie man hinter den Fischen her wie eine Gewehrku-gel in eine Luke hinein und aus der anderen wieder heraus schießt; wie man auf den Wellenspitzen tanzt, wenn die Blitze über den ganzen Himmel rasen, und wie man dem stumpf-schwänzigen Albatros und dem Fregattvogel höflich mit der Flosse winkt, wenn sie auf dem Wind segeln; wie man drei oder vier Fuß aus dem Wasser springt wie der Delphin, die Flossen eng an den Seiten und den Schwanz gekrümmt; daß man die fliegenden Fische in Frieden läßt, weil sie nur aus Knochen be-stehen; wie man in zehn Faden Tiefe bei voller Geschwindig-keit das Schulterstück aus einem Kabeljau nehmen kann; und daß man nie anhält, um sich ein Boot oder ein Schiff anzusehen, vor allem nicht ein Ruderboot. Was Kotick nach sechs Monaten nicht über Tiefseefischen wußte, lohnte sich auch nicht zu wis-sen, und in der ganzen Zeit setzte er keine Flosse auf trockenen Boden.

Eines Tages aber, als er schläfrig im warmen Wasser ir-gendwo nahe der Insel Juan Fernandez lag, fühlte er sich ganz schwach und träge, genau wie Menschen, wenn ihnen der Frühling in den Beinen steckt, und er erinnerte sich an die guten festen Strände von Novastoshna, siebentausend Meilen ent-fernt, an die Spiele mit seinen Gefährten, den Geruch des See-tangs und die Kämpfe. Noch in derselben Minute wandte er sich nach Norden und schwamm gleichmäßig, und auf dem Weg traf er Dutzende seiner Spielkameraden, die alle zum glei-chen Ort wollten, und sie sagten: »Hallo, Kotick! Dieses Jahr sind wir alle *hollustschickie*, und wir können den Feuertanz in den Brechern vor Lukannon tanzen und auf dem neuen Gras spie-len. Aber woher hast du diesen Pelz?«

Koticks Fell war nun fast ganz weiß, und obwohl er sehr stolz darauf war, sagte er nur: »Schwimmt schnell! Meine Knochen sehnen sich nach dem Land.« Und so kamen sie alle zu den Stränden, auf denen sie geboren waren, und sie hörten die alten Robben, ihre Väter, im wogenden Nebel kämpfen.

In dieser Nacht tanzte Kotick mit den einjährigen Robben den Feuertanz. In Sommernächten ist die See voll Feuer, den ganzen Weg von Novastoshna bis hinunter nach Lukannon, und jeder Seehund hinterläßt ein Kielwasser wie brennendes Öl und einen flammenden Blitz wenn er springt, und die Wellen brechen in großen phosphoreszierenden Striemen und Strudeln. Dann gingen sie landeinwärts zu den *hollustschickie*-Gründen und rollten hin und her im neuen wilden Weizen und erzählten Geschichten von den Dingen, die sie auf See getan hatten. Sie redeten über den Pazifik, wie Jungen über einen Wald reden würden, in dem sie Nüsse gesucht haben, und hätte einer sie verstanden, dann hätte er fortgehen und eine so genaue Ozeankarte machen können, wie es sie nie gegeben hat. Die drei- und vierjährigen *hollustschickie* tobten von Hutchinsons Berg herunter und schrien: »Aus dem Weg, ihr Winzlinge! Die See ist tief, und ihr kennt noch längst nicht alles, was drin ist. Wartet, bis ihr erst um Kap Hoorn gekommen seid. He, du da, Jährling, wo hast du diesen weißen Mantel gekriegt?«

»Ich habe ihn nicht gekriegt«, sagte Kotick; »er ist gewachsen.« Und gerade als er den anderen umwerfen wollte, tauchten zwei schwarzhaarige Männer mit platten roten Gesichtern hinter einer Sanddüne auf, und Kotick, der noch nie einen Menschen gesehen hatte, hustete und senkte den Kopf. Die *hollustschickie* verzogen sich nur ein paar Meter und saßen da und starrten dumm. Die Männer waren niemand anders als Kerick Buterin, der Vormann der Robbenjäger auf der Insel, und sein Sohn Patalamon. Sie kamen aus dem kleinen Dorf keine halbe Meile von den Robben-Kinderstuben entfernt, und sie überlegten, welche Seehunde sie zu den Schlachtpferchen treiben sollten (Seehunde wurden nämlich getrieben wie Schafe), wo später aus ihnen Robbenfell-Jacken gemacht würden.

»Ho!« sagte Patalamon. »Sieh mal! Da ist eine weiße Robbe!«

Kerick Buterin wurde fast weiß unter seinem Öl und Rauch; er war nämlich Alëute, und Alëuten sind nicht besonders reinlich. Dann begann er ein Gebet zu murmeln. »Rühr ihn nicht an, Patalamon. Es hat nie eine weiße Robbe gegeben seit ... seit ich geboren bin. Vielleicht ist das der Geist vom alten Zakharov. Der ist letztes Jahr im großen Sturm umgekommen.«

»Ich geh nicht an ihn ran«, sagte Patalamon. »Er bringt Unglück. Meinst du, der alte Zakharov ist wirklich so zurückgekommen? Ich schulde ihm noch was für Möweneier.«

»Schau ihn am besten gar nicht an«, sagte Kerick. »Treib die Herde von Vierjährigen da weg. Eigentlich müßten die Männer heute zweihundert Stück häuten, aber sie kennen die Arbeit noch nicht und die Jagdzeit fängt erst an. Hundert werden reichen. Schnell!«

Patalamon rasselte vor einer Herde *hollustschickie* mit ein paar Seehund-Schulterblättern, und sie blieben schnaubend und prustend stehen. Dann ging er näher, und die Robben setzten sich in Bewegung, und Kerick lenkte sie landeinwärts, und kein einziges Mal versuchten sie, zu ihren Gefährten zurückzukommen. Viele hunderttausend Robben sahen zu, wie sie fortgetrieben wurden, und spielten einfach weiter. Kotick war der einzige, der Fragen stellte, und keiner seiner Gefährten konnte ihm etwas sagen, außer daß Menschen jedes Jahr sechs oder acht Wochen lang Seehunde in diese Richtung trieben.

»Ich gehe ihnen nach«, sagte er, und als er hinter der Herde herwatschelte, traten ihm fast die Augen aus dem Kopf.

»Die weiße Robbe ist hinter uns her«, rief Patalamon. »Das ist das erste Mal, daß eine Robbe von selbst zu den Schlachtplätzen kommt.«

»Pssst! Dreh dich nicht um«, sagte Kerick. »Das ist bestimmt Zakharovs Geist! Darüber muß ich mit dem Priester reden.«

Die Schlachtplätze waren nur eine halbe Meile entfernt, aber der Weg nahm eine Stunde in Anspruch; Kerick wußte nämlich, wenn die Seehunde zu schnell gingen, würden sie sich erhitzen, und beim Häuten würde ihr Fell in Fetzen abgehen.

Deshalb gingen sie ganz langsam, vorbei am Seelöwenkap, vorbei an Websters Haus, bis sie das Salzhaus erreichten, gerade außer Sichtweite der Robben am Strand. Kotick folgte keuchend und voller Fragen. Er dachte, er sei schon am Ende der Welt, aber der Lärm von den Robben-Kinderstuben hinter ihm klang so laut wie ein Zug im Tunnel. Dann setzte Kerick sich ins Moos, zog eine schwere Taschenuhr aus Zinn hervor und ließ die Herde dreißig Minuten lang abkühlen, und vom Schirm seiner Mütze konnte Kotick den Nebeltau tropfen hören. Danach erschienen zehn oder zwölf Männer, jeder mit einer drei bis vier Fuß langen eisenbeschlagenen Keule, und Kerick deutete auf einen oder zwei aus der Herde, die von ihren Gefährten gebissen worden oder zu heiß waren, und die Männer stießen sie beiseite, mit Tritten ihrer schweren Stiefel, die aus der Haut einer Walroßkehle gemacht waren, und dann sagte Kerick: »Los jetzt!«, und die Männer hieben den Robben mit den Keulen auf die Köpfe, so schnell sie konnten.

Zehn Minuten später erkannte der kleine Kotick seine Freunde nicht mehr, denn ihre Häute waren von der Nase bis zu den Hinterflossen abgerissen – abgeschlagen und in einem Haufen auf den Boden geworfen.

Das war genug für Kotick. Er wandte sich um und galoppierte (ein Seehund kann kurze Zeit sehr schnell galoppieren) zurück zur See; sein kleiner neuer Schnurrbart sträubte sich vor Grauen. Am Seelöwenkap, wo die großen Seelöwen am Rand der Brandung sitzen, stürzte er sich Schwanz über Kopf ins kalte Wasser, und dort schaukelte er und ächzte erbärmlich. »Was ist da los?« sagte ein Seelöwe unwirsch; in der Regel bleiben die Seelöwen nämlich unter sich.

»*Skuutschnie! Otschen skuutschnie!* [Ich bin allein, so allein!]« sagte Kotick. »Sie töten alle *hollustschickie* auf allen Stränden!«

Der Seelöwe drehte den Kopf zum Land. »Unsinn!« sagte

er; »deine Freunde machen soviel Lärm wie immer. Du hast wohl den alten Kerick gesehen, wie er eine kleine Herde wegputzt. Das macht er seit dreißig Jahren.«

»Es ist furchtbar«, sagte Kotick; er ritt das Wasser aus, als eine Welle über ihn herbrach, und er richtete sich mit einem Schraubschlag seiner Flossen so auf, daß er genau drei Zoll vor einer zackigen Felskante im Wasser stand.

»Für einen Jährling war das ganz gut!« sagte der Seelöwe, der gutes Schwimmen beurteilen konnte. »Ich schätze, aus deinem Blickwinkel ist es wirklich ziemlich schrecklich; wenn ihr Seehunde aber auch jedes Jahr herkommt, erfahren die Menschen das natürlich, und falls ihr nicht eine Insel findet, wo nie Menschen hinkommen, werdet ihr immer zusammengetrieben werden.«

»Gibt es denn so eine Insel?« fragte Kotick.

»Ich folge jetzt seit zwanzig Jahren dem *poltuus* [Heilbutt], und ich habe sie noch nicht gefunden. Aber paß auf – du scheinst ja gern mit Leuten zu reden, die über dir stehen; warum gehst du nicht zur Walroß-Insel und redest mit Seesam. Vielleicht weiß der etwas. Nun stürm nicht gleich so los. Das sind sechs Meilen bis dahin, und wenn ich du wäre, Kleiner, würde ich erst mal an Land gehen und ein Nickerchen halten.«

Kotick hielt das für einen guten Rat, deshalb schwamm er zu seinem eigenen Strand zurück, kroch an Land und schlief eine halbe Stunde, wobei er wie alle Robben am ganzen Leib zuckte. Dann machte er sich gleich auf den Weg zur Walroß-Insel, einem kleinen flachen felsigen Eiland fast genau nordöstlich von Novastoshna; es bestand nur aus Felskanten und Möwennestern, und dort hausten nur die Walrosse.

Er landete nahe beim alten Seesam, einem großen, häßlichen, aufgedunsenen, pickligen Walroß des Nordpazifik, mit fettem Genick und langen Stoßzähnen. Das Walroß hat überhaupt keine Manieren, außer wenn es schläft, und Seesam schlief gerade; seine Hinterflossen waren halb in und halb außerhalb der Brandung.

»Aufwachen!« bellte Kotick; die Möwen machten nämlich großen Lärm.

»Hah! Ho! Hmph! Was ist los?« sagte Seesam, und mit seinen Stoßzähnen hieb er nach dem nächsten Walroß, um es zu wecken, und das nächste stieß nach dem nächsten und so weiter, bis alle wach waren und in alle Richtungen starrten, außer in die richtige.

»He! Ich bins«, sagte Kotick; er tanzte mit der Brandung auf und nieder und sah aus wie eine kleine weiße Schnecke.

»Also! Da will ich mich doch glatt häuten lassen!« sagte Seesam, und alle schauten Kotick an, etwa wie ein Club schläfriger alter Herren einen kleinen Jungen anschauen würde. Kotick wollte in diesem Moment nichts mehr vom Häuten hören; davon hatte er genug gesehen; deshalb rief er laut: »Gibt es denn keinen Ort für Seehunde, wo Menschen nie hinkommen?«

»Such ihn dir doch selbst«, sagte Seesam; er schloß die Augen. »Verschwinde. Wir haben hier zu tun.«

Kotick machte seinen Delphinsprung in die Luft und schrie so laut er konnte: »Muschelfresser! Muschelfresser!« Er wußte, daß Seesam in seinem ganzen Leben keinen Fisch gefangen hatte, sondern immer nach Muscheln und Seegras buddelte, dabei aber so tat, als sei er eine besonders furchteinflößende Person. Die Chickies und die Guveruskies und die Epatkas, die Tauchmöwen und Stummelmöwen und Papageientaucher, die jede Gelegenheit grob zu sein ausnutzen, nahmen natürlich den Schrei auf, und wie mir Limmershin erzählte, hätte man auf der Walroß-Insel fast fünf Minuten lang nicht einmal einen Kanonenschuß gehört. Alles schrie: »Muschelfresser! *Starik* [alter Mann]!«, während Seesam sich grunzend und hustend von einer Seite auf die andere rollte.

»Erzählst dus mir *jetzt?*« sagte Kotick, völlig außer Atem.

»Geh und frag Seekuh«, sagte Seesam. »Wenn sie noch lebt, kann sie es dir vielleicht sagen.«

»Wie erkenne ich Seekuh, wenn ich sie treffe?« sagte Kotick; dabei begann er schon zu schwimmen.

»Sie ist das einzige Wesen im Meer, das noch häßlicher ist als Seesam«, kreischte eine Tauchmöwe, die unter Seesams Nase entlangsauste. »Häßlicher und mit noch schlechteren Manieren! *Starik!*«

Kotick schwamm nach Novastoshna zurück; hinter ihm kreischten die Möwen noch immer. Zu Hause stellte er fest, daß seine geringen Versuche, einen ruhigen Platz für die Seehunde zu entdecken, niemanden interessierten. Sie erzählten ihm, die Menschen hätten schon immer die *hollustschickie* weggetrieben – das war Teil des Tagewerks –, und wenn er keine häßlichen Dinge sehen könne, solle er eben nicht zu den Schlachtplätzen gehen. Aber keiner von den anderen Seehunden hatte das Schlachten gesehen, und das machte den Unterschied aus zwischen ihm und seinen Freunden. Außerdem war Kotick eine weiße Robbe.

»Was du tun mußt«, sagte der alte Seekerl, nachdem er sich die Abenteuer seines Sohns angehört hatte, »ist erwachsen werden und ein großer Seehund wie dein Vater und eine Kinderstube auf dem Strand haben, und dann werden sie dich in Ruhe lassen. In fünf Jahren müßtest du stark genug sein, um für dich selbst zu kämpfen.« Selbst die sanfte Matkah, seine Mutter, sagte: »Das Schlachten wirst du nie beenden können. Geh und spiel im Meer, Kotick.« Und Kotick ging und tanzte den Feuertanz, mit einem sehr schweren kleinen Herzen.

In diesem Herbst verließ er den Strand so früh er konnte und machte sich allein auf den Weg, weil ihm eine Idee durch seinen runden Kopf ging. Er wollte Seekuh finden, wenn es denn irgendwo im Meer diese Person gab, und er wollte eine ruhige Insel finden mit guten festen Stränden, auf denen Robben leben konnten und wo Menschen sie nicht erreichen würden. Also forschte und erforschte er ganz allein die See vom Nordpazifik zum Südpazifik, und dabei schwamm er bis zu dreihundert Meilen in einem Tag und einer Nacht. Er erlebte mehr Abenteuer als man erzählen kann, und um ein Haar hätten ihn der Riesenhai und der Fleckenhai und der Hammerkopf erwischt, und er traf alles bösartige Gesindel, das sich in der See herumtreibt, und die großen höflichen Fische und die scharlachfleckigen Kammuscheln, die jahrhundertelang an einer Stelle festliegen und sehr stolz darauf sind; aber nie traf er Seekuh, und nie fand er eine Insel, die ihm wirklich gefiel.

Wenn der Strand gut und hart war, mit einem Abhang dahinter, auf dem Robben spielen konnten, dann hing am Horizont immer der Rauch eines Walfängers, auf dem Tran gekocht wurde, und Kotick wußte, was *das* bedeutete. Oder er sah, daß Seehunde die Insel früher einmal besucht hatten und ausgerottet worden waren, und Kotick wußte, daß die Menschen, wenn sie einmal dagewesen waren, wiederkommen würden.

Er freundete sich mit einem alten stumpfschwänzigen Albatros an, der ihm erzählte, die Insel Kerguelen sei genau das Richtige, wenn man Ruhe und Frieden suche, und als Kotick dorthin schwamm, wäre er in einem schweren Sturm mit Hagel und Blitz und Donner beinahe an üblen schwarzen Klippen zerschmettert worden. Als er aber gegen den Sturm wieder fortschwamm, konnte er sehen, daß selbst dort einmal eine Robben-Kinderstube gewesen war. Und genauso sah es auf allen andern Inseln aus, die er aufsuchte.

Limmershin zählte eine lange Liste her; er sagte, Kotick habe fünf Jahre mit dem Forschen verbracht und dabei jedes Jahr vier Monate Ruhepause bei Novastoshna gemacht, wo die *hollustschickie* ihn und seine erfundenen Inseln verspotteten. Er ging zu den Galapagos, furchtbar trockenen Plätzen am Äquator, wo er beinahe zu Tode gebacken worden wäre; er ging zu den Georgia-Inseln, den Orkneys, der Smaragd-Insel, der Kleinen Nachtigallen-Insel, Goughs Insel, Bouvets Insel, den Crossets und sogar zu einem winzigen Fleckchen von Insel südlich des Kaps der Guten Hoffnung. Aber überall erzählte das Seevolk ihm das gleiche. Robben waren irgendwann einmal zu diesen Inseln gekommen, aber Menschen hatten sie alle abgeschlachtet. Selbst als er Tausende von Meilen aus dem Pazifik hinausschwamm und zu einem Ort namens Kap Corrientes kam (das war auf dem Rückweg von Goughs Insel), fand er dort ein paar hundert räudige Seehunde auf einem Felsen, und die erzählten ihm, daß Menschen auch dorthin kamen.

Das brach ihm fast das Herz, und er kehrte um Kap Hoorn heim zu seinen eigenen Stränden; und auf dem Weg nach Norden ging er auf einer Insel voll grüner Bäume an Land. Da traf er einen uralten Seehund, der im Sterben lag, und Kotick fing Fische für ihn und erzählte ihm seinen ganzen Kummer. »Jetzt«, sagte Kotick, »gehe ich zurück nach Novastoshna, und wenn ich mit den *hollustschickie* in die Schlachtpferche getrieben werde, dann ist es mir egal.«

Der alte Seehund sagte: »Mach noch einen Versuch. Ich bin der letzte von der Verlorenen Heimstatt von Masafuera, und in den Tagen, als Menschen uns zu Hunderttausenden getötet haben, wurde auf den Stränden eine Geschichte erzählt, daß eines Tages eine weiße Robbe aus dem Norden kommen und das Robbenvolk zu einem friedlichen Ort führen würde. Ich bin alt und werde diesen Tag nicht mehr erleben, aber andere wohl. Mach noch einen Versuch.«

Und Kotick zwirbelte seinen Schnurrbart (es war ein wunderschöner Schnurrbart) und sagte: »Ich bin die einzige weiße Robbe, die je auf den Stränden geboren wurde, und ich bin die einzige Robbe, schwarz oder weiß, die je daran gedacht hat, neue Inseln zu suchen.«

Das ermunterte ihn gewaltig; und als er in diesem Sommer heimkam nach Novastoshna, bat ihn Matkah, seine Mutter, zu heiraten und seßhaft zu werden, denn nun war er kein *hollustschick* mehr, sondern ein ausgewachsener Seekerl mit weißer

Kräuselmähne auf den Schultern und so schwer, groß und wild wie sein Vater. »Gib mir noch ein Jahr«, sagte er. »Und denk dran, Mutter: Es ist immer die siebte Welle, die am weitesten den Strand hinaufkommt.«

Wie ein sonderbarer Zufall es wollte gab es da eine Seehündin, die das Heiraten bis zum nächsten Jahr aufschieben wollte, und Kotick tanzte mit ihr den Feuertanz am Lukannon-Strand in der Nacht, bevor er zu seiner letzten Forschungsreise aufbrach.

Diesmal zog er nach Westen, denn er war auf die Spur eines großen Heilbuttschwarms gestoßen, und er brauchte mindestens hundert Pfund Fisch am Tag, um in guter Verfassung zu bleiben. Er jagte sie, bis er müde war; dann rollte er sich zusammen und ging in den Tälern der Dünung schlafen, die sich zur Kupfer-Insel hinzieht. Er kannte die Küste sehr gut; deshalb sagte er, als er sich gegen Mitternacht sanft gegen ein Bett aus Seegras gespült fühlte: »Hm, die Strömung ist aber diese Nacht kräftig«, und er drehte sich unter Wasser um, öffnete langsam die Augen und streckte sich aus. Dann sprang er hoch wie eine Katze, denn er sah große Wesen, die im seichten Wasser herumschnüffelten und an den dicken Tangfransen naschten.

»Bei den großen Kammwellen von Magellan!« sagte er in seinen Schnurrbart. »Wer in aller Tiefsee sind diese Leute?«

Sie waren anders als alles, was Kotick je an Walroß, Seelöwe, Robbe, Bär, Wal, Hai, Fisch, Polyp oder Riesenmuschel gesehen hatte. Sie waren zwanzig bis dreißig Fuß lang und hatten keine Hinterflossen, sondern einen schaufelartigen Schwanz, der aussah wie aus nassem Leder geschnitzt. Ihre Köpfe waren das Verrückteste, was Ihr je gesehen habt, und sie balancierten auf ihren Schwanzenden im tiefen Wasser, wenn sie nicht grasten; dabei verbeugten sie sich feierlich voreinander und winkten mit den Vorderflossen wie ein fetter Mann mit den Armen.

»Ahemm!« sagte Kotick. »Feiner Zeitvertreib, die Herrschaften?« Die großen Wesen antworteten, indem sie sich verbeugten und mit den Flossen wedelten wie der Froschbutler. Als sie wieder zu essen begannen, sah Kotick, daß ihre Oberlippe in zwei Teile gespalten war, die sie ungefähr einen Fußweit auseinanderspreizen und mit einem ganzen Tangbüschel dazwischen wieder zusammenbringen konnten. Sie stopften das Zeug in den Mund und mampften feierlich.

»Murksige Art zu essen«, sagte Kotick. Sie verbeugten sich wieder, und Kotick verlor allmählich die Fassung. »Sehr gut«, sagte er. »Wenn ihr auch ein Extraglied in den Vorderflossen habt, braucht ihr trotzdem nicht so anzugeben. Ihr verbeugt euch ja sehr anmutig, aber lieber wärs mir, wenn ich eure Namen wüßte.« Die gespaltenen Lippen bewegten sich und zuckten, und die glasigen grünen Augen starrten; aber sie sagten nichts.

»Also wirklich!« sagte Kotick. »Ihr seid die einzigen Leute, die ich je getroffen habe, die noch häßlicher sind als Seesam, und mit noch schlechteren Manieren.«

Da fiel ihm plötzlich ein, was ihm die Tauchmöwe zugekreischt hatte, als er ein kleiner Jährling auf der Walroß-Insel gewesen war, und er taumelte im Wasser zurück, denn er wußte, daß er endlich Seekuh gefunden hatte.

Die Seekühe schlürften und grasten und mampften weiter im Tang herum, und Kotick stellte ihnen Fragen in allen Sprachen, die er im Lauf seiner Reisen aufgeschnappt hatte; und das Seevolk benutzt fast so viele Sprachen wie die Menschen. Aber die Seekühe antworteten nicht, denn Seekuh kann nicht sprechen. Sie hat nur sechs Knochen im Genick, wo eigentlich sieben sein sollten, und unter der See sagt man, daß dies sie daran hindert, sogar mit den eigenen Gefährten zu reden; aber wie Ihr wißt, hat sie ein Extraglied in der Vorderflosse, und indem sie damit auf und ab und umher winkt, kann sie sich in einer Art plumper Zeichensprache verständigen.

Bei Sonnenaufgang stand Koticks Mähne längst zu Berge, und seine Laune war dorthin verschwunden, wohin die toten

Krabben gehen. Dann begannen die Seekühe, ganz langsam nach Norden zu reisen, wobei sie manchmal haltmachten und absurde Verbeuge-Beratungen abhielten, und Kotick folgte ihnen. Er sagte sich: ›Leute, die solche Trottel sind wie die hier, wären längst getötet worden, wenn sie nicht irgendwo eine sichere Insel gefunden hätten; und was für die Seekuh gut genug ist, ist auch für den Seekerl gut genug. Trotzdem – wenn sie sich doch bloß ein bißchen beeilen würden.‹

Es war mühevolle Arbeit für Kotick. Die Herde reiste nie mehr als vierzig oder fünfzig Meilen am Tag; nachts machte sie Pause, um zu essen, und die ganze Zeit blieb sie nah an der Küste; während Kotick um sie herum und über sie her und unter ihnen hindurch schwamm, ohne sie auch nur eine halbe Meile weiterbringen zu können. Als sie weiter nach Norden kamen, hielten sie alle paar Stunden einen Verbeuge-Rat ab, und Kotick biß sich vor lauter Ungeduld fast den Schnurrbart ab, bis er bemerkte, daß sie einer warmen Wasserströmung folgten, und von da an hatte er größere Achtung vor ihnen.

In einer Nacht sanken sie durch das leuchtende Wasser – sanken wie Steine –, und zum ersten Mal, seit er sie getroffen hatte, begannen sie schnell zu schwimmen. Kotick folgte, und die Geschwindigkeit erstaunte ihn, denn er hätte nicht im Traum geglaubt, daß die Seekuh ein guter Schwimmer wäre. Sie näherten sich einer Klippe an der Küste – einer Klippe, die bis tief ins Wasser reichte, und sie tauchten in ein dunkles Loch am Fuß der Klippe, zwanzig Faden unter dem Meer. Es war ein langes, langes Schwimmen, und Kotick wäre in dem dunklen Tunnel, durch den sie ihn führten, fast erstickt.

»Bei meinem Schopf!« sagte er, als er am anderen Ende keuchend und prustend wieder in offenes Wasser aufstieg. »Das war ein langes Tauchen, aber es hat sich gelohnt.«

Die Seekühe hatten sich getrennt und grasten träge am Rand der feinsten Strände, die Kotick je gesehen hatte. Da gab es meilenlange Bänke glatt abgeschliffener Felsen, wie geschaffen für

Robben-Kinderstuben, und dahinter gab es Spielplätze aus Abhängen von hartem Sand, die sich landeinwärts zogen, und es gab Wogen, in denen Seehunde tanzen konnten, und langes Gras, um sich darin herumzuwälzen, und Sanddünen zum Klettern; und das Beste von allem war: Kotick wußte von der Art, wie sich das Wasser anfühlte (und ein richtiger Seekerl täuscht sich da nie), daß kein Mensch jemals hierhin gekommen war.

Als erstes vergewisserte er sich, daß es guten Fisch gab, und dann schwamm er die Strände entlang und zählte die herrlichen niedrigen sandigen Inseln, die halb verborgen im wundervollen wogenden Nebel lagen. Nach Norden hin verlief im Meer eine Reihe von Riffen und Untiefen und Felsen, die kein Schiff je näher als sechs Meilen an den Strand heranlassen würden; und zwischen den Inseln und dem eigentlichen Land lag ein Streifen tiefen Wassers, der bis an die senkrechten Klippen reichte, und irgendwo unter den Klippen war die Öffnung des Tunnels.

»Das ist ein zweites Novastoshna, nur zehnmal so gut«, sagte Kotick. »Seekuh muß doch klüger sein als ich geglaubt habe. Menschen können die Klippen nicht herabsteigen, selbst wenn es hier Menschen gäbe; und die Bänke zum Meer hin würden ein Schiff zu kleinen Splittern machen. Wenn es überhaupt irgendwo im Meer einen sicheren Ort gibt, dann ist es der hier.«

Er dachte an die Robben, die er zurückgelassen hatte, aber obwohl er eilig nach Novastoshna heimkehren wollte, erkundete er zuerst das neue Land sehr gründlich, damit er alle Fragen beantworten konnte.

Dann tauchte er und prägte sich die Mündung des Tunnels ein und raste hindurch nach Süden. Niemand außer einer Seekuh oder einer Robbe hätte sich so einen Ort vorstellen können, und als er sich zu den Klippen umdrehte, konnte selbst Kotick kaum glauben, daß er unter ihnen gewesen war.

Er brauchte sechs Tage für den Heimweg, obwohl er nicht langsam schwamm; und als er knapp oberhalb des Seelöwenkaps an Land ging, traf er als erste die Robbe, die auf ihn gewartet hatte, und sie sah ihm an den Augen an, daß er endlich seine Insel gefunden hatte.

Aber die *hollustschickie* und Seekerl, sein Vater, und alle anderen Seehunde lachten ihn aus, als er von seiner Entdeckung erzählte, und ein junger Seehund etwa in seinem Alter sagte: »Das ist ja alles ganz nett, Kotick, aber du kannst nicht einfach so von irgendwo herkommen und uns befehlen, dir zu folgen. Denk dran, wir haben hier um unsere Kinderstuben gekämpft, und das hast du nie getan. Du bist ja lieber auf dem Meer herumgebummelt.«

Die anderen Robben lachten, und der junge Seehund begann, seinen Kopf hin und her zu drehen. Er hatte gerade in diesem Jahr geheiratet und machte darum großen Wind.

»Ich habe keine Kinderstube, um die ich kämpfen muß«, sagte Kotick. »Ich will euch doch nur einen Platz zeigen, an dem ihr alle sicher seid. Was hat das Kämpfen für einen Sinn?«

»Ach so, wenn du kneifen willst, gibt es natürlich nichts mehr dazu zu sagen«, sagte der junge Seehund mit einem häßlichen Kichern.

»Kommst du mit mir, wenn ich gewinne?« sagte Kotick; und ein grünes Licht trat in seine Augen, denn er war sehr verärgert, daß er überhaupt kämpfen mußte.

»Na schön«, sagte der junge Seehund achtlos. »*Wenn* du gewinnst komme ich mit.«

Er hatte keine Zeit mehr, seine Meinung zu ändern, denn Koticks Kopf schoß vor und seine Zähne sanken in den Speck im Genick des jungen Seehunds. Dann ließ er sich hintenüber fallen und schleppte seinen Feind den Strand hinunter, schüttelte ihn und schmetterte ihn zu Boden. Danach brüllte Kotick die Robben an: »Ich habe die letzten fünf Jahre mein Bestes für euch getan. Ich habe für euch eine Insel gefunden, wo ihr sicher seid, aber ihr wollt es ja nicht glauben, außer man reißt euch die Köpfe von euren dummen Nacken herunter. Ich werde es euch jetzt zeigen. Seht euch vor!«

Limmershin sagte mir, er habe nie in seinem Leben – und Limmershin sieht jedes Jahr zehntausend große Seehunde kämpfen – nie in seinem Leben habe er irgend etwas gesehen, was mit Koticks wuchtigem Einfall in die Robbenplätze vergleichbar gewesen wäre. Er warf sich auf den größten Seekerl, den er finden konnte, packte ihn an der Kehle, würgte ihn und hieb und hämmerte mit ihm auf dem Boden herum, bis er um Gnade ächzte, und dann schleuderte er ihn beiseite und stürzte sich auf den nächsten. Kotick hatte ja niemals vier Monate gefastet, wie die großen Robben es jedes Jahr taten, und seine Schwimmreisen auf hoher See hielten ihn in bester Form, und, was das Wichtigste ist, er hatte noch nie gekämpft. Seine krause weiße Mähne sträubte sich vor Wut und seine Augen flammten und seine großen Hundezähne glänzten, und er war ein prachtvoller Anblick.

Der alte Seekerl, sein Vater, sah ihn vorüberstürmen, die ergrauten alten Seehunde herumwerfen wie Heilbutt und die Junggesellen in alle Himmelsrichtungen schleudern; und Seekerl stieß ein Brüllen aus und schrie: »Vielleicht ist er ein Narr, aber jedenfalls ist er der beste Kämpfer auf den Stränden. Geh nicht auf deinen Vater los, mein Sohn! Er ist auf deiner Seite!«

Kotick brüllte zur Antwort, und der alte Seekerl watschelte in den Kampf; sein Schnurrbart stand zu Berge, und er prustete wie eine Lokomotive, während Matkah und die Robbe, die Kotick heiraten würde, sich niederkauerten und ihr Mannsvolk bewunderten. Es war ein prächtiger Kampf, denn die beiden kämpften, solange noch ein Seehund seinen Kopf zu heben wagte, und danach paradierten sie großartig nebeneinander den Strand hinauf und hinab und brüllten dabei.

Nachts, als die Nordlichter durch den Nebel blinzelten und blitzten, kletterte Kotick auf einen nackten Felsen und schaute hinab auf die zersprengten Robben-Kinderstuben und die zerrissenen, blutenden Seehunde. »Jetzt«, sagte er, »habt ihr von mir eure Lektion gekriegt.«

»Bei meinem Schopf!« sagte der alte Seekerl; er stemmte sich mühsam hoch, denn er war furchtbar mitgenommen. »Der Mörderwal persönlich hätte sie nicht schlimmer zurichten können. Sohn, ich bin stolz auf dich, und was wichtiger ist, *ich* komme mit zu deiner Insel – wenn es sie denn gibt.«

»Ihr da, ihr fetten Schweine der See! Wer kommt mit mir zum Tunnel der Seekuh? Antwortet, oder ich zeige es euch nochmal«, brüllte Kotick.

Alle Strände hinauf und hinab lief ein Murmeln wie das Rieseln der Flut. »Wir kommen mit«, sagten Tausende müder Stimmen. »Wir folgen Kotick, der Weißen Robbe.«

Da ließ Kotick den Kopf zwischen die Schultern sinken und schloß stolz die Augen. Er war keine weiße Robbe mehr, sondern rot von Kopf bis Schwanz. Trotz allem hätte er es aber verschmäht, eine seiner Wunden anzuschauen oder zu berühren.

Eine Woche später brachen er und seine Armee (fast zehntausend *hollustschickie* und alte Seehunde) nach Norden zum Tunnel der Seekuh auf; Kotick führte sie, und die Robben, die bei Novastoshnah blieben, nannten sie Narren. Aber als sich im nächsten Frühjahr alle bei den Fischbänken des Pazifiks trafen, erzählten Koticks Robben solche Geschichten von den neuen Stränden jenseits des Tunnels der Seekuh, daß immer mehr Robben Novastoshna verließen.

Natürlich geschah dies nicht alles auf einmal, denn Seehunde brauchen viel Zeit, um Dinge im Geist hin und her zu drehen, aber jedes Jahr gingen mehr Seehunde fort von Novastoshna und Lukannon und den anderen Kinderstuben, hin zu den ruhigen, geschützten Stränden, wo Kotick den ganzen Sommer hindurch sitzt und jedes Jahr größer und fetter und stärker wird, während die *hollustschickie* um ihn her spielen, in der See, zu der nie ein Mensch kommt.

LUKANNON

This is the great deep-sea song that all the St. Paul seals sing
when they are heading back to their beaches in the summer.
It is a sort of very sad seal National Anthem.

I met my mates in the morning (and oh, but I am old!)
Where roaring on the ledges the summer ground-swell rolled;
I heard them lift the chorus that dropped the breakers' song—
The beaches of Lukannon—two million voices strong!

The song of pleasant stations beside the salt lagoons,
The song of blowing squadrons that shuffled down the dunes.
The song of midnight dances that churned the sea to flame—
The beaches of Lukannon—before the sealers came!

I met my mates in the morning (I'll never meet them more!);
They came and went in legions that darkened all the shore.
And through the foam-flecked offing as far as voice could reach
We hailed the landing-parties and we sang them up the beach.

The beaches of Lukannon—the winter-wheat so tall—
The dripping, crinkled lichens, and the sea-fog drenching all!
The platforms of our playground, all shining smooth and worn!
The beaches of Lukannon – the home where we were born!

I meet my mates in the morning, a broken, scattered band.
Men shoot us in the water and club us on the land;
Men drive us to the Salt House like silly sheep and tame,
And still we sing Lukannon—before the sealers came.

LUKANNON

Dies ist der große Tiefseegesang, den alle Robben von St. Paul singen,
wenn sie im Sommer zu ihren Stränden zurückschwimmen.
Es ist so etwas wie eine sehr traurige Nationalhymne der Seehunde.

Ich traf die Gefährten im Morgen (und ach, nun bin ich alt!),
als über die Riffe röhrend die Sommer-Grundsee rollte;
ich hörte sie singen, viel lauter als selbst der Brechergesang –
die Strände von Lukannon – zwei Millionen Stimmen!

Das Lied von feinen Plätzen neben den Salzlagunen,
das Lied von prustenden Horden, die dünenabwärts schlurften,
das Lied von Mitternachtstänzen, die das Meer zu Flammen zerwühlten –
die Strände von Lukannon – ehe die Jäger kamen!

Ich traf die Gefährten im Morgen (ich werde sie nie mehr sehen!);
sie kamen und gingen – Legionen, das Ufer war schwarz von ihnen.
Und durch die schaumfleckige Brandung, soweit die Stimme
    nur trug,
grüßten wir die landenden Gruppen und sangen sie auf den
    Strand.

Die Strände von Lukannon – der Winterweizen so hoch –
die triefenden krausen Flechten, und der Seenebel der alles benetzt!
Die Ebenen wo wir spielten, ganz glänzend gerieben und glatt!
Die Strände von Lukannon – die Heimat unsrer Geburt!

Ich treff die Gefährten im Morgen – verstreuter gebrochener
    Haufen.
Menschen erschießen uns im Wasser, erschlagen uns an Land;
Menschen treiben uns zum Salzhaus wie Schafe dumm und zahm,
und noch immer singen wir von Lukannon – ehe die Jäger kamen.

Wheel down, wheel down to southward; oh, Gooverooska go!
And tell the Deep-Sea Viceroys the story of our woe;
Ere, empty as the shark's egg the tempest flings ashore,
The beaches of Lukannon shall know their sons no more!

Schwenke, schwenke nach Süden; o Guveruska, flieg!
Erzähl den Herrschern der Tiefsee die Geschichte von unserem Weh;
bevor – so leer wie ein Haifischei, das ein Sturm ans Ufer wirft –
die Strände von Lukannon ihre Söhne nicht mehr kennen!

»Rikki-Tikki-Tavi«

At the hole where he went in
Red-Eye called to Wrinkle-Skin.
I hear what little Red-Eye saith:
'Nag, come up and dance with death!'

Eye to eye and head to head,
  (Keep the measure, Nag.)
This shall end when one is dead;
  (At thy pleasure, Nag.)
Turn for turn and twist for twist—
  (Run and hide thee, Nag.)
Hah! The hooded Death has missed!
  (Woe betide thee, Nag!)

[An dem Loch in das er glitt
rief Rotauge Runzelhaut.
Hört, was kleines Rotaug sagt:
»Nag, komm rauf, tanz mit dem Tod!«

Aug in Aug und Kopf an Kopf,
(halt den Rhythmus, Nag.)
Schluß ist erst wenn einer stirbt;
  (wie du möchtest, Nag.)
Dreh um Dreh und Zuck um Zuck –
  (renn, versteck dich, Nag.)
Hah! Der Haubentod verfehlt!
  (Weh über dich, Nag!)]

DIES ist die Geschichte vom gewaltigen Krieg, den Rikki-Tikki-Tavi ganz allein auskämpfte, in den Badezimmern des großen Bungalows im Quartier von Segowlee. Darzee, der Schneidervogel, half ihm, und Chuchundra, die Moschusratte, die nie mitten ins Zimmer kommt, sondern immer an der Wand entlangkriecht, gab ihm gute Ratschläge; aber den richtigen Kampf bestritt Rikki-tikki allein.

Er war ein Mungo; vom Pelz und Schwanz her hatte er Ähnlichkeit mit einer kleinen Katze, vom Kopf und den Gewohnheiten her jedoch eher mit einem Wiesel. Seine Augen und die Spitze seiner ruhelosen Nase waren rosa; er konnte sich überall kratzen, wo er wollte, mit jedem Bein, vorn oder hinten, wie es ihm gefiel; er konnte seinen Schwanz sträuben, bis er aussah wie eine Flaschenbürste, und wenn er durch das hohe Gras wetzte, war sein Kriegsschrei »*Rikk-tikk-tikki-tikki-tchk!*«

Eines Tages spülte eine Hochsommerflut ihn aus dem Bau, wo er mit seinem Vater und seiner Mutter lebte, und obwohl er strampelte und gluckste, schwemmte sie ihn einen Straßengraben hinunter. Im Wasser trieb ein kleiner Grasstrang, und an den klammerte er sich, bis er das Bewußtsein verlor. Als er wieder zu sich kam, lag er übel zugerichtet in der heißen Sonne mitten auf einem Gartenweg, und ein kleiner Junge sagte gerade: »Da ist ein toter Mungo. Komm, wir begraben ihn.«

»Nein«, sagte seine Mutter; »wir sollten ihn mit ins Haus nehmen und abtrocknen. Vielleicht ist er ja gar nicht tot.«

Sie nahmen ihn mit ins Haus, und ein großer Mann hob ihn mit Daumen und Zeigefinger hoch und sagte, er sei nicht tot, nur halb ertrunken; deshalb wickelten sie ihn in Watte und wärmten ihn, und er öffnete die Augen und nieste.

»So«, sagte der große Mann (er war Engländer und eben erst in den Bungalow gezogen), »jetzt erschreckt ihn aber nicht. Mal sehen, was er macht.«

Es ist die schwerste Aufgabe auf der Welt, einen Mungo zu erschrecken, weil er von Kopf bis Schwanz von Neugier zerfressen ist. Das Motto der ganzen Mangusten-Familie lautet: »Lauf und sieh nach«; und Rikki-tikki war ein echter Mungo. Er sah sich die Watte an, beschloß, daß sie nicht gut zu essen sei, rannte über den ganzen Tisch, setzte sich auf und brachte sein Fell in Ordnung, kratzte sich und sprang auf die Schulter des kleinen Jungen.

»Keine Angst, Teddy«, sagte sein Vater. »So schließt er Freundschaft.«

»Autsch! Er kitzelt mich unterm Kinn«, sagte Teddy.

Rikki-tikki schaute dem Jungen zwischen Kragen und Nakken, schnupperte an seinem Ohr und kletterte auf den Boden hinunter, wo er sitzen blieb und seine Nase rieb.

»Liebe Güte«, sagte Teddys Mutter. »Das soll ein wildes Tier sein? Wahrscheinlich ist er so zahm, weil wir nett zu ihm waren.«

»Alle Mangusten sind so«, sagte ihr Mann. »Wenn Teddy ihn nicht am Schwanz hochhebt oder versucht, ihn in einen Käfig zu sperren, wird er bei uns den ganzen Tag rein und raus laufen. Wir sollten ihm etwas zu essen geben.«

Sie gaben ihm ein kleines Stück rohes Fleisch. Rikki-tikki mochte das sehr, und als er damit fertig war, ging er hinaus auf die Veranda, setzte sich in die Sonne und plusterte sein Fell auf, damit es bis zu den Wurzeln trocknete. Danach fühlte er sich besser.

›In dem Haus gibts mehr Dinge zu entdecken‹, sagte er sich, ›als meine Familie in ihrem ganzen Leben herausfinden könnte. Natürlich bleib ich und krieg alles raus.‹

Diesen ganzen Tag verbrachte er damit, durch das Haus zu streifen. Er hätte sich fast in den Badewannen ertränkt, steckte die Nase in die Tinte auf dem Schreibtisch und verbrannte sie sich am Ende der Zigarre des großen Mannes, als er auf dessen Schoß kletterte, um zu sehen, wie das mit dem Schreiben war. Als die Nacht kam, lief er in Teddys Kinderzimmer, um zu beobachten, wie man Kerosinlampen anzündet, und als Teddy ins Bett ging, ging Rikki-tikki mit; er war aber ein unruhiger Schlafkumpan, weil er die ganze Nacht bei jedem Geräusch aufstehen und nachsehen mußte, woher es kam. Ehe sie schlafen gingen, kamen Teddys Mutter und Vater noch einmal herein, um nach dem Jungen zu sehen, und Rikki-tikki hockte wach auf dem Kissen.

»Das gefällt mir nicht«, sagte Teddys Mutter; »er könnte das Kind beißen.«

»So etwas tut er nicht«, sagte der Vater. »Mit dem kleinen Tier ist Teddy sicherer als mit einem Bluthund als Wächter. Wenn jetzt eine Schlange ins Kinderzimmer käme . . .«

Aber Teddys Mutter wollte nicht an so etwas Schreckliches denken.

Früh am Morgen ritt Rikki-tikki auf Teddys Schulter zum Frühstück auf die Veranda; sie gaben ihm Banane und gekochtes Ei, und er setzte sich reihum bei allen auf den Schoß, denn jeder gut erzogene Mungo hat immer die Hoffnung, eines Tages ein Hausmungo zu werden und Zimmer zu haben, in denen er umherlaufen kann, und Rikki-tikkis Mutter (sie hatte einmal im Haus des Generals in Segowlee gewohnt) hatte Rikki ganz genau gesagt, was er machen müsse, wenn er es einmal mit weißen Leuten zu tun hätte.

Anschließend ging Rikki-tikki in den Garten, um sich dort gründlich umzuschauen. Es war ein großer Garten und nur zur Hälfte bebaut; darin gab es Büsche von Maréchal-Niel-Rosen, hoch wie Sommerhäuser, Limonen- und Orangenbäume, Bambusgestrüpp und Dickichte aus hohem Gras. Rikki-tikki leckte sich die Lippen. »Das ist ein feiner Ort zum Jagen«, sagte er, und beim Gedanken daran wurde sein Schwanz flaschenbürstig, und er wetzte kreuz und quer durch den Garten und schnupperte hier und da, bis er in einem Dornbusch ganz kummervolle Stimmen hörte.

Es waren Darzee, der Schneidervogel, und seine Frau. Sie hatten ein wunderschönes Nest gemacht – zwei große Blätter zusammengezogen und an den Rändern mit Fasern vernäht – und das Innere mit Baumwolle und Daunenflocken gefüllt. Das Nest schwankte hin und her, und sie saßen auf dem Rand und weinten.

»Was ist denn los?« fragte Rikki-tikki.

»Wir sind ganz unglücklich«, sagte Darzee. »Eins von unseren Babies ist gestern aus dem Nest gefallen, und Nag hat es gegessen.«

»Hmm!« sagte Rikki-tikki, »das ist sehr traurig – aber ich bin hier fremd. Wer ist Nag?«

Darzee und seine Frau kauerten sich nur im Nest zusammen,

ohne zu antworten, denn aus dem dicken Gras am Fuß des Buschs kam ein leises Zischen – ein schrecklicher, kalter Ton, der Rikki-tikki volle zwei Fuß rückwärts springen ließ. Dann hoben sich Zoll für Zoll aus dem Gras der Kopf und die gespreizte Haube von Nag, dem großen schwarzen Kobra, und von der Zunge bis zum Schwanz war er fünf Fuß lang. Als er ein Drittel seines Körpers aufgerichtet hatte, wiegte er sich hin und her, genau wie ein Löwenzahnbausch sich im Wind wiegt, und er sah Rikki-tikki an, mit den bösen Schlangenaugen, die nie ihren Ausdruck verändern, ganz gleich, was die Schlange gerade denken mag.

»Wer Nag ist?« sagte er. »*Ich* bin Nag. Der große Gott Brahma hat unserem ganzen Volk sein Zeichen aufgedrückt, als die erste Kobra ihre Haube spreizte, um den schlafenden Brahma vor der Sonne zu schützen. Schau her und fürchte dich!«

Er spreizte die Haube noch weiter als zuvor, und Rikki-tikki sah das Brillenzeichen auf dem Haubenrücken, das genau so aussieht wie die Öffnung bei einer Befestigung aus Haken und Öse. Zuerst hatte er Angst; aber kein Mungo kann sich lange fürchten, und wenn Rikki-tikki auch noch nie eine lebendige Kobra gesehen hatte, war er doch von seiner Mutter mit toten Kobras gefüttert worden, und er wußte, daß es die Lebensaufgabe eines erwachsenen Mungos war, Schlangen zu bekämpfen und zu essen. Nag wußte es auch, und auf dem Grund seines kalten Herzens fürchtete er sich.

»Na schön«, sagte Rikki-tikki, und sein Schwanz begann sich wieder aufzuplustern, »Zeichen oder kein Zeichen – meinst du etwa, es ist richtig, wenn du Küken aus einem Nest frißt?«

Nag behielt seine Gedanken für sich und achtete auf die kleinste Bewegung im Gras hinter Rikki-tikki. Er wußte, daß Mungos im Garten früher oder später den Tod für ihn und seine Familie bedeuteten, aber er wollte dafür sorgen, daß

Rikki-tikki nicht auf der Hut war. Deshalb ließ er den Kopf ein wenig sinken und legte ihn auf die Seite.

»Laß uns darüber reden«, sagte er. »Du ißt Eier. Warum soll ich da keine Vögel essen?«

»Hinter dir! Sieh dich um!« sang Darzee.

Rikki-tikki dachte nicht daran, Zeit mit Hinschauen zu vergeuden. Er sprang in die Luft, so hoch er konnte, und knapp unter ihm sauste der Kopf von Nagaina vorbei, Nags böser Frau. Während er redete, war sie hinter ihn gekrochen, um ihm ein Ende zu machen; und er hörte ihr wildes Zischen, als der Stoß ihn verfehlte. Er landete fast genau auf ihrem Rücken, und wenn er ein alter Mungo gewesen wäre, hätte er gewußt, daß dies der Moment war, ihr mit einem Biß den Rücken zu brechen; aber er fürchtete sich vor dem schrecklichen peitschenden Gegenschlag der Kobra. Also biß er zwar, aber nicht lange genug, und er sprang weit weg vom wirbelnden Schwanz. Nagaina blieb verletzt und wütend zurück.

»Böser böser Darzee!« sagte Nag; er reckte sich so hoch es ging und hieb nach dem Nest im Dornbusch. Aber Darzee hatte es außer Reichweite von Schlangen gebaut, und es schwankte nur hin und her.

Rikki-tikki fühlte, wie seine Augen rot und heiß wurden (wenn die Augen eines Mungos rot werden, ist er zornig), und er setzte sich aufrecht auf seinen Schwanz und die Hinterbeine wie ein kleines Känguruh und schaute um sich und schnatterte vor Wut. Aber Nag und Nagaina waren im Gras verschwunden. Wenn eine Schlange ihr Ziel verfehlt, sagt sie nie etwas und läßt auch nie erkennen, was sie als nächstes tun will. Rikki-tikki hatte keine Lust, ihnen zu folgen, weil er nicht sicher war, ob er es mit zwei Schlangen gleichzeitig aufnehmen konnte. Deshalb trottete er zum Kiesweg nahe dem Haus und setzte sich nieder, um zu denken. Die Sache war ernst genug für ihn.

In alten naturkundlichen Büchern kann man lesen, daß ein Mungo, wenn er beim Kampf mit einer Schlange gebissen wird, fortläuft und irgendein Kraut ißt, das ihn heilt. Das stimmt nicht. Der Sieg hängt nur ab von der Schnelligkeit des Auges und der Füße – der Stoß der Schlange gegen den Sprung des Mungos –, und da kein Auge die Bewegung eines zustoßenden Schlangenkopfs verfolgen kann, sind die Dinge noch viel wunderbarer als jedes Zauberkraut. Rikki-tikki wußte, daß er ein junger Mungo war, und deshalb freute er sich umso mehr, daß es ihm gelungen war, einem Stoß von rückwärts zu entkommen. Das gab ihm Selbstvertrauen, und als Teddy den Weg heruntergelaufen kam, war Rikki-tikki sehr bereit, sich streicheln zu lassen.

Aber gerade als Teddy sich bückte, zuckte etwas ein wenig im Staub, und eine winzige Stimme sagte: »Seht euch vor. Ich bin der Tod!« Es war Karait, die kleine staubbraune Schlange, die am liebsten auf staubigem Boden liegt; und sein Biß ist genauso gefährlich wie der der Kobra. Aber Karait ist so klein, daß niemand auf ihn achtet, und umso mehr Schaden fügt er den Leuten zu.

Rikki-tikkis Augen wurden wieder rot, und er tanzte hin zu Karait mit der seltsam wiegenden, schwankenden Bewegung, die er von seiner Familie geerbt hatte. Es sieht sehr komisch aus, aber es ist eine so vollkommen ausbalancierte Gangart, daß man aus ihr in jedem beliebigen Winkel fortschnellen kann; und wenn man es mit Schlangen zu tun hat, ist das ein Vorteil. Rikki-tikki konnte ja nicht wissen, daß das, was er tat, viel gefährlicher war als der Kampf mit Nag, denn Karait ist so klein und kann sich so schnell drehen, daß Rikki, wenn er ihn nicht nahe am Nacken zu beißen kriegte, den Gegenstoß ins Auge oder an die Lippe bekommen würde. Aber Rikki wußte es nicht; seine Augen waren ganz rot, er schaukelte vor und zurück und suchte nach einer guten Stelle zum Zubeißen. Karait stieß vor. Rikki sprang zur Seite und wollte von dort angreifen, aber der böse kleine staubige graue Kopf peitschte ganz knapp an seiner Schulter vorbei, und er mußte über den Körper springen, und der Kopf folgte seinen Fersen sehr dicht.

Teddy rief zum Haus: »Oh, seht bloß mal! Unser Mungo tötet eine Schlange«; und Rikki-tikki hörte Teddys Mutter schreien. Sein Vater kam mit einem Stock gelaufen, aber bis er die Stelle erreichte, hatte Karait seinen Kopf einmal zu weit vorstoßen lassen und Rikki-tikki war gesprungen, landete auf dem Rücken der Schlange, senkte den Kopf tief zwischen seine Vorderbeine, biß so weit oben im Rücken zu wie er konnte und rollte fort. Dieser Biß lähmte Karait, und Rikki-tikki wollte ihn eben vom Schwanz aufwärts essen, wie seine Familie es bei Mahlzeiten tat, als ihm einfiel, daß ein großes Essen einen Mungo langsam macht, und wenn er sich auf seine Kraft und Schnelligkeit verlassen wollte, mußte er dünn bleiben.

Er zog sich zu einem Staubbad unter die Rizinusbüsche zurück, während Teddys Vater den toten Karait schlug. ›Was hat das denn für einen Sinn?‹ dachte Rikki-tikki. ›Den hab ich doch erledigt‹; und dann hob Teddys Mutter ihn aus dem Staub hoch und drückte ihn an sich und rief unter Tränen, daß er Teddy vor dem Tod gerettet habe, und Teddys Vater sagte, es sei, als habe die Vorsehung Rikki geschickt, und Teddy sah mit großen erschrockenen Augen zu. Rikki-tikki fand die ganze Aufregung, die er natürlich nicht verstand, ziemlich lustig. Teddys Mutter hätte ebensogut Teddy streicheln können, weil er so schön im Staub gespielt hatte. Rikki fühlte sich ganz prächtig.

An diesem Abend wanderte er beim Essen zwischen den Weingläsern auf dem Tisch hin und her und hätte sich dreimal mit feinen Sachen vollstopfen können; aber er dachte an Nag und Nagaina, und wenn es auch sehr angenehm war, von Teddys Mutter getätschelt und gestreichelt zu werden und auf Teddys Schulter zu sitzen, wurden doch von Zeit zu Zeit seine Augen rot, und dann stieß er seinen langgezogenen Kriegsruf aus: »*Rikk-tikk-tikki-tikki-tchk!*«

Teddy trug ihn ins Bett und bestand darauf, daß Rikki-tikki

unter seinem Kinn schlief. Rikki-tikki war zu gut erzogen, um zu beißen oder zu kratzen, aber sobald Teddy eingeschlafen war, brach er zu seinem nächtlichen Rundgang durch das Haus auf, und im Dunkeln stieß er mit Chuchundra zusammen, der Moschusratte, die sich an der Wand entlang drückte. Chuchundra ist ein jammervolles kleines Tier. Er wimmert und piept die ganze Nacht und versucht, sich zu einem Vorstoß mitten ins Zimmer zu entschließen, aber dahin kommt er nie.

»Töte mich nicht«, sagte Chuchundra; er weinte fast. »Rikki-tikki, töte mich nicht.«

»Meinst du etwa, daß ein Schlangentöter Moschusratten umbringt?« sagte Rikki-tikki voller Verachtung.

»Wer Schlangen tötet wird von Schlangen getötet«, sagte Chuchundra noch jämmerlicher als zuvor. »Und wie soll ich denn sicher sein, daß Nag mich nicht in einer dunklen Nacht einmal für dich hält?«

»Da besteht überhaupt keine Gefahr«, sagte Rikki-tikki; »außerdem ist Nag im Garten, und ich weiß, du gehst da nie hin.«

»Mein Vetter Chua, die Ratte, hat mir erzählt...« sagte Chuchundra, und dann unterbrach er sich.

»Was hat er dir erzählt?«

»Psst! Nag ist überall, Rikki-tikki. Du hättest im Garten mit Chua reden sollen.«

»Hab ich aber nicht – deshalb mußt du es mir sagen. Mach schnell, Chuchundra, sonst beiß ich dich!«

Chuchundra setzte sich hin und weinte, bis ihm die Tränen von den Schnurrbarthaaren troffen. »Ich bin ein ganz armer Mann«, schluchzte er. »Ich hab nie genug Mut gehabt, um mitten ins Zimmer zu laufen. Pssst! Ich darf dir nichts erzählen. Kannst du denn nicht *hören*, Rikki-tikki?«

Rikki-tikki lauschte. Das Haus war totenstill, aber er bildete sich ein, er könne ein unendlich leises *schrap-schrap* hören – ein

Geräusch so leise wie die Schritte einer Wespe auf einem Fensterbrett –, das trockene Kratzen von Schlangenschuppen auf Ziegeln.

›Das ist Nag oder Nagaina‹, sagte er sich; ›und er kriecht in den Abfluß vom Badezimmer . . .‹ – »Du hast recht, Chuchundra; ich hätte mit Chua reden sollen.«

Er schlich in Teddys Badezimmer, aber da war nichts, und dann ins Badezimmer von Teddys Mutter. Am Fuß der glattverputzten Wand hatte man einen Ziegel herausgenommen, damit das Badewasser abfließen konnte, und als Rikki-tikki an der gemauerten Einfassung, in die die Wanne gestellt wird, vorbeischlich, hörte er Nag und Nagaina draußen im Mondschein flüstern.

»Wenn keine Leute mehr im Haus sind«, sagte Nagaina zu ihrem Mann, »dann wird *er* gehen müssen, und dann haben wir den Garten wieder für uns. Geh leise rein und denk dran, daß du als ersten den großen Mann beißen mußt, der Karait getötet hat. Dann komm raus und sag mir Bescheid, und danach jagen wir beide zusammen Rikki-tikki.«

»Aber bist du sicher, daß wir etwas davon haben, wenn wir die Menschen töten?« sagte Nag.

»Alles haben wir davon. Als keine Menschen im Bungalow waren, hatten wir da vielleicht Mungos im Garten? Solange der Bungalow leer ist, sind wir König und Königin des Gartens; und denk dran – sobald unsere Eier im Melonenbeet ausschlüpfen (was schon morgen sein kann), brauchen unsere Kinder Platz und Ruhe.«

»Daran hatte ich nicht gedacht«, sagte Nag. »Ich gehe, aber es ist überflüssig, hinterher noch Rikki-tikki zu jagen. Ich werde den großen Mann und seine Frau töten und wenn ich kann auch das Kind, und ich komme leise wieder heraus. Dann wird der Bungalow leer sein, und Rikki-tikki wird gehen.«

Rikki-tikki kribbelte am ganzen Körper vor Wut und Haß, als er das hörte, und dann kam Nags Kopf durch das Abflußloch, und sein fünf Fuß langer kalter Leib folgte. So wütend er auch war, fürchtete Rikki-tikki sich doch sehr, als er sah, wie riesig der große Kobra war. Nag rollte sich zusammen, hob den Kopf und blickte ins dunkle Badezimmer, und Rikki konnte seine Augen glitzern sehen.

›Wenn ich ihn jetzt hier töte, hört Nagaina das; und wenn ich ihn auf dem freien Boden angreife, hat er die besseren Möglichkeiten. Was soll ich bloß tun?‹ dachte Rikki-tikki-tavi.

Nag wiegte sich hin und her, und dann hörte Rikki-tikki ihn aus dem größten Wasserkrug trinken, aus dem man das Bad füllte. »Das war gut«, sagte die Schlange. »Also, als Karait getötet wurde, hatte der große Mann einen Stock. Den hat er vielleicht noch immer, aber wenn er am Morgen herkommt, um zu baden, wird er keinen Stock bei sich haben. Ich warte hier, bis er kommt. Nagaina – hörst du mich? –, ich warte hier im Kühlen, bis der Tag anbricht.«

Von draußen kam keine Antwort; da wußte Rikki-tikki, daß Nagaina gegangen war. Nag schlang sich Windung um Windung um den bauchigen Unterteil des Wasserkrugs, und Rikki-tikki hielt sich totenstill. Nach einer Stunde begann er sich zu bewegen, einen Muskel nach dem anderen, hin zum Krug. Nag schlief, und Rikki-tikki starrte den großen Rücken an und fragte sich, was wohl die beste Stelle für gutes Zupacken war. ›Wenn ich ihm nicht beim ersten Sprung den Rücken breche‹, sagte er sich, ›kann er noch kämpfen; und wenn er kämpft – o Rikki!‹ Er sah, wie dick der Nacken unter der Haube war, aber er war zu dick für ihn; und ein Biß näher am Schwanz würde Nag nur noch wilder machen.

›Der Kopf muß es sein‹, sagte er sich schließlich; ›der Kopf oberhalb der Haube; und wenn ich einmal da bin, darf ich nicht mehr loslassen.‹

Dann sprang er. Der Kopf lag ein Stückchen entfernt vom Wasserkrug, unter der Wölbung; und als seine Zähne zubissen, stemmte Rikki seinen Rücken gegen den Bauch des roten Tongefäßes, um den Kopf unten zu halten. So gewann er eine Sekunde, und er machte das Beste daraus. Dann wurde er hin und her geschmettert, wie eine Ratte von einem Hund geschüttelt wird – hin und her über den Boden, auf und nieder und in großen Kreisen herum; aber seine Augen waren rot und er hielt durch, während der Leib wie eine Kutscherpeitsche über den Boden zischte und die blecherne Schöpfkelle umwarf und die Seifenschale und die Frottierbürste und gegen die metallene Seite der Wanne hämmerte. Während er sich festhielt, preßte er seine Kiefer enger und enger zusammen, denn er war sicher, daß er totgehämmert werden würde, und zur Ehre seiner Familie zog er es vor, mit zusammengebissenen Zähnen aufgefunden zu werden. Ihm war schwindlig, alles tat ihm weh und er fühlte sich, als ob er zu kleinen Stückchen zerschmettert würde; da ging gerade hinter ihm etwas los wie ein Donnerschlag, heißer Wind betäubte ihn, und rotes Feuer sengte sein Fell. Der große Mann war von dem Lärm erwacht und hatte beide Läufe einer Schrotflinte genau unter die Haube in Nag hineingefeuert.

Rikki-tikki hielt mit geschlossenen Augen fest, denn jetzt war er ganz sicher, tot zu sein, aber der Kopf bewegte sich nicht, und der große Mann hob ihn auf und sagte: »Es ist wieder der Mungo, Alice; der kleine Kerl hat diesmal *uns* das Leben gerettet.« Dann kam Teddys Mutter herein, mit sehr weißem Gesicht, und sah was von Nag geblieben war, und Rikki-tikki schleppte sich in Teds Schlafzimmer und verbrachte den halben Rest der Nacht damit, sich sanft zu schütteln, um herauszufinden, ob er nicht doch in vierzig Stückchen zerbrochen war, wie er glaubte.

Als der Morgen kam, war er sehr steif, aber überaus zufrieden mit seinen Taten. »Jetzt habe ich noch mit Nagaina abzurechnen, und sie wird schlimmer sein als fünf Nags, und niemand weiß, wann die Eier, von denen sie geredet hat, ausschlüpfen. Liebe Güte! Ich muß mit Darzee sprechen«, sagte er.

Ohne das Frühstück abzuwarten lief Rikki-tikki zum Dornbusch, wo Darzee so laut er konnte ein Triumphlied sang. Die Nachricht von Nags Tod hatte sich längst im Garten herumgesprochen, denn der Feger hatte den Körper auf den Abfallhaufen geworfen.

»O du dummes Stück Federbausch!« sagte Rikki-tikki verärgert. »Ist das etwa die richtige Zeit zum Singen?«

»Nag ist tot – ist tot – ist tot!« sang Darzee. »Der kühne Rikki-tikki packte ihn am Kopf und hielt fest. Der große Mann brachte den Knallstock, und Nag fiel entzwei! Nie wieder wird er meine Babies fressen.«

»Das ist ja alles wahr; aber wo steckt Nagaina?« sagte Rikki-tikki; er sah sich sorgsam um.

»Nagaina kam zum Badezimmerloch und rief nach Nag«, sang Darzee weiter: »und Nag kam auf einem Stockende heraus – der Feger nahm ihn auf mit einem Stock und warf ihn auf den Abfallhaufen. Laßt uns besingen den großen, den rotäugigen Rikki-tikki!« und Darzee holte tief Luft und sang.

»Wenn ich bloß an dein Nest hochkäme, würde ich all deine Babies rausrollen!« sagte Rikki-tikki. »Du hast wohl keine Ahnung, wann wozu die richtige Zeit ist. Du bist in deinem Nest da oben ja sicher, aber bei mir hier unten ist Krieg. Hör doch mal eine Minute auf zu singen, Darzee.«

»Für den großen, den wunderschönen Rikki-tikki hör ich auf«, sagte Darzee. »Was willst du, o du Töter des furchtbaren Nag?«

»Wo ist Nagaina, zum dritten Mal?«

»Auf dem Abfallhaufen bei den Ställen; da trauert sie um Nag. Groß ist Rikki-tikki mit den weißen Zähnen.«

»Laß meine weißen Zähne! Hast du je gehört, wo sie ihre Eier hat?«

»Im Melonenbeet, auf der Seite, die zur Mauer liegt, wo die Sonne fast den ganzen Tag hinfällt. Sie hat sie vor drei Wochen da versteckt.«

»Und du bist nie auf den Gedanken gekommen, mir das zu sagen? Das Beetende an der Mauer, hast du gesagt?«

»Rikki-tikki, du willst doch wohl nicht ihre Eier essen?«

»Nicht eigentlich essen; nein. Darzee, wenn du nur ein Fünkchen Verstand hast, dann fliegst du jetzt zum Stall und tust so, als ob dein Flügel gebrochen ist, und läßt dich von Nagaina zu dem Busch hier jagen. Ich muß zum Melonenbeet, und wenn ich jetzt gehe, sieht sie mich.«

Darzee war ein gedankenloser kleiner Kerl, der nie mehr als eine Idee gleichzeitig im Kopf behalten konnte; und gerade weil er wußte, daß Nagainas Kinder wie seine eigenen in Eiern geboren wurden, fand er es zunächst nicht anständig, sie zu töten. Aber seine Frau war ein vernünftiger Vogel, und sie wußte, daß Kobra-Eier bald kleine Kobras bedeuten würden; deshalb flog sie vom Nest und ließ Darzee zurück, der die Babies warmhielt und sein Lied über Nags Tod fortsetzte. Darzee war in mancher Hinsicht genau wie ein Mann.

Beim Abfallhaufen flatterte sie vor Nagaina herum und schrie laut: »Ach, mein Flügel ist gebrochen! Der Junge im Haus hat einen Stein nach mir geworfen und den Flügel gebrochen.« Danach flatterte sie noch verzweifelter als zuvor.

Nagaina hob den Kopf und zischte: »Du hast Rikki-tikki gewarnt, als ich ihn hätte töten können. Wirklich und wahrhaftig hast du dir einen schlechten Platz zum Lahmwerden ausgesucht.« Und sie glitt auf Darzees Frau zu, durch den Staub.

»Der Junge hat ihn mit einem Stein gebrochen!« kreischte Darzees Frau.

»Na schön! Vielleicht tröstet es dich, wenn du tot bist, daß du weißt, ich werde die Rechnung mit dem Jungen begleichen. Mein Mann liegt heute morgen auf dem Abfallhaufen, aber ehe es Nacht ist, wird der Junge im Haus sehr still liegen. Es ist sinnlos wegzurennen! Ich kriege dich doch. Kleine Närrin, schau mich an!«

Darzees Frau hütete sich, das zu tun, denn ein Vogel, der

einer Schlange in die Augen schaut, bekommt solche Angst, daß er sich nicht mehr bewegen kann. Darzees Frau flatterte weiter, piepste jämmerlich und kam dabei nie vom Boden hoch, und Nagaina wurde schneller.

Rikki-tikki hörte sie den Weg von den Ställen heraufkommen und raste zum Ende des Melonenbeets an der Mauer. Dort, geschickt versteckt in der warmen Streu, mit der die Melonen umgeben waren, fand er fünfundzwanzig Eier, etwa so groß wie die eines Zwerghuhns, aber mit weißlicher Haut statt einer Schale.

»Ich komme keinen Tag zu früh«, sagte er; denn er konnte die winzigen Kobras in der Haut zusammengerollt sehen, und er wußte, daß jede von ihnen im Moment des Ausschlüpfens einen Menschen oder einen Mungo töten konnte. So schnell er konnte biß er die Spitzen der Eier ab. Sorgfältig zerquetschte er die jungen Kobras, und dabei drehte er die Streu immer wieder um, damit er sicher war, daß er keine übersehen hatte. Als endlich nur noch drei Eier übrig waren und Rikki-tikki leise zu glucksen begann, hörte er Darzees Frau schreien:

»Rikki-tikki, ich hab Nagaina zum Haus gelockt und sie ist auf die Veranda gekrochen und – oh, komm schnell – sie will töten!«

Rikki-tikki zerbrach zwei Eier, taumelte rücklings aus dem Melonenbeet mit dem dritten Ei im Mund und wetzte zur Veranda, so schnell er die Füße nur auf den Boden setzen konnte. Teddy, seine Mutter und sein Vater saßen dort beim Frühstück; aber Rikki-tikki sah, daß sie nicht aßen. Sie saßen wie versteinert, und ihre Gesichter waren weiß. Nagaina lag zusammengerollt auf der Fußmatte neben Teddys Stuhl; dort konnte sie mühelos Teddys nackte Beine erreichen, und sie wiegte sich hin und her und sang einen Triumphgesang.

»Sohn des großen Mannes der Nag getötet hat«, zischte sie, »sitz still. Ich bin noch nicht soweit. Wart ein Weilchen.

Sitzt ganz still, alle drei. Wenn ihr euch bewegt stoß ich zu, und wenn ihr euch nicht bewegt stoß ich zu. O dumme Leute, die meinen Nag getötet haben!«

Teddys Augen hingen an seinem Vater, und sein Vater konnte nichts tun als flüstern: »Sitz still, Teddy. Du darfst dich nicht bewegen. Teddy, sitz still.«

Da erreichte Rikki-tikki die Veranda und rief: »Dreh dich um, Nagaina; dreh dich um und kämpfe!«

»Alles zu seiner Zeit«, sagte sie, ohne die Augen zu bewegen. »Meine Rechnung mit *dir* werde ich demnächst begleichen. Schau deine Freunde an, Rikki-tikki. Sie sind still und weiß; sie haben Angst. Sie wagen nicht sich zu bewegen, und wenn du einen Schritt näher kommst stoß ich zu.«

»Schau du dir deine Eier an«, sagte Rikki-tikki, »im Melonenbeet an der Mauer. Geh hin und sieh nach, Nagaina.«

Die große Schlange wandte sich halb um und sah das Ei auf der Veranda. »Ah-h! Gib es her«, sagte sie.

Rikki-tikki legte seine Pfoten um das Ei, und seine Augen waren blutrot. »Was zahlst du für ein Schlangenei? Für eine junge Kobra? Für eine junge Königskobra? Für die letzte – die allerletzte der Brut? Die Ameisen essen gerade all die andern, unten am Melonenbeet.«

Nagaina wirbelte herum; sie vergaß alles wegen eines Eies; und Rikki-tikki sah, wie die große Hand von Teddys Vater nach vorn schoß und den Jungen über den kleinen Tisch mit den Teetassen hob, in Sicherheit und außer Nagainas Reichweite.

»Ein Trick! Trick! Trick! *Rikk-tchk-tchk!*« gluckste Rikki-tikki. »Der Junge ist in Sicherheit, und ich wars – ich – ich – ich hab Nag letzte Nacht im Badezimmer an der Haube gepackt.« Dann begann er auf und nieder zu springen, mit allen vier Beinen gleichzeitig, den Kopf eng am Boden. »Er hat mich hin und her geschleudert, aber er konnte mich nicht abschütteln. Er war tot, noch bevor der große Mann ihn entzweigeblasen hat. Ich habs getan. *Rikki-tikki-tck-tck!* Komm jetzt, Nagaina. Komm und kämpf mit mir. Du sollst nicht lange Witwe sein.«

Nagaina sah, daß sie die Möglichkeit, Teddy zu töten, verloren hatte, und das Ei lag zwischen Rikki-tikkis Pfoten. »Gib mir das Ei, Rikki-tikki. Gib mir mein letztes Ei, dann geh ich fort und komm nie zurück«, sagte sie; dabei senkte sie die Haube.

»Ja, du wirst weggehen und nie zurückkommen; du wirst nämlich zu Nag auf den Abfallhaufen gehen. Kämpf, Witwe! Der große Mann ist sein Gewehr holen gegangen! Kämpf!«

Rikki-tikki sprang im Kreis um Nagaina herum und hielt sich gerade eben außerhalb ihrer Reichweite; seine kleinen Augen waren wie heiße Kohlen. Nagaina zog sich zusammen und schnellte auf ihn los. Rikki-tikki sprang hoch und nach hinten. Wieder und wieder und wieder stieß sie zu, und jedes Mal prallte ihr Kopf hart auf die Matten der Veranda und sie zog sich zusammen wie die Feder einer Uhr. Dann tanzte Rikki-tikki einen Kreis, um in ihren Rücken zu gelangen, und Nagaina wirbelte herum, um ihren Kopf auf seinen gerichtet zu halten, und das Rascheln ihres Schwanzes auf den Matten klang wie trockene Blätter, die der Wind vor sich hertreibt.

Er hatte das Ei vergessen. Es lag noch immer auf der Veranda und Nagaina kam näher und näher heran, bis sie es schließlich, als Rikki-tikki Luft holte, mit dem Mund aufschnappte und wie ein Pfeil den Weg hinunterfloh, verfolgt von Rikki-tikki. Wenn die Kobra um ihr Leben rennt, gleicht sie der Peitschenschnur auf einem Pferdenacken.

Rikki-tikki wußte, daß er sie fangen mußte, sonst würde die ganze Mühe von vorn beginnen. Sie floh direkt zum langen Gras am Dornbusch, und während er rannte, hörte Rikki-tikki immer noch Darzee seinen närrischen Triumphgesang singen. Aber Darzees Frau war klüger. Sie flog vom Nest, als Nagaina sich näherte, und sie flatterte mit den Flügeln um Nagainas Kopf. Wenn Darzee geholfen hätte, wäre es ihnen vielleicht gelungen, Nagaina aufzuhalten; aber Nagaina senkte nur die

Haube und floh weiter. Trotzdem reichte der eine Moment, den sie verlor, um Rikki-tikki aufholen zu lassen, und als sie in das Rattenloch tauchte, in dem sie und Nag gelebt hatten, waren seine kleinen weißen Zähne fest in ihrem Schwanz, und er verschwand mit ihr – und sehr wenige Mungos, so alt und klug sie auch sein mögen, legen Wert darauf, einer Kobra in ihre Höhle zu folgen. Im Loch war es dunkel, und Rikki-tikki wußte nicht, wann es sich verbreitern und Nagaina genug Platz einräumen würde, um sich zu drehen und ihn anzugreifen. Wild biß er sich fest und streckte die Beine aus, um an der dunklen Wand aus heißer feuchter Erde zu bremsen.

Dann hörte das Gras an der Öffnung des Lochs auf sich zu bewegen, und Darzee sang: »Nun ist es zu Ende mit Rikki-tikki! Wir müssen sein Todeslied singen! Der kühne Rikki-tikki ist tot! Denn unter der Erde wird Nagaina ihn sicherlich töten.«

Also sang er ein überaus klagendes Lied, das er beim Singen erfand, und gerade als er zum rührendsten Teil kam, bebte das Gras wieder, und Rikki-tikki, bedeckt mit Erde, zog sich langsam aus dem Loch, ein Bein nach dem anderen, und leckte seinen Schnurrbart. Darzee beendete seinen Gesang mit einem kleinen Schrei. Rikki-tikki schüttelte einigen Staub aus seinem Fell und nieste. »Es ist vorüber«, sagte er. »Die Witwe wird nicht wieder herauskommen.« Und die roten Ameisen, die zwischen den Grasstengeln leben, hörten es und machten sich eine nach der anderen auf den Weg hinab ins Loch, um nachzusehen, ob er die Wahrheit gesagt hatte.

Rikki-tikki rollte sich im Gras zusammen und schlief ein, wo er gerade war – und schlief und schlief, bis es später Nachmittag war, denn er hatte ein hartes Tagewerk hinter sich.

»Jetzt«, sagte er, als er erwachte, »will ich zurück zum Haus gehen. Sag es dem Kupferschmied, Darzee, und er wird es dem ganzen Garten sagen, daß Nagaina tot ist.«

Der Kupferschmied ist ein Vogel, der ein Geräusch genau wie das Schlagen eines kleinen Hammers auf einen Kupferkessel macht; und der Grund, weshalb er es dauernd macht, ist, daß er der Stadtschreier in jedem indischen Garten ist und alle Neuigkeiten allen erzählt, die zuhören mögen. Als Rikki-tikki den Weg hinaufging, hörte er seine »Achtung«-Töne wie einen kleinen Essensgong; und dann das regelmäßige *»Ding-dong-tock!* Nag ist tot – *dong!* Nagaina ist tot! *Ding-dong-tock!«* Daraufhin sangen alle Vögel im Garten, und alle Frösche quakten; denn Nag und Nagaina hatten Frösche genauso gegessen wie kleine Vögel.

Als Rikki das Haus erreichte, kamen Teddy und Teddys Mutter (sie sah immer noch sehr weiß aus, denn sie war ohnmächtig gewesen) und Teddys Vater heraus und weinten fast zu seiner Begrüßung; und an diesem Abend aß er alles, was man ihm gab, bis er nicht mehr konnte, und er ging auf Teddys Schulter zu Bett, wo Teddys Mutter ihn sah, als sie spät in der Nacht noch einmal nach ihm schaute.

»Er hat uns und Teddy das Leben gerettet«, sagte sie zu ihrem Mann. »Denk bloß, er hat uns allen das Leben gerettet.«

Rikki-tikki fuhr hoch, denn alle Mungos schlafen sehr leicht.

»Ach, ihr seid das«, sagte er. »Was habt ihr denn noch auf dem Herzen? Alle Kobras sind tot; und selbst wenn sie es nicht wären, gibts ja noch mich.«

Rikki-tikki hatte gutes Recht, stolz auf sich zu sein; aber er wurde nicht zu stolz und hielt den Garten so in Ordnung, wie ein Mungo es tun sollte, mit Zahn und Sprung und Satz und Biß, so daß keine Kobra es je wieder wagte, sich innerhalb der Mauern zu zeigen.

DARZEE'S CHAUNT

SINGER and tailor am I—
   Doubled the joys that I know—
Proud of my lilt through the sky,
   Proud of the house that I sew—
Over and under, so weave I my music—so weave I the house
   that I sew.

Sing to your fledglings again,
   Mother, oh lift up your head!
Evil that plagued us is slain,
   Death in the garden lies dead.
Terror that hid in the roses is impotent—flung on the dung-hill
   and dead!

Who hath delivered us, who?
   Tell me his nest and his name.
Rikki, the valiant, the true,
   Tikki, with eyeballs of flame,
Rik-tikki-tikki, the ivory-fanged, the hunter with eyeballs of
   flame.

Give him the Thanks of the Birds,
   Bowing with tail-feathers spread!
Praise him with nightingale words—
   Nay, I will praise him instead.
Hear! I will sing you the praise of the bottle-tailed Rikki, with
   eyeballs of red!

(Here Rikki-tikki interrupted, and the rest of the song is lost.)

DARZEES PREISLIED

(GESUNGEN ZU EHREN VON RIKKI-TIKKI-TAVI)

SÄNGER und Schneider bin ich –
   doppelte Freude ist mein –
stolz auf mein Lied in der Luft,
   stolz auf das Haus das ich näh –
über und unter web ich die Musik – so web ich das Haus, das ich
   näh.

Sing wieder für deine Brut,
   Mutter, oh hebe dein Haupt!
Was uns geplagt hat ist tot,
   Tod liegt im Garten erschlagen.
Machtlos der Schrecken der sich in Rosen verbarg – tot auf den
   Abfall geworfen!

Wer denn erlöste uns, wer?
   Sagt mir sein Nest, seinen Namen.
Rikki, der Tapfere, Treue,
   Tikki, mit Augen von Flammen,
Rik-tikki-tikki, mit Elfenbeinzähnen, der Jäger mit Augen von
   Flammen.

Vögel, nun dankt ihm, verneigt euch,
   spreizt eure Schwanzfedern weit!
Preist ihn mit Nachtigallworten –
   nein, ich selbst will ihn preisen.
Hört! Ich sing euch das Preislied von Flaschenschwanz-Rikki,
   mit Augen ganz rot!

(Hier unterbrach Rikki-tikki ihn, und der Schluß des Lieds ging verloren.)

TOOMAI VON DEN ELEFANTEN

I will remember what I was, I am sick of rope and chain—
  I will remember my old strength and all my forest affairs.
I will not sell my back to man for a bundle of sugar-cane,
  I will go out to my own kind, and the wood-folk in their lairs.

I will go out until the day, until the morning break,
  Out to the winds' untainted kiss, the waters' clean caress:
I will forget my ankle-ring and snap my picket-stake.
  I will revisit my lost loves, and playmates masterless!

[Ich will bedenken was ich war, bin krank von Kette und Strick –
  will mich entsinnen alter Kraft und meiner Waldgeschäfte,
verkauf mich nicht mehr Menschen für ein Bündel Zuckerrohr,
  ich geh hinaus zum Waldvolk und zu meiner eignen Art.

Ich will hinausgehn bis zum Tag und bis der Morgen bricht,
  zum makellosen Windkuß, zur Liebkosung reiner Wasser:
Ich will den Knöchelring vergessen und den Pflock zerbrechen,
  verlorne Lieben wiedersehn und wilde Spielgefährten!]

KALA NAG – das bedeutet Schwarze Schlange – hatte der Indischen Regierung in jeder einem Elefanten möglichen Weise siebenundvierzig Jahre lang gedient, und da er volle zwanzig Jahre alt gewesen war, als man ihn fing, war er nun fast siebzig – ein reifes Alter für einen Elefanten. Er erinnerte sich, wie er mit einem dicken Lederpolster auf der Stirn eine in tiefem Schlamm steckengebliebene Kanone geschoben hatte, und das war vor dem Afghanistan-Krieg von 1842 gewesen, und damals hatte er seine volle Kraft noch nicht erreicht. Seine Mutter Radha Pyari – Liebling Radha –, die mit der gleichen Herde wie Kala Nag gefangen worden war, hatte ihm noch ehe er seine kleinen Milchzähne verlor erzählt, daß ängstliche Elefanten sich immer wehtaten; und Kala Nag wußte, daß dieser Rat gut war, denn als er das erste Mal ein Geschoß bersten sah, taumelte er kreischend rückwärts in eine Gewehrpyramide hinein, und die Bajonette stachen ihn in all seine weichsten Stellen. Deshalb hörte er auf sich zu fürchten, noch ehe er fünfundzwanzig war, und wurde so zum meistgeliebten und bestgepflegten Elefanten im Dienst der Indischen Regierung. Er hatte Zelte getragen, zwölfhundert Pfund an Zelten, auf dem Marsch in Nordindien; am Ende eines Dampfkrans war er in ein Schiff gehievt und tagelang über das Wasser gefahren worden und hatte in einem seltsamen, felsigen Land fern von Indien einen Mörser getragen und den Kaiser Theodor tot in Magdala liegen sehen, und er war wieder mit dem Dampfer zurückgekommen und hatte, sagten die Soldaten, Anspruch auf den Orden für Teilnehmer am Abessinien-Krieg. Er hatte die anderen Elefanten sterben sehen, an Kälte, Epilepsie, Hunger und Sonnenstich, oben in Ali Masjid, zehn Jahre später; und danach hatte man ihn Tausende von Meilen nach Süden geschickt, um auf den Zimmerplätzen von Moulmein große Balken Teakholz zu schleppen und zu stapeln. Dort hatte er beinahe einen aufsässigen jungen Elefanten getötet, der sich um seinen Anteil an der Arbeit zu drücken suchte.

Später holte man ihn vom Holzschleppen fort und schickte ihn mit einigen Dutzend anderer Elefanten, die dafür ausgebildet waren, in die Garo-Berge, um wilde Elefanten fangen zu helfen. Elefanten werden von der Indischen Regierung sehr aufmerksam gehegt. Es gibt eine ganze Ministerialabteilung, die nichts anderes tut als sie zu jagen, zu fangen und abzurichten und sie je nach Arbeit und Bedarf im Land zu verteilen.

Kala Nag war an den Schultern gute zehn Fuß hoch, und seine Stoßzähne waren auf fünf Fuß gestutzt und an den Enden mit Kupferbändern umwickelt worden, damit sie nicht splitterten; aber mit diesen Stümpfen konnte er mehr ausrichten als jeder untrainierte Elefant mit seinen richtigen scharfen Stoßzähnen.

Wenn nach vielen Wochen vorsichtiger Jagd auf über die Berge verstreute Elefanten die vierzig oder fünfzig wilden Ungetüme in den letzten Palisadenpferch getrieben waren und das schwere Falltor aus zusammengebundenen Baumstämmen hinter ihnen herunterkrachte, ging Kala Nag auf einen Befehl hin in diese lodernde, trompetende Hölle hinein (meistens nachts, wenn das Flackern der Fackeln es schwermachte, Entfernungen richtig einzuschätzen), und dann suchte er sich den stärksten und wildesten Bullen aus dem Gewühl und hieb und stieß ihn, bis er ruhig war, während die Männer auf den Rücken der übrigen Elefanten die kleineren fingen und fesselten.

In Sachen Kampf gab es nichts, was Kala Nag, der alte weise Schwarze Schlange, nicht gewußt hätte, denn er hatte sich in seinem Leben mehr als einmal dem Angriff eines wunden Tigers gestellt, seinen weichen Rüssel eingerollt, damit er außer Gefahr war, und dann das anspringende Tier in der Luft getroffen, mit einem seitlichen, schnellen Sichelhieb des Kopfs, den er ganz allein erfunden hatte; er hatte den Tiger niedergestoßen und sich mit seinen gewaltigen Knien auf ihn gestemmt, bis das Leben mit Ächzen und Jaulen entwich und auf dem Boden nichts blieb als ein flauschiges gestreiftes Etwas, an dessen Schwanz Kala Nag herumzerren konnte.

»Ja«, sagte Großer Toomai, sein Hüter, der Sohn von Schwarzer Toomai, der ihn nach Abessinien begleitet, und Enkel von Toomai von den Elefanten, der gesehen hatte, wie Kala Nag gefangen wurde, »es gibt nichts, was Schwarze Schlange fürchtet außer mir. Drei Generationen von uns haben ihn gefüttert und gepflegt, und er wird noch die vierte erleben.«

»Vor *mir* hat er auch Angst«, sagte Kleiner Toomai; er richtete sich zu seiner vollen Größe von vier Fuß auf, bekleidet nur mit einem Fetzen. Er war zehn Jahre alt, der älteste Sohn von Großer-Toomai, und wie es üblich war, würde er den Platz seines Vaters in Kala Nags Nacken übernehmen, wenn er erwachsen war, und in der Hand würde er den schweren eisernen *ankus* halten, den stachligen Elefantenstab, den sein Vater und sein Großvater und sein Urgroßvater abgenutzt und geglättet hatten. Er wußte, wovon er redete, denn er war in Kala Nags Schatten geboren, hatte mit dem Ende seines Rüssels gespielt, ehe er laufen konnte, hatte ihn zum Wasser geführt, sobald er laufen konnte, und Kala Nag hätte ebensowenig daran gedacht, seine kleinen schrillen Befehle zu mißachten, wie er daran gedacht hatte, ihn an jenem Tag zu töten, als Großer Toomai das kleine braune Baby unter Kala Nags Stoßzähne hielt und ihn aufforderte, seinen künftigen Herren zu grüßen.

»Ja«, sagte Kleiner Toomai, »vor *mir* hat er Angst«, und mit langen Schritten ging er zu Kala Nag, nannte ihn ein altes fettes Schwein und ließ ihn die Füße heben, einen nach dem anderen.

»Wah!« sagte Kleiner Toomai, »du bist ein großer Elefant«, und er schüttelte seinen Wuschelkopf und zitierte seinen Vater.

»Die Regierung zahlt vielleicht für Elefanten, aber ihr gehört uns Mahouts. Wenn du alt bist, Kala Nag, wird ein reicher Radscha kommen und dich der Regierung abkaufen, weil du so groß bist und so gute Manieren hast, und dann wirst du nichts mehr tun müssen außer goldene Ringe in deinen Ohren tragen und einen goldenen Sessel auf deinem Rücken und rotes Tuch mit Gold an deinen Seiten und an der Spitze der Prozessionen des Königs gehen. Dann werde ich auf deinem Nacken sitzen, o Kala Nag, mit einem silbernen *ankus*, und Männer mit goldenen Stöcken werden vor uns herlaufen und rufen ›Macht Platz für den Elefanten des Königs!‹ Das wird fein sein, Kala Nag, aber nicht so fein wie dieses Jagen im Dschungel.«

»Umph!« sagte Großer Toomai. »Du bist ein Junge und so wild wie ein Büffelkalb. So zwischen den Bergen hin und her rennen ist nicht der beste Dienst für die Regierung. Ich werde alt, und wilde Elefanten liebe ich gar nicht. Gib mir Elefantenställe aus Ziegeln, einen Verschlag für jeden Elefanten, und große Pfosten, um sie sicher anzubinden, und ebene breite Straßen zum Üben, statt mal hier mal da ein Lager. Ah, die Kasernen von Kanpur waren gut. Da war ein Basar in der Nähe, und nur drei Stunden Arbeit am Tag.«

Kleiner Toomai erinnerte sich an die Elefantenstallungen von Kanpur und sagte nichts. Er zog das Lagerleben ganz entschieden vor und haßte diese breiten, ebenen Straßen, die tägliche Plackerei mit dem Gras auf den reservierten Weideplätzen und die langen Stunden, in denen es nichts zu tun gab außer Kala Nag zuzusehen, wie er sich unruhig zwischen seinen Pflöcken wiegte.

Was Kleiner Toomai liebte war, Wege hinaufklettern, die nur ein Elefant nehmen konnte; ins darunterliegende Tal hinabtauchen; flüchtige Anblicke der Meilen entfernt grasenden wilden Elefanten; die stürmische Flucht aufgeschreckter Schweine und Pfauen unter Kala Nags Füßen; die blendenden warmen Regen, wenn alle Berge und Täler dampften; die wunderbaren Nebelmorgen, wenn keiner wußte, wo man am Abend lagern würde; der ruhige, vorsichtige Zusammentrieb der wilden Elefanten und das tolle Rasen und Lodern und Durcheinander der Treibjagd des letzten Abends, wenn die Elefanten wie Felsen im Erdrutsch in den Palisadenpferch strömten, merkten, daß sie nicht mehr hinauskonnten und sich gegen die schweren Pfosten warfen, nur um zurückgetrieben zu werden mit Gellen und flackernden Fackeln und Salven von Platzpatronen.

Dabei konnte sogar ein kleiner Junge nützlich sein, und Toomai war es für drei. Er nahm dann seine Fackel und schwenkte sie und schrie wie die Besten. Aber wirklich fein wurde es für ihn, wenn der Austrieb begann und der Keddah – das ist der Palisadenpferch – aussah wie ein Bild vom Ende der Welt und die Männer sich durch Zeichen verständigen mußten, weil sie einander nicht hören konnten. Dann kletterte Kleiner Toomai auf die Spitze einer der vibrierenden Palisaden, sein sonnengebleichtes braunes Haar flog lose um seine Schultern, und im Licht der Fackeln sah er aus wie ein Kobold; und sobald es ein wenig stiller wurde, konnte man seine schrillen Schreie, mit denen er Kala Nag aufmunterte, über das Trompeten und Krachen, das Reißen der Seile und das Ächzen der angeketteten Elefanten hören. »*Maîl, maîl, Kala Nag!* [Vorwärts, vorwärts,

Schwarze Schlange!] *Somalo! Somalo!* [Vorsichtig, vorsichtig!]
Dant do! [Gib ihm den Zahn!] *Maro! Mar!* [Hau ihn, hau ihn!]
Paß auf den Pfosten auf! *Arre! Arre! Hai! Yai! Kya-a-ah!*« So
schrie er, und der große Kampf zwischen Kala Nag und dem
wilden Elefanten schwankte hin und her über den Keddah, und
die alten Elefantenfänger wischten sich den Schweiß aus den
Augen und fanden genug Zeit, um Kleiner Toomai zuzunik-
ken, der sich oben auf den Palisaden wand.

Er wand sich aber nicht nur. Eines Abends glitt er vom Pfosten und schlüpfte zwischen die Elefanten und warf das lose
Ende eines gefallenen Stricks einem Treiber zu, der das Bein
eines strampelnden Kalbs zu packen suchte (Kälber machen immer mehr Mühe als ausgewachsene Tiere). Kala Nag sah ihn,
fing ihn mit dem Rüssel ein und reichte ihn an Großer Toomai,
der ihm auf der Stelle eine Ohrfeige gab und ihn wieder auf die
Palisade setzte.

Am nächsten Morgen schimpfte er mit ihm und sagte: »Sind
denn gute Ziegelställe für die Elefanten und ein bißchen Zelte-
tragen nicht genug für dich, daß du unbedingt auf eigene Rechnung Elefanten fangen mußt, du kleines wertloses Stück? Jetzt
haben diese dummen Jäger, die weniger verdienen als ich, alles
Petersen Sahib erzählt.« Kleiner Toomai hatte Angst. Er wußte
nicht viel über Weiße, aber Petersen Sahib war für ihn der
größte weiße Mann auf der Welt. Er war das Haupt aller Vor-
gänge im Keddah – der Mann, der alle Elefanten für die Indische Regierung fing und mehr von Elefanten verstand als jeder
andere lebende Mensch.

»Was . . . was wird jetzt geschehen?« fragte Kleiner Toomai.

»Geschehen! Das Schlimmste kann geschehen. Petersen Sahib ist verrückt. Warum würde er sonst diese wilden Teufel jagen? Vielleicht wird er sogar einen Elefantenfänger aus dir machen wollen, der irgendwo in diesen fiebervollen Dschungeln
schlafen muß und am Ende im Keddah totgetrampelt wird. Nur
gut, daß dieser Unsinn jetzt vorbei ist. Nächste Woche ist das

Jagen zu Ende, und wir aus den Ebenen werden zu unseren Stationen zurückgeschickt. Dann können wir über glatte Straßen marschieren und dieses ganze Gejage vergessen. Aber, Sohn, ich bin zornig, weil du dich in Dinge eingemischt hast, die nur dieses schmierige assamesische Dschungelvolk etwas angehen. Kala Nag gehorcht keinem außer mir, deshalb muß ich mit ihm in den Keddah; aber er ist nur ein Kampfelefant und hilft nicht dabei, sie zu fesseln. Deswegen kann ich ruhig hier sitzen, wie es einem Mahout zusteht – keinem bloßen Jäger –, einem Mahout, sage ich, und einem Mann, der am Schluß seines Dienstes eine Rente bekommen wird. Soll denn die Familie von Toomai von den Elefanten im Dreck eines Keddah zertrampelt werden? Böser Sohn! Schlimmer Sohn! Nichtsnutziger Sohn! Geh und wasch Kala Nag und kümmer dich um seine Ohren und sieh zu, daß keine Dornen in seinen Füßen sind; sonst fängt Petersen Sahib dich bestimmt und macht einen wilden Jäger aus dir – einen, der hinter Elefantenfährten herläuft, einen Dschungelbär. Bah! Schäm dich! Geh!«

Kleiner Toomai ging ohne ein Wort, aber er erzählte Kala Nag seinen ganzen Kummer, während er seine Füße untersuchte. »Macht nichts«, sagte Kleiner Toomai, als er den Rand von Kala Nags großem rechten Ohr hochklappte. »Sie haben Petersen Sahib meinen Namen gesagt, und vielleicht – und vielleicht – und vielleicht – wer weiß? *Hai!* Das ist aber ein großer Dorn, den ich da rausgezogen hab!«

In den folgenden Tagen wurden die Elefanten zusammengetrieben; die neu eingefangenen wilden Elefanten führte man zwischen einem Paar zahmer hin und her, damit sie auf dem Marsch hinab in die Ebene nicht mehr zuviel Ärger machten, und man zählte die Decken und Seile und anderen Dinge, die im Wald abgenutzt worden oder verlorengegangen waren.

Petersen Sahib kam zu ihnen, auf seiner klugen Elefantin Padmini; er hatte andere Lager in den Bergen ausgezahlt, denn die Jagdzeit ging zu Ende und ein eingeborener Schreiber saß unter einem Baum an einem Tisch, um den Treibern ihre Löhne auszuzahlen. Jeder ging, nachdem er sein Geld bekommen hatte, zu seinem Elefanten zurück und stellte sich in die marschbereite Reihe. Die Fänger und die Jäger und die Treiber, die Männer vom Keddah, die jahraus jahrein im Dschungel blieben, saßen auf den Rücken der Elefanten, die zu Petersen Sahibs ständiger Truppe gehörten, oder sie lehnten an Bäumen, das Gewehr über dem Arm, und verspotteten die Treiber, die fortgingen, und lachten, wenn die neuen Elefanten aus der Reihe brachen und herumrannten.

Großer Toomai ging zum Schreiber, gefolgt von Kleiner Toomai; und Machua Appa, der Führer der Fährtensucher, sagte halblaut zu einem seiner Freunde: »Da ist endlich mal einer, der das Zeug zum Elefantenjäger hat. Ein Jammer, den kleinen Dschungelhahn in die Ebene zu schicken, wo er bestimmt seine Federn verliert.«

Petersen Sahib hatte seine Ohren überall, wie es sein muß bei einem, der dem schweigsamsten aller Lebewesen lauscht – dem wilden Elefanten. Er blieb ausgestreckt auf Padminis Rücken liegen, drehte sich um und sagte: »Was war das? Ich wußte nicht, daß bei den Treibern aus der Ebene auch nur ein Mann ist, der einen toten Elefanten richtig binden kann.«

»Kein Mann, sondern ein Junge. Er ist beim letzten Treiben in den Keddah gelaufen und hat Barmao da das Seil zugeworfen, als wir versucht haben, das junge Kalb mit dem Fleck auf der Schulter von seiner Mutter wegzuholen.«

Machua Appa deutete auf Kleiner Toomai, und Petersen Sahib schaute hin, und Kleiner Toomai verneigte sich bis auf den Boden.

»Der soll ein Seil geworfen haben? Er ist doch kleiner als ein Pflock. Kleiner Mann – wie heißt du?« sagte Petersen Sahib.

Kleiner Toomai war zu erschrocken zum Sprechen, aber Kala Nag stand hinter ihm, und Toomai gab ihm ein Zeichen mit der Hand, und der Elefant hob ihn mit dem Rüssel hoch und hielt ihn vor Padminis Stirn, auf gleicher Höhe mit dem großen Petersen Sahib. Da bedeckte Kleiner Toomai das Gesicht mit den Händen, denn er war nur ein Kind, und außer wenn es um Elefanten ging so scheu wie jedes andere Kind.

»Oho!« sagte Petersen Sahib; er lächelte in seinen Schnurrbart. »Wieso hast du deinem Elefanten denn *diesen* Trick beigebracht? Damit er dir hilft, grünes Korn von den Hausdächern zu stehlen, wenn die Ähren zum Trocknen hingelegt werden?«

»Kein grünes Korn, Beschützer der Armen – Melonen«, sagte Kleiner Toomai, und alle ringsum sitzenden Männer brachen in schallendes Gelächter aus. Die meisten von ihnen hatten ihren Elefanten diesen Trick beigebracht, als sie noch Jungen waren. Kleiner Toomai hing in acht Fuß Höhe und wünschte sich sehr dringend acht Fuß unter die Erde.

»Das ist Toomai, mein Sohn, Sahib«, sagte Großer Toomai mürrisch. »Er ist ein ganz böser Junge und wird in einem Kerker enden, Sahib.«

»Da habe ich meine Zweifel«, sagte Petersen Sahib. »Ein Junge, der sich in seinem Alter schon in einen vollen Keddah wagt, endet nicht im Kerker. Sieh mal, kleiner Mann, hier sind vier Annas für Süßigkeiten, weil du unter deinem großen Haardach einen kleinen Kopf hast. Mit der Zeit wirst du vielleicht auch ein Jäger.« Großer Toomai blickte noch mürrischer drein als zuvor. »Aber denk dran«, fuhr Petersen Sahib fort, »daß Keddahs keine Spielplätze für Kinder sind.«

»Darf ich nie in einen gehen, Sahib?« fragte Kleiner Toomai mit einem großen Seufzer.

»Doch.« Petersen Sahib lächelte wieder. »Wenn du die Elefanten tanzen gesehen hast. Dann ist die richtige Zeit. Komm zu mir, wenn du die Elefanten tanzen gesehen hast, und dann lasse ich dich in alle Keddahs gehen.«

Wieder gab es brüllendes Gelächter, denn das ist ein alter Witz unter Elefantenfängern und bedeutet soviel wie niemals. In den Wäldern verborgen gibt es große flache Lichtungen, die man die Ballsäle der Elefanten nennt, aber selbst die findet man nur zufällig, und niemand hat je die Elefanten tanzen sehen. Wenn ein Treiber mit seiner Geschicklichkeit und seinem Mut angibt, sagen die anderen Treiber. »Und wann hast *du* die Elefanten tanzen sehen?«

Kala Nag setzte Kleiner Toomai ab, und er verneigte sich noch einmal bis zum Boden und ging mit seinem Vater fort, und die silberne Vier-Anna-Münze gab er seiner Mutter, die seinen kleinen Bruder säugte, und sie alle wurden auf Kala Nags Rücken gesetzt, und die Reihe der knurrenden, quäkenden Elefanten rollte den Bergpfad zur Ebene hinunter. Es war ein sehr lebhafter Marsch wegen der neuen Elefanten, die bei jeder Furt für Ärger sorgten und alle paar Minuten getätschelt oder geschlagen werden mußten.

Großer Toomai bearbeitete Kala Nag übellaunig mit dem *ankus*, denn er war sehr verärgert, aber Kleiner Toomai war zu glücklich, um etwas zu sagen. Petersen Sahib hatte ihn bemerkt und ihm Geld gegeben, deshalb fühlte er sich, wie sich ein einfacher Soldat fühlen würde, den sein Kommandeur aus dem Glied gerufen und gelobt hat.

»Was hat Petersen Sahib mit dem Elefantentanz gemeint?« sagte er schließlich leise zu seiner Mutter.

Großer Toomai hörte es und knurrte. »Daß du nie einer dieser Bergbüffel von Fährtensuchern wirst. *Das* hat er gemeint. Hoh du da vorn, warum geht es nicht weiter?«

Ein assamesischer Treiber, zwei oder drei Elefanten weiter vorn, wandte sich verärgert um und rief: »Bring Kala Nag her und laß ihn dieses Kalb hier zur Vernunft bringen. Warum hat Petersen Sahib nur *mich* ausgesucht, um mit euch Reisfeldeseln nach unten zu gehen? Bring dein Tier her, Toomai, er soll seine Stoßzähne benutzen. Bei allen Göttern der Berge, diese neuen Elefanten sind besessen, oder sie können ihre Freunde im Dschungel riechen.«

Kala Nag stieß dem neuen Elefanten in die Rippen, daß er

keine Luft mehr bekam, und Großer Toomai sagte: »Wir haben die Berge von wilden Elefanten geräumt, mit dem letzten Fang. Das ist bloß eure nachlässige Treiberei. Muß ich denn allein die ganze Reihe in Ordnung halten?«

»Hört euch das an!« sagte der andere Treiber. »*Wir* haben die Berge geräumt! Ho! Ho! Ihr seid furchtbar schlau, ihr Flachländer. Außer einem Schlammkopf, der keine Ahnung vom Dschungel hat, weiß doch jeder, daß *die* genau wissen, daß für dieses Jahr das Jagen vorbei ist. Deshalb werden diese Nacht alle wilden Elefanten . . . aber wozu soll ich meine Weisheit an eine Flußkröte verschwenden?«

»Was tun sie diese Nacht?« rief Kleiner Toomai.

»*Ohé*, kleiner Mann. Bist du da? Na ja, dir will ich es sagen, weil du einen kühlen Kopf hast. Sie werden tanzen, und dein Vater, der allein *alle* Berge von *allen* Elefanten geräumt hat, sollte diese Nacht doppelte Ketten um seine Pflöcke legen.«

»Was ist das für ein Geschwätz?« sagte Großer Toomai. »Seit vierzig Jahren pflegen wir, Vater und Sohn, nun Elefanten, aber so einen Unsinn über die Tanzerei hab ich noch nie gehört.«

»Klar; ein Flachländer, der in einer Hütte lebt, kennt nur die vier Wände seiner Hütte. Na schön, laß deine Elefanten diese Nacht frei und sieh zu, was du davon hast. Und was das Tanzen angeht – ich hab die Stelle gesehen, wo . . . *Bapree-Bap!* Wie viele Windungen hat der Dihang denn nur? Schon wieder eine Furt, und wir müssen die Kälber ans Schwimmen kriegen. Stehenbleiben, ihr da hinten.«

Und so redeten und stritten sie und planschten durch die Flüsse auf ihrem ersten Marsch zu einer Art Auffanglager für die neuen Elefanten; aber lange vor der Ankunft hatten sie schon Laune und Nerven verloren.

Dann wurden die Elefanten mit den Hinterbeinen an die dikken Stümpfe gebunden, die als Pflöcke dienten, und die neuen Elefanten wurden mit zusätzlichen Tauen festgemacht, und das

Futter wurde vor ihnen aufgeschüttet, und die Treiber aus den Bergen gingen im abendlichen Zwielicht zurück zu Petersen Sahib, sagten den Treibern aus den Ebenen, sie sollten in dieser Nacht besonders vorsichtig sein und lachten, als die Treiber aus den Ebenen nach dem Grund fragten.

Kleiner Toomai kümmerte sich um Kala Nags Abendessen, und als es dunkel wurde, wanderte er durchs Lager, unsagbar glücklich, auf der Suche nach einem Tom-tom. Wenn das Herz eines indischen Jungen voll ist, läuft er nicht einfach herum und macht unordentlichen Lärm. Er setzt sich irgendwo hin und schwelgt gewissermaßen allein. Und Petersen Sahib hatte mit Kleiner Toomai gesprochen! Wenn er nicht gefunden hätte was er suchte, wäre er wohl geplatzt. Aber der Zuckerbäcker des Lagers lieh ihm ein kleines Tom-tom – eine mit flacher Hand geschlagene Trommel –, und mit übereinandergeschlagenen Beinen setzte er sich vor Kala Nag, als die Sterne langsam erschienen, hielt das Tom-tom im Schoß und schlug und schlug und schlug, und je mehr er an die große Ehre dachte, die ihm zuteil geworden war, desto mehr trommelte er, ganz allein zwischen den Haufen von Elefantenfutter. Es gab keine Melodie und keine Wörter, aber das Trommeln machte ihn glücklich.

Die neuen Elefanten zerrten an ihren Stricken; hin und wieder quäkten und trompeteten sie, und er konnte seine Mutter hören, die in der Lagerhütte seinen kleinen Bruder in den Schlaf sang, mit einem uralten Lied über den großen Gott Shiv, der einmal allen Tieren gesagt hatte, was sie essen sollten. Es ist ein sehr beruhigendes Wiegenlied, und die erste Strophe lautet:

> Shiv, who poured the harvest and made the winds to blow,
> Sitting at the doorways of a day of long ago,
> Gave to each his portion, food and toil and fate,
> From the King upon the guddee to the Beggar at the gate.
> All things made he—Shiva the Preserver.
> Mahadeo! Mahadeo! he made all,—
> Thorn for the camel, fodder for the kine,
> And mother's heart for sleepy head, O little son of mine!

[Shiv, der Ernten reich macht und Winde wehen läßt,
  saß einst an der Pforte eines Tags vor langer Zeit,
  jedem gab er seinen Teil, Speise, Plage, Leid,
  vom König auf dem *gaddi* bis zum Bettler vor dem Tor.
  Alles schuf er – Shiva der Bewahrer.
  Mahadeo! Mahadeo! er schuf alles –
  Dornen für Kamele, Futter für das Vieh
  und Mutters Herz fürs müde Haupt, mein lieber kleiner Sohn!]

Kleiner Toomai fiel am Ende jeder Strophe mit einem fröhlichen *tunk-a-tunk* ein, bis er schläfrig wurde und sich neben Kala Nag auf dem Futter ausstreckte.

Schließlich legten sich die Elefanten nieder, einer nach dem anderen, wie sie es immer tun, bis nur noch Kala Nag am rechten Ende der Reihe stand; und er schaukelte langsam von einer Seite auf die andere, die Ohren vorgestellt, um dem Nachtwind zu lauschen, der ganz sanft über die Berge wehte. Die Luft war voll von all den Nachtgeräuschen, die zusammengefaßt eine große Stille ergeben – das Klicken eines Bambusstengels gegen den anderen, das Rascheln von etwas Lebendigem im Unterholz, das Kratzen und Knarzen eines halbwachen Vogels (Vögel sind nachts viel öfter wach als wir meinen), und das Stürzen von Wasser ganz weit entfernt. Kleiner Toomai schlief einige Zeit, und als er erwachte schien glänzend der Mond, und Kala Nag stand noch immer aufrecht, mit vorgestellten Ohren. Kleiner Toomai drehte sich, raschelte im Futter und betrachtete die Krümmung des großen Rückens vor der Hälfte aller Sterne am Himmel; und während er noch hinschaute, hörte er so weit fort, daß es klang wie ein Nadelloch von Lärm, in die Stille gestochen, das »huut-tuut« eines wilden Elefanten.

Alle Elefanten im Lager sprangen auf, als hätte man auf sie geschossen, und ihr Murren weckte schließlich die schlafenden Mahouts, die zu ihnen kamen und mit großen Hämmern die Pflöcke festschlugen und diesen Strick enger zogen und jenen verknoteten, bis alles wieder still war. Ein neuer Elefant hatte seinen Pflock beinahe herausgerissen, und Großer Toomai nahm Kala Nags Beinfessel ab und kettete damit dem anderen Elefanten Vorder- und Hinterbeine zusammen, legte aber nur eine Schlinge aus Gras um Kala Nags Bein und sagte ihm, er solle daran denken, daß er festgebunden sei. Er wußte, daß er und sein Vater und sein Großvater das schon Hunderte Male getan hatten. Kala Nag beantwortete den Befehl nicht mit einem Gurgeln, was er sonst tat. Er stand still, den Kopf ein wenig erhoben und die Ohren wie Fächer ausgebreitet, und schaute über das mondbeschienene Land hinauf zu den großen Falten der Garo-Berge.

»Kümmer dich um ihn, wenn er diese Nacht unruhig wird«, sagte Großer Toomai zu Kleiner Toomai, und dann ging er in die Hütte und schlief. Kleiner Toomai war dabei, auch einzuschlafen, als er den Faserstrick mit einem leisen *täng* reißen hörte, und Kala Nag rollte zwischen seinen Pflöcken heraus, so langsam und lautlos wie eine Wolke aus der Öffnung eines Tales rollt. Kleiner Toomai trappelte barfuß hinter ihm her, die Straße im Mondlicht hinunter, und rief ganz leise: »Kala Nag! Kala Nag! Nimm mich mit, o Kala Nag!« Der Elefant drehte sich lautlos um, machte drei Schritte zum Jungen hin, senkte den Rüssel, hob ihn auf seinen Nacken, und noch ehe Kleiner Toomai seine Knie festgepreßt hatte, glitt er in den Wald.

Aus den Elefantenreihen kam ein wilder Trompetenstoß, dann legte sich über alles Schweigen, und Kala Nag setzte sich in Bewegung. Manchmal wusch ein hohes Grasbüschel an seinen Flanken entlang wie eine Welle an der Bordwand eines Schiffs, und manchmal kratzten die Ranken eines Bündels von wildem Pfeffer über seinen Rücken, oder ein Bambus knirschte, wenn seine Schulter ihn berührte; aber abgesehen davon bewegte er sich absolut ohne jedes Geräusch und trieb durch den dichten Garo-Wald wie durch Rauch. Er lief bergauf, aber obwohl Kleiner Toomai durch die Lücken zwischen den Wipfeln nach den Sternen sah, konnte er die Richtung nicht bestimmen.

Dann erreichte Kala Nag den Kamm des Hangs und hielt eine Minute an, und Kleiner Toomai sah meilenweit die Baumspitzen gesprenkelt und pelzig im Mondschein liegen und den blauweißen Nebel über dem Fluß in der Senke. Toomai lehnte sich vor und schaute, und er fühlte, daß der Wald unter ihm wach war – wach und lebendig und wimmelnd. Eine große braune früchtefressende Fledermaus strich an seinem Ohr vorbei; ein Stachelschwein rasselte im Dickicht mit den Stacheln; und in der Dunkelheit zwischen den Baumstämmen hörte er einen Lippenbären in der feuchten warmen Erde graben und schnüffeln.

Dann schlossen sich die Zweige wieder über seinem Kopf, und Kala Nag ging hinab ins Tal – diesmal nicht leise, sondern im Sturm, wie eine losgerissene Kanone einen steilen Abhang hinabjagt. Die riesigen Glieder bewegten sich so gleichmäßig wie Kolben, acht Fuß mit jedem Schritt, und die runzlige Haut über den Beingelenken raschelte. Das Unterholz zu beiden Seiten riß mit dem Geräusch berstender Segel, und die jungen Bäume, die er rechts und links mit den Schultern beiseitewuchtete, schnellten wieder zurück und klatschten gegen seine Flanken, und große Schleppen verworrener Schlingpflanzen hingen von seinen Stoßzähnen, während er den Kopf hin und her warf und sich seinen Weg pflügte. Da preßte Kleiner Toomai sich an den großen Nacken, damit ihn nicht ein Ast beim Zurückschnellen zu Boden wischte, und er wünschte, er wäre wieder im Lager.

Langsam wurde der Grasboden breiig, und Kala Nags Füße malmten und schmatzten beim Auftreten, und der Nachtnebel auf der Talsohle ließ Kleiner Toomai frösteln. Dann hörte er Platschen und Trampeln und das Rauschen fließenden Wassers, und Kala Nag ging mit tastenden Schritten durch ein Flußbett. Über dem Geräusch des Wassers, das um die Beine des Elefanten sprudelte, konnte Kleiner Toomai flußauf wie flußab noch mehr Platschen und Trompeten hören – lautes

Knurren und ärgerliches Grunzen, und der Nebel ringsumher schien voll zu sein mit rollenden, wogenden Schatten.

»*Ai!*« sagte er halblaut, mit klappernden Zähnen. »Das Elefanten-Volk ist diese Nacht unterwegs. Dann geht es also *doch* um den Tanz.«

Kala Nag plantschte aus dem Wasser, blies den Rüssel frei und machte sich an den nächsten Aufstieg; aber diesmal war er nicht allein und mußte sich den Pfad nicht bahnen. Der Weg lag schon vor ihm, sechs Fuß breit, und das niedergetretene Dschungelgras versuchte sich zu erholen und aufzurichten. Viele Elefanten mußten erst vor wenigen Minuten hier entlanggekommen sein. Kleiner Toomai schaute hinter sich und sah einen großen wilden Elefantenbullen, dessen kleine Schweineaugen wie heiße Kohlen glommen, aus dem nebligen Fluß steigen. Dann schlossen sich die Bäume erneut, und sie stiegen immer weiter empor, mit Trompeten und Krachen und dem Klang brechender Äste auf allen Seiten.

Schließlich blieb Kala Nag zwischen zwei Baumstämmen auf der Kuppe des Berges stehen. Sie gehörten zu einem Kreis von Bäumen, die einen unregelmäßig geformten Platz von fünf bis sechs Morgen umstanden, und wie Kleiner Toomai sehen konnte, war auf der ganzen Fläche die Erde festgetrampelt wie ein Ziegelboden. Einige Bäume wuchsen mitten auf der Lichtung, aber die Rinde war abgerieben und das weiße Holz leuchtete hell und poliert in den Mondscheinfetzen. Von den oberen Ästen hingen Schlingpflanzen, und die Kelche ihrer Blüten, große, wachsweiße Dinge wie Winden, baumelten im Schlaf; auf der Lichtung selbst gab es jedoch keinen einzigen grünen Halm – nichts als zertrampelte Erde.

Das Mondlicht ließ alles eisengrau erscheinen, außer dort, wo Elefanten standen, und ihre Schatten waren tintenschwarz. Kleiner Toomai hielt die Luft an, schaute hin, die Augen traten ihm aus dem Kopf, und während er hinsah, kamen mehr und mehr und immer mehr Elefanten zwischen den Baumstämmen hervor ins Freie. Kleiner Toomai konnte nur bis zehn zählen, und er zählte wieder und wieder mit den Fingern, bis er nicht mehr wußte, wieviel Zehner es waren und sein Kopf sich drehte.

Da waren wilde Bullen mit weißen Stoßzähnen und abgefallenen Blättern, Nüssen und Zweigen in den Nackenrunzeln und Ohrfalten; fette, langsame Kühe mit rastlosen schwarzrosa Kälbern, drei oder vier Fuß groß, die unter den Bäuchen der Mütter herumliefen; junge Elefanten, deren Zähne sich eben erst zeigten und auf die sie sehr stolz waren; schmächtige dürre alte Elefantenjungfern mit hohlen, besorgten Gesichtern und Rüsseln wie rauhe Borke; wüste alte Elefantenbullen, von der Schulter bis zur Flanke gezeichnet mit Schwielen und Striemen alter Kämpfe, und der festgebackene Schmutz ihrer einsamen Schlammbäder bröckelte von ihren Schultern; und einer war da mit abgebrochenem Stoßzahn und den Malen des Großen Hiebes, des furchtbaren schrappenden Reißens einer Tigerkralle an der Seite.

Sie standen Kopf an Kopf oder wanderten zu zweit hin und her über die Fläche oder schwankten und schaukelten ganz allein – Dutzende und Aberdutzende von Elefanten.

Toomai wußte, daß ihm nichts geschehen würde, solange er still auf Kala Nags Nacken lag; denn selbst im Gewühl und Gedränge eines Keddah-Treibens zerrt ein wilder Elefant nicht mit dem Rüssel einen Mann vom Nacken eines zahmen Elefanten; und in dieser Nacht dachten die Elefanten nicht an Menschen. Einmal fuhren sie auf und stellten die Ohren vor, als sie das Klirren einer Beinfessel im Wald hörten, aber es war Padmini, Petersen Sahibs Lieblingselefantin, die mit kurz abgerissener Kette grunzend und schnaufend den Berg heraufkam. Sie mußte ihre Pflöcke zerbrochen haben und direkt aus Petersen Sahibs Lager gekommen sein; und Kleiner Toomai sah einen anderen Elefanten, einen, den er nicht kannte, mit tiefen Schrammen von Stricken auf Rücken und Brust. Auch er mußte einem Lager in den umliegenden Bergen entlaufen sein.

Schließlich war nichts mehr von weiteren Elefanten im Wald zu hören, und Kala Nag schaukelte von seinem Platz zwischen den Bäumen mitten in die Menge, schnalzend und gurgelnd, und alle Elefanten begannen, in ihrer Sprache zu reden und umherzugehen.

Kleiner Toomai lag noch immer still und blickte hinab auf viele Dutzende breite Rücken und zuckende Ohren und gereckte Rüssel und kleine rollende Augen. Er hörte das Klicken von Stoßzähnen, die zufällig auf andere Stoßzähne trafen, und das trockene Rascheln ineinander verschlungener Rüssel und das Schaben gewaltiger Flanken und Schultern in der Menge, und das unaufhörliche Fuchteln und Zischen der großen Schwänze. Dann zog eine Wolke über den Mond, und Toomai befand sich in schwarzem Dunkel; aber das ruhige, gleichmäßige Drängen und Schieben und Gurgeln ließ nicht nach. Er wußte, daß rings um Kala Nag Elefanten waren und daß es keine Möglichkeit gab, ihn aus der Versammlung herauszutreiben; deshalb biß er die Zähne zusammen und schauderte. In einem Keddah gab es immerhin noch Fackellicht und Geschrei, aber hier war er ganz allein im Dunkel, und einmal hob sich ein Rüssel bis zu ihm und berührte ihn am Knie.

Dann trompetete ein Elefant, und fünf oder zehn schreckliche Sekunden lang fielen alle ein. Der Tau oben in den Bäumen sprühte wie Regen auf die unsichtbaren Rücken herab und ein dumpfes dröhnendes Geräusch setzte ein, zunächst nicht sehr laut, und Kleiner Toomai wußte nicht, was es war; aber es wuchs und schwoll, und Kala Nag hob einen Vorderfuß und dann den anderen und rammte sie auf die Erde – eins-zwei, eins-zwei, gleichmäßig wie Schlaghämmer. Die Elefanten stampften jetzt alle gemeinsam, und es klang wie eine Kriegstrommel in der Öffnung einer Höhle. Der Tau fiel von den Bäumen, bis keiner mehr übrig war, und das Dröhnen setzte sich fort und der Boden schwankte und bebte, und Kleiner

Toomai legte die Hände an die Ohren, um sich gegen die Töne zu wehren. Aber alles wurde zu einer gewaltigen Schockwelle, die ihn durchschoß – dieses Stampfen von Hunderten schwerer Füße auf der blanken Erde. Ein- oder zweimal konnte er spüren, wie Kala Nag und die anderen ein paar Schritte vorwärts wogten und das Hämmern zu einem Malmen wurde, als saftige grüne Dinge zerquetscht wurden, aber nach einer oder zwei Minuten begann das Dröhnen von Füßen auf harter Erde von neuem. Irgendwo in seiner Nähe knirschte und ächzte ein Baum. Er streckte den Arm aus und fühlte die Rinde, aber Kala Nag drang weiter vor, immer noch trampelnd, und Toomai wußte nicht, wo auf der Lichtung er sich befand. Von den Elefanten kam kein Laut, außer einmal, als zwei oder drei kleine Kälber gemeinsam quäkten. Dann hörte er dumpfes Stampfen und Stoßen, und das Dröhnen ging weiter. Es mußte nun schon volle zwei Stunden dauern, und Kleiner Toomai taten alle Fasern seines Körpers weh; aber am Geruch der Nachtluft erkannte er, daß die Dämmerung kam.

Der Morgen brach mit einer Schicht von fahlem Gelb hinter den grünen Bergen an, und das Dröhnen endete mit dem ersten Strahl, als sei das Licht ein Befehl gewesen. Ehe Kleiner-Toomai das Klingen aus dem Kopf verloren, noch ehe er sich hatte aufrichten können, war kein Elefant mehr zu sehen außer Kala Nag, Padmini und dem Elefanten mit den Seilstriemen, und an den Berghängen gab es kein Zeichen noch Rascheln noch Flüstern, das hätte anzeigen können, wohin die anderen verschwunden waren.

Kleiner Toomai starrte immer wieder um sich. Die Lichtung, an die er sich erinnerte, war in der Nacht gewachsen. In der Mitte standen mehrere Bäume, aber Unterholz und Dschungelgras am Rand waren zurückgedrängt. Kleiner-Toomai schaute noch einmal verblüfft hin. Jetzt verstand er das Trampeln. Die Elefanten hatten eine größere Fläche freigestampft – hatten das dichte Gras und saftiges Rohr zu Klumpen zerstampft, die Klumpen zu Splittern, die Splitter zu winzigen Fasern und die Fasern zu harter Erde.

»Wah!« sagte Kleiner Toomai, und seine Augen waren sehr schwer. »Kala Nag, HErr, laß uns bei Padmini bleiben und zu Petersen Sahibs Lager gehen, sonst falle ich noch von deinem Nacken.«

Der dritte Elefant sah hinter den beiden her, schnaubte, machte kehrt und suchte seinen eigenen Weg. Vielleicht gehörte er in die Stallungen eines kleinen eingeborenen Fürsten, fünfzig oder sechzig oder hundert Meilen entfernt.

Zwei Stunden später, als Petersen Sahib beim Frühstück war, begannen die Elefanten, die in dieser Nacht mit doppelten Ketten festgemacht worden waren, zu trompeten, und Padmini, bis zu den Schultern von Schmutz bedeckt, kam zusammen mit Kala Nag ganz fußkrank ins Lager gewankt.

Das Gesicht von Kleiner Toomai war grau und verkniffen, sein Haar voller Blätter und von Tau durchtränkt; trotzdem versuchte er, Petersen Sahib förmlich zu grüßen und rief schwach: »Der Tanz – der Elefantentanz! Ich hab ihn gesehn und – ich sterbe!« Als Kala Nag sich niedersetzte, glitt er ohnmächtig von seinem Nacken.

Da aber eingeborene Kinder keine erwähnenswerten Nerven haben, lag er zwei Stunden später sehr zufrieden in Petersen Sahibs Hängematte, mit Petersen Sahibs Jagdrock unter dem Kopf und einem Glas mit warmer Milch, ein bißchen Brandy und einem Schuß Chinin im Leib; und während die alten, haarigen, vernarbten Dschungeljäger in drei Reihen vor ihm saßen und ihn anschauten wie einen Geist, erzählte er in kurzen Worten, eben wie ein Kind, seine Geschichte und endete mit:

»Wenn ich auch nur mit einem Wort lüge, dann schickt Männer aus um nachzusehen, und sie werden finden, daß das Elefanten-Volk mehr Platz für seinen Tanzraum freigetrampelt hat, und sie werden zehn und zehn und noch viele Male zehn Fährten finden, die zu diesem Tanzraum führen. Mit ihren

Füßen haben sie mehr Platz gemacht. Ich hab es gesehn. Kala Nag hat mich mitgenommen, und ich hab es gesehn. Und Kala Nag hat jetzt sehr müde Beine!«

Kleiner Toomai lehnte sich zurück und schlief den ganzen langen Nachmittag und in die Abenddämmerung hinein, und während er schlief, folgten Petersen Sahib und Machua Appa den Spuren der beiden Elefanten fünfzehn Meilen weit über die Berge. Petersen Sahib jagte seit achtzehn Jahren Elefanten und hatte zuvor erst einmal einen solchen Tanzplatz gesehen. Um zu verstehen, was auf der Lichtung vorgefallen war, brauchte Machua Appa weder zweimal hinzuschauen noch die feste zertrampelte Erde mit dem Zeh aufzukratzen.

»Der Junge sagt die Wahrheit«, sagte er. »All das ist letzte Nacht getan worden, und ich habe siebzig Fährten am Fluß gezählt. Schau, Sahib, wo Padminis Fußkette die Rinde von dem Baum da getrennt hat! Ja, auch sie war hier.«

Sie sahen einander an und hierhin und dorthin und wunderten sich; denn die Wege der Elefanten sind jenseits des Scharfsinns aller Menschen, gleich ob schwarz oder weiß.

»Vierzig und fünf Jahre«, sagte Machua Appa, »folge ich nun meinem HErrn, dem Elefanten, aber nie habe ich gehört, daß ein Mensch gesehen hätte, was dieser Junge gesehen hat. Bei allen Göttern der Berge, das ist . . . was soll man sagen?« Und er schüttelte den Kopf.

Als sie zum Lager zurückkamen, war es Zeit für das Abendessen. Petersen Sahib aß allein in seinem Zelt, aber er ordnete an, daß das Lager zwei Schafe und einiges Geflügel, außerdem noch die doppelte Menge Mehl und Reis und Salz haben sollte, denn er wußte, daß es ein Fest geben würde.

Großer Toomai war in großer Eile vom Lager in der Ebene heraufgekommen, um nach seinem Sohn und seinem Elefanten zu suchen, und nun, da er sie gefunden hatte, schaute er sie an, als ob er sich vor beiden fürchtete. Und an den lodernden Lagerfeuern vor den Reihen der angepflockten Elefanten fand ein

Fest statt, und Kleiner Toomai war der Held des Ganzen; und die großen braunen Elefantenfänger, die Fährtensucher und Treiber und Binder und die Männer, die alle Geheimnisse der Zähmung auch des wildesten Elefanten kannten, reichten ihn untereinander herum und zeichneten seine Stirn mit Blut aus der Brust eines frisch getöteten Dschungelhahns um anzuzeigen, daß er ein Waldläufer war, eingeweiht und mit dem Recht, sich in allen Dschungeln zu bewegen.

Und als schließlich die Flammen erloschen und das rote Glimmen der Hölzer die Elefanten aussehen ließ, als seien auch sie in Blut getaucht worden, sprang Machua Appa auf – Machua Appa, Oberhaupt aller Treiber aller Keddahs – Machua Appa, Petersen Sahibs zweites Ich, der in vierzig Jahren nie eine gebaute Straße gesehen hatte: Machua Appa, der so groß war, daß er keinen anderen Namen als Machua Appa hatte – er sprang auf, hielt Kleiner Toomai hoch über seinem Kopf und schrie: »Hört zu, meine Brüder. Hört auch ihr zu, ihr HErren in den Reihen da, denn ich, Machua Appa, rede jetzt! Dieser Kleine hier soll nicht länger Kleiner Toomai heißen, sondern Toomai von den Elefanten, wie sein Urgroßvater vor ihm. Was kein Mensch je sah, hat er eine lange Nacht hindurch gesehen, und die Gunst des Elefanten-Volks und der Dschungelgötter ist mit ihm. Er wird ein großer Fährtensucher werden; er wird größer werden als ich, sogar als ich – Machua Appa! Er wird der frischen Fährte und der schalen Fährte und der gemischten Fährte folgen, mit scharfem Auge! Ihm wird nichts zustoßen im Keddah, wenn er unter ihren Bäuchen herumläuft, um die wilden Bullen zu binden; und wenn er vor den Füßen des angreifenden Elefantenbullen ausrutscht, wird dieser Bulle wissen wer er ist und ihn nicht zermalmen. *Aihai!* ihr HErren in Ketten« – er raste die Reihe der Pflöcke entlang –, »hier ist der kleine Mensch, der eure Tänze an euren verborgenen Plätzen gesehen hat – etwas, was kein Mann je sah! Ehrt ihn, oh ihr HErren! *Salaam karo,* meine Kinder. Entbietet Toomai von den

Elefanten euren Gruß! Ganga Pershad, ahaa! Hira Gaj, Birchi Gaj, Kattar Gaj, ahaa! Padmini – du hast ihn beim Tanz gesehen, und du auch, Kala Nag, mein Juwel unter den Elefanten! – ahaa! Alle zusammen! Für Toomai von den Elefanten. *Barrao!* «

Und auf diesen letzten wilden gellenden Schrei hin warf die ganze Reihe die Rüssel hoch, bis die Spitzen die Stirnen berührten, und brach in den vollen Salut aus – den schmetternden Trompetenstoß, den nur der Vizekönig von Indien hört, das Salaamut des Keddah.

Aber alles geschah für Kleiner Toomai, der gesehen hatte, was kein Mensch vor ihm je sah – den Tanz der Elefanten, bei Nacht und allein, im Herzen der Garo-Berge!

SHIV AND THE GRASSHOPPER

(THE SONG THAT TOOMAI'S MOTHER SANG TO THE BABY)

Shiv, who poured the harvest and made the winds to blow,
Sitting at the doorways of a day of long ago,
Gave to each his portion, food and toil and fate,
From the King upon the *guddee* to the Beggar at the gate.
  All things made he—Shiva the Preserver.
  Mahadeo! Mahadeo! he made all,—
  Thorn for the camel, fodder for the kine,
  And mother's heart for sleepy head, O little son of mine!

Wheat he gave to rich folk, millet to the poor,
Broken scraps for holy men that beg from door to door;
Cattle to the tiger, carrion to the kite,
And rags and bones to wicked wolves without the wall at night.
Naught he found too lofty, none he saw too low—
Parbati beside him watched them come and go;
Thought to cheat her husband, turning Shiv to jest—
Stole the little grasshopper and hid it in her breast.
  So she tricked him, Shiva the Preserver.
  Mahadeo! Mahadeo! turn and see.
  Tall are the camels, heavy are the kine,
  But this was least of little things, O little son of mine!

SHIV UND DER HEUSCHRECK

(DAS LIED DAS TOOMAIS MUTTER DEM BABY VORSANG)

Shiv, der Ernten reich macht und Winde wehen läßt,
saß einst an der Pforte eines Tags vor langer Zeit,
jedem gab er seinen Teil, Speise, Plage, Leid,
vom König auf dem *gaddi* bis zum Bettler vor dem Tor.
    Alles schuf er – Shiva der Bewahrer.
    Mahadeo! Mahadeo! er schuf alles –
    Dornen für Kamele, Futter für das Vieh
    und Mutters Herz fürs müde Haupt, mein lieber kleiner Sohn!

Weizen gab er für die Reichen, Hirse für die Armen,
Bröckchen für die Heiligen die an den Türen betteln;
Rinder für den Tiger, für den Geier Aas,
und Knochen für die bösen Wölfe draußen in der Nacht.
Keiner war ihm zu erhaben, keiner zu gering –
Parbati saß neben ihm, sah sie kommen und gehn;
und sie spielte ihrem Gatten Shiva einen Streich –
stahl den kleinen Heuschreck und barg ihn unterm Herzen.
    Sie überlistete Shiva den Bewahrer.
    Mahadeo! Mahadeo! schau dich um.
    Groß sind die Kamele, schwer ist das Vieh,
    aber dies war das Allerkleinste, mein lieber kleiner Sohn!

When the dole was ended, laughingly she said,
'Master, of a million mouths is not one unfed?'
Laughing, Shiv made answer, 'All have had their part,
Even he, the little one, hidden 'neath thy heart.'
From her breast she plucked it, Parbati the thief,
Saw the Least of Little Things gnawed a new-grown leaf!
Saw and feared and wondered, making prayer to Shiv,
Who hath surely given meat to all that live.

All things made he—Shiva the Preserver.
Mahadeo! Mahadeo! he made all,—
Thorn for the camel, fodder for the kine,
And mother's heart for sleepy head, O little son of mine!

Lachend sprach Parbati am Ende der Verteilung:
»Herr, ist denn von der Million Münder keiner hungrig?«
Lachend sagte Shiva: »Jeder hat sein Teil,
selbst der Allerkleinste, den du am Herzen birgst.«
Parbati die Diebin zog ihn aus dem Busen,
sah: der Allerkleinste nagt ein frisches Blatt!
Sah, erschrak und staunte, betete zu Shiv,
der gewißlich allen, die da leben, Speise gab.

Alles schuf er – Shiva der Bewahrer.
Mahadeo! Mahadeo! er schuf alles –
Dornen für Kamele, Futter für das Vieh,
und Mutters Herz fürs müde Haupt, mein lieber kleiner Sohn!

DIENER IHRER MAJESTÄT

You can work it out by Fractions or by simple Rule of Three,
But the way of Tweedle-dum is not the way of Tweedle-dee.
You can twist it, you can turn it, you can plait it till you drop,
But the way of Pilly-Winky's not the way of Winkie-Pop!

[Du kannst es mit Brüchen rechnen oder Dreisatz oder Daumen,
doch die Art von Tweedle-dum ist nicht die Art von Tweedle-dee.
Kannst es drehen, kannst es wenden, kannst es falten bis du platzt,
doch die Art von Pilly-Winky ist nicht die von Winkie-Pop!]

Einen ganzen Monat lang hatte es gegossen – gegossen auf ein
Lager mit dreißigtausend Mann, Tausenden von Kamelen, Elefanten, Pferden, Ochsen und Maultieren, alle bei einem Ort namens Rawal Pindi versammelt, um vom Vizekönig von Indien
inspiziert zu werden. Der Emir von Afghanistan stattete ihm
einen Besuch ab – ein wilder König eines sehr wilden Landes;
und der Emir hatte als Leibgarde achthundert Mann und Pferde
mitgebracht, die in ihrem Leben vorher nie ein Lager oder eine
Lokomotive gesehen hatten – wilde Männer und wilde Pferde,
irgendwo aus der Tiefe Mittelasiens. Man konnte sich darauf
verlassen, daß jede Nacht ein Haufen dieser Pferde die Fuß-
fesseln zerriß und in Schlamm und Finsternis eine Stampede
durchs Lager veranstaltete oder daß die Kamele sich losrissen
und herumliefen und über die Zeltleinen stürzten, und ihr
könnt euch vorstellen, wie angenehm das für Männer war, die
einzuschlafen versuchten. Mein Zelt war weit von den Kamel-
plätzen entfernt und ich dachte, es wäre sicher; aber in einer
Nacht steckte jemand seinen Kopf herein und schrie: »Raus,
schnell! Sie kommen! Meins ist schon hinüber!«

Ich wußte, wer »sie« waren; also zog ich Stiefel und Regenmantel an und stürzte hinaus in den Matsch. Die kleine Vixen,
mein Foxterrier, flitzte zur anderen Seite hinaus; und dann ging
ein Röhren und Grunzen und Blubbern los und ich sah, wie die

Stange knickte und das Zelt sackte und gleich einem irren Gespenst herumzutanzen begann. Ein Kamel war hineingestolpert, und so naß und wütend ich auch war, mußte ich doch lachen. Dann rannte ich weiter, weil ich nicht wußte, wie viele Kamele sich losgerissen haben mochten, und bald war ich außer Sichtweite des Lagers und wühlte mir einen Weg durch den Schlamm.

Schließlich fiel ich über den Lafettenschwanz einer Kanone und wußte also, daß ich irgendwo in der Nähe der Artilleriestellungen war, wo über Nacht die Geschütze zusammengeschoben wurden. Weil ich keine Lust hatte, weiter im Nieseln und Dunkel herumzutorkeln, legte ich meinen Regenmantel über die Mündung einer Kanone, machte mit drei oder vier Ansetzern, die ich fand, eine Art Wigwam und legte mich auf den Schwanz eines anderen Geschützes; dabei fragte ich mich, wo Vixen abgeblieben sein mochte und wo ich mich eigentlich befand.

Als ich gerade einschlafen wollte, hörte ich ein Geschirreklirren und ein Grunzen, und ein Maultier, das die nassen Ohren schüttelte, kam vorbei. Es gehörte zu einer Schraubgeschütz-Batterie; ich konnte nämlich das Rasseln von Riemen und Ringen und Ketten und Dingen auf seinem Sattelpolster hören. Schraubgeschütze sind sehr kleine Kanonen aus zwei Teilen, die zusammengeschraubt werden, wenn es an der Zeit ist, sie zu verwenden. Man schafft sie in die Berge hinauf, überallhin, wo ein Maultier noch einen Weg findet, und sie sind sehr nützlich bei Gefechten in bergigem Gelände.

Hinter dem Maultier erschien ein Kamel; seine großen weichen Füße quietschten und glitschten im Schlamm, und sein Hals ruckelte hin und her, wie bei einer verirrten Henne. Zum Glück hatte ich von den Eingeborenen genug Tiersprache gelernt – natürlich Lagertiersprache, nicht Wildtiersprache – um zu verstehen, was es sagte.

Es muß das Kamel gewesen sein, das in mein Zelt geplumpst

war; es rief nämlich dem Maultier zu: »Was soll ich bloß machen? Wohin soll ich bloß gehen? Ich hab mit einem weißen wehenden Ding gekämpft, und es hat einen Stock geschnappt und mir in den Nacken gehauen. [Das war meine zerbrochene Zeltstange, und ich hörte es mit Vergnügen.] Laufen wir weiter?«

»Ach, du warst das also«, sagte der Maulesel, »du und deine Freunde, ihr wart das, die das Lager durcheinandergebracht haben? Na schön. Morgen früh kriegt ihr dafür Prügel; ich kann dir aber jetzt schon ein bißchen Vorschuß darauf geben.«

Ich hörte das Geschirre klirren, als der Maulesel nach hinten ausschlug und dem Kamel zwei Tritte in die Rippen versetzte, die wie eine Trommel dröhnten. »Nächstes Mal«, sagte er, »weißt du Bescheid und rennst nicht wieder nachts durch eine Maultier-Batterie und brüllst dabei ›Diebe! Feuer!‹ Setz dich und halt deinen blöden Hals still.«

Das Kamel faltete sich nach Kamelart wie ein Zollstock zusammen und ließ sich wimmernd nieder. Aus dem Dunkel klang regelmäßiger Hufschlag, und ein großer Kavalleriehengst kam im Handgalopp so gleichmäßig näher wie bei einer Parade, sprang über einen Geschützschwanz und landete dicht neben dem Maultier.

»Eine Schande«, sagte er; dabei schnaubte er die Nüstern frei. »Diese Kamele sind schon wieder durch unsere Linien getobt – das dritte Mal in dieser Woche. Wie soll ein Pferd denn in Form bleiben, wenn es nachts nicht schlafen darf. Wer seid ihr?«

»Ich bin das Verschlußstück-Maultier von Kanone Zwei der Ersten Schraubgeschütz-Batterie«, sagte der Maulesel, »und der andere hier ist einer von deinen besonderen Freunden. Mich hat er auch geweckt. Wer bist du?«

»Nummer Fünfzehn, E-Schwadron, Neunte Lanzenreiter – Dick Cunliffes Pferd. Mach mal Platz da.«

»Oh, bitte um Verzeihung«, sagte der Maulesel. »Man kann kaum was sehen, so dunkel ist es. Bei diesen Kamelen kann einem doch einfach schlecht werden, oder? Ich bin raus aus unseren Linien, weil ich hier ein bißchen Ruhe und Frieden haben wollte.«

»Ihr Herren«, sagte das Kamel demütig, »wir haben in der Nacht schlimme Träume geträumt und hatten große Angst. Ich bin ja nur ein Lastkamel vom Neununddreißigsten Eingeborenen-Infanterieregiment und nicht so tapfer wie ihr, meine Herren.«

»Warum verflixt bist du denn nicht einfach dageblieben und hast Lasten für das Neununddreißigste Eingeborenen-Infanterieregiment geschleppt, statt durchs ganze Lager zu rennen?« sagte der Maulesel.

»Die Träume waren wirklich ganz schlimm«, sagte das Kamel. »Es tut mir leid. Hört mal! Was ist das? Müssen wir wieder weiterrennen?«

»Setz dich hin«, sagte der Maulesel, »sonst brichst du dir noch deine langen Beine zwischen den Kanonen.« Er stellte ein Ohr auf und lauschte. »Ochsen!« sagte er. »Geschützochsen. Also wirklich, du und deine Freunde, ihr habt das Lager aber gründlich geweckt. Ist nämlich gar nicht so einfach, nen Geschützochsen hochzubringen.«

Ich hörte eine Kette über den Boden schleifen, und ein Joch der großen mürrischen weißen Ochsen, die die schweren Belagerungsgeschütze ziehen, wenn die Elefanten sich nicht näher an die Feuerlinie trauen, kam mit wogenden Schultern näher; hinter ihnen ein weiteres Maultier, das beinahe auf die Kette trat und wild nach »Billy« schrie.

»Einer von unseren Rekruten«, sagte der alte Maulesel zum Kavalleriehengst. »Er ruft nach mir. Hier, Kleiner, hör mit dem Quäken auf; die Dunkelheit hat noch keinen gebissen.«

Die Geschützochsen legten sich nebeneinander nieder und

begannen wiederzukäuen, aber der junge Maulesel drängte sich eng an Billy.

»Dinge!« sagte er. »Furchtbar und schrecklich, Billy. Sie sind in unsere Linien eingebrochen, als wir geschlafen haben. Meinst du, sie bringen uns um?«

»Ich hab große Lust, dir eine erstklassige Portion Tritte zu geben«, sagte Billy. »Also, daß so ein großes Maultier mit deiner Ausbildung der Batterie vor diesem feinen Herrn hier so eine Schande machen muß!«

»Langsam, langsam!« sagte der Kavalleriehengst. »Vergiß nicht, am Anfang sind sie immer so. Als ich (das war in Australien, als Dreijähriger) das erste Mal einen Menschen gesehen hab, bin ich einen halben Tag lang gerannt, und wenn ich ein Kamel gesehen hätte, würde ich wohl immer noch rennen.«

Fast all unsere Pferde für die englische Kavallerie werden aus Australien nach Indien gebracht und von den Soldaten selbst zugeritten.

»Stimmt schon«, sagte Billy. »Hör auf zu bibbern, Kleiner. Als man mir das erste Mal volles Geschirr mit allen Ketten auf den Rücken gepackt hat, hab ich mich auf die Vorderbeine gestellt und alles einzeln abgestrampelt. Damals hatte ich noch keine Ahnung von der hohen Kunst des Tretens, aber die Batterie hat gemeint, sowas hätten sie noch nie gesehn.«

»Das war aber weder Geschirr noch sonst was Klirrendes«, sagte das junge Maultier. »Du weißt, daß mir das jetzt nichts mehr ausmacht, Billy. Es waren Dinge wie Bäume, und sie sind die Linien rauf und runter gestürzt und haben geblubbert; und mein Kopfriemen ist gerissen und ich konnte meinen Treiber nicht finden, und dich konnte ich auch nicht finden, Billy, und deshalb bin ich weggerannt – mit diesen Herren hier.«

»H'm!« sagte Billy. »Sobald ich gehört hab, daß die Kamele los sind, bin ich allein und ganz ruhig hergekommen. Wenn ein Batterie... ein Schraubgeschütz-Maulesel Geschützochsen Herren nennt, muß er schon ziemlich durcheinander sein. Wer seid ihr Jungs da auf dem Boden überhaupt?«

Die Geschützochsen rollten ihr Wiedergekäutes im Maul herum und antworteten beide zusammen: »Das siebte Joch vom ersten Geschütz der Schweren Batterie. Wir haben geschlafen, als die Kamele gekommen sind, aber als sie auf uns herumgetrampelt haben, sind wir aufgestanden und weggegangen. Besser, man liegt ungestört im Lehm, als daß man auf einem guten Lager belästigt wird. Wir haben deinem Freund hier gesagt, daß es keinen Grund gibt, sich zu fürchten, aber er ist ja so schlau und meint, er weiß es besser. Wah!«

Sie kauten weiter.

»Das kommt davon, wenn man Angst hat«, sagte Billy. »Dafür lachen einen dann sogar Geschützochsen aus. Hoffentlich gefällt dir das, Jungchen.«

Der junge Maulesel knirschte mit den Zähnen, und ich hörte ihn so etwas sagen wie, er habe keine Angst vor irgendeinem alten Rindvieh von Ochsen in der Welt; aber die Ochsen stießen nur klickend ihre Hörner aneinander und kauten weiter.

»Nun werd nicht auch noch wütend, *nachdem* du Angst hattest. Das ist die schlimmste Form von Feigheit«, sagte der Kavalleriehengst. »*Ich* nehme es keinem übel, wenn er nachts Angst hat, weil er Dinge sieht, die er nicht versteht. Wir sind, alle vierhundertfünfzig, wieder und wieder aus unseren Pferchen ausgebrochen, bloß weil ein neuer Rekrut angefangen hat, Geschichten von Peitschenschnur-Schlangen zu Hause in Australien zu erzählen, bis wir Todesangst vor den losen Enden unserer Kopfriemen hatten.«

»Im Lager geht das vielleicht«, sagte Billy; »ich hab ja selbst auch gar nichts gegen ein bißchen Stampede, wenn ich einen oder zwei Tage lang nicht draußen war; aber was machst du im Einsatz?«

»Oh, das ist ein ganz anderer Satz neuer Hufeisen«, sagte der Kavalleriehengst. »Dann ist Dick Cunliffe auf meinem Rücken und bohrt seine Knie in mich und ich brauch nichts zu tun als aufpassen, wohin ich die Füße setz, und die Hinterbeine ordentlich unter mir halten und zügelfromm sein.«

»Was ist das, zügelfromm?« sagte der junge Maulesel.

»Beim Eukalyptus im tiefsten Busch!« Der Kavalleriehengst schnaubte. »Willst du etwa sagen, daß man dir für dein Geschäft nicht beibringt, zügelfromm zu sein? Was willst du denn anfangen, wenn du nicht sofort herumwirbeln kannst, sobald der Zügel auf deinen Nacken gedrückt wird? Das heißt doch, es geht für deinen Mann um Leben oder Tod, und natürlich für dich auch. Auf den Hinterbeinen herum, in dem Moment, in dem du den Zügel auf dem Nacken fühlst. Wenn kein Platz für die Kehre ist, bäum dich ein bißchen auf und dann rum auf den Hinterbeinen. Das heißt zügelfromm.«

»So werden wir nicht ausgebildet«, sagte Billy steif. »Uns bringt man bei, dem Mann neben unserem Kopf zu gehorchen: losgehen wenn ers sagt und stehenbleiben wenn ers sagt. Ich schätze, es läuft auf eins raus. Aber du, mit all dem feinen Herumtänzeln und aufbäumen, was bestimmt ganz schlecht für deine Haxen ist – was *machst* du?«

»Kommt drauf an«, sagte der Kavalleriehengst. »Meistens muß ich in einen Haufen brüllender haariger Männer mit Messern hinein – lange glitzernde Messer, schlimmer als die vom Roßarzt –, und ich muß aufpassen, daß Dicks Stiefel den von seinem Nachbarn grad eben berührt, ohne ihn zu quetschen. Ich kann Dicks Lanze rechts im Augenwinkel sehn, und dadurch weiß ich, daß alles in Ordnung ist. Ich möchte nicht der Mann oder Hengst sein, der sich Dick und mir in den Weg stellt, wenn wir es eilig haben.«

»Tun die Messer denn nicht weh?« sagte der junge Maulesel.

»Also, einmal hab ich einen Schnitt über die Brust gekriegt, aber das war nicht Dicks Fehler...«

»Wär mir doch völlig egal, wer dran schuld ist, wenns weh-tut!« sagte der junge Maulesel.

»Darf dir aber nicht egal sein!« sagte der Kavalleriehengst. »Wenn du kein Vertrauen zu deinem Mann hast, kannst du auch gleich wegrennen. Ein paar von unsern Pferden tun das, und ich kanns ihnen nicht verdenken. Wie gesagt, es war nicht Dicks Fehler. Der Mann hat auf dem Boden gelegen und ich hab mich langgemacht, damit ich nicht auf ihn tret, und er hat nach mir gestochen. Wenn ich nächstes Mal über einen weg-muß, der am Boden liegt, dann tret ich auf ihn drauf – feste.«

»H'm!« sagte Billy. »Das klingt ziemlich verrückt. Messer sind immer was Fieses. Am besten ist es, du kletterst mit einem gut ausbalancierten Sattel einen Berg rauf, klammerst dich mit allen vieren und den Ohren dazu an und kriechst und krabbelst und schlängelst dich so längs, bis du Hunderte Fuß über allen anderen auf nem Sims auskommst, wo grade Platz genug für deine Hufe ist. Dann stehst du still und bist ganz ruhig – ver-lang nie von einem Mann, er soll dir den Kopf halten, Junge – ganz ruhig, während die Geschütze zusammengesetzt werden, und dann siehst du zu, wenn die netten kleinen Geschosse ganz weit unten in die Baumwipfel plumpsen.«

»Stolperst du denn nie?« sagte der Kavalleriehengst.

»Es heißt, für jedes Mal, daß ein Maultier stolpert, kannst du ein Hühnerohr schlitzen«, sagte Billy. »Hin und wieder kann *vielleicht* ein schlecht gepackter Sattel einen Maulesel rausbrin-gen, aber ganz selten. Ich wollte, ich könnt euch unser Geschäft mal vorführen. Es ist wunderbar. Überhaupt hats mich drei Jahre gekostet, um rauszukriegen, was die Männer eigentlich vorhatten. Die Kunst bei der Sache ist, daß man sich nie vor dem Himmel sehen lassen darf; wenn man das nämlich tut, kann man beschossen werden. Merk dir das, Junge. Halt dich immer so gut versteckt wie möglich, sogar wenn du ne ganze Meile Umweg machen mußt. Ich führ die Batterie, wenns um diese Sorte Kletterei geht.«

»Beschossen werden, ohne in die Leute reinrennen zu können, die schießen!« sagte der Kavalleriehengst sehr nachdenklich. »Das könnt ich nicht aushalten. Ich würd angreifen wollen, mit Dick.«

»O nein, würdst du nicht; du weißt nämlich, sobald die Geschütze in Stellung sind, übernehmen sie alles Angreifen. Das ist wissenschaftlich und sauber; aber Messer – pah!«

Das Lastkamel hatte seit einiger Zeit den Kopf hin und her gewiegt und versucht, ein Wort einzuwerfen. Jetzt hörte ich, wie es sich nervös räusperte und sagte:

»Ich . . . ich . . . ich hab ein bißchen gekämpft, aber weder auf die Kletterart noch auf die Laufart.«

»Aha. Jetzt wo dus sagst«, sagte Billy, »du siehst auch nicht so aus, als ob du für viel Klettern oder Laufen geschaffen wärst. Na, wie wars denn, du oller Heuballen?«

»Auf die richtige Art«, sagte das Kamel. »Wir haben uns alle hingesetzt . . .«

»Ach du lieber Schwanzriemen und Brustschild!« sagte der Kavalleriehengst halblaut. »Hingesetzt?«

»Wir haben uns hingesetzt – alle hundert«, fuhr das Kamel fort, »in einem großen Viereck, und die Männer haben unsere Lasten und Sättel außen um das Viereck aufgetürmt und über unsere Rücken geschossen, die Männer, auf allen Seiten vom Viereck.«

»Was für Männer? Jeder, der vorbeigekommen ist?« sagte der Kavalleriehengst. »In der Reitschule bringt man uns bei, uns hinzulegen und unsere Herren über uns wegschießen zu lassen, aber Dick Cunliffe ist der einzige, dem ich genug vertraue. Das kitzelt mir die Weichen, und außerdem kann ich nichts sehen, wenn ich den Kopf auf dem Boden hab.«

»Ist das denn wichtig, wer über dich wegschießt?« sagte das Kamel. »Viele Männer und viele andere Kamele sind ganz nah, und ganz viele Rauchwolken. Dann hab ich keine Angst. Ich sitz still da und warte.«

»Und trotzdem«, sagte Billy, »träumst du schlimme Träume und bringst nachts das Lager durcheinander. Also! Ehe ich mich hinlegen, nicht zu reden von hinsetzen, und einen Mann über mich wegschießen lassen würde, hätten meine Hufe und sein Kopf ein Wörtchen miteinander zu reden. Habt ihr je so etwas Furchtbares gehört?«

Langes Schweigen trat ein, und dann hob einer der Geschützochsen seinen großen Kopf und sagte. »Das ist wirklich ganz verrückt. Es gibt nur eine Art zu kämpfen.«

»Oh, sprich dich nur aus«, sagte Billy. »Kümmer dich *bitte* nicht um mich. Ich schätze, ihr Jungs kämpft, indem ihr auf dem Schwanz steht, was?«

»Nur eine Art«, sagten beide zusammen. (Es müssen Zwillinge gewesen sein.) »Das ist diese Art. Alle zwanzig Joch von uns vor die große Kanone spannen, sobald Zwei-Schwänze trompetet.« (»Zwei-Schwänze« ist der Lagerslang für Elefant.)

»Weshalb trompetet Zwei-Schwänze?« sagte der junge Maulesel.

»Um zu zeigen, daß er nicht näher an den Rauch auf der anderen Seite herangeht. Dann ziehen wir alle zusammen die große Kanone – *Heja – Hullah! Hiija! Hullah! Wir* müssen nicht wie Katzen klettern oder wie Kälber rennen. Wir gehen über die flache Ebene, zwanzig Joch von uns, bis wir aus dem Joch gelassen werden, und dann grasen wir, während die großen Kanonen über die Ebene weg mit einer Stadt reden, die Lehmmauern hat, und Stücke von der Mauer fallen heraus, und der Staub steigt auf, wie wenn viele Rinder nach Hause kommen.«

»Oh! Und die Zeit sucht ihr euch zum Grasen aus, ja?« sagte der junge Maulesel.

»Die oder sonst eine. Essen ist immer gut. Wir essen, bis wir wieder ins Joch kommen, und ziehen die Kanone dahin zurück, wo Zwei-Schwänze auf sie wartet. Manchmal sind in der Stadt große Kanonen, die antworten, und ein paar von uns werden getötet, und für die, die übrigbleiben, ist dann umso mehr

Weide zum Grasen da. Das ist Schicksal – alles bloß Schicksal. Trotzdem, Zwei-Schwänze ist ein großer Feigling. Das ist die richtige Art zu kämpfen. Wir sind Brüder aus Hapur. Unser Vater war ein heiliger Bulle Shivas. Wir haben gesprochen.«

»Also, diese Nacht hab ich wirklich was gelernt«, sagte der Kavalleriehengst. »Verspürt ihr Herren von der Schraubgeschütz-Batterie die Neigung, zu essen, während man mit großen Kanonen auf euch schießt und Zwei-Schwänze hinter euch ist?«

»Ungefähr so viel, wie wir Lust haben, uns hinzusetzen und Männer sich auf uns rekeln zu lassen oder zwischen Leuten mit Messern herumzulaufen. Sowas hab ich noch nie gehört. Ein Bergsaum, eine gut ausbalancierte Last, ein Treiber, dem man zutrauen kann, daß er einen selbst den Weg suchen läßt, fein, dann bin ich dein Muli; aber diese anderen Sachen – nein!« sagte Billy; dabei stampfte er auf.

»Natürlich«, sagte der Kavalleriehengst, »sind nicht alle gleich gebaut, und mir ist ganz klar, daß deine Familie, was die väterliche Seite angeht, eine ganze Menge Dinge nicht verstehen würde.«

»Laß meine Familie väterlicherseits aus dem Spiel«, sagte Billy verärgert, denn jedes Maultier haßt es, daran erinnert zu werden, daß sein Vater ein Esel war. »Mein Vater war ein Edelmann aus dem Süden, und er konnte jedes Pferd, das ihm begegnete, umreißen und beißen und zu Fetzen treten. Merk dir das, du großer brauner Brumby!«

»Brumby« bedeutet wildes Pferd ohne jede Bildung. Stellt euch die Gefühle von Sunol vor, wenn sie von einem Zugpferd »Schindmähre« genannt wird, dann habt ihr eine Ahnung, wie das australische Pferd sich fühlte. Im Dunkel sah ich das Weiße seiner Augen glitzern.

»Hör mal, du Sohn eines importierten Málaga-Esels«, sagte er mit zusammengebissenen Zähnen, »nimm zur Kenntnis, daß ich mütterlicherseits von Carbine abstamme, dem Gewinner des Melbourne-Pokals; und wo *ich* herkomme, ist man es nicht gewöhnt, sich von jedem dahergelaufenen quasselnden Bumskopf von Maulesel einer albernen Knallerbsen-Batterie anpöbeln zu lassen. Bist du bereit?«

»Los, auf die Hinterbeine!« kreischte Billy. Sie bäumten sich voreinander auf und ich erwartete einen wilden Kampf, als eine glucksende grollende Stimme von rechts aus der Dunkelheit rief: »Kinder, worum streitet ihr euch da? Seid ruhig.«

Beide Tiere ließen sich mit einem angeekelten Schnauben wieder fallen, denn weder Pferd noch Maultier kann den Klang einer Elefantenstimme ertragen.

»Das ist Zwei-Schwänze!« sagte der Kavalleriehengst. »Ich kann ihn nicht ausstehen. Ein Schwanz an jedem Ende, das ist unfair!«

»Ganz meine Meinung«, sagte Billy; auf der Suche nach Gesellschaft drängte er sich enger an den Kavalleriehengst heran. »In einigen Dingen sind wir uns sehr ähnlich.«

»Das haben wir wohl von unseren Müttern geerbt«, sagte der Hengst. »Lohnt sich nicht, deshalb zu streiten. Hei! Zwei-Schwänze, bist du angebunden?«

»Ja«, sagte Zwei-Schwänze; sein Rüssel war voll Gelächter. »Ich bin für die Nacht angepflockt. Ich hab gehört, was ihr Jungs da redet. Aber keine Angst. Ich komm nicht rüber.«

Die Ochsen und das Kamel sagten halblaut: »Angst vor Zwei-Schwänze – was für ein Quatsch!« Und die Ochsen fuhren fort: »Tut uns leid, daß dus gehört hast, aber es stimmt. Zwei-Schwänze, warum hast du Angst vor den Kanonen, wenn sie feuern?«

»Also«, sagte Zwei-Schwänze; dabei rieb er ein Hinterbein am anderen, ganz wie ein kleiner Junge, der ein Gedicht aufsagen muß. »Ich weiß nicht so recht, ob ihr das verstehen könnt.«

»Tun wir nicht, aber wir müssen die Kanonen ziehen«, sagten die Ochsen.

»Weiß ich, und ich weiß auch, daß ihr viel mutiger seid als ihr selbst glaubt. Aber bei mir ist das was anderes. Mein Batteriehauptmann hat mich dieser Tage einen pachydermischen Anachronismus genannt.«

»Wahrscheinlich ist das noch eine Art zu kämpfen, oder?« sagte Billy, der sich von seinem Schrecken erholte.

»*Ihr* wißt natürlich nicht, was das heißt, aber ich weiß es. Es bedeutet daneben und dazwischen, und das trifft auf mich genau zu. Ich kann in meinem Kopf sehen, was passieren wird, wenn ein Geschoß platzt; und ihr Ochsen könnt das nicht.«

»Aber ich«, sagte der Kavalleriehengst. »Jedenfalls ein bißchen. Ich versuch, nicht dran zu denken.«

»Ich seh mehr als du, und ich denk dran. Ich weiß, ich bin ziemlich viel, worauf man achtgeben muß, und ich weiß auch, daß keiner weiß, wie er mich heilen soll, wenn ich krank bin. Alles was sie tun können ist, meinem Treiber die Löhnung sperren, bis ich wieder gesund bin, und meinem Treiber kann ich nicht vertrauen.«

»Ah!« sagte der Kavalleriehengst. »Das erklärt alles. Ich kann Dick trauen.«

»Selbst wenn du mir ein ganzes Regiment von Dicks auf den Rücken setzt, würd ich mich nicht besser fühlen. Ich weiß grad genug, um mich unbehaglich zu fühlen, und nicht genug, um trotzdem weiterzugehen.«

»Verstehen wir nicht«, sagten die Ochsen.

»Weiß ich, daß ihr das nicht versteht. Ich rede nicht mit euch. Ihr wißt ja nicht, was Blut ist.«

»Wohl«, sagten die Ochsen. »Rotes Zeug, das in den Boden sickert und riecht.«

Der Kavalleriehengst schlug aus, sprang auf der Stelle und schnaubte. »Redet nicht davon«, sagte er. »Ich riech es schon, wenn ich nur dran denk. Dann möcht ich immer wegrennen – außer mit Dick auf dem Rücken.«

»Aber hier ist doch gar keins«, sagten das Kamel und die Ochsen. »Warum seid ihr so blöd?«

»Da habt ihrs!« sagte Zwei-Schwänze; dabei winkte er erklärend mit dem Schwanz.

»Nein, das wollen wir nicht haben; haben wir selbst«, sagten die Ochsen.

Zwei-Schwänze stampfte mit dem Fuß, bis der Eisenring daran klirrte. »Ach, ich red doch nicht mit *euch*. Ihr könnt nicht in eure Köpfe sehn.«

»Nein. Wir sehen aus unseren vier Augen raus«, sagten die Ochsen. »Wir sehn grade vor uns.«

»Wenn ich das und sonst nichts könnt, wärt ihr gar nicht nötig, um die großen Kanonen zu ziehen. Wenn ich wie mein Hauptmann wär – er kann Dinge in seinem Kopf sehn, eh das Feuern losgeht, und er zittert am ganzen Körper, aber er weiß zuviel, um wegzulaufen – wenn ich wie er wär, könnt ich die Kanonen ziehn. Aber wenn ich überhaupt so klug wär, wär ich gar nicht hier. Dann wär ich ein König im Wald, wie früher, und würd den halben Tag schlafen und baden, sooft ich Lust hab. Ich hab seit einem Monat kein gutes Bad mehr genommen.«

»Das ist ja alles ganz schön«, sagte Billy; »aber ein Ding wird nicht dadurch besser, daß man ihm nen langen Namen gibt.«

»H'sch!« sagte der Kavalleriehengst. »Ich glaub, ich versteh, was Zwei-Schwänze meint.«

»In einer Minute wirst dus noch besser verstehn«, sagte Zwei-Schwänze böse. »Erklär mir doch mal, weshalb du *das* nicht leiden kannst!«

Er begann, so laut er konnte, heftig zu trompeten.

»Hör auf!« sagten Billy und der Hengst gleichzeitig, und ich konnte sie stampfen und zittern hören. Das Trompeten eines Elefanten ist immer unangenehm, besonders in einer finsteren Nacht.

»Ich hör nicht auf«, sagte Zwei-Schwänze. »Wollt ihr es nicht gefälligst erklären? *Hbrrmph! Rrrt! Rrrmph! Rrrhha!*«

Dann brach er plötzlich ab, und ich hörte ein leises Winseln im

Dunkel und wußte, daß Vixen mich endlich gefunden hatte. Sie wußte so gut wie ich, wenn es etwas gibt, wovor der Elefant mehr Angst hat als vor allem anderen, dann ist das ein kleiner bellender Hund; deshalb blieb sie zuerst einmal stehen, um Zwei-Schwänze zwischen seinen Pflöcken zu ärgern und kläffend seine großen Füße zu umkreisen. »Geh weg, kleiner Hund!« sagte er. »Schnüffel nicht an meinen Knöcheln, sonst tret ich dich. Guter kleiner Hund – feines kleines Hundchen, du da! Geh, geh nach Haus, du kleines kläffendes Biest! Ach, warum holt nicht jemand sie weg? Gleich beißt sie mich bestimmt.«

»Mir scheint«, sagte Billy zum Kavalleriehengst, »daß unser Freund Zwei-Schwänze vor fast allem Angst hat. Also, wenn ich für jeden Hund, den ich quer über den Paradeplatz getreten hab, ein volles Essen kriegte, wär ich fast so fett wie Zwei-Schwänze.«

Ich pfiff, und Vixen kam zu mir gerannt, ganz voll Lehm, und sie leckte meine Nase und erzählte mir eine lange Geschichte darüber, wie sie das ganze Lager nach mir durchgestöbert hatte. Ich habe sie nie wissen lassen, daß ich die Tiersprache verstehe, sonst hätte sie sich alles mögliche herausgenommen. Also knöpfte ich sie nur an meiner Brust unter die Jacke, und Zwei-Schwänze scharrte und stampfte und grollte vor sich hin.

»Außerordentlich! Ganz außerordentlich!« sagte er. »Das liegt bei uns in der Familie. Wohin ist denn bloß dieses scheußliche kleine Biest verschwunden?«

Ich hörte ihn mit dem Rüssel herumtasten.

»Jeder von uns scheint seine besonderen Empfindlichkeiten zu haben«, fuhr er fort; dabei schnaubte er sich die Nase frei. »Also, die Herren waren besorgt, als ich trompetet habe, glaub ich.«

»Nicht grade besorgt«, sagte der Kavalleriehengst, »aber ich hab mich gefühlt, als ob ich da Hornissen hätte, wo mein Sattel sein sollte. Bitte nicht wieder damit anfangen.«

»Mich erschreckt ein kleiner Hund, und das Kamel hier läßt sich von schlimmen Träumen in der Nacht erschrecken.«

»Wir haben ja viel Glück, daß wir nicht alle auf die gleiche Art kämpfen müssen«, sagte der Kavalleriehengst.

»Was ich wissen möchte«, sagte der junge Maulesel, der lange Zeit still gewesen war – »was *ich* wissen möchte ist, warum wir überhaupt kämpfen müssen.«

»Weil man es von uns verlangt«, sagte der Kavalleriehengst mit verächtlichem Schnauben.

»Befehl«, sagte Billy; und seine Zähne schnappten.

»*Hukm hai!* [Es ist ein Befehl]«, sagte das Kamel gurgelnd; und Zwei-Schwänze und die Ochsen wiederholten: »*Hukm hai!*«

»Ja, schön, aber wer gibt die Befehle?« sagte der Maultier-Rekrut.

»Der Mann, der neben deinem Kopf geht – Oder auf deinem Rücken sitzt – Oder den Nasenriemen hält – Oder deinen Schwanz verdreht«, sagten Billy und der Kavalleriehengst und das Kamel und die Ochsen nacheinander.

»Aber wer gibt denen die Befehle?«

»Jetzt willst du aber zuviel wissen, Junge«, sagte Billy, »und das ist eine der Möglichkeiten, getreten zu werden. Alles was du zu tun hast ist, dem Mann neben deinem Kopf gehorchen und keine Fragen stellen.«

»Er hat völlig recht«, sagte Zwei-Schwänze. »Ich kann nicht immer gehorchen, weil ich daneben und dazwischen bin; aber Billy hat recht. Gehorch dem Mann, der neben dir steht, der die Befehle gibt, sonst hältst du die ganze Batterie auf, und Prügel kriegst du außerdem.«

Die Geschützochsen standen auf um zu gehen. »Der Morgen kommt«, sagten sie. »Wir gehn zu unsern Plätzen zurück. Wir sehn zwar nur aus den Augen und wir sind nicht besonders schlau; aber immerhin waren wir diese Nacht die einzigen, die keine Angst hatten. Gute Nacht, ihr tapferen Leute.«

Niemand antwortete, und der Kavalleriehengst sagte, um das Thema zu wechseln: »Wo ist dieser kleine Hund? Ein Hund bedeutet, daß irgendwo ein Mensch in der Nähe ist.«

»Hier bin ich«, kläffte Vixen, »unter dem Lafettenschwanz, mit meinem Mensch. Du großes tolpatschiges Biest von Kamel, du hast unser Zelt umgeworfen. Mein Mensch ist sehr verärgert.«

»Pah!« sagten die Ochsen. »Wohl ein Weißer?«

»Natürlich«, sagte Vixen. »Meint ihr etwa, ich laß mich von einem schwarzen Ochsentreiber versorgen?«

»*Huah! Oua-sch! Ugh!*« sagten die Ochsen. »Schnell fort hier!«

Sie wuchteten sich in den Lehm hinein und schafften es irgendwie, mit ihrem Joch auf die Deichsel eines Munitionswagens zu geraten, wo es festklemmte.

»Jetzt habt ihrs wirklich geschafft«, sagte Billy ruhig. »Zappeln hilft nicht. Da hängt ihr jetzt, bis es Tag ist. Was soll das denn überhaupt alles?«

Die Ochsen brachen in das langgezogene zischende Schnaufen indischer Rinder aus und schoben und drängelten und drehten sich und stampften und rutschten und fielen fast in den Matsch; dabei grunzten sie wild.

»Ihr brecht euch gleich das Genick«, sagte der Kavalleriehengst. »Was soll denn mit weißen Männern sein? Ich lebe bei ihnen.«

»Sie – essen – uns! Zieh!« sagte der erste Ochse; krachend brach das Joch, und sie polterten zusammen weg.

Ich hatte nie gewußt, weshalb indische Rinder sich so sehr vor Engländern fürchten. Wir essen Rindfleisch – etwas, was kein Viehtreiber auch nur anrühren würde –, und natürlich gefällt das den Rindern nicht.

»Soll mich doch jemand mit meinen eigenen Lastketten durchpeitschen! Wer hätte gedacht, daß zwei dicke Klötze wie die da den Kopf verlieren?« sagte Billy.

»Macht nichts. Ich will mir diesen Mann ansehen. Wie ich weiß, haben die meisten weißen Männer Dinge in den Taschen«, sagte der Kavalleriehengst.

»Dann verschwinde ich. Ich kann nicht behaupten, daß ich sie besonders liebe. Außerdem sind weiße Männer, die im Freien schlafen müssen, höchstwahrscheinlich Diebe, und ich hab eine Menge Regierungseigentum auf dem Rücken. Komm schon, Kleiner, wir gehn zurück zu unseren Stellungen. Gute Nacht, Australien! Wir sehen uns morgen bei der Parade, schätze ich. Gute Nacht, oller Heuballen! Versuch mal, deine Gefühle zu beherrschen, ja? Gute Nacht, Zwei-Schwänze! Wenn du morgen auf dem Platz an uns vorbeikommst, bitte nicht trompeten. Das bringt unsere Formation durcheinander.«

Billy der Maulesel stapfte mit dem schwankenden Gang eines altgedienten Landsknechts davon, während der Kopf des Kavalleriehengstes sich schnüffelnd meiner Brust näherte, und ich gab ihm Kekse; dabei flunkerte Vixen, die ein sehr eingebildetes Hündchen ist, ihm etwas über die vielen Dutzend Pferde vor, die sie und ich hielten.

»Ich komme morgen in meinem Wagen zur Parade«, sagte sie. »Wo bist du dann?«

»Auf dem linken Flügel der zweiten Schwadron. Ich gebe für meine ganze Truppe den Schritt an, kleine Dame«, sagte er höflich. »Jetzt muß ich zu Dick zurück. Mein Schwanz ist ganz voll Schlamm, und Dick hat zwei Stunden harte Arbeit vor sich, um mich für die Parade feinzumachen.«

Die große Parade aller dreißigtausend Mann fand an diesem Nachmittag statt, und Vixen und ich hatten einen guten Platz in der Nähe des Vizekönigs und des Emirs von Afghanistan mit seinem großen hohen schwarzen Hut aus Astrachan-Wolle und dem großen Diamantstern mitten darauf. Über dem ersten Teil der Truppenschau lag strahlender Sonnenschein, und die Regimenter zogen vorbei, Welle um Welle von Beinen in gleichem

Schritt, und Kanonen immer in einer Reihe, bis unsere Augen flimmerten. Dann kam die Kavallerie im Handgalopp, zu dem wunderschönen schnellen Reitermarsch »Bonnie Dundee«, und Vixen in ihrem Wagen stellte die Ohren auf. Die zweite Schwadron der Lanzenreiter schoß vorüber, und da war der Kavalleriehengst mit seinem Schwanz wie gesponnene Seide, den Kopf an die Brust zurückgenommen, ein Ohr nach vorn und eins angelegt; er gab für die ganze Schwadron den Schritt an, und seine Beine waren geschmeidig wie Walzermusik. Dann kamen die schweren Kanonen an uns vorbei, und ich sah Zwei-Schwänze und zwei andere Elefanten nebeneinander angeschirrt vor einem Vierzigpfünder-Belagerungsgeschütz, hinter dem zwanzig Joch Ochsen hergingen. Das siebte Paar hatte ein neues Joch, und sie sahen ziemlich steif und müde aus. Zum Schluß kamen die Schraubgeschütze, und der Maulesel Billy hielt sich, als habe er den Befehl über sämtliche Truppen, und sein Geschirre war geölt und poliert worden, daß es blendete. Ganz allein brachte ich ein Hoch auf Billy den Maulesel an, aber er schaute weder rechts noch links.

Es begann wieder zu regnen, und eine ganze Weile war es zu dunstig um zu sehen, was die Kavallerie tat. Sie hatten einen großen Halbkreis in der Ebene gebildet und schwenkten zu einer Linie aus. Diese Linie wuchs und wuchs, bis sie eine dreiviertel Meile lang war von einem Flügel zum anderen – ein fester Wall von Männern, Pferden und Gewehren. Dann kam diese Mauer geradewegs auf den Vizekönig und den Emir zu, und als sie sich näherte, begann der Boden zu beben, wie das Deck eines Dampfers, wenn die Maschinen mit voller Kraft laufen.

Wenn man nicht dabei war kann man sich nicht vorstellen, wie furchterregend dieses stetige Herannahen von Truppen für die Zuschauer ist, selbst wenn sie wissen, daß es sich nur um eine Parade handelt. Ich schaute zum Emir. Bis dahin hatte er nicht einmal den Schatten eines Anzeichens von Erstaunen oder sonst etwas gezeigt; aber nun wurden seine Augen größer und größer, und er nahm die Zügel vom Hals seines Pferdes auf und schaute hinter sich. Einen Moment lang sah es so aus, als wolle er gleich sein Schwert ziehen und sich zwischen den Engländern und Engländerinnen in ihren Kutschen hinter ihm den Weg freihauen. Dann hielt der Vormarsch plötzlich inne, der Boden bebte nicht mehr, die ganze Linie salutierte, und dreißig Kapellen begannen gleichzeitig zu spielen. Das war das Ende der Truppenschau, und die Regimenter kehrten im Regen zurück in ihre Lager; und eine Infanteriekapelle stimmte das Lied an:

> The animals went in two by two,
> Hurrah!
> The animals went in two by two,
> The elephants and the battery mu-
> l', and they all got into the Ark
> For to get out of the rain!

> [Die Tiere gingen hinein zu zweit,
> hurra!
> Die Tiere gingen hinein zu zweit,
> der Elefant und der Geschützmaul-
> esel, und alles in die Arche rein,
> um aus dem Regen zu kommen!]

Dann hörte ich, wie ein alter, ergrauter, langhaariger Häuptling aus Mittelasien, der mit dem Emir hergekommen war, einem Eingeborenen-Offizier Fragen stellte.

»Sprich«, sagte er, »auf welche Art wurde diese wunderbare Sache bewirkt?«

Und der Offizier antwortete: »Es gab einen Befehl, und sie gehorchten.«

»Aber sind denn die Tiere so klug wie die Männer?« sagte der Häuptling.

»Sie gehorchen, wie Männer es tun. Maulesel, Pferd, Elefant oder Ochse, jeder gehorcht seinem Treiber, und der Treiber seinem Sergeanten, und der Sergeant seinem Leutnant, und der Leutnant seinem Hauptmann, und der Hauptmann seinem

Major, und der Major seinem Oberst, und der Oberst seinem Brigadier, der über drei Regimenter gebietet, und der Brigadier seinem General, der dem Vizekönig gehorcht, der ein Diener der Kaiserin ist. So wird es bewirkt.«

»Wäre es in Afghanistan doch auch so!« sagte der Häuptling. »Dort gehorchen wir alle nur unserem eigenen Willen.«

»Und aus diesem Grund« – der Eingeborenen-Offizier zwirbelte seinen Schnurrbart, als er das sagte – »muß euer Emir, dem ihr nicht gehorcht, herkommen und Befehle von unserem Vizekönig entgegennehmen.«

PARADE-SONG OF THE CAMP-ANIMALS

ELEPHANTS OF THE GUN-TEAMS

We lent to Alexander the strength of Hercules,
The wisdom of our foreheads, the cunning of our knees;
We bowed our necks to service; they ne'er were loosed again,—
Make way there, way for the ten-foot teams
  Of the Forty-Pounder train!

GUN-BULLOCKS

Those heroes in their harnesses avoid a cannon-ball,
And what they know of powder upsets them one and all;
Then *we* come into action and tug the guns again,—
Make way there, way for the twenty yoke
  Of the Forty-Pounder train!

CAVALRY HORSES

By the brand on my withers, the finest of tunes
Is played by the Lancers, Hussars, and Dragoons,
And it's sweeter than 'Stables' or 'Water' to me,
The Cavalry Canter of 'Bonnie Dundee'!

Then feed us and break us and handle and groom,
And give us good riders and plenty of room,
And launch us in column of squadrons and see
The way of the war-horse to 'Bonnie Dundee'!

PARADELIED DER LAGERTIERE

ELEFANTEN VOM GESCHÜTZGESPANN

Wir gaben Alexander die Kraft von Herkules,
die Weisheit unsrer Stirnen, die Erfahrung unsrer Knie;
die Nacken beugten wir zum Dienst; sie kamen nie mehr frei –
macht Platz da, Platz für die Zehn-Fuß-Teams
    vom Vierzigpfünder-Zug!

GESCHÜTZOCHSEN

Die Harnisch-Helden haben vor Kanonenkugeln Angst,
und was sie von Schießpulver wissen, macht sie ganz verrückt;
dann sind *wir* dran und ziehen die Kanonen weiter vor –
macht Platz da, Platz für die zwanzig Joch
    vom Vierzigpfünder-Zug!

KAVALLERIEPFERDE

Ja, bei meinem Brandmal, die feinste Musik
gibt's bei den Ulanen, Husaren, Dragonern,
und lieber als »Stall!« oder »Tränken!« ist mir
der Kavallerie-Galopp »Bonnie Dundee«!

Drum füttert und zähmt uns und striegelt und pflegt,
gebt uns gute Reiter und ausreichend Platz,
macht uns zu Schwadronen und Reihen und seht,
wie Schlachtrösser tanzen zu »Bonnie Dundee«!

SCREW-GUN MULES

As me and my companions were scrambling up a hill,
The path was lost in rolling stones, but we went forward
    still;
For we can wriggle and climb, my lads, and turn up every-
    where,
And it's our delight on a mountain height, with a leg or two to
    spare!

Good luck to every sergeant, then, that lets us pick our road;
Bad luck to all the driver-men that cannot pack a load:
For we can wriggle and climb, my lads, and turn everywhere,
And it's our delight on a mountain height, with a leg or two to
    spare!

COMMISSARIAT CAMELS

We haven't a camelty tune of our own
To help us trollop along,
But every neck is a hairy trombone
(*Rtt-ta-ta-ta!* is a hairy trombone!)
And this is our marching-song:
Can't! Don't! Shan't! Won't!
Pass it along the line!
Somebody's pack has slid from his back,
'Wish it were only mine!
Somebody's load has tipped off in the road—
Cheer for a halt and a row!
Urrr! Yarrh! Grr! Arrh!
Somebody's catching it now!

SCHRAUBGESCHÜTZ-MAULESEL

Wie ich und die Kumpane am Berg gekraxelt sind,
gabs keinen Weg, nur Steinschlag, und wir habens doch
    gepackt;
wir können uns schlängeln und klettern, Jungs, wir kommen
    überall rauf,
und am schönsten ist es hoch auf nem Berg, mit Platz für grad
    nochn Bein!

Drum hoch der Sergeant der uns selbst die Wege suchen läßt,
und Schmutz auf jeden Treiber der die Lasten schlecht verpackt:
wir können uns schlängeln und klettern, Jungs, wir kommen
    überall rauf,
und am schönsten ist es hoch auf nem Berg mit Platz für grad
    nochn Bein!

KAMELE VON DER VERSORGUNG

Wir haben kein kameliges Lied
das uns beim Latschen hilft,
aber jeder Hals ist ne Posaune mit Haar
(*Rtt-ta-ta-ta!* ne Posaune mit Haar!)
und unser Marschlied geht so:
Kannich! Tunich! Willnich! Nix!
Alle weitersagen!
Irgendwem ist die Last abgerutscht,
wenn es bloß meine wär!
Irgendwem ist die Last abgekippt –
hurra für nen Halt und nen Krach!
Urrr! Yarrh! Grr! Arrh!
Irgendwer kriegt jetzt was ab!

ALL THE BEASTS TOGETHER

Children of the Camp are we,
Serving each in his degree;
Children of the yoke and goad,
Pack and harness, pad and load.
See our line across the plain,
Like a heel-rope bent again,
Reaching, writhing, rolling far,
Sweeping all away to war!
While the men that walk beside
Dusty, silent, heavy-eyed,
Cannot tell why we or they
March and suffer day by day.
    Children of the Camp are we,
    Serving each in his degree;
    Children of the yoke and goad,
    Pack and harness, pad and load.

THE END

ALLE TIERE ZUSAMMEN

Kinder eines Camps sind wir,
jeder dient so wie er kann;
Kind von Joch und Kind von Sporn,
Packen und Geschirr und Last.
Unsre Reihe zieht durchs Land
wie ein Fußstrick krumm, seht her,
kriecht und krümmt sich, krabbelt weit
und schleppt alles in den Krieg!
Und die Männer neben uns,
staubig, stumm, mit schweren Augen,
wissen auch nicht, warum alle
jeden Tag marschieren und leiden.

Kinder eines Camps sind wir,
jeder dient so wie er kann;
Kind von Joch und Kind von Sporn,
Packen und Geschirr und Last.

ENDE

DAS ZWEITE
DSCHUNGELBUCH

WIE FURCHT KAM

The stream is shrunk—the pool is dry,
And we be comrades, thou and I;
With fevered jowl and dusty flank
Each jostling each along the bank;
And by one drouthy fear made still,
Foregoing thought of quest or kill.
Now 'neath his dam the fawn may see,
The lean Pack-wolf as cowed as he,
And the tall buck, unflinching, note
The fangs that tore his father's throat.
The pools are shrunk—the streams are dry,
And we be playmates, thou and I,
Till yonder cloud—Good hunting!—loose
The rain that breaks our Water Truce.

[Der Strom ist geschrumpft – der Teich ist trocken,
und wir sind Kameraden, du und ich;
mit fiebriger Wange und staubiger Flanke
drängelt sich jeder am Ufer gegen jeden;
und unter *einer* Dürre-Furcht verstummt
denkt keiner an Suche oder Töten.
Nun sieht vielleicht, unter seiner Mutter, das Kitz
den hageren Rudel-Wolf, so verschreckt wie es selbst,
und ohne Zucken bemerkt der große Bock
die Fänge, die seines Vaters Hals zerrissen.
Die Teiche sind geschrumpft – die Ströme sind trocken,
und wir sind Spielgefährten, du und ich,
bis jene Wolke dort – Gutes Jagen! – freiläßt
den Regen, der unseren Wasser-Frieden bricht.]

Das Gesetz des Dschungels – es ist bei weitem das älteste
Gesetz der Welt – enthält Vorkehrungen für nahezu alles, was
dem Dschungel-Volk zustoßen mag, so daß sein Regelwerk nun
so vollkommen ist, wie Zeit und Gewohnheit es nur machen
können. Wenn ihr schon über Mowgli gelesen habt, werdet ihr
euch erinnern, daß er einen großen Teil seines Lebens im Seoni-
Wolfsrudel verbrachte und das Gesetz von Baloo lernte, dem
Braunen Bären; und Baloo war es, der ihm sagte, als der Junge
über die ewigen Vorschriften murrte, daß das Gesetz wie die
Riesenliane sei, die jedem über den Rücken fällt und der keiner

entkommen kann. »Wenn du so lange gelebt hast wie ich, Kleiner Bruder, wirst du sehen, wie der ganze Dschungel mindestens einem Gesetz gehorcht. Und das wird kein schöner Anblick sein«, sagte Baloo.

Diese Rede ging zu einem Ohr hinein und zum anderen wieder hinaus, weil sich ein Junge, der sein Leben mit Essen und Schlafen zubringt, um nichts sorgt, bis es ihm direkt in die Augen starrt. Aber in einem bestimmten Jahr erfüllte sich Baloos Vorhersage, und Mowgli sah den ganzen Dschungel dem Gesetz unterworfen.

Es begann damit, daß die Winterregen fast ganz ausblieben, und Ikki das Stachelschwein, dem Mowgli in einem Bambusdickicht begegnete, erzählte ihm, die wilden Yamswurzeln seien dabei zu verdorren. Nun weiß jeder, daß Ikki in der Wahl seiner Nahrung lächerlich anspruchsvoll ist und nur das Allerbeste und Reifste essen mag. Deshalb lachte Mowgli und sagte: »Was kümmert das mich?«

»Nicht viel – *jetzt*«, sagte Ikki; steif und unbehaglich rasselte er mit seinen Stacheln. »Aber später sehen wir weiter. Kannst du noch in den tiefen Felsteichen unter den Bienenfelsen tauchen, Kleiner Bruder?«

»Nein. Das blöde Wasser geht immer wieder weg, und ich will mir nicht den Kopf einschlagen«, sagte Mowgli, der in jenen Tagen ganz sicher war, daß er soviel wußte wie fünf andere vom Dschungel-Volk zusammen.

»Dein eigener Schaden. Ein kleiner Riß könnte ein bißchen Weisheit einlassen.« Ikki duckte sich schnell, damit Mowgli ihn nicht an den Nasenborsten zog, und Mowgli erzählte Baloo, was Ikki gesagt hatte. Baloo blickte sehr ernst und murmelte vor sich hin: »Wenn ich allein wäre, würde ich jetzt meine Jagdgründe wechseln, ehe die anderen anfangen zu überlegen. Andererseits – Jagen unter Fremden endet mit Kampf; und sie könnten das Menschenjunge verletzen. Wir müssen abwarten und sehen, wie der *mohwa* blüht.«

Der *mohwa*-Baum, den Baloo so liebte, erblühte in diesem Frühling überhaupt nicht. Die grünlichen, sahnefarbenen, wächsernen Blüten starben schon vor der Geburt den Hitzetod, und als Baloo sich auf die Hinterbeine stellte und den Baum schüttelte, kamen nur ein paar übelriechende Blumenblätter herunter. Dann kroch Zoll um Zoll die ungemilderte Hitze ins Herz des Dschungels und machte ihn gelb, braun und schließlich schwarz. Die grünen Schößlinge an den Seiten der Schluchten verbrannten zu geborstenem Draht und krausen Schichten von Abgestorbenem; die verborgenen Teiche sanken ab, verkrusteten und bewahrten am Ufer die letzte leichteste Fußspur wie in Eisen gegossen; die Schlingpflanzen mit saftigen Stengeln stürzten von den Bäumen, an die sie sich klammerten, und starben zu deren Füßen; der Bambus verdorrte und raschelte, wenn der heiße Wind wehte, und das Moos schälte sich von den Felsen tief im Dschungel, bis sie nackt und heiß waren wie die flimmernden blauen Blöcke im Bett des Stroms.

Die Vögel und die Affen-Leute gingen früh im Jahr nach Norden, denn sie wußten, was bevorstand; und die Hirsche und Wildschweine flohen fern auf die verdorrten Felder der Dörfer, wo sie manchmal vor den Augen von Menschen starben, die zu schwach waren, sie zu töten. Chil der Geier blieb und wurde fett, denn es gab reichlich Aas, und den Tieren, die zu schwach waren, um sich den Weg zu frischen Jagdgründen zu bahnen, brachte er Abend für Abend die Nachricht, daß die Sonne drei Tagesflüge weit in alle Richtungen den Dschungel tötete.

Mowgli, der nie gewußt hatte, was wahrer Hunger bedeutet, behalf sich mit schalem Honig, drei Jahre alt, gekratzt aus verlassenen Bienenstöcken in den Felsen – Honig schwarz wie Schlehen und von getrocknetem Zucker überkrustet. Er jagte auch Maden, die sich tief unter die Borke der Bäume gebohrt hatten, und raubte den Wespen ihre neue Brut. Alles Wild im

Dschungel war nur noch Haut und Knochen, und Bagheera konnte in einer Nacht dreimal töten, ohne ein volles Mahl zu bekommen. Aber am schlimmsten war der Wassermangel, denn das Dschungel-Volk muß zwar selten trinken, aber dann viel.

Und die Hitze dauerte und dauerte und sog alle Feuchtigkeit auf, bis schließlich die Hauptrinne des Wainganga der einzige Strom war, der zwischen seinen toten Ufern noch ein Wasserrinnsal führte; und als Hathi, der wilde Elefant, der hundert Jahre lebt und mehr, einen langen kantigen Felsgrat mitten im Strom trocken aufragen sah, wußte er, daß er den Friedensfelsen erblickte, und sofort hob er den Rüssel und erklärte den Wasser-Frieden, wie schon sein Vater ihn fünfzig Jahre zuvor erklärt hatte. Die Hirsche, Wildschweine und Büffel gaben den Schrei heiser weiter; und der Geier Chil flog in großen Kreisen weit umher und pfiff und kreischte die Warnung.

Nach dem Gesetz des Dschungels bedeutet es den Tod, an den Trinkstätten zu töten, wenn erst der Wasser-Friede erklärt wurde. Der Grund dafür ist, daß Trinken vor Essen geht. Jeder im Dschungel kann sich irgendwie durchschlagen, solange nur Wild knapp ist; aber Wasser ist Wasser, und wenn es davon nur noch an einer einzigen Stelle etwas gibt, endet alles Jagen, während das Dschungel-Volk dort seine Not stillt. In guten Jahren, wenn es reichlich Wasser gab, riskierte jeder, der zum Wainganga – oder, was dies betrifft, überall sonst hin – trinken kam, sein Leben, und dieses Risiko machte einen guten Teil der Faszination des nächtlichen Treibens aus. So geschickt hinabzuschleichen, daß kein einziges Blatt bewegt wurde; knietief ins röhrende Uferwasser zu waten, das jedes von hinten kommende Geräusch verschluckt; zu trinken und dabei über eine Schulter hinter sich zu blicken, jeder Muskel bereit zum ersten verzweifelten Satz scharfen Schreckens; sich im sandigen Rand zu wälzen und sattgetrunken mit feuchter Schnauze zum bewundernden Rudel zurückzukehren, das war etwas, was alle jungen

Böcke mit hohem Geweih genossen, eben weil sie wußten, daß jeden Moment Bagheera oder Shere Khan sie anspringen und niederreißen konnte. Aber all dieser Spaß um Leben und Tod war nun beendet, und das Dschungel-Volk kam ausgehungert und matt zum geschrumpften Fluß – Tiger, Bär, Hirsch, Büffel und Schwein, alle zusammen –, trank das verschmutzte Wasser und lag am Ufer, zu erschöpft, um sich davonzumachen.

Hirsche und Schweine waren den ganzen Tag herumgezogen auf der Suche nach etwas Besserem als trockener Rinde und welken Blättern. Die Büffel hatten keine Suhlen zur Abkühlung gefunden und keine grüne Saat zum Stehlen. Die Schlangen hatten den Dschungel verlassen und waren zum Fluß gekommen, in der Hoffnung, dort einen verirrten Frosch zu finden. Sie wanden sich um feuchte Steine und drohten nicht einmal zuzustoßen, wenn ein wühlendes Schwein sie mit der Schnauze fortschob. Die Flußschildkröten waren längst von Bagheera, dem schlauesten aller Jäger, getötet worden, und die Fische hatten sich tief im trockenen Schlamm vergraben. Nur der Friedensfelsen lag im seichten Wasser wie eine lange Schlange, und die kleinen müden Kräuselwellen zischten, wenn sie an seiner heißen Flanke verdampften.

Hierhin kam Mowgli jede Nacht, wegen der Kühle und der Kameradschaft. Der hungrigste seiner Feinde hätte nun nicht viel um den Jungen gegeben. Seine nackte Haut ließ ihn noch dürrer und erbärmlicher wirken als all seine Gefährten. Sein Haar war von der Sonne zur Farbe von Werg gebleicht; seine Rippen traten hervor wie die eines Korbes, und die Schwielen an Knien und Ellenbogen – zum Fährtenlesen lief er auf allen vieren – ließen seine geschrumpften Glieder wie knotige Halme aussehen. Aber sein Auge unter dem verfilzten Stirnhaar war kühl und ruhig, denn in dieser Zeit der Sorgen war Bagheera sein Ratgeber und wies ihn an, sich leise zu bewegen, langsam zu jagen und niemals, gleich weshalb, die Beherrschung zu verlieren.

»Es ist eine schlimme Zeit«, sagte der Schwarze Panther an einem Abend, der heiß war wie ein Brennofen. »Aber sie wird vergehen, wenn wir bis zum Ende durchhalten können. Ist dein Bauch voll, Menschenjunges?«

»Ich habe Zeug im Bauch, aber Gutes tut es mir nicht. Bagheera, glaubst du, die Regen haben uns vergessen und kommen nie wieder?«

»Ich doch nicht! Wir werden den *mohwa* wieder blühen sehen und die kleinen Kitze fett von frischem Gras. Komm mit hinab zum Friedensfelsen und hör, was es Neues gibt. Auf meinem Rücken, Kleiner Bruder.«

»Das ist keine Zeit zum Lastentragen. Noch kann ich allein gehen, aber – Mastochsen sind wir wirklich nicht, wir beide.«

Bagheera blickte seine zottige, verstaubte Flanke entlang und flüsterte: »Letzte Nacht habe ich einen Ochsen im Joch getötet. So tief bin ich gesunken, daß ich, glaube ich, den Sprung nicht gewagt hätte, wenn er frei gewesen wäre. *Uou!*«

Mowgli lachte. »Ja, wir sind jetzt wirklich große Jäger«, sagte er. »Ich bin sehr kühn – im Madenfressen«, und die beiden gingen zusammen durch das knackende Unterholz hinab zum Flußufer und dem Netzwerk von Sandbänken, das sich von dort in alle Richtungen zog.

»Das Wasser kann nicht mehr lange leben«, sagte Baloo, der zu ihnen kam. »Schaut hinüber. Drüben sind Wege wie Menschenstraßen.«

Auf der Ebene am anderen Ufer war das spröde Dschungelgras stehend gestorben und im Tod verdorrt. Die sämtlich zum Fluß führenden Wege der Hirsche und Schweine hatten diese farblose Ebene durchzogen mit Streifen staubiger Rinnen, gebahnt durch das zehn Fuß hohe Gras, und obwohl es noch früh war, war jeder dieser langen Gänge gefüllt von Hastenden, die als erste ans Wasser wollten. In den Staubschnuppen konnte man Hirschkühe und Kitze husten hören.

Stromauf, an der Biegung des trägen Teichs beim Friedens-

felsen, stand der wilde Elefant Hathi, Hüter des Wasser-Frie-
dens, mit seinen Söhnen, grau und hager im Mondlicht, und
schaukelte hin und her – schaukelte unaufhörlich. Kurz
unterhalb von ihm war die Vorhut der Hirsche; wieder
unterhalb von diesen die Schweine und die wilden Büffel; und
am gegenüberliegenden Ufer, wo bis zum Rand des Wassers die
hohen Bäume standen, war der den Fleischessern vorbehaltene
Platz – dem Tiger, den Wölfen, dem Panther, dem Bären und
den anderen.

»Wir unterstehen wirklich einem Gesetz«, sagte Bagheera; er
watete ins Wasser und blickte hinüber zu den Reihen klacken-
der Hörner und angstvoller Augen, wo Hirsche und Schweine
einander hin und her stießen. »Gutes Jagen, euch allen von meinem Blut«, setzte er hinzu, während er sich lang ausstreckte;
eine Flanke ragte aus dem seichten Wasser. Dann, durch die
Zähne: »Ohne das, was das Gesetz will, wäre es *sehr* gutes
Jagen.«

Die zuckenden Ohren der Hirsche fingen den letzten Satz
auf, und ein erschrockenes Flüstern lief durch die Reihen. »Der
Friede! Denk an den Frieden!«

»Ruhe da, Ruhe!« gurgelte Hathi, der wilde Elefant. »Der
Friede gilt noch, Bagheera. Das ist nicht die Zeit, vom Jagen zu
reden.«

»Wer sollte das besser wissen als ich?« antwortete Bagheera;
er verdrehte die gelben Augen stromaufwärts. »Ich bin ein
Schildkrötenesser – ein Froschfischer. *Ngaayah!* Wenn doch
nur Ästekauen gut für mich wäre!«

»*Uns* wäre das recht, sehr sogar«, blökte ein junges Kitz, das
erst in diesem Frühjahr geboren worden war und die Welt gar
nicht mochte. So elend das Dschungel-Volk sich auch fühlte,
konnte doch selbst Hathi ein Kichern nicht unterdrücken; während Mowgli, auf den Ellenbogen im warmen Wasser liegend,
laut lachte und mit den Füßen Schaum schlug.

»Gut gesagt, kleines Knosp-Horn«, schnurrte Bagheera.

»Wenn der Friede endet, werde ich mich daran erinnern, zu deinen Gunsten«, und er blickte scharf durch die Dunkelheit, um sicher zu sein, daß er das Kitz wiedererkennen würde.

Allmählich breiteten sich Gespräche die Trinkplätze hinauf und hinab aus. Man konnte hören, wie die scharrenden, grunzenden Schweine mehr Platz verlangten; wie die Büffel einander anknurrten, während sie über die Sandbänke hinaustorkelten, und wie die Hirsche jammervolle Geschichten erzählten über ihre langen fußkranken Wanderungen auf der Suche nach Essen. Hin und wieder stellten sie den Fleischessern jenseits des Flusses Fragen, aber alle Nachrichten waren schlecht, und der brüllende heiße Wind des Dschungels kam und ging zwischen den Felsen und den knarrenden Ästen und streute Zweige und Staub aufs Wasser.

»Das Menschen-Volk«, sagte ein junger Sambhar, »auch sie sterben neben ihren Pflügen. Zwischen Sonnenuntergang und Nacht bin ich an dreien vorbeigekommen. Sie lagen ganz still, und ihre Ochsen mit ihnen. Bald werden auch wir still liegen.«

»Der Fluß ist seit der letzten Nacht gefallen«, sagte Baloo. »O Hathi, hast du je etwas wie diese Dürre gesehen?«

»Sie geht vorbei, sie geht vorbei«, sagte Hathi; er spritzte sich Wasser über Rücken und Flanken.

»Wir haben hier einen, der nicht lange durchhalten kann«, sagte Baloo, und er schaute nach dem Jungen, den er liebte.

»Ich?« sagte Mowgli empört; er setzte sich im Wasser auf. »Ich habe kein langes Fell über den Knochen, aber – aber wenn *dir* die Haut abgezogen würde, Baloo . . .«

Hathi schüttelte sich am ganzen Körper bei diesem Gedanken, und Baloo sagte streng:

»Menschenjunges, es gehört sich nicht, so etwas einem Lehrer des Gesetzes zu sagen. *Nie* hat mich jemand ohne meine Haut gesehen.«

»Ach, ich hab es nicht böse gemeint, Baloo; nur daß du fast wie eine Kokosnuß in der Schale bist, und ich bin die gleiche

Kokosnuß ganz nackt. Also, deine braune Schale...« Mowgli saß da mit unterschlagenen Beinen und erklärte die Dinge wie üblich mit seinem Zeigefinger, als Bagheera eine weiche Pfote ausstreckte und ihn rücklings ins Wasser zog.

»Es wird immer schlimmer«, sagte der Schwarze Panther, als der Junge prustend aufstand. »Zuerst willst du Baloo häuten, und jetzt ist er eine Kokosnuß. Sieh dich vor, daß er nicht das macht, was reife Kokosnüsse tun.«

»Und zwar?« sagte Mowgli, einen Moment lang nicht auf der Hut, obwohl dies einer der ältesten Scherze des Dschungels ist.

»Dir den Kopf einschlagen«, sagte Bagheera ruhig und tauchte ihn erneut unter.

»Es ist nicht gut, sich über seinen Lehrer lustig zu machen«, sagte der Bär, als Mowgli zum dritten Mal untergetaucht worden war.

»Nicht gut! Wundert dich das denn? Dieses nackte Ding, das hin und her rennt, macht einen Affenspaß aus denen, die einmal gute Jäger waren, und führt die Besten von uns an der Nase herum, nur zum Vergnügen.« Das war Shere Khan, der Lahme Tiger, der zum Wasser hinunterhinkte. Er wartete ein wenig, um die Aufregung zu genießen, die er bei den Hirschen am anderen Ufer auslöste; dann senkte er den kantigen, krausen Kopf und begann zu schlürfen. Dabei knurrte er: »Der Dschungel ist jetzt ein Spielplatz für nackte Welpen geworden. Sieh mich an, Menschenjunges!«

Mowgli sah – starrte, genauer – ihn so frech an, wie er nur konnte, und nach einer Minute wandte sich Shere Khan unbehaglich ab. »Menschenjunges dies und Menschenjunges das«, grollte er, während er weitertrank, »das Junge ist weder Mensch noch Welpe, sonst hätte es Angst gehabt. Nächstes Jahr muß ich ihn wohl um Erlaubnis bitten, wenn ich trinken will. *Augrh!*«

»Das kann schon sein«, sagte Bagheera; er sah ihm stetig in

die Augen. »Dazu kann es kommen ... *Faoh*, Shere Khan! Welche neue Schande hast du da mitgebracht?«

Der Lahme Tiger hatte Kinn und Backen ins Wasser getaucht, und dunkle, ölige Schlieren flossen von dort stromabwärts.

»Mensch!« sagte Shere Khan kühl. »Ich habe vor einer Stunde getötet.« Er schnurrte und knurrte weiter vor sich hin.

Die Reihe der Tiere schwankte und wogte hin und her, und ein Flüstern erhob sich, das sich zu einem Schrei auswuchs: »Mensch! Mensch! Er hat Mensch getötet!« Dann schauten alle auf Hathi, den wilden Elefanten, aber der schien nichts zu hören. Hathi tut niemals etwas, bis die Zeit dafür gekommen ist, und das ist einer der Gründe, weshalb er so alt wird.

»In solch einer Zeit Menschen zu töten! Gab es denn kein anderes Jagdwild?« sagte Bagheera verächtlich; er zog sich aus dem besudelten Wasser zurück und schüttelte dabei wie eine Katze jede Pfote einzeln aus.

»Ich habe zum Vergnügen getötet – nicht zum Essen.« Das entsetzte Flüstern begann erneut, und Hathis wachsame kleine weiße Augen richteten sich auf Shere Khan. »Zum Vergnügen«, sagte Shere Khan gedehnt. »Jetzt komme ich, um zu trinken und mich wieder rein zu machen. Will jemand mir das verbieten?«

Bagheeras Rücken begann sich zu krümmen wie ein Bambus im Sturm, aber Hathi hob den Rüssel und sprach ganz ruhig.

»Du hast zum Vergnügen getötet?« fragte er; und wenn Hathi eine Frage stellt, ist es besser zu antworten.

»Ganz richtig. Es war mein Recht und meine Nacht. Du weißt es, o Hathi.« Shere Khan sprach beinahe höflich.

»Ja, ich weiß«, antwortete Hathi; und nach kurzem Schweigen: »Hast du dich sattgetrunken?«

»Für diese Nacht, ja.«

»Dann geh. Der Fluß ist zum Trinken da, nicht zum Besudeln. Keiner außer dem Lahmen Tiger würde so mit seinem

Recht prahlen in dieser Zeit, wo – wo wir alle zusammen leiden – Menschen und Dschungel-Volk gleichermaßen. Rein oder unrein, geh fort zu deinem Lager, Shere Khan!«

Die letzten Wörter klangen auf wie silberne Trompeten, und Hathis drei Söhne schaukelten einen halben Schritt vorwärts, obgleich es nicht nötig war. Shere Khan schlich davon; er wagte nicht zu knurren, denn er wußte – was jeder andere auch weiß –, wenn es zum Äußersten kommt, ist Hathi der Herr des Dschungels.

»Was ist mit diesem Recht, von dem Shere Khan redet?« flüsterte Mowgli in Bagheeras Ohr. »Mensch töten ist *immer* schändlich. So sagt es das Gesetz. Und trotzdem sagt Hathi...«

»Frag ihn. Ich weiß es nicht, Kleiner Bruder. Recht oder kein Recht, wenn Hathi nicht gesprochen hätte, hätte ich diesem lahmen Schlächter eine Lehre erteilt. Zum Friedensfelsen kommen, wenn man gerade frisch einen Menschen getötet hat – und damit zu prahlen – das ist der Streich eines Schakals. Außerdem hat er das gute Wasser verschmutzt.«

Mowgli wartete eine Minute, um seinen Mut zusammenzuraffen, denn niemand redet gern Hathi direkt an, und dann rief er: »Was ist Shere Khans Recht, o Hathi?« Beide Ufer gaben seine Worte zurück, denn alle Völker des Dschungels sind sehr neugierig, und sie hatten eben etwas gesehen, das keiner – außer Baloo, der sehr nachdenklich wirkte – zu verstehen schien.

»Es ist eine alte Geschichte«, sagte Hathi; »eine Geschichte, die älter ist als der Dschungel. Seid ruhig an den Ufern, dann erzähle ich sie.«

Eine oder zwei Minuten lang wurde bei den Schweinen und Büffeln geschoben und gedrängelt, und dann knurrten die Herdenführer einer nach dem anderen: »Wir warten«, und Hathi schritt vorwärts, bis er fast bis zu den Knien im Teich am Friedensfelsen stand. Hager und runzlig und mit gelben

Stoßzähnen, aber dennoch sah er aus wie das, als was das Dschungel-Volk ihn kannte – ihr Meister.

»Ihr wißt, Kinder«, begann er, »daß ihr von allen Dingen am meisten den Menschen fürchtet«; und zustimmendes Gemurmel war zu hören.

»Diese Geschichte geht dich an, Kleiner Bruder«, sagte Bagheera zu Mowgli.

»Mich? Ich gehöre zum Rudel – ein Jäger des Freien Volkes«, antwortete Mowgli. »Was habe ich mit den Menschen zu schaffen?«

»Ihr wißt aber nicht, weshalb ihr den Menschen fürchtet?« fuhr Hathi fort. »Dies ist der Grund. Zu Beginn des Dschungels, und keiner weiß, wann das war, gingen wir vom Dschungel alle zusammen und hatten keine Furcht voreinander. In jenen Tagen gab es keine Dürre, und Blätter und Blumen und Früchte wuchsen auf demselben Baum, und wir aßen nichts als Blätter und Blumen und Gras und Früchte und Rinde.«

»Ich bin froh, daß ich nicht in dieser Zeit geboren wurde«, sagte Bagheera. »Rinde ist nur gut, um die Krallen daran zu wetzen.«

»Und der Herr des Dschungels war Tha, der Erste der Elefanten. Mit seinem Rüssel zog er den Dschungel aus tiefen Wassern; und wo er mit seinen Zähnen Furchen im Boden machte, da flossen Ströme; und wo er mit dem Fuß aufstampfte, da bildeten sich Teiche mit gutem Wasser; und wenn er durch seinen Rüssel blies – so –, stürzten die Bäume. So wurde der Dschungel von Tha gemacht; und so wurde mir die Geschichte erzählt.«

»Sie hat beim langen Erzählen kein Fett verloren«, flüsterte Bagheera, und Mowgli lachte hinter vorgehaltener Hand.

»In jenen Tagen gab es kein Korn oder Melonen oder Pfeffer oder Zuckerrohr, und auch keine kleinen Hütten, wie ihr sie alle kennt; und die Dschungel-Leute wußten nichts vom Menschen, sondern sie lebten zusammen im Dschungel als ein Volk.

Aber bald begannen sie sich um ihr Essen zu streiten, obwohl es genug für alle zu grasen gab. Sie waren faul. Jeder wollte dort essen, wo er gerade lag, wie wir es auch heute noch manchmal tun können, wenn die Frühlingsregen gut sind. Tha, der Erste der Elefanten, war damit beschäftigt, neue Dschungel zu machen und die Flüsse in ihr Bett zu leiten. Er konnte nicht überall sein; deshalb machte er den Ersten der Tiger zum Meister und Richter des Dschungels, und ihm sollten die Dschungel-Leute ihre Streitigkeiten vorlegen. In jenen Tagen aß der Erste der Tiger Früchte und Gras wie die anderen. Er war so groß wie ich, und er war sehr schön, am ganzen Leib gefärbt wie die Blüte der gelben Schlingpflanze. Kein Streifen oder Flecken war auf seiner Haut in jenen guten Tagen, als dieser Dschungel neu war. Alle Dschungel-Leute kamen zu ihm ohne Furcht, und sein Wort war das Gesetz des ganzen Dschungels. Damals, erinnert euch, waren wir *ein* Volk.

Aber in einer Nacht gab es einen Streit zwischen zwei Bökken – ein Weide-Gezänk, wie ihr es heute mit den Hörnern und Vorderfüßen beilegt –, und es heißt, als die beiden gemeinsam zum Ersten der Tiger sprachen, der zwischen den Blumen lag, stieß ein Bock ihn mit seinen Hörnern, und der Erste der Tiger vergaß, daß er Meister und Richter des Dschungels war, und er sprang diesen Bock an und brach ihm das Genick.

Bis zu dieser Nacht war keiner von uns je gestorben, und als der Erste der Tiger sah, was er getan hatte, und weil der Geruch des Blutes ihn toll machte, lief er fort in die Sümpfe des Nordens, und wir vom Dschungel, ohne einen Richter zurückgelassen, begannen untereinander zu kämpfen; und Tha hörte den Lärm und kam zurück. Dann sagten einige von uns dies, und andere sagten das, aber er sah den toten Bock zwischen den Blumen und fragte, wer getötet habe, und wir vom Dschungel wollten es nicht sagen, weil der Geruch des Bluts uns toll machte. Wir rannten hin und her im Kreis, hüpften und schrien und schüttelten die Köpfe. Da gab Tha den tiefhängenden Bäumen und den baumelnden Schlingpflanzen des Dschungels den Befehl, den Mörder des Bocks mit einem Zeichen zu versehen, damit er ihn erkennen könne, und er sagte: ›Wer will nun Meister der Dschungel-Leute sein?‹ Da sprang der Graue Affe vor, der in den Ästen lebt, und sagte: ›Ich will jetzt Meister des Dschungels sein.‹ Da lachte Tha und sagte: ›So sei es‹, und er ging sehr zornig fort.

Kinder, ihr kennt den Grauen Affen. Damals war er, wie er nun ist. Zu Anfang setzte er ein kluges Gesicht auf, aber nach kurzer Zeit begann er sich zu kratzen und auf und nieder zu hüpfen, und als Tha zurückkehrte, fand er den Grauen Affen kopfüber von einem Ast hängend, wie er die verspottete, die unter ihm standen; und sie verspotteten ihn. Und so gab es damals kein Gesetz im Dschungel – nur närrisches Gerede und sinnlose Worte.

Da rief Tha uns alle zusammen und sagte: ›Der erste eurer Herren hat Tod in den Dschungel gebracht, und der zweite Schande. Nun ist es Zeit, daß es ein Gesetz gebe, und zwar ein Gesetz, das ihr nicht brechen dürft. Nun sollt ihr Furcht kennen, und wenn ihr ihn gefunden habt, werdet ihr wissen, daß er euer Herr ist, und alles andere wird folgen.‹ Da sagten wir vom Dschungel: ›Wer ist Furcht?‹ Und Tha sagte: ›Sucht, bis ihr findet.‹ Also zogen wir im Dschungel hin und her und suchten Furcht, und bald kamen die Büffel . . .«

»Ugh!« sagte Mysa, der Anführer der Büffel, von der Sandbank aus.

»Ja, Mysa, es waren die Büffel. Sie kamen zurück mit der Nachricht, daß in einer Höhle im Dschungel Furcht saß, kein Haar hatte und auf den Hinterbeinen ging. Dann folgten wir vom Dschungel der Herde, bis wir zu dieser Höhle kamen, und Furcht stand am Eingang der Höhle und er war, wie die Büffel gesagt hatten, unbehaart, und er ging auf seinen Hinterbeinen. Als er uns sah, schrie er, und seine Stimme füllte uns mit der Furcht, die wir nun vor dieser Stimme empfinden, wenn wir sie hören, und wir liefen fort und zerstampften und zerrissen einander dabei, weil wir Angst hatten. In dieser Nacht, so wurde mir erzählt, haben wir vom Dschungel uns nicht miteinander niedergelegt, wie wir es gewöhnt waren, sondern jeder Stamm ging für sich fort – Schwein mit Schwein, Hirsch mit Hirsch; Horn zu Horn, Huf zu Huf –, Gleich hielt sich an Gleich und lag so bebend im Dschungel.

Nur der Erste der Tiger war nicht bei uns, denn er verbarg sich noch immer in den Marschen des Nordens, und als er von dem Ding erfuhr, das wir in der Höhle gesehen hatten, sagte er: ›Ich will zu diesem Ding gehen und ihm das Genick brechen.‹ Also lief er die ganze Nacht hindurch, bis er zu der Höhle kam; aber die Bäume und die Schlingpflanzen an seinem Weg erinnerten sich an den Befehl, den Tha gegeben hatte, ließen ihre Zweige hängen und zeichneten ihn, während er lief, indem sie ihre Finger über seinen Rücken, seine Flanke, seine Stirn und seine Backe zogen. Wo immer sie ihn berührten, kam ein Zeichen und ein Streifen auf sein gelbes Fell. *Und diese Streifen tragen seine Kinder bis zum heutigen Tag!* Als er zur Höhle kam, streckte Furcht, der Haarlose, die Hand aus und nannte ihn ›Der Gestreifte der in der Nacht kommt‹, und der Erste der Tiger fürchtete sich vor dem Haarlosen und rannte heulend zurück zu den Sümpfen.«

An dieser Stelle kicherte Mowgli leise, das Kinn im Wasser.

»So laut heulte er, daß Tha ihn hörte und sagte: ›Was ist dies für ein Kummer?‹ Und der Erste der Tiger hob seine Schnauze zum neu geschaffenen Himmel, der nun so alt ist, und sagte: ›Gib mir meine Macht zurück, o Tha. Vor dem ganzen Dschungel werde ich beschämt, und ich bin vor einem Haarlosen fortgelaufen, und er hat mich bei einem schändlichen Namen gerufen.‹ ›Und warum?‹ sagte Tha. ›Weil ich verschmiert bin vom Schlamm der Sümpfe‹, sagte der Erste der Tiger. ›Dann schwimm und wälz dich im nassen Gras, und wenn es Schlamm ist, kannst du es abwaschen‹, sagte Tha; und der Erste der

Tiger schwamm, und er wälzte und wälzte sich im Gras, bis der Dschungel vor seinen Augen rund und herum tanzte, aber kein einziger kleiner Fleck auf all seiner Haut veränderte sich, und Tha, der ihn betrachtete, lachte. Da sagte der Erste der Tiger: ›Was habe ich getan, daß dies über mich kommt?‹ Tha sagte: ›Du hast den Bock getötet, und du hast den Tod freigelassen im Dschungel, und mit dem Tod ist Furcht gekommen, so daß die Völker des Dschungels nun voreinander Angst haben, wie du Angst hast vor dem Haarlosen.‹ Der Erste der Tiger sagte: ›Mich werden sie nie fürchten, denn ich habe sie seit dem Anfang gekannt.‹ Tha sagte: ›Geh und sieh.‹ Und der Erste der Tiger rannte hin und her, rief laut nach dem Hirsch und dem Schwein und dem Sambhur und dem Stachelschwein und allen Dschungel-Völkern, und sie alle liefen fort vor ihm, der ihr Richter gewesen war, weil sie sich fürchteten.

Da kam der Erste der Tiger zurück, und sein Stolz war gebrochen in ihm, und er schlug seinen Kopf auf den Boden, riß mit allen Füßen die Erde auf und sagte: ›Bedenke, daß ich einst der Herr des Dschungels war. Vergiß mich nicht, o Tha! Laß meine Kinder sich erinnern, daß ich einmal ohne Scham und Furcht war!‹ Und Tha sagte: ›So viel will ich tun, weil du und ich gemeinsam den Dschungel werden sehen. Für eine Nacht in jedem Jahr soll es sein wie es war, ehe der Bock getötet wurde – für dich und für deine Kinder. In dieser einen Nacht, wenn ihr den Haarlosen trefft – und sein Name ist Mensch –, sollt ihr keine Angst vor ihm haben, sondern er soll sich vor euch fürchten, als ob ihr Richter des Dschungels und Herr aller Dinge wärt. Erweise ihm Gnade in dieser Nacht seiner Angst, denn du hast erfahren, was Furcht ist.‹

Darauf antwortete der Erste der Tiger: ›Ich bin zufrieden‹; aber als er das nächste Mal trank, sah er die schwarzen Streifen auf seiner Flanke und seiner Seite, und er erinnerte sich an den Namen, den der Haarlose ihm gegeben hatte, und er war zornig. Ein Jahr lang lebte er in den Marschen und wartete, ob Tha sein Versprechen halten würde. Und in einer Nacht, als der Schakal des Mondes [der Abendstern] hell mitten über dem Dschungel stand, spürte er, daß seine Nacht gekommen war, und er ging zu jener Höhle, um dem Haarlosen zu begegnen. Dann geschah es, wie Tha versprochen hatte, denn der Haarlose fiel vor ihm nieder und lag auf dem Boden, und der Erste der Tiger hieb nach ihm und brach ihm den Rücken, denn er meinte, es gebe nur ein solches Ding im Dschungel, und nun habe er Furcht getötet. Dann, als er witternd über der erlegten Beute stand, hörte er Tha aus den Wäldern des Nordens herabkommen, und bald hörte er die Stimme des Ersten der Elefanten, die Stimme, die wir jetzt hören . . .«

Der Donner rollte die trockenen, vernarbten Hügel hinauf und hinab, aber er brachte keinen Regen – nur Hitzeblitze flackerten die Felssimse entlang –, und Hathi fuhr fort: »*Das* war die Stimme, die er hörte, und sie sagte: ›Ist dies deine Gnade?‹ Der Erste der Tiger leckte sich die Lippen und sagte: ›Was macht es denn? Ich habe Furcht getötet.‹ Und Tha sagte: ›O du blinder Narr! Du hast die Füße des Todes losgebunden, und er wird deiner Fährte folgen, bis du stirbst. Du hast den Menschen das Töten gelehrt!‹

Der Erste der Tiger stand steif neben seiner Beute und sagte: ›Er ist, wie der Bock war. Es gibt keine Furcht mehr. Nun werde ich wieder über die Dschungel-Völker richten.‹

Und Tha sagte: ›Nie wieder werden die Dschungel-Völker zu dir kommen. Sie werden nicht deinen Weg kreuzen noch in deiner Nähe schlafen noch dir nachfolgen noch sich bei deinem Lager aufhalten. Nur Furcht wird dir folgen, und mit einem Hieb, den du nicht sehen kannst, wird er dich zwingen, ihm zu Willen zu sein. Er wird sorgen, daß sich der Boden unter deinen Füßen öffnet und die Schlingpflanze sich um deinen Nacken windet und die Baumstämme um dich her höher wachsen als du springen kannst, und schließlich wird er dein Fell nehmen, um seine Jungen hineinzuwickeln, wenn ihnen kalt ist. Du hast ihm keine Gnade gezeigt, und er wird dir keine zeigen.‹

Der Erste der Tiger war sehr kühn, denn noch war seine Nacht über ihm, und er sagte: ›Thas Versprechen ist Thas Versprechen. Er wird meine Nacht nicht fortnehmen?‹ Und Tha sagte: ›Die eine Nacht ist dein, wie ich gesagt habe, aber ein Preis ist dafür zu entrichten. Du hast den Menschen das Töten gelehrt, und er lernt schnell.‹

Der Erste der Tiger sagte: ›Hier liegt er unter meinem Fuß, und sein Rücken ist gebrochen. Der Dschungel soll erfahren, daß ich Furcht getötet habe.‹

Da lachte Tha und sagte: ›Du hast einen von vielen getötet, aber du selbst sollst es dem Dschungel erzählen – denn deine Nacht ist beendet.‹

Also kam der Tag; und aus der Öffnung der Höhle trat ein anderer Haarloser, und er sah die tote Beute auf dem Pfad und den Ersten der Tiger darüber, und er nahm einen spitzen Stock . . .«

»Heute werfen sie mit einem Ding das schneidet«, sagte Ikki, der rasselnd das Ufer herabkam; denn Ikki galt bei den Gonds als ungemein leckeres Essen – sie nannten ihn Ho-Igoo –, und er wußte etwas von der bösen kleinen Gondi-Axt, die wie eine Libelle über eine Lichtung wirbelt.

»Es war ein Stock mit Spitze, wie sie sie auf dem Grund einer Fallgrube anbringen«, sagte Hathi, »und er warf ihn und traf den Ersten der Tiger tief in die Flanke. So kam es wie Tha gesagt hatte, denn der Erste der Tiger rannte heulend im Dschungel auf und ab, bis er den Stock herausgezogen hatte, und der ganze Dschungel erfuhr, daß der Haarlose von fern zuschlagen konnte, und sie fürchteten sich noch mehr als zuvor. So kam es, daß der Erste der Tiger den Haarlosen das Töten lehrte – und ihr wißt, welchen Schaden das seither all unseren Völkern zugefügt hat –, mit Schlinge und Grube und verborgener Falle und fliegendem Stock und der stechenden Fliege, die aus dem weißen Rauch kommt [Hathi meinte das Gewehr], und der Roten Blume, die uns ins Freie treibt. Aber eine Nacht im Jahr fürchtet der Haarlose den Tiger, wie Tha versprochen hat, und nie hat der Tiger ihm Grund gegeben, weniger Angst zu haben. Wo er ihn findet, tötet er ihn, im Gedenken daran, wie der Erste der Tiger beschämt wurde. Im übrigen geht Furcht im Dschungel auf und nieder, Tag und Nacht.«

»*Ahi! Aoo!*« sagten die Hirsche, die daran dachten, was dies alles für sie bedeutete.

»Und nur wenn eine große Furcht über allen liegt, wie jetzt, können wir vom Dschungel unsere kleinen Fürchte ablegen und an einem Platz zusammenkommen, so wie heute.«

»Nur in einer einzigen Nacht fürchtet der Mensch den Tiger?« sagte Mowgli.

»Nur in einer einzigen Nacht«, sagte Hathi.

»Aber ich – aber wir – aber der ganze Dschungel weiß, daß Shere Khan zwei- und dreimal in einem Mond Menschen tötet.«

»Das stimmt. Aber *dann* springt er von hinten und wendet den Kopf ab wenn er schlägt, weil er voller Furcht ist. Wenn der Mensch ihn anschaute, würde er fortlaufen. Aber in dieser einen Nacht geht er ganz offen zum Dorf hinunter. Er spaziert zwischen den Häusern hindurch und steckt seinen Kopf in den Eingang, und die Menschen fallen auf ihr Gesicht, und so tötet er. *Ein* Töten in dieser Nacht.«

»Oh!« sagte Mowgli zu sich selbst und wälzte sich im Wasser herum. »*Jetzt* weiß ich, warum Shere Khan wollte, daß ich ihn ansehe! Es hat ihm aber nichts genützt, er konnte ja seine Augen nicht ruhig halten, und – und ich bin ihm ganz bestimmt nicht zu Füßen gefallen. Aber ich bin ja auch kein Mensch, sondern ich gehöre zum Freien Volk.«

»*Umm!*« sagte Bagheera tief in seiner pelzigen Kehle. »Kennt der Tiger seine Nacht?«

»Erst dann, wenn der Schakal des Mondes hell über dem Abendnebel steht. Manchmal ist das im trockenen Sommer und manchmal in den nassen Regenzeiten – diese eine Nacht des Tigers. Ohne den Ersten der Tiger wäre es nicht dazu gekommen, und es hätte auch keiner von uns Furcht gekannt.«

Die Hirsche ächzten kummervoll, und Bagheeras Lippen kräuselten sich in einem bösen Lächeln. »Kennen die Menschen diese – Geschichte?« sagte er.

»Keiner kennt sie außer den Tigern, und uns, den Elefanten – den Kindern von Tha. Nun habt ihr an den Teichen sie gehört, und ich habe gesprochen.«

Hathi tauchte seinen Rüssel ins Wasser, zum Zeichen, daß er nicht mehr sprechen wollte.

»Aber – aber – aber«, sagte Mowgli, zu Baloo gewandt, »warum hat denn der Erste der Tiger nicht weiter Gras und Blätter und Bäume gegessen? Er hat dem Bock doch nur das Genick gebrochen. Er hat nicht *gegessen*. Was hat ihn zum heißen Fleisch gebracht?«

»Die Bäume und die Schlingpflanzen haben ihn gezeichnet, Kleiner Bruder, und zu dem gestreiften Ding gemacht, das wir sehen. Er wollte nie wieder ihre Früchte essen; aber von dem Tag an hat er sich an den Hirschen und den anderen gerächt, den Grasessern«, sagte Baloo.

»Dann hast *du* die Geschichte gekannt. Heh? Warum habe ich sie nie gehört?«

»Weil der Dschungel voll ist von solchen Geschichten. Wenn ich einmal damit anfinge, gäbe es kein Ende. Laß mein Ohr los, Kleiner Bruder.«

THE LAW OF THE JUNGLE

Just to give you an idea of the immense variety of the Jungle Law, I have translated into verse (Baloo always recited them in a sort of sing-song) a few of the laws that apply to the wolves. There are, of course, hundreds and hundreds more, but these will do for specimens of the simpler rulings.

Now this is the Law of the Jungle—as old and as true as the sky;
And the Wolf that shall keep it may prosper, but the Wolf that shall
*   break it must die.*

As the creeper that girdles the tree-trunk the Law runneth forward and
*   back—*
For the strength of the Pack is the Wolf, and the strength of the Wolf is
*   the Pack.*

Wash daily from nose-tip to tail-tip; drink deeply, but never too
        deep;
And remember the night is for hunting, and forget not the day is
        for sleep.

The Jackal may follow the Tiger, but, Cub, when thy whiskers
        are grown,
Remember the Wolf is a hunter—go forth and get food of thine
        own.

Keep peace with the Lords of the Jungle—the Tiger, the Pan-
        ther, the Bear;
And trouble not Hathi the Silent, and mock not the Boar in his
        lair.

When Pack meets with Pack in the Jungle, and neither will go
    from the trail,
Lie down till the leaders have spoken—it may be fair words
    shall prevail.

When ye fight with a Wolf of the Pack, ye must fight him alone
    and afar,
Lest others take part in the quarrel, and the Pack be diminished
    by war.

The Lair of the Wolf is his refuge, and where he has made him
    his home,
Not even the Head Wolf may enter, not even the Council may
    come.

The Lair of the Wolf is his refuge, but where he has digged it too
    plain,
The Council shall send him a message, and so he shall change it
    again.

If ye kill before midnight, be silent, and wake not the woods
    with your bay,
Lest ye frighten the deer from the crops, and the brothers go
    empty away.

Ye may kill for yourselves, and your mates, and your cubs as
    they need, and ye can;
But kill not for pleasure of killing, and *seven times never kill Man*.

If ye plunder his Kill from a weaker, devour not all in thy pride;
Pack-Right is the right of the meanest; so leave him the head and
    the hide.

The Kill of the Pack is the meat of the Pack. Ye must eat where it
    lies;
And no one may carry away of that meat to his lair, or he dies.

The Kill of the Wolf is the meat of the Wolf. He may do what he
    will,
But, till he has given permission, the Pack may not eat of that
    Kill.

Cub-Right is the right of the Yearling. From all of his Pack he
    may claim
Full-gorge when the killer has eaten; and none may refuse him
    the same.

Lair-Right is the right of the Mother. From all of her year she
    may claim
One haunch of each kill for her litter, and none may deny her
    the same.

Cave-Right is the right of the Father—to hunt by himself for his
    own:
He is freed of all calls to the Pack; he is judged by the Council
    alone.

Because of his age and his cunning, because of his gripe and his
    paw,
In all that the Law leaveth open, the word of the Head Wolf is
    Law.

Now these are the Laws of the Jungle, and many and mighty are they;
But the head and the hoof of the Law and the haunch and the hump
    is—Obey!

DAS GESETZ DES DSCHUNGELS

Nur um euch eine Vorstellung von der ungeheuren Vielfalt des Dschungel-Geset-
zes zu geben, habe ich einige der für die Wölfe gültigen Gesetze als Verse übersetzt (Baloo rezitierte sie immer in einer Art Singsang). Natürlich gibt es Hunderte und Aberhunderte mehr, aber als Musterbeispiele für die einfacheren
Regeln mögen diese genügen.

Dies ist das Gesetz des Dschungels – so alt und so wahr wie der Himmel;
und der Wolf der es achtet gedeihe, doch der Wolf der es bricht muß sterben.

Wie Lianen den Baumstamm umgürten, so läuft vor und zurück das
        Gesetz –
denn der Wolf ist die Stärke des Rudels, und das Rudel die Stärke des
        Wolfs.

Wasch dich täglich vom Schwanz bis zur Nase; trink tief aber
        niemals zu tief;
und bedenke: Die Nacht ist fürs Jagen; und vergiß nicht: der
        Tag für den Schlaf.

Der Schakal mag dem Tiger folgen, aber, Wölfling, wenn dein
        Bart gewachsen ist,
bedenke, der Wolf ist ein Jäger – zieh los und beschaff dein
        Essen selbst.

Halt Frieden mit den Herren des Dschungels – dem Tiger, dem
        Panther, dem Bären;
und plag nicht Hathi den Schweigsamen, und verspotte nicht
        den Keiler in seinem Lager.

Trifft Rudel im Dschungel auf Rudel und keines will weichen
vom Weg,
leg dich hin, bis die Führer gesprochen haben – vielleicht siegen
freundliche Worte.

Kämpfst du mit einem Wolf deines Rudels, bekämpf ihn allein
und entfernt,
daß nicht andere teilnehmen an dem Streit und Krieg das Rudel
vermindert.

Das Lager des Wolfs ist seine Zuflucht, und wo er sein Heim
gemacht hat,
darf nicht einmal der Haupt-Wolf eintreten, darf nicht einmal
der Rat hinkommen.

Das Lager des Wolfs ist seine Zuflucht, aber wo er es zu offen
angelegt hat,
soll der Rat ihm eine Botschaft schicken, und er soll es ändern.

Tötet ihr vor Mitternacht, seid leise, weckt den Wald nicht mit
eurem Gebell,
sonst schreckt ihr die Hirsche in den Feldern auf, und eure
Brüder gehen leer davon.

Töten mögt ihr für euch, eure Gefährtinnen, eure Jungen, wie
sie es brauchen, wenn ihr könnt;
aber tötet niemals zum Vergnügen, und *siebenmal nie einen
Menschen*.

Nimmst du einem Schwächeren die Beute, so verschling nicht
alles voll Stolz;
Rudel-Recht ist das Recht des Geringsten; darum laß ihm den
Kopf und das Fell.

Rudel-Beute ist Rudel-Fleisch. Du mußt es dort essen, wo es
    liegt;
und davon darf keiner ein Stück in sein Lager bringen, sonst
    stirbt er.

Wolfs-Beute ist Wolfs-Fleisch. Er mag damit tun, was immer er
    will,
aber bis er Erlaubnis hierzu gab, darf das Rudel davon nicht
    essen.

Wölflings-Recht ist das Recht des Jährlings. Von jedem seines
    Rudels darf er
Voll-Kehle verlangen, wenn der Töter gegessen hat; und keiner
    darf es ihm verweigern.

Lager-Recht ist das Recht der Mutter. Von allen ihres Jahres
    darf sie fordern
eine Keule von jedem Töten für ihren Wurf, und keiner darf ihr
    dies vorenthalten.

Höhlen-Recht ist das Recht des Vaters – allein für sich zu jagen:
Er ist von allen Anforderungen des Rudels frei; er wird vom Rat
    allein beurteilt.

Wegen seines Alters und seiner Schlauheit, wegen seines Bisses
    und seiner Tatze
ist bei allem, was das Gesetz offen läßt, das Wort des Haupt-
    Wolfs Gesetz.

Dies sind die Gesetze des Dschungels, und viele und machtvoll sind sie;
aber Haupt und Huf des Gesetzes und Hüfte und Höcker ist – Gehorch!

DAS WUNDER DES PURUN BHAGAT

The night we felt the earth would move
  We stole and plucked him by the hand,
Because we loved him with the love
  That knows but cannot understand.

And when the roaring hillside broke,
  And all our world fell down in rain,
We saved him, we the Little Folk;
  But lo! he does not come again!

Mourn now, we saved him for the sake
  . Of such poor love as wild ones may.
Mourn ye! Our brother will not wake,
  And his own kind drive us away!
                    Dirge of the Langurs.

[In der Nacht da wir fühlten, die Erde würde sich bewegen,
    schlichen wir hin und zupften ihn an der Hand,
denn wir liebten ihn mit jener Liebe,
    die weiß, aber nicht verstehen kann.

Und als der röhrende Berghang brach
    und unsre ganze Welt im Regen niederfiel,
retteten wir ihn, wir, das Kleine Volk;
    doch ach! er kommt nicht wieder!

Trauert nun; wir retteten ihn wegen solch
    ärmlicher Liebe wie Wildes sie haben kann.
Trauert, ihr! Unser Bruder wird nicht erwachen,
    und seine eigenen Leute werden uns verjagen!
                    Klagegesang der Languren]

Es gab in Indien einmal einen Mann, der war Premierminister eines der halbunabhängigen Eingeborenenstaaten im nordwestlichen Teil des Landes. Er war Brahmane, von so hoher Kaste, daß Kasten für ihn jede besondere Bedeutung verloren; und sein Vater war ein wichtiger Beamter gewesen im fröhlichen bunten Gewimmel eines altmodischen Hindu-Herrscherhofs. Aber als Purun Dass heranwuchs, spürte er, daß die alte Ordnung der Dinge sich änderte, und daß man sich, wenn man in der Welt weiterkommen wollte, mit den Engländern gutstellen und alles nachahmen mußte, was die Engländer für gut hielten. Gleichzeitig mußte ein eingeborener Beamter jedoch die Gunst seines eigenen Herrn behalten. Das war ein schwieriges Spiel, aber der ruhige, verschwiegene junge Brahmane, dem eine gute englische Ausbildung an einer Universität in Bombay half, spielte es kühl und stieg Stufe um Stufe zum Premierminister des Königreichs auf. Das heißt, er verfügte über mehr wirkliche Macht als sein Herr, der Maharadscha.

Als der alte König – der den Engländern, ihren Eisenbahnen und Telegraphen mißtraute – starb, stand Purun Dass in hohem Ansehen bei seinem jungen Nachfolger, der von einem Engländer erzogen worden war; und beide zusammen, wenn Purun Dass auch immer dafür sorgte, daß der Ruhm seinem Herrn zufiel, richteten Schulen für kleine Mädchen ein, legten Straßen an, bauten eine staatliche Krankenversorgung auf, machten ihre Leute mit neuem landwirtschaftlichen Werkzeug bekannt und veröffentlichten ein jährliches Blaubuch über den »Geistigen und materiellen Fortschritt des Staats«, und das englische Außenministerium und die Regierung Indiens waren entzückt. Sehr wenige Eingeborenenstaaten nehmen überhaupt den englischen Fortschritt an, weil sie nicht glauben mögen – anders, als Purun Dass dies für sich bewies –, daß etwas, was für den Engländer gut ist, für den Asiaten doppelt so gut sein muß. Der Premierminister wurde zum geehrten Freund von Vizekönigen und Gouverneuren und Stellvertretenden Gouverneuren und medizinischen Missionaren und gewöhnlichen Missionaren und sattelfesten englischen Offizieren, die zum Jagen in die staatlichen Wildreservate kamen, und außerdem von ganzen Heerscharen von Touristen, die in der kalten Jahreszeit in Indien auf und ab reisten und den Leuten zeigten, wie man die Dinge eigentlich handhaben sollte. In seiner Mußezeit stiftete er Stipendien für das Medizinstudium, gründete Fabriken genau nach englischem Vorbild und schrieb Briefe an den *Pio-*

neer, die größte indische Tageszeitung, in denen er die Ziele und Absichten seines Herrn darlegte.

Schließlich reiste er zu einem Besuch nach England und mußte nach seiner Rückkehr ungeheure Summen an die Priester zahlen; denn selbst ein Brahmane von so hoher Kaste wie Purun Dass verlor Kaste durch die Überquerung der schwarzen See. In London traf und sprach er alle, die man überhaupt nur kennen muß – Männer, deren Namen auf der ganzen Welt bekannt sind –, und sah sehr viel mehr als er sagte. Gelehrte Universitäten verliehen im Ehrendoktorate, und vor englischen Ladies in Abendkleidern hielt er Reden und sprach über soziale Reformen bei den Hindus, bis ganz London rief: »Das ist der faszinierendste Mann, den wir je bei einem Dinner getroffen, seit es Tischdecken gibt.«

Als er nach Indien zurückkehrte, loderte der Ruhm, denn der Vizekönig persönlich machte einen Sonderbesuch, um dem Maharadscha das Großkreuz des Sterns von Indien zu verleihen – lauter Diamanten und Bänder und Emaille; und bei der gleichen Zeremonie, während die Kanone dröhnte, wurde Purun Dass zum Großmeister des Ordens des Indischen Empire ernannt, so daß sein Name nun geschrieben wurde Sir Purun Dass, K. C. I. E.

An diesem Abend, beim Dinner im großen vizeköniglichen Zelt, erhob er sich, mit dem Abzeichen und der Kette des Ordens auf der Brust, und hielt in Erwiderung des Trinkspruchs auf die Gesundheit seines Herren eine Rede, die nur wenige Engländer hätten übertreffen können.

Einen Monat danach, als die Stadt zu ihrer sonnenversengten Ruhe zurückgekehrt war, tat er etwas, woran kein Engländer auch nur im Traum gedacht hätte; soweit nämlich die Angelegenheiten der Welt betroffen waren, starb er. Der juwelenbesetzte Orden seiner Ritterschaft ging zurück an die indische Regierung, ein neuer Premierminister wurde mit der Leitung der Staatsgeschäfte betraut, und in allen untergeordneten Stellen begann das Große Allgemeine Postenspiel. Die Priester wußten, was geschehen war, und die Leute ahnten es; aber Indien ist der einzige Platz auf der Welt, wo ein Mann tun kann, was ihm beliebt, ohne daß einer nach dem Grund fragt; und die Tatsache, daß der Dewan Sir Purun Dass, K. C. I. E., Amt, Palast und Macht aufgegeben und die Bettelschale und das ockerfarbene Gewand eines *sanyasi* oder heiligen Mannes ergriffen hatte, galt in keiner Weise als ungewöhnlich. Wie das Alte Gesetz es empfiehlt, war er zwanzig Jahre ein Jüngling, zwanzig Jahre ein Kämpfer – wenn er auch in seinem Leben nie eine Waffe getragen hatte – und zwanzig Jahre Haupt eines Hausstandes gewesen. Er hatte seinen Reichtum und seine Macht gemäß ihrem Wert, den er gut kannte, genutzt; Ehre hatte er angenommen, wenn sie sich ihm darbot; nah und fern hatte er Männer und Städte gesehen, und Männer und Städte hatten sich erhoben und ihn geehrt. Nun wollte er diese Dinge fahren lassen, wie einer den Mantel fallen läßt, den er nicht mehr braucht.

Hinter ihm, als er durch das Stadttor ging, ein Antilopenfell und die Krücke mit Messinggriff unterm Arm und eine Bettelschale aus polierter brauner Meerkokos in der Hand, barfuß, allein, die Augen auf den Boden gerichtet – hinter ihm feuerte man auf den Bastionen Salutschüsse zu Ehren seines glücklichen Nachfolgers ab. Purun Dass nickte. Dieses ganze Leben war beendet; und er brachte für es nicht mehr Übel- oder Wohlwollen auf, als man für einen verblaßten Traum der Nacht empfindet. Er war ein *sanyasi* – ein unbehauster, wandernder Bettler, von seinen Nächsten abhängig für sein tägliches Brot; und solange es in Indien noch einen Bissen gibt, den man teilen kann, hungert kein Priester und kein Bettler. Er hatte nie in seinem Leben Fleisch gekostet und selbst Fisch nur sehr selten gegessen. In jedem der Jahre, in denen er absoluter Herr über Millionensummen gewesen war, hätte eine Fünf-Pfund-Note seinen persönlichen Bedarf an Nahrung abgedeckt. Sogar als er der Held des Tages in London gewesen war, hatte er sich seinen Traum von Friede und Ruhe vorgehalten – die lange, weiße, staubige indische Straße, überall vom Abdruck nackter Füße bedeckt, der unaufhörliche, gemächliche Verkehr und der scharfriechende Holzrauch, der sich im Zwielicht unter den Feigenbäumen emporkräuselt, wo die Wanderer bei ihrem Abendmahl sitzen.

Als die Zeit kam, diesen Traum wahrzumachen, unternahm der Premierminister die nötigen Schritte, und drei Tage später hätte man leichter ein bestimmtes Bläschen in den Wellentälern der langen Atlantikdünung gefunden als Purun Dass unter den schweifenden, sich versammelnden und wieder trennenden Millionen Indiens.

Nachts breitete er sein Antilopenfell aus, wo ihn die Dunkelheit einholte – manchmal in einem *sanyasi*-Kloster am Straßenrand; manchmal bei einem Lehmsäulen-Schrein für Kala Pir, wo die *yogis*, eine weitere nebelhafte Gruppe heiliger Männer, ihn so zu empfangen pflegten wie jene es tun, die wissen, was Kasten und Gruppen wert sind; manchmal am Rand eines kleinen Hindudorfs, wo sich die Kinder mit dem von ihren Eltern bereiteten Essen zu ihm stahlen; und manchmal mitten auf einem nackten Weidegrund, wo die Flamme seines Stockfeuers die schläfrigen Kamele weckte. Es war dies alles eins für Purun Dass – oder Purun Bhagat, wie er sich nun nannte. Erde, Menschen und Nahrung waren alles eins. Unbewußt jedoch zogen seine Füße ihn fort nach Norden und Osten; vom Süden nach Rohtak; von Rohtak nach Karnal; von Karnal zu den Ruinen von Samana und dann stromauf, das ausgetrocknete Bett des Gagar entlang, das sich nur füllt, wenn in den Bergen Regen fällt, bis er eines Tages die ferne Linie der großen Himalayas sah.

Da lächelte Purun Bhagat, denn er entsann sich, daß seine Mutter von Geburt eine Rajput-Brahmanin gewesen war, aus Kulu – eine Berg-Frau, immer voll Heimweh nach dem Schnee –, und daß der kleinste Tropfen Bergblut einen am Ende dorthin zurückzieht, wohin man gehört.

»Dort«, sagte Purun Bhagat, als er die niedrigeren Hänge der Siwaliks überwand, wo die Kakteen sich wie siebenarmige Leuchter erheben – »dort werde ich mich niedersetzen und Wissen erlangen«; und der kühle Wind von den Himalayas pfiff um seine Ohren, als er die Straße schritt, die nach Simla führt.

Das letzte Mal war er diese Straße mit großem Prunk entlanggezogen, mit einer klirrenden Kavallerieeskorte, um den liebenswürdigsten und umgänglichsten aller Vizekönige zu besuchen; und die beiden hatten sich eine Stunde über gemeinsame Freunde in London unterhalten und darüber, was das einfache indische Volk wirklich über die Dinge dachte. Diesmal stattete Purun Bhagat keine Besuche ab, sondern stützte sich auf das Geländer der Mall und genoß jenen großartigen Anblick der Ebenen, die sich unter ihm vierzig Meilen weit erstreckten, bis ein einheimischer mohammedanischer Polizist ihm sagte, er behindere den Verkehr; und Purun Bhagat verneigte sich ehrfürchtig vor dem Gesetz, da er dessen Wert kannte und ein Gesetz für sich selbst suchte. Dann ging er weiter und schlief diese Nacht in einer leeren Hütte in Chota Simla, was aussieht wie das allerletzte Ende der Erde, aber es war erst der Beginn seiner Reise.

Er folgte der Himalaya-Tibet-Straße, dem kleinen zehn Fuß breiten Weg, der aus massivem Fels gesprengt oder auf Holzstreben über tausend Fuß tiefe Abgründe gehängt ist; der in warme, feuchte, abgeschiedene Täler taucht und über kahle grasige Bergschultern wieder hinausklimmt, wo die Sonne sengt wie ein Brennglas; oder der sich durch triefende, düstere Wälder windet, wo Baumfarn die Stämme von Kopf bis Fuß kleidet und der Fasan sein Weibchen lockt. Und er traf tibetische Hirten mit ihren Hunden und Schafherden, jedes Schaf mit einem kleinen Borax-Beutel auf dem Rücken, und wandernde Holzfäller, und in Mäntel und Decken gehüllte Lamas aus Tibet, die auf Pilgerreise nach Indien kamen, und auf gestreiften und scheckigen Ponies rasend schnell vorüberpreschende Gesandte kleiner entlegener Bergstaaten, oder die Kavalkade eines Radschas auf Staatsbesuch; oder er sah einen langen klaren Tag nichts als einen schwarzen Bären, der unten im Tal knurrte und wühlte. Als er aufbrach, klang das Tosen der Welt, die er verlassen hatte, noch in seinen Ohren, wie das Tosen eines Tunnels andauert, nachdem der Zug längst hindurch ist; aber als er den Matiana-Paß hinter sich gebracht hatte, war all das vorüber, und Purun Bhagat war allein mit sich, wandernd, staunend, denkend, die Augen am Boden und die Gedanken bei den Wolken.

Eines Abends durchquerte er den höchsten Paß, dem er bis dahin begegnet war – der Aufstieg hatte zwei Tage gedauert –, und kam hinaus zu einer Linie von Schneegipfeln, die den ganzen Horizont säumte – Berge zwischen fünfzehn- und zwanzigtausend Fuß hoch, scheinbar so nah, daß man einen Stein nach ihnen werfen konnte, aber sie waren fünfzig oder sechzig Meilen entfernt. Den Paß krönte dichter dunkler Wald – Deodar, Walnuß, Wildkirsche, Wildolive und Wildbirne, aber vor allem Deodar, die Zeder der Himalayas; und im Schatten der Deodars stand ein verlassener Schrein für Kali – die Durga ist und Sitala, und die manchmal gegen die Blattern angerufen wird.

Purun Dass fegte den Steinboden sauber, lächelte der grinsenden Statue zu, baute sich an der Rückseite des Schreins eine kleine Feuerstelle aus Lehm, breitete das Antilopenfell über ein Bett aus frischen Fichtennadeln, schob den *bairagi* – die Krücke mit Messinggriff – unter die Achseln und ließ sich zur Ruhe nieder.

Gleich unter ihm fiel die Bergwand licht und gelichtet fünfzehnhundert Fuß tief ab bis zu einem kleinen Dorf von Häusern mit Steinmauern und Dächern aus gestampfter Erde, das sich an die steile Schräge klammerte. Rings um es lagen die winzigen Terrassenfelder wie Flickenschürzen auf den Knien des Berges, und Kühe, nicht größer als Käfer, grasten zwischen den glatten Steinkreisen der Tennen. Beim Blick über das Tal ließ sich das Auge von der Größe der Dinge trügen und nahm zunächst nicht wahr, daß das scheinbare Gestrüpp an der gegenüberliegenden Bergflanke in Wahrheit ein Wald aus hundert Fuß hohen Fichten war. Purun Bhagat sah einen Adler über die riesige Senke schweben, aber der große Vogel schrumpfte zu einem Punkt, ehe er halb hinübergelangt war. Einige lose Wolkenbänder zogen sich talauf und talab, hingen an einer Bergschulter oder stiegen und starben, wenn sie die Höhe des Passes erreicht hatten. Und »Hier werde ich Frieden finden«, sagte Purun Bhagat.

Nun macht sich ein Bergmensch nichts aus ein paar hundert Fuß auf- oder abwärts, und sobald die Dorfbewohner den Rauch am verlassenen Schrein sahen, klomm der Dorfpriester den terrassierten Hang hinauf, um den Fremden willkommen zu heißen.

Als er Purun Bhagats Augen begegnete – den Augen eines Mannes, der daran gewöhnt war, Tausende zu beherrschen –, verneigte er sich bis zum Boden, nahm die Bettelschale ohne ein Wort und kehrte zum Dorf zurück, wo er sagte: »Endlich haben wir einen heiligen Mann. Nie habe ich solch einen Mann gesehen. Er stammt von den Ebenen – aber er ist hellhäutig –, ein Brahmane unter den Brahmanen.« Daraufhin sagten alle Hausfrauen des Dorfs: »Glaubst du, er bleibt bei uns?«, und jede tat ihr Bestes, um das schmackhafteste Mahl für den Bhagat zu kochen. Bergessen ist sehr schlicht, aber mit Buchweizen und Mais, Reis und rotem Pfeffer, kleinen Fischen aus dem Strom im Tal und Honig aus den röhrenartigen, in die Steinwände gebauten Stöcken, und getrockneten Aprikosen und Gelbwurz und wildem Ingwer und Fladenbrot kann eine hingebungsvolle Frau gute Dinge machen, und die Schale war voll, die der Priester zum Bhagat trug. Ob er bleiben werde? fragte der Priester. Ob er einen *chela* – einen Jünger – brauche, der für ihn betteln könne? Hatte er eine Decke gegen die Kälte? War das Essen gut?

Purun Bhagat aß und dankte dem Spender. Er erwäge zu bleiben. Das sei genug, sagte der Priester. Er möge die Bettelschale vor den Schrein stellen, in die Höhlung zwischen den beiden knorrigen Wurzeln, und jeden Tag solle der Bhagat zu essen haben; denn das Dorf fühle sich geehrt, daß solch ein Mann – scheu blickte er in das Gesicht des Bhagat – bei ihnen bleiben wolle.

Dieser Tag sah das Ende von Purun Bhagats Wanderungen. Er hatte den ihm vorbestimmten Ort erreicht – die Stille und den Raum. Danach blieb die Zeit stehen und er, am Eingang des Schreins sitzend, konnte nicht sagen, ob er lebte oder tot war, ein Mann, der seine Gliedmaßen beherrschte, oder Teil der Berge und Wolken und des wechselnden Regens und Sonnenscheins. Leise pflegte er sich einen heiligen Namen hundertmal hundert Mal zu wiederholen, bis er bei jeder Wiederholung mehr und mehr seinen Körper zu verlassen und emporzuschweben schien zu den Toren einer ungeheuren Erkenntnis; aber gerade als das Tor sich zu öffnen begann, zerrte sein Körper ihn zurück, und voller Gram begriff er, daß er wieder im Fleisch und Gebein von Purun Bhagat eingesperrt war.

Jeden Morgen wurde schweigend die gefüllte Bettelschale in die Wurzelgabel vor dem Schrein gestellt. Manchmal brachte der Priester sie; manchmal ein Händler aus Ladakh, der im Dorf übernachtete, Verdienst erwerben wollte und sich den Pfad hinaufschleppte; aber häufiger war es die Frau, die nachts das Mahl gekocht hatte; und dann murmelte sie, kaum lauter als ihr Atem: »Sprich für mich vor den Göttern, Bhagat. Sprich für die und die, die Frau von Soundso!« Dann und wann überließ man einem beherzten Kind die Ehre, und Purun Bhagat hörte, wie es die Schale absetzte und fortlief, so schnell die kleinen Beine es trugen, aber der Bhagat kam nie zum Dorf herab. Es lag zu seinen Füßen ausgebreitet wie eine Landkarte. Er konnte die abendlichen Zusammenkünfte sehen, abgehalten auf dem Tennenkreis, denn dies war der einzige ebene Boden; er konnte das wunderbare namenlose Grün des jungen Reis sehen, die Indigotöne des Mais, die ampferfarbenen Buchweizenkleckse und, in der entsprechenden Jahreszeit, die rote Blüte des Amaranth, dessen kleine Samen, da sie weder Getreide noch Hülsenfrucht sind, eine Speise ergeben, die Hindus in Zeiten des Fastens essen dürfen.

Als das Jahr sich neigte, waren alle Hausdächer kleine Quadrate lauteren Goldes, denn auf die Dächer legte man die Maiskolben zum Trocknen. Imkern und Ernten, Reissäen und -schälen, alles ereignete sich vor seinen Augen, wie Stickwerk unten auf den vielförmigen Feldstückchen, und er bedachte all diese Dinge und grübelte, wohin sie schließlich führen mochten.

Selbst im volkreichen Indien kann man nicht einen Tag lang stillsitzen, ehe Getier auf einem herumläuft wie auf einem Felsen; und in dieser Wildnis kamen die wilden Tiere, die Kalis Schrein gut kannten, sehr bald zurück, um sich den Eindringling anzusehen. Die *langurs*, die großen graubärtigen Affen der Himalayas, waren natürlich die ersten, denn sie sind voller Neugier; und als sie die Bettelschale umgeworfen und auf dem Boden herumgerollt und ihre Zähne auf dem Messinggriff der Krücke ausprobiert und Grimassen über das Antilopenfell gezogen hatten, entschieden sie, daß der Mensch, der so still dasaß, harmlos sei. Abends hüpften sie oft aus den Fichten herab und bettelten mit den Händen um Eßbares und machten sich in anmutigen Kurven schwingend wieder davon. Sie mochten auch die Wärme des Feuers und kauerten so eng darum, daß Purun Bhagat sie schließlich beiseiteschieben mußte, um Holz nachlegen zu können; und morgens fand er fast immer einen zottigen Affen vor, der seine Decke teilte. Den ganzen Tag lang saß der eine oder andere des Stammes an seiner Seite, starrte in den Schnee hinaus, mit leisem Summen und einem unsagbar weisen und kummervollen Gesichtsausdruck.

Nach den Affen kam der *barasingh*, der große Hirsch, der unserem Rothirsch gleicht, aber stärker ist. Er wollte den Bastsamt seiner Hörner an den kalten Steinen von Kalis Statue abreiben und stampfte mit den Füßen, als er den Mann am Schrein sah. Aber Purun Bhagat bewegte sich nicht, und nach und nach schob sich der königliche Hirsch näher und schnüffelte an seiner Schulter. Purun Bhagat ließ eine kühle Hand über das heiße Geweih gleiten, und die Berührung besänftigte das erregte Tier, das den Kopf senkte, und Purun Bhagat rieb und riffelte ganz behutsam den Bast ab. Später brachte der *barasingh* Kuh und Kitz mit – sanfte Geschöpfe, die an der Decke des heiligen Mannes knabberten –, oder er kam nachts allein, die Augen grün im Feuerflackern, um seinen Anteil an frischen Walnüssen zu sich zu nehmen. Schließlich kam auch das Moschustier, scheuester und nahezu kleinster der Kleinhirsche; die großen Kaninchenohren waren aufgerichtet; selbst diese getigerte, stille *mushick-nabha* mußte unbedingt herausfinden, was das Licht im Schrein bedeutete, ihre Elchnase in Purun Bhagats Schoß stupsen und mit den Schatten des Feuers kommen und gehen. Purun Bhagat nannte sie alle »meine Brüder«, und sein leiser Ruf »*Bhai! Bhai!*« brachte sie alle mittags vom Wald herbei, wenn sie in Hörweite waren. Der schwarze Bär der Himalayas, mürrisch und argwöhnisch – Sona, der das V-förmige weiße Zeichen unterm Kinn hat –, kam mehr als einmal dort vorbei; und da der Bhagat keine Furcht zeigte, zeigte Sona keinen Grimm, sondern beobachtete ihn und kam näher und erbettelte einen Anteil an den Liebkosungen und ein Almosen aus Brot oder wilden Beeren. In den stillen Morgendämmerungen, wenn der Bhagat zum höchsten Punkt des Passes emporstieg, um den roten Tag die Schneegipfel entlangwandern zu sehen, folgte Sona ihm oft schlurfend und grunzend auf den Fersen, schob eine neugierige Vorderpfote unter umgestürzte Stämme und zog sie mit einem unwirschen *wuuf* wieder hervor; oder seine frühen Schritte weckten Sona dort, wo dieser zusammengerollt lag, und der große Bär richtete sich auf um zu kämpfen, bis er die Stimme des Bhagat hörte und seinen besten Freund erkannte.

Fast alle Einsiedler und heiligen Männer, die fern von den großen Städten leben, stehen im Ruf, bei den wilden Tieren Wunder wirken zu können; aber das ganze Wunder beruht darauf, still zu halten, nie eine hastige Bewegung zu machen und, zumindest lange Zeit, nie einen Besucher direkt anzuschauen. Die Dorfleute sahen die Umrisse des *barasingh* wie einen Schatten durch den dunklen Wald hinter dem Schrein pirschen; sahen den *minaul*, den Himalaya-Fasan, vor Kalis Statue mit seinem bunten Gefieder prunken; und die *langurs* drinnen, in der Hocke, mit Walnußschalen spielen. Außerdem hatten einige der Kinder Sona nach Bärenart vor sich hin singen hören, hinter dem Felsgeröll, und des Bhagats Ruf als Wunderwirker war gesichert.

Dabei lag seinem Geist nichts ferner als Wunder. Er glaubte, daß alle Dinge ein Großes Wunder sind, und wenn einer dies weiß, dann weiß er etwas, womit er weitermachen kann. Er hatte die Gewißheit, daß es auf dieser Welt nichts Großes und nichts Geringes gibt; und Tag und Nacht mühte er sich, seinen Weg ins Herz der Dinge zu denken, dorthin zurück, woher seine Seele gekommen war.

Während er so dachte, fiel sein ungeschnittenes Haar über seine Schultern; die Steinplatte erhielt dort, wo das Antilopenfell endete, vom Fuß der Krücke mit Messinggriff ein kleines Loch; und die Stelle zwischen den Baumstämmen, wo Tag um Tag die Bettelschale ruhte, sank und wurde zu einer Höhlung, fast so glatt wie die braune Schale selbst; und jedes Tier kannte seinen bestimmten Platz am Feuer. Die Felder wechselten ihre Farbe mit den Jahreszeiten; die Tennen füllten und leerten und füllten sich wieder und wieder; und wieder und wieder, wenn der Winter kam, wetzten die *langurs* durch die mit leichtem Schnee gefiederten Äste, bis mit dem Frühling die Affenmütter ihre kleinen Babies mit den traurigen Augen aus den wärmeren Tälern heraufbrachten. Im Dorf gab es kaum Veränderungen. Der Priester war älter geworden, und viele der kleinen Kinder, die einmal mit dem Bettelnapf gekommen waren, schickten nun ihre Kinder; und wenn man die Dorfleute fragte, seit wann ihr heiliger Mann in Kalis Schrein am Ende des Passes lebte, antworteten sie: »Schon immer«.

Dann fielen solche Sommerregen, wie man sie seit vielen Jahren in den Bergen nicht gekannt hatte. Gute drei Monate lang war das Tal in Wolken und nasse Nebel gehüllt – stetiger, nie abnehmender Guß, der sich zu Gewitterregen nach Gewitterregen steigerte. Kalis Schrein stand meistens über den Wolken, und einen ganzen Monat lang sah der Bhagat überhaupt nichts von seinem Dorf. Es lag fortgepackt unter einem weißen Wolkenboden, der schwankte und sich verschob und sich einrollte und aufwölbte, aber niemals aus seinen Halterungen brach – den strömenden Flanken des Tals.

Diese ganze Zeit hörte er nichts als den Klang von einer Million kleinen Wassern, über ihm aus den Bäumen, unter seinen Füßen am Boden; es sickerte durch die Fichtennadeln, troff von den Zungen verschmierten Farns und schoß durch neugebahnte schlammige Kanäle die Hänge hinab. Dann kam die Sonne heraus und brachte den guten Weihrauch aus den Deodars und Rhododendren hervor und jenen fernen, reinen Geruch, den die Berg-Menschen »Schnee-Ruch« nennen. Der heiße Sonnenschein hielt eine Woche an, und dann sammelten sich die Regen zu einem letzten Platzguß, und das Wasser fiel in Wänden, die die Haut vom Boden peitschten und schlammig aufspritzten. In dieser Nacht türmte Purun Bhagat sein Feuer hoch, denn er war sicher, daß seine Brüder Wärme brauchen würden; aber kein einziges Tier kam zum Schrein, obwohl er sie rief und rief, bis er darüber einschlief, ratlos, was wohl im Wald geschehen sei.

Mitten in der schwarzen Nacht, als der Regen dröhnte wie

tausend Trommeln, wurde er von einem Zupfen an seiner Decke geweckt, und als er tastete, fühlte er die kleine Hand eines *langur*. »Hier ist es besser als in den Bäumen«, sagte er schläfrig. Er lockerte eine Deckenfalte. »Nimm sie und wärme dich.« Der Affe packte seine Hand und zog heftig. »Dann geht es um Essen?« sagte Purun Bhagat. »Warte, ich will etwas zubereiten.« Als er niederkniete, um Holz aufs Feuer zu werfen, lief der *langur* zum Eingang des Schreins, summte, kam wieder zurückgerannt und zupfte am Knie des Mannes.

»Was ist denn? Was ist dein Kummer, Bruder?« sagte Purun Bhagat, denn die Augen des *langur* waren voll von Dingen, die er nicht sagen konnte. »Außer wenn einer von deiner Kaste in einer Falle steckt – und hier stellt niemand Fallen –, gehe ich nicht in dieses Wetter hinaus. Schau, Bruder, sogar der *barasingh* sucht hier Schutz.«

Das Geweih des Hirsches krachte, als er in den Schrein kam, krachte gegen die grinsende Statue von Kali. Er senkte die Hörner gegen Purun Bhagat und stampfte unruhig; dabei schnaubte er durch die halbgeschlossenen Nüstern.

»Hai! Hai! Hai!« sagte der Bhagat; er schnippte mit den Fingern. »Ist *das* die Bezahlung für ein Nachtquartier?« Aber der Hirsch schob ihn zur Tür, und dabei hörte Purun Bhagat, wie sich etwas mit einem Seufzer öffnete, und er sah zwei Platten des Bodens, die sich voneinander entfernten, während die klebrige Erde darunter schmatzte.

»Jetzt verstehe ich«, sagte Purun Bhagat. »Kein Vorwurf mehr an meine Brüder, daß sie heute abend nicht am Feuer sitzen wollten. Der Berg stürzt ein. Aber dennoch – warum soll ich gehen?« Sein Blick fiel auf die leere Bettelschale, und seine Miene änderte sich. »Sie haben mir jeden Tag gutes Essen gegeben seit – seit ich gekommen bin, und wenn ich nicht schnell genug bin, gibt es morgen keinen Mund mehr im Tal. Ich muß wirklich gehen und sie da unten warnen. Zurück da, Bruder! Laß mich ans Feuer.«

Der *barasingh* trat unwillig zurück, während Purun Bhagat eine Fichtenfackel tief in die Flamme hielt und drehte, bis sie hell brannte. »Ah! Ihr seid gekommen, um mich zu warnen«, sagte er; er stand auf. »Wir wollen Besseres tun als das; Besseres als das. Jetzt hinaus und leih mir deinen Nacken, Bruder, denn ich habe nur zwei Füße.«

Mit der Rechten klammerte er sich an den borstigen Widerrist des *barasingh*, hielt mit der Linken die Fackel von sich und trat aus dem Schrein in die furchtbare Nacht. Es war kein Windhauch zu spüren, aber der Regen ertränkte beinahe die flackernde Fackel, als der große Hirsch hastig auf den Hinterkeulen den Hang hinabglitt. Sobald sie den Wald verlassen hatten, schlossen sich ihnen noch mehr von den Brüdern des Bhagat an. Zwar konnte er nichts sehen, aber er hörte, wie sich die *langurs* um ihn drängten, und hinter ihnen Sonas *uhh! uhh!* Der Regen pappte sein langes weißes Haar zu Strähnen zusammen; das Wasser platschte unter seinen nackten Füßen, aber er ging unbeirrt bergab, gestützt auf den *barasingh*. Er war nicht länger ein heiliger Mann, sondern Sir Purun Dass, K. C. I. E., Premierminister eines nicht unbedeutenden Staats, ein befehlsgewohnter Mann, der aufbrach um Leben zu retten. Den steilen matschigen Pfad hinunter stürmten sie alle gemeinsam, der Bhagat und seine Brüder, abwärts und abwärts, bis die Füße des Hirschs gegen die Mauer einer Tenne klackten und stolperten, und er schnaubte, weil er Menschen roch. Sie waren nun am Kopfende der einzigen gewundenen Dorfstraße, und der Bhagat schlug mit seiner Krücke gegen die versperrten Fenster im Haus des Schmieds, während seine Fackel im Schutz der Traufen aufloderte. »Auf und heraus!« rief Purun Bhagat; und er erkannte seine eigene Stimme nicht, denn es war Jahre her, daß er laut zu Menschen gesprochen hatte. »Der Berg stürzt! Der Berg stürzt ein! Auf und heraus, ihr da drinnen!«

»Das ist unser Bhagat«, sagte die Frau des Schmieds. »Er

steht da mit seinen Tieren. Hol die Kleinen zusammen und gib den Ruf weiter.«

Der Ruf ging von Haus zu Haus, während die in die enge Straße gezwängten Tiere sich um den Bhagat drängten und wogten und Sona ungeduldig prustete.

Die Menschen stürzten auf die Straße – es waren insgesamt nicht mehr als siebzig –, und im Blaken der Fackeln sahen sie ihren Bhagat, der den erschreckten *barasingh* zurückhielt, während die Affen kläglich an seinem Gewand zupften, und Sona saß auf den Hinterbacken und brüllte.

»Durch das Tal und auf den nächsten Berg!« schrie Purun Bhagat. »Laßt keinen zurück! Wir folgen!«

Dann rannten die Leute, wie nur Berg-Menschen rennen können, denn sie wußten, daß man bei einem Erdrutsch zur höchsten Stelle auf der anderen Seite des Tals klettern muß. Sie flohen, platschten durch den kleinen Fluß auf der Talsohle und keuchten die Terrassenfelder auf der anderen Seite hinauf, während der Bhagat und seine Brüder folgten. Aufwärts und aufwärts klommen sie am Berg gegenüber, riefen einander beim Namen – der Anwesenheitsappell des Dorfs –, und hinter ihnen plagte sich der große *barasingh*, unter der Last der versagenden Kraft von Purun Bhagat. Endlich hielt der Hirsch im Schatten eines tiefen Fichtenwalds an, fünfhundert Fuß bergauf. Sein Instinkt, der ihn vor dem drohenden Erdrutsch gewarnt hatte, sagte ihm, daß er hier sicher war.

Purun Bhagat fiel kraftlos neben ihm nieder, denn der eisige Regen und dieser rasende Aufstieg töteten ihn; aber vorher rief er noch den verstreuten Fackeln oberhalb zu: »Anhalten, zählt die Köpfe«; dann, als er sah, daß sich die Lichter zu einem Haufen sammelten, flüsterte er dem Hirsch zu: »Bleib bei mir, Bruder. Bleib – bis – ich – gehe!«

Es war ein Seufzen in der Luft, das zu einem Murmeln wuchs, und ein Murmeln, das zu einem Röhren wurde, und ein Röhren, das über alle Hörbarkeit hinausging, und die Bergflanke, auf der die Dorfleute standen, wurde in der Dunkelheit getroffen und schwankte unter dem Hieb. Dann erklang ein Ton, so stetig und tief und voll wie das tiefe C der Orgel, und vielleicht fünf Minuten lang ertränkte er alles; bis in ihre Wurzeln hinein bebten die Fichten unter diesen Schwingungen. Der Ton erstarb, und das Geräusch des auf Meilen von hartem Boden und Gras fallenden Regens veränderte sich zum dumpfen Trommeln von Wasser auf weicher Erde. Das erzählte seine eigene Geschichte.

Keiner der Dorfbewohner – nicht einmal der Priester – wagte den Bhagat anzureden, der ihnen das Leben gerettet hatte. Sie kauerten unter den Fichten und warteten auf den Tag. Als er kam, schauten sie über das Tal und sahen, daß das, was Wald gewesen war und Terrassenfelder und fährtendurchfurchte Weideflächen, nun eine wunde, rote, fächerförmige Schmiere war, mit ein paar kopfüber auf den Hang geschleuderten Bäumen. Dieses Rot reichte weit den Berg ihrer Zuflucht hinauf und staute den kleinen Fluß, der begonnen hatte, sich zu einem ziegelfarbigen See auszudehnen. Vom Dorf, von der Straße zum Schrein, vom Schrein selbst und dem Wald dahinter gab es keine Spur mehr. Über eine Meile in der Breite und zweitausend Fuß senkrechter Tiefe hatte sich der gesamte Berghang gelöst, sauber abgehobelt vom Gipfel bis zum Fuß.

Und die Dorfleute, einer nach dem anderen, krochen durch den Wald, um vor ihrem Bhagat zu beten. Sie sahen den *barasingh* über ihm stehen; er floh, als sie näherkamen, und sie hörten die *langurs* in den Ästen klagen und Sona weiter bergauf ächzen. Aber ihr Bhagat war tot; er saß da mit untergeschlagenen Beinen, den Rücken an einem Baum, die Krücke unter der Achsel und das Gesicht nach Nordosten gewandt.

Der Priester sagte: »Seht ein Wunder nach einem Wunder, denn genau in dieser Haltung müssen alle *sanyasis* bestattet werden! Deshalb wollen wir dort, wo er nun ist, den Tempel für unseren heiligen Mann bauen.«

Sie bauten den Tempel, ehe das Jahr vorüber war – einen kleinen Schrein aus Stein und Erde –, und nannten den Berg den Berg des Bhagat, und bis heute beten sie dort mit Lichtern und Blumen und Gaben. Aber sie wissen nicht, daß der Heilige, den sie verehren, der verstorbene Sir Purun Dass ist, K. C. I. E., D. C. L., Ph. D. etc., früher Premierminister des fortschrittlichen und aufgeklärten Staates Mohiniwala und Ehren- oder korrespondierendes Mitglied von mehr gelehrten und wissenschaftlichen Gesellschaften, als je in dieser Welt oder der nächsten zu etwas gut sein werden.

A SONG OF KABIR

Oh, light was the world that he weighed in his hands!
Oh, heavy the tale of his fiefs and his lands!
He has gone from the *guddee* and put on the shroud,
And departed in guise of *bairagi* avowed!

Now the white road to Delhi is mat for his feet,
The *sal* and the *kikar* must guard him from heat;
His home is the camp, and the waste, and the crowd—
He is seeking the Way as *bairagi* avowed!

He has looked upon Man, and his eyeballs are clear
(There was One; there is One, and but One, saith Kabir);
The Red Mist of Doing has thinned to a cloud—
He has taken the Path for *bairagi* avowed!

To learn and discern of his brother the clod,
Of his brother the brute, and his brother the God.
He has gone from the council and put on the shroud
('Can ye hear?' saith Kabir), a *bairagi* avowed!

EIN LIED VON KABIR

O leicht war die Welt die er wog in den Händen!
O schwer die Zahl seiner Lehen und Lande!
Er hat den *gaddi* verlassen und das Tuch angelegt
und ist gegangen im Gewand eines erklärten *bairagi*!

Nun ist die weiße Straße nach Delhi Matte für seine Füße,
sal und *kikar* müssen ihn schützen vor Hitze;
sein Heim sind die Lager und die Öde und die Menge –
er sucht Den Weg als erklärter *bairagi*!

Er hat den Menschen geschaut, und seine Augäpfel sind klar
(es gab Einen; es gibt Einen, und nur Einen, sagt Kabir);
der Rote Nebel des Tuns hat sich zu einer Wolke verdünnt –
er hat Den Pfad ergriffen als erklärter *bairagi*!

Zu kennen und zu unterscheiden seinen Bruder den Toren
von seinem Bruder dem Bösen und seinem Bruder dem
Gott.
Er hat den Rat verlassen und das Tuch angelegt
(»Könnt ihr hören?« sagt Kabir) als erklärter *bairagi*!

LASST DEN DSCHUNGEL EIN

Veil them, cover them, wall them round—
  Blossom, and creeper, and weed—
Let us forget the sight and the sound,
  The smell and the touch of the breed!

Fat black ash by the altar-stone,
  Here is the white-foot rain,
And the does bring forth in the fields unsown,
  And none shall affright them again;
And the blind walls crumble, unknown, o'erthrown,
  And none shall inhabit again!

[Verschleiert, bedeckt sie, wallt sie ringsum –
  Blüte, Liane und Kraut –
laßt uns vergessen den Anblick und Klang,
  Geruch und Berührung der Brut!

Fette schwarze Asche am Altarstein,
  hier ist der Weiß-Fuß-Regen,
und die Ricke gebiert in den unbestellten Feldern,
  und keiner soll sie je wieder aufschrecken;
und die blinden Mauern bröckeln, unbekannt, umgestürzt,
  und niemand soll hier je wieder wohnen!]

I HR werdet euch, wenn ihr die Geschichten im ersten Dschungelbuch gelesen habt, daran erinnern, daß Mowgli, nachdem er
Shere Khans Fell auf dem Ratsfelsen befestigt hatte, allen vom
Seoni-Rudel Übriggebliebenen erzählte, er werde in Zukunft
allein im Dschungel jagen; und die vier Kinder von Mutter und
Vater Wolf sagten, daß sie mit ihm jagen wollten. Aber es ist
nicht einfach, sein ganzes Leben in einer Minute zu ändern –
vor allem im Dschungel. Als das aufrührerische Rudel davon-
geschlichen war, ging Mowgli als erstes zur Heim-Höhle und
schlief einen Tag und eine Nacht lang. Dann erzählte er Mutter
Wolf und Vater Wolf von seinen Abenteuern unter den Menschen soviel, wie sie verstehen konnten; und als er die Morgen-
sonne die Klinge seines Häutemessers hinauf- und hinab-

flimmern ließ – des Messers, mit dem er Shere Khans Fell abgezogen hatte –, sagten sie, er habe einiges gelernt. Danach mußten Akela und Grauer Bruder ihren Teil am großen Büffeltrieb in der Schlucht schildern, und Baloo mühte sich den Berg hinauf, um alles zu hören, und Bagheera kratzte sich überall, aus reinem Entzücken darüber, wie Mowgli seinen Krieg geführt hatte.

Es war lange nach Sonnenaufgang, aber keiner dachte ans Schlafengehen, und während des Gesprächs reckte Mutter Wolf von Zeit zu Zeit den Kopf und schnüffelte einen tiefen Schnaufer der Befriedigung, weil der Wind ihr den Geruch des Tigerfells auf dem Ratsfelsen herbeibrachte.

»Ohne Akela und Grauer Bruder hier«, sagte Mowgli schließlich, »hätte ich nichts machen können. O Mutter, Mutter! Wenn du die schwarzen Herdenbullen gesehen hättest, wie sie die Schlucht hinabgeschossen sind oder wie sie sich durch die Tore gedrängt haben, als das Menschen-Rudel Steine nach mir geworfen hat!«

»Ich bin froh, daß ich das Letzte nicht gesehen habe«, sagte Mutter Wolf steif. »*Meine* Art ist es nicht, zu dulden, daß meine Jungen hin- und hergetrieben werden wie Schakale. *Ich* hätte vom Menschen-Rudel einen Preis verlangt; aber ich hätte die Frau verschont, die dir die Milch gegeben hat. Ja, ich hätte sie allein verschont.«

»Friede, Friede, Raksha!« sagte Vater Wolf träge. »Unser Frosch ist zurückgekommen – so klug, daß sein eigener Vater ihm die Füße lecken muß; und was bedeutet schon eine Wunde mehr oder weniger am Kopf? Laßt die Menschen in Ruhe.«

Baloo und Bagheera wiederholten beide: »Laßt die Menschen in Ruhe.«

Mowgli, den Kopf auf Mutter Wolfs Flanke, lächelte zufrieden und sagte, was ihn angehe, wolle er nie wieder Menschen sehen oder hören oder riechen.

»Aber was«, sagte Akela; er stellte ein Ohr auf – »aber was, wenn die Menschen dich nicht in Ruhe lassen, Kleiner Bruder?«

»Wir sind *fünf*«, sagte Grauer Bruder; er blickte die anderen an und ließ nach dem letzten Wort seine Kiefer schnappen.

»Auch wir könnten uns an diesem Jagen beteiligen«, sagte Bagheera mit einem kleinen *Wisch-Wisch* seines Schwanzes; er schaute Baloo an. »Aber wozu jetzt über Menschen nachdenken, Akela?«

»Aus diesem Grund«, antwortete der Einsame Wolf. »Als das Fell von diesem gelben Dieb auf den Fels gehängt war, bin ich unsere Fährte zum Dorf zurückgegangen, in meinen Fußspuren geblieben, zur Seite abgebogen und habe mich immer wieder hingelegt, um die Fährte durcheinanderzubringen, falls jemand uns folgt. Aber als ich die Fährte so sehr verwirrt hatte, daß ich selbst sie kaum wiedererkannte, ist Mang die Fledermaus im Zickzack zwischen den Bäumen herbeigesaust und hat sich über mir hingehängt. Mang hat gesagt: ›Das Dorf von dem Menschen-Rudel, wo sie das Menschenjunge ausgestoßen haben, summt wie ein Hornissennest.‹«

»Das war ein großer Stein, den ich da geworfen habe«, kicherte Mowgli, der sich oft damit vergnügt hatte, reife Papayas in ein Hornissennest zu werfen und zum nächsten Teich zu rennen, ehe die Hornissen ihn erwischten.

»Ich habe Mang gefragt, was er gesehen habe. Er hat gesagt, daß die Rote Blume am Tor des Dorfes blüht und daß Männer mit Gewehren um sie her sitzen. Nun weiß ich aber, weil ich guten Grund dazu habe« – Akela blickte auf die alten trockenen Narben auf seiner Lende und Flanke hinab –, »daß Menschen Gewehre nicht zum Spaß tragen. Bald, Kleiner Bruder, wird ein Mann mit einem Gewehr unserer Fährte folgen – wenn er nicht jetzt schon auf ihr ist.«

»Aber warum sollte er denn? Die Menschen haben mich ausgestoßen. Was wollen sie denn noch mehr?« sagte Mowgli verärgert.

»Du bist ein Mensch, Kleiner Bruder«, erwiderte Akela. »Es ist nicht *unsere* Sache, die der Freien Jäger, dir zu sagen, was deine Brüder tun oder warum.«

Er hatte eben Zeit, die Pfote emporzureißen, ehe das Häutemesser tief in den Boden darunter schnitt. Mowgli schlug so schnell zu, daß ein normales menschliches Auge ihm nicht hätte folgen können, aber Akela war ein Wolf; und selbst ein Hund, der von seinem Vorfahren, dem wilden Wolf, sehr weit entfernt ist, kann aus tiefem Schlaf aufgeweckt werden von einem Karrenrad, das seine Flanke berührt, und er kann unverletzt fortspringen, ehe dieses Rad sich weiter gedreht hat.

»Beim nächsten Mal«, sagte Mowgli ruhig, wobei er das Messer wieder in die Scheide steckte, »sprich vom Menschen-Rudel und von Mowgli in *zwei* Atemzügen – nicht in einem.«

»Phff! Das ist ein scharfer Zahn«, sagte Akela; er beschnupperte den Schnitt, den die Klinge im Boden hinterlassen hatte. »Aber das Leben mit dem Menschen-Rudel hat dein Auge verdorben, Kleiner Bruder. Während du zugestoßen hast, hätte ich einen Hirsch töten können.«

Bagheera sprang auf die Füße, reckte den Kopf so hoch er konnte, schnüffelte und versteifte sich bis in die letzte Biegung seines Körpers. Grauer Bruder folgte seinem Beispiel schnell, wobei er sich ein wenig weiter links hielt, um den Wind zu bekommen, der von rechts wehte, während Akela fünfzig Yards windauf sprang und sich, halb niedergekauert, ebenfalls versteifte. Mowgli schaute neidisch zu. Er konnte Dinge so gut riechen wie nur sehr wenige Menschen, aber er hatte es nie zu der haarfeinen Empfindlichkeit einer Dschungelnase gebracht; und seine drei Monate im verräucherten Dorf hatten ihn schlimm zurückgeworfen. Er befeuchtete jedoch seinen Finger, rieb ihn an der Nase und stand aufrecht, um den Obergeruch mitzubekommen, der zwar der schwächste, aber der genaueste ist.

»Mensch!« grollte Akela; er ließ sich auf die Hinterbacken sinken.

»Buldeo!« sagte Mowgli; er setzte sich. »Er folgt unserer Spur, und da drüben ist das Sonnenlicht auf seinem Gewehr. Schaut!«

Es war nicht mehr als ein Spritzer Sonnenlicht, einen Sekundenbruchteil lang, auf den Messingklammern der alten Tower-Muskete, aber mit genau diesen Blitzen blinkt nichts im Dschungel, außer wenn die Wolken über den Himmel rasen. Dann mag ein Stück Glimmer oder ein kleiner Teich oder sogar ein fein poliertes Blatt wie ein Heliograph blitzen. Aber dieser Tag war wolkenlos und still.

»Ich habe gewußt, daß die Menschen folgen würden«, sagte Akela triumphierend. »Nicht umsonst habe ich das Rudel geführt.«

Die vier Jungen sagten nichts, sondern rannten bergab, die Bäuche an den Boden gepreßt, und schmolzen ins Dorngestrüpp und Unterholz, wie ein Maulwurf in einen Rasen schmilzt.

»Wohin geht ihr, und ohne etwas zu sagen?« rief Mowgli.

»*Hsch!* Noch vor dem Mittag rollen wir seinen Schädel her!« antwortete Grauer Bruder.

»Kommt zurück! Zurück und wartet! Menschen essen keine Menschen!« schrie Mowgli.

»Wer wollte denn eben noch ein Wolf sein? Wer hat das Messer nach mir geworfen, weil ich ihn für einen Menschen gehalten habe?« sagte Akela, als die vier Wölfe mürrisch zurückkehrten und sich zu Mowglis Füßen niederlegten.

»Muß ich etwa für alles, was ich tun will, Gründe angeben?« sagte Mowgli wütend.

»Mensch ist das! So spricht ein Mensch!« murmelte Bagheera in seinen Bart. »Genau so haben die Männer bei den Käfigen des Königs in Udaipur geredet. Wir im Dschungel wissen, daß der Mensch von allen der Schlaueste ist. Wenn wir aber unseren Ohren trauten, dann wüßten wir, er ist von allen der Närrischste.« Er hob seine Stimme und setzte hinzu: »Hierbei hat das Menschenjunge recht. Menschen jagen im Rudel. Einen zu töten, solange wir nicht wissen, was die anderen tun, ist schlechtes Jagen. Kommt, wir wollen sehen, was dieser Mensch mit uns vorhat.«

»Wir kommen nicht mit«, knurrte Grauer Bruder. »Jage allein, Kleiner Bruder. Wir wissen, was wir wollen. Inzwischen hätten wir längst den Schädel herbringen können.«

Mowgli hatte nacheinander seine Freunde angeschaut; seine Brust hob und senkte sich, und seine Augen waren voller Tränen. Er ging vorwärts zu den Wölfen, ließ sich auf ein Knie nieder und sagte: »Weiß ich denn nicht, was ich will? Schaut mich an!«

Sie schauten, unbehaglich, und wenn ihre Augen fortwanderten, rief er sie wieder und wieder zurück, bis das Haar sich überall auf ihren Körpern sträubte und sie an allen Gliedern zitterten, während Mowgli starrte und starrte.

»Also«, sagte er, »wer von uns fünf ist der Führer?«

»Du bist der Führer, Kleiner Bruder«, sagte Grauer Bruder, und er leckte Mowglis Fuß.

»Dann folgt«, sagte Mowgli, und die vier folgten ihm auf den Fersen, mit eingezogenen Schwänzen.

»Das kommt davon, wenn man mit dem Menschen-Rudel lebt«, sagte Bagheera; er glitt hinter ihnen bergab. »Im Dschungel gibt es nun mehr als nur das Dschungelgesetz, Baloo.«

Der alte Bär sagte nichts, aber er dachte viele Dinge.

Mowgli durchquerte geräuschlos den Dschungel, immer in rechten Winkeln zu Buldeos Pfad, bis er, als er das Unterholz teilte, den alten Mann sah, der mit der Muskete auf der Schulter die zwei Nächte alte Fährte entlangtrabte.

Ihr werdet euch erinnern, daß Mowgli das Dorf mit der schweren Last von Shere Khans frischem Fell auf den Schultern verlassen hatte, während Akela und Grauer Bruder hinterhertrabten, so daß die dreifache Fährte sehr deutlich eingedrückt war. Bald kam Buldeo an die Stelle, zu der Akela wie erwähnt zurückgegangen war, um alles zu verwischen. Dann setzte er sich nieder und hustete und knurrte, lief im Dschungel hierhin und dorthin, um die Fährte wieder aufzunehmen, und die ganze Zeit hätte er einen Stein über die hinwegwerfen können, die ihn beobachteten. Niemand kann so leise sein wie ein Wolf, wenn er nicht gehört werden will; und Mowgli, wenn die Wölfe auch der Meinung waren, er bewege sich sehr tapsig, konnte kommen und gehen wie ein Schatten. Sie umringten den alten Mann, wie eine Schule von Tümmlern einen Dampfer bei voller Fahrt umringt, und dabei redeten sie sorglos miteinander, denn ihre Sprache beginnt unterhalb des tiefsten Punktes der Skala, die unausgebildete Menschen hören können. [Jenseits des höchsten Punktes beginnt das hohe Quieken von Mang, der Fledermaus, das sehr viele Leute überhaupt nicht wahrnehmen können. Bei dieser Note beginnt alle Vogel- und Fledermaus- und Insektensprache.]

»Das ist besser als jedes Töten«, sagte Grauer Bruder, während Buldeo sich bückte und spähte und keuchte. »Er sieht aus wie ein verlorenes Schwein im Dschungel unten am Fluß. Was sagt er?« Buldeo murmelte böse vor sich hin.

Mowgli übersetzte.

»Er sagt, daß ganze Rudel von Wölfen um mich her getanzt haben müssen. Er sagt, daß er in seinem ganzen Leben nie so eine Fährte gesehen hat. Er sagt, daß er müde ist.«

»Er wird ausgeruht sein, ehe er sie wieder aufnimmt«, sagte Bagheera kühl, während er um einen Baumstamm glitt, bei dem Blindekuhspiel, in dem sie sich nun befanden. »Was macht das dürre Ding *jetzt*?«

»Er ißt oder bläst Rauch aus dem Mund. Menschen spielen immer mit ihren Mündern«, sagte Mowgli; und die stillen Verfolger sahen, wie der alte Mann eine Wasserpfeife füllte und entzündete und an ihr sog, und sehr genau merkten sie sich den Geruch des Tabaks, damit sie wenn nötig Buldeo auch in der dunkelsten Nacht erkennen konnten.

Dann kam ein kleiner Trupp Köhler den Pfad herab, und natürlich blieben sie stehen, um mit Buldeo zu reden, dessen Jagdruhm mindestens zwanzig Meilen ringsumher reichte. Sie ließen sich alle nieder und rauchten, und Bagheera und die anderen kamen näher und sahen zu, während Buldeo die Geschichte von Mowgli, dem Teufelskind, von einem Ende zum anderen zu erzählen begann, mit Zusätzen und Erfindungen. Wie er selbst in Wirklichkeit Shere Khan getötet hatte; und wie Mowgli sich in einen Wolf verwandelte und mit ihm den ganzen Nachmittag kämpfte und sich wieder in einen Jungen verwandelte und Buldeos Gewehr verhexte, so daß, als er es auf Mowgli richtete, die Kugel um die Ecke flog und einen von Buldeos eigenen Büffeln tötete; und wie das Dorf, das ihn ja als den tapfersten Jäger von Seoni kannte, ihn losgeschickt hatte, um dieses Teufelskind zu töten. Aber in der Zwischenzeit würde sich das Dorf mit Messua und ihrem Mann beschäftigt haben, die zweifellos Vater und Mutter dieses Teufelskindes waren; und man hatte sie in ihrer eigenen Hütte verbarrikadiert, und bald würde man sie foltern, damit sie gestanden, daß sie Hexe und Zauberer waren, und dann würde man sie lebendig verbrennen.

»Wann?« sagten die Köhler, denn sie wollten sehr gern bei dieser Zeremonie anwesend sein.

Buldeo sagte, vor seiner Rückkehr werde nichts geschehen, weil das Dorf wolle, daß er zuerst den Dschungeljungen töte. Danach werde man Messua und ihren Mann beseitigen und ihre Länder und Büffel unter den Dorfbewohnern aufteilen. Messuas Mann habe übrigens einige besonders schöne Büffel. Hexer auszurotten sei ganz ausgezeichnet, meinte Buldeo; und Leute, die Wolfskinder aus dem Dschungel aufnähmen, gehörten natürlich zur schlimmsten Sorte von Hexern.

Aber, sagten die Köhler, was würde geschehen, wenn die Engländer davon hörten? Die Engländer, so hätten sie gehört, seien ein völlig verrücktes Volk und ließen ehrliche Bauern nicht in Ruhe und Frieden Hexen töten.

Ach, sagte Buldeo, der Obmann des Dorfs werde berichten, Messua und ihr Mann seien an Schlangenbissen gestorben. *Das habe man längst abgesprochen, und nun sei nur noch das Wolfskind zu töten. Sie hätten nicht zufällig etwas von einem derartigen Geschöpf gesehen?*

Die Köhler blickten sich vorsichtig um und dankten ihren Sternen dafür, nichts gesehen zu haben; sie hätten jedoch keinen Zweifel, daß ein so tapferer Mann wie Buldeo ihn finden würde, wenn überhaupt jemand dies könne. Die Sonne werde bald untergehen, und sie wollten sich auf den Weg zu Buldeos Dorf machen und diese böse Hexe sehen. Buldeo sagte, es sei zwar seine Pflicht, das Teufelskind zu töten, aber er könne es nicht zulassen, daß eine Gruppe unbewaffneter Männer ohne seine Eskorte durch den Dschungel wandere, aus dem jeden Moment der Wolfsdämon auftauchen könne. Er wolle sie daher begleiten, und wenn das Kind des Zauberers auftauchen sollte – also, er würde ihnen schon zeigen, wie der beste Jäger von ganz Seoni mit solchen Dingen fertig würde. Der Brahmane, sagte er, habe ihm einen Zauber gegen das Geschöpf mitgegeben, der alles völlig sicher mache.

»Was sagt er? Was sagt er? Was sagt er?« wiederholten die Wölfe alle paar Minuten; und Mowgli übersetzte, bis er in der Geschichte zu der Stelle mit der Hexe kam, die ein wenig zu hoch für ihn war, und dann sagte er, daß der Mann und die Frau, die so gut zu ihm gewesen seien, in der Falle säßen.

»Stellt der Mensch dem Menschen Fallen?« sagte Bagheera.

»Das behauptet er. Ich kann das Gerede nicht verstehen. Sie sind allesamt verrückt. Was haben denn Messua und ihr Mann mit mir zu schaffen, daß man sie in eine Falle sperrt; und was hat all dieses Gerede über die Rote Blume zu bedeuten? Ich muß mir das ansehen. Was immer sie mit Messua vorhaben, sie werden es nicht tun, bis Buldeo zurückkommt. Und deshalb...« Mowgli dachte angestrengt nach; seine Finger spielten mit dem Schaft des Häutemessers, während Buldeo und die Köhler sehr tapfer im Gänsemarsch davongingen.

»Ich gehe ganz schnell zurück zum Menschen-Rudel«, sagte Mowgli schließlich.

»Und die da?« sagte Grauer Bruder; hungrig schaute er hinter den braunen Rücken der Köhler her.

»Sing sie nach Hause«, sagte Mowgli mit einem Grinsen; »ich möchte nicht, daß sie am Dorftor sind, bis es ganz dunkel ist. Könnt ihr sie halten?«

Grauer Bruder bleckte verächtlich seine weißen Zähne. »Wir können sie im Kreis herumhetzen wie angepflockte Ziegen – wenn ich mich mit Menschen auskenne.«

»Das ist nicht nötig für mich. Singt ein wenig für sie, damit sie nicht so allein sind auf dem Weg, und, Grauer Bruder, der Gesang muß nicht besonders lieblich sein. Geh mit ihnen, Bagheera, und hilf ihnen bei dem Lied. Wenn die Nacht ganz hereingebrochen ist, dann treffen wir uns am Dorf – Grauer Bruder kennt die Stelle.«

»Es ist kein leichtes Jagen, wenn man für ein Menschenjunges arbeitet. Wann soll ich schlafen?« sagte Bagheera gähnend, aber seine Augen zeigten, daß er über diese Abwechslung entzückt war. »Ausgerechnet ich soll nackten Männern etwas vorsingen! Aber wir wollen es versuchen.«

Er senkte den Kopf, damit der Klang weit trug, und rief ein langes, langes »Gut Jagen« – am Nachmittag ein Mitternachtsruf, der für den Anfang furchtbar genug war. Mowgli hörte hinter sich den Schrei grollen und steigen und fallen und in einer unheimlichen Form von Wimmern sterben, und er lachte vor sich hin, während er durch den Dschungel rannte. Er konnte die Köhler sehen, die sich in einem Knäuel zusammendrängten; der Gewehrlauf des alten Buldeo zitterte, wie ein

Bananenblatt, in sämtliche Himmelsrichtungen gleichzeitig. Dann ließ Grauer Bruder den Schrei für das Bocktreiben ertönen, *Ya-la-hi! Yalaha!*, mit dem das Rudel den Nilghai, das große blaue Rind, vor sich her hetzt, und der Schrei schien von den letzten Enden der Erde zu kommen, näher, und näher, und näher, bis er in einem jäh abgebrochenen Kreischen endete. Die anderen drei antworteten, bis selbst Mowgli hätte schwören können, daß das volle Rudel mit vollem Schrei dabei war, und dann brachen alle in den großartigen Morgengesang des Dschungels aus, mit jeder Wende und Schleife und Verzierung, die ein tiefkehliger Rudelwolf kennt. Dies ist eine grobe Wiedergabe des Gesangs, aber ihr müßt euch ausmalen, wie es klingt, wenn es die Nachmittagsstille des Dschungels durchbricht:

One moment past our bodies cast
  No shadow on the plain;
Now clear and black they stride our track,
  And we run home again.
In morning hush, each rock and bush
  Stands hard, and high, and raw:
Then give the Call: *'Good rest to all
  That keep the Jungle Law!'*

Now horn and pelt our peoples melt
  In covert to abide;
Now, crouched and still, to cave and hill
  Our Jungle Barons glide.
Now, stark and plain, Man's oxen strain,
  That draw the new-yoked plough;
Now, stripped and dread, the dawn is red
  Above the lit *talao.*

Ho! Get to lair! The sun's aflare
  Behind the breathing grass:
And creaking through the young bamboo
  The warning whispers pass.
By day made strange, the woods we range
  With blinking eyes we scan;
While down the skies the wild duck cries
  'The Day—the Day to Man!'

The dew is dried that drenched our hide
    Or washed about our way;
And where we drank, the puddled bank
    Is crisping into clay.
The traitor Dark gives up each mark
    Of stretched or hooded claw;
Then hear the Call: *'Good rest to all*
    That keep the Jungle Law!'

[Vor einem Moment warfen unsere Leiber
    keinen Schatten auf die Ebene;
nun schreiten sie klar und schwarz auf unserer Fährte,
    und wir laufen wieder heim.
In der Morgenstille steht jeder Fels und Busch
    hart und hoch und rauh;
dann gebt den Ruf: »*Gutes Rasten allen*
    die das Dschungel-Gesetz achten!«

Horn und Pelz schmelzen nun unsere Völker
    in die Deckung, um auszuharren;
nun gleiten, geduckt und still, zu Höhle und Berg
    unsere Dschungel-Fürsten.
Nun plagen sich schier und deutlich die Ochsen des Menschen,
    die den neubejochten Pflug ziehen;
nun ist, entblößt und furchtbar, der Morgen rot
    über dem erhellten *talao.*

Ho! Los ins Lager! Die Sonne flammt
    hinter dem atmenden Gras;
und knirschend durch den jungen Bambus
    zieht das warnende Geflüster.
Durch Wälder schweifen wir, die der Tag fremd gemacht hat,
    spähen mit zwinkernden Augen;
während himmelab die Wildente schreit:
    »*Der Tag – der Tag dem Menschen!*«

Der Tau ist getrocknet, der unser Fell tränkte
    oder um unseren Weg wusch;
und wo wir tranken, wird das lachenbedeckte
    Ufer zu sprödem Lehm.
Der Verräter Dunkel liefert jedes Zeichen aus
    von gereckter oder verhüllter Kralle;
darum hört den Ruf: »*Gutes Rasten allen,*
    die das Dschungel-Gesetz achten!«]

**Aber keine Übersetzung kann die Wirkung wiedergeben, noch
die gellende Verachtung, mit der die Vier jedes einzelne Wort**

ausstießen, während sie die Bäume krachen hörten, als die Männer hastig in die Äste hinaufkletterten und Buldeo mit dem Absingen von Beschwörungen und Zaubersprüchen begann. Dann legten sie sich nieder und schliefen, denn wie alle, die von ihren eigenen Anstrengungen leben, neigten sie zu methodischem Vorgehen; und ohne Schlaf kann keiner gut arbeiten.

Inzwischen brachte Mowgli die Meilen hinter sich, neun in der Stunde, schwungvoll und begeistert darüber, daß er nach all den Monaten des Eingesperrtseins unter Menschen noch so kräftig war. In seinem Kopf war nur ein Gedanke, Messua und ihren Mann aus der Falle zu befreien, wie immer diese auch aussah; denn für Fallen empfand er ein natürliches Mißtrauen. Später würde er, das versprach er sich, dem Dorf allgemein seine Schulden bezahlen.

Es herrschte bereits Zwielicht, als er die wohlbekannten Weidegründe sah und den *dhâk*-Baum, wo Grauer Bruder auf ihn gewartet hatte, an dem Morgen, da er Shere Khan tötete. So zornig er auch auf die ganze Brut und Gemeinschaft des Menschen war, stieg ihm doch etwas jäh in die Kehle und ließ ihn die Luft anhalten, als er die Dächer des Dorfs betrachtete. Er bemerkte, daß alle ungewöhnlich früh von den Feldern heimgekommen waren und daß sie sich alle, statt ans abendliche Kochen zu gehen, unter dem Dorfbaum versammelt hatten und plauderten und schrien.

»Menschen müssen immer anderen Menschen Fallen stellen, sonst sind sie nicht zufrieden«, sagte Mowgli. »Letzte Nacht war es Mowgli – aber das scheint schon viele Regenzeiten her zu sein. Diese Nacht sind es Messua und ihr Mann. Morgen, und viele Nächte danach, wird wieder Mowgli an der Reihe sein.«

Er kroch an der Außenseite der Mauer entlang, bis er zu Messuas Hütte kam, und durch das Fenster blickte er in den Raum. Dort lag Messua, geknebelt und an Händen und Füßen gefesselt, schwer atmend und ächzend; ihr Mann war an die bunt bemalte Bettstatt gebunden, die auf die Straße führende Tür der Hütte war versperrt, und drei oder vier Leute saßen dort und wandten ihr den Rücken zu.

Mowgli kannte die Sitten und Gebräuche der Dorfleute ziemlich gut. Er sagte sich, solange sie essen und reden und rauchen konnten, würden sie nichts anderes tun; aber sobald sie gegessen hatten, würden sie beginnen, gefährlich zu werden. Buldeo mußte bald ankommen, und wenn seine Eskorte ihre Pflicht getan hatte, würde Buldeo eine sehr interessante Geschichte erzählen können. Deshalb kletterte Mowgli durch das Fenster, beugte sich über den Mann und die Frau, zerschnitt ihre Riemen, zog die Knebel heraus und sah sich in der Hütte nach ein wenig Milch um.

Messua war halb wahnsinnig vor Schmerz und Furcht (man hatte sie den ganzen Morgen geschlagen und gesteinigt), und Mowgli legte ihr gerade rechtzeitig die Hand auf den Mund, um sie an einem Schrei zu hindern. Ihr Mann war nur verwirrt und wütend; er saß da und zupfte Staub und Dreck aus seinem zerwühlten Bart.

»Ich wußte – ich habe gewußt, daß er kommen würde«, schluchzte Messua schließlich. »Jetzt weiß ich, daß er wirklich mein Sohn ist!« und sie preßte Mowgli ans Herz. Bis dahin war Mowgli völlig gefaßt gewesen, aber nun begann er am ganzen Leib zu zittern, und das überraschte ihn ungeheuer.

»Weshalb diese Riemen? Warum haben sie dich gebunden?« fragte er nach einer Pause.

»Um uns zu töten, weil wir dich zum Sohn gemacht haben – was sonst?« sagte der Mann verdrossen. »Schau! Ich blute.«

Messua sagte nichts, aber es waren *ihre* Wunden, die Mowgli betrachtete, und sie hörten ihn mit den Zähnen knirschen, als er das Blut sah.

»Wessen Werk ist das?« sagte er. »Dafür ist ein Preis zu entrichten.«

»Das Werk des ganzen Dorfs. Ich war zu reich. Ich hatte zu

viel Vieh. *Deshalb* sind sie und ich Zauberer, weil wir dich aufgenommen haben.«

»Ich verstehe es nicht. Messua soll die Geschichte erzählen.«

»Ich habe dir Milch gegeben, Nathoo; erinnerst du dich?« sagte Messua scheu. »Weil du mein Sohn warst, den der Tiger geholt hat, und weil ich dich sehr geliebt habe. Sie haben gesagt, daß ich deine Mutter bin, die Mutter eines Teufels, und deshalb den Tod verdiene.«

»Und was ist ein Teufel?« sagte Mowgli. »Den Tod kenne ich schon.«

Der Mann blickte düster auf, aber Messua lachte. »Schau!« sagte sie zu ihrem Mann, »ich habe es gewußt – ich habe doch gesagt, daß er kein Zauberer ist. Er ist mein Sohn – mein Sohn!«

»Sohn oder Zauberer, was wird es uns nützen?« antwortete der Mann. »Wir sind schon so gut wie tot.«

»Drüben ist der Weg zum Dschungel« – Mowgli deutete durch das Fenster. »Eure Hände und Füße sind frei. Geht jetzt.«

»Wir, mein Sohn, kennen den Dschungel nicht, wie ... wie du weißt«, begann Messua. »Ich glaube nicht, daß ich weit gehen kann.«

»Und die Männer und Frauen würden uns verfolgen und uns wieder herschleppen«, sagte der Mann.

»Hm!« sagte Mowgli; mit der Spitze seines Häutemessers kitzelte er seine Handfläche. »Ich habe nicht den Wunsch, jemand aus diesem Dorf zu schaden – *noch*. Aber ich glaube nicht, daß sie dich aufhalten werden. Sie werden bald sehr viel anderes haben, über das sie nachdenken müssen. Ah!« Er hob den Kopf und lauschte dem Schreien und Trampeln draußen. »Dann haben sie also Buldeo schließlich heimkommen lassen?«

»Er ist heute morgen ausgeschickt worden, um dich zu töten«, rief Messua. »Hast du ihn getroffen?«

»Ja – wir – ich habe ihn getroffen. Er hat eine Geschichte zu erzählen; und während er sie erzählt, haben wir Zeit, um viel zu erledigen. Aber zuerst will ich herausfinden, was sie vorhaben. Überlegt euch, wohin ihr gehen wollt, und sagt es mir, wenn ich zurückkomme.«

Er sprang durch das Fenster und lief wieder die Außenseite der Dorfmauer entlang, bis er in Hörweite der Menge um den Pipal-Baum kam. Buldeo lag auf dem Boden, keuchte und ächzte, und alle stellten ihm Fragen. Sein Haar hing ihm auf die Schultern; vom Bäumeklettern waren seine Hände und Beine abgeschürft und er konnte kaum sprechen, aber er war sich der Wichtigkeit seiner Stellung sehr bewußt. Von Zeit zu Zeit sagte er etwas über Teufel und singende Teufel und magische Verzauberung, nur um der Menge einen Vorgeschmack auf das Kommende zu geben. Dann rief er nach Wasser.

»Bah!« sagte Mowgli. »Geplapper – Geplapper! Reden, Reden! Menschen sind Blutsbrüder der *Bandar-log*. Jetzt muß er sich den Mund mit Wasser auswaschen; jetzt muß er Rauch ausblasen; und wenn all das erledigt ist, bleibt die Geschichte immer noch zu erzählen übrig. Es sind sehr kluge Leute – Menschen. Sie werden keinen zurücklassen, um Messua zu bewachen, bis ihre Ohren von Buldeos Geschichten vollgestopft sind. Und – ich werde genauso träge wie sie!«

Er schüttelte sich und glitt zurück zur Hütte. Als er eben das Fenster erreicht hatte, spürte er eine Berührung an seinem Fuß.

»Mutter«, sagte er, denn diese Zunge kannte er gut, »was machst *du* hier?«

»Ich hörte meine Kinder in den Wäldern singen, und ich bin dem gefolgt, den ich am liebsten habe. Kleiner Frosch, ich möchte sehr gern diese Frau sehen, die dir Milch gegeben hat«, sagte Mutter Wolf, ganz naß vom Tau.

»Sie haben sie gebunden und wollen sie töten. Ich habe die Riemen zerschnitten, und sie geht mit ihrem Mann durch den Dschungel.«

»Auch ich werde folgen. Ich bin alt, aber noch nicht zahnlos.« Mutter Wolf stellte sich auf die Hinterläufe und blickte durch das Fenster ins Dunkel der Hütte.

Nach einer Minute ließ sie sich geräuschlos fallen, und alles was sie sagte war: »Ich habe dir deine erste Milch gegeben; aber Bagheera sagt die Wahrheit: Am Ende geht der Mensch zu Menschen.«

»Vielleicht«, sagte Mowgli mit einem sehr unfrohen Gesichtsausdruck; »aber heute nacht bin ich von dem Weg weit entfernt. Warte hier, aber zeige dich ihr nicht.«

»*Du* hast nie Angst vor *mir* gehabt, Kleiner Frosch«, sagte Mutter Wolf; sie zog sich ins hohe Gras zurück und machte sich geschickt unsichtbar.

»Und jetzt«, sagte Mowgli fröhlich, als er sich wieder in die Hütte schwang, »sitzen sie alle um Buldeo herum, der ihnen das erzählt, was sich gar nicht ereignet hat. Wenn seine Rede beendet ist, sagen sie, wollen sie ganz bestimmt herkommen mit der Roten . . . mit Feuer und euch beide verbrennen. Und dann?«

»Ich habe mit meinem Mann gesprochen«, sagte Messua. »Kaniwara ist dreißig Meilen von hier, aber in Kaniwara finden wir vielleicht die Engländer . . .«

»Und was für ein Rudel sind die?« sagte Mowgli.

»Ich weiß es nicht. Sie sollen weiß sein, und man sagt, daß sie das ganze Land regieren und nicht zulassen, daß Leute einander ohne Zeugen verbrennen oder schlagen. Wenn wir diese Nacht dorthin gelangen können, dann leben wir. Wenn nicht, sterben wir.«

»Dann lebt. Niemand geht diese Nacht durch die Tore hinaus. Aber was macht *er* da?« Messuas Gatte grub auf Händen und Knien in einer Ecke der Hütte die Erde auf.

»Es ist das Wenige, was er an Geld hat«, sagte Messua. »Wir können sonst nichts mitnehmen.«

»Ah ja. Das Zeug, das von Hand zu Hand geht und nie wärmer wird. Braucht man es denn auch außerhalb dieses Orts?« sagte Mowgli.

Der Mann blickte zornig auf. »Er ist ein Narr, kein Teufel«, murmelte er. »Mit dem Geld kann ich ein Pferd kaufen. Wir sind zu zerschunden um weit zu gehen, und in einer Stunde ist das Dorf hinter uns her.«

»Ich sage, sie werden *nicht* folgen, bis ich es so will; aber ein Pferd ist ein guter Gedanke, denn Messua ist müde.« Ihr Mann stand auf und verknotete die letzten Rupien in seinem Hüft-tuch. Mowgli half Messua durchs Fenster, und die kühle Nachtluft belebte sie, aber im Sternenlicht sah der Dschungel sehr düster und furchtbar aus.

»Ihr kennt den Weg nach Kaniwara?« flüsterte Mowgli.

Sie nickten.

»Gut. Denkt nun daran, daß ihr keine Angst haben müßt. Und ihr braucht nicht schnell zu gehen. Nur – nur mag es ein bißchen Gesang geben im Dschungel, hinter und vor euch.«

»Meinst du, wenn wir nicht Angst davor hätten, verbrannt zu werden, würden wir es wagen, eine Nacht im Dschungel zu verbringen? Es ist besser, von Tieren getötet zu werden als von Menschen«, sagte Messuas Mann; aber Messua schaute Mowgli an und lächelte.

»Ich sage euch«, fuhr Mowgli fort, ganz als wäre er Baloo, der einer dummen Welpe zum hundertsten Mal ein altes Dschungelgesetz wiederholt – »ich sage euch, daß kein Zahn im Dschungel gegen euch gebleckt ist; kein Fuß im Dschungel ist gegen euch erhoben. Weder Mensch noch Tier wird euch auf-halten, bis ihr in Sichtweite von Kaniwara gelangt. Eine Wache wird um euch sein.« Schnell wandte er sich Messua zu; dabei sagte er: »*Er* glaubt es nicht, aber wirst du es glauben?«

»Ja, natürlich, mein Sohn. Mensch, Geist oder Wolf des Dschungels, ich glaube.«

»*Er* wird Angst haben, wenn er meine Leute singen hört. Du wirst wissen und verstehen. Geht nun, und geht langsam, denn Hast ist nicht nötig. Die Tore sind verschlossen.«

Schluchzend warf Messua sich Mowgli zu Füßen, aber er hob

sie sehr rasch auf, mit einem Schauern. Dann hing sie an seinem Hals und belegte ihn mit allen Segensworten die sie nur fand, aber ihr Mann blickte mißgünstig über seine Felder und sagte: »*Wenn* wir nach Kaniwara kommen und ich das Ohr der Engländer gewinnen kann, werde ich ein solches Gerichtsverfahren über den Brahmanen und den alten Buldeo und die anderen bringen, daß es das Dorf bis auf die Knochen abnagen wird. Für meine unbestellten Felder und meine ungefütterten Büffel werden sie mich zweimal bezahlen. Ich will eine große Gerechtigkeit haben.«

Mowgli lachte. »Ich weiß nicht, was Gerechtigkeit ist, aber – komm in der nächsten Regenzeit und sieh, was noch übrig ist.«

Sie gingen fort zum Dschungel, und Mutter Wolf sprang aus ihrem Versteck auf. »Folge ihnen!« sagte Mowgli. »Und sorge dafür, daß der ganze Dschungel weiß, diese beiden sind sicher. Gib ein wenig Laut. Ich will Bagheera rufen.«

Das langgedehnte, leise Jaulen stieg und fiel, und Mowgli sah, wie Messuas Mann zusammenzuckte und sich umdrehte, halb entschlossen, zur Hütte zurückzulaufen.

»Geh weiter«, rief Mowgli fröhlich. »Ich habe doch gesagt, es wird Gesang geben. Dieser Ruf wird euch bis Kaniwara folgen. Es ist die Gunst des Dschungels.«

Messua trieb ihren Mann voran, und die Dunkelheit schloß sich um sie und Mutter Wolf, als Bagheera fast unter Mowglis Füßen auftauchte; er zitterte vor Wonne über die Nacht, die das Dschungel-Volk toll macht.

»Ich schäme mich für deine Brüder«, sagte er schnurrend.

»Was? Haben sie für Buldeo nicht süß gesungen?« sagte Mowgli.

»Zu gut! Zu gut! Sie haben sogar *mich* meinen Stolz vergessen lassen, und bei dem Zerbrochenen Riegel, der mich befreite: Ich bin singend durch den Dschungel gezogen, als ob ich im Frühling zum Liebeswerben unterwegs wäre! Hast du uns nicht gehört?«

»Ich war hinter anderem Wild her. Frag Buldeo, ob er das Lied gemocht hat. Aber wo sind die Vier? Ich will nicht, daß einer vom Menschenrudel diese Nacht die Tore verläßt.«

»Was brauchen wir dazu die Vier?« sagte Bagheera; er trat von einem Fuß auf den anderen, seine Augen loderten, und er schnurrte lauter als je zuvor. »Ich kann sie allein halten, Kleiner Bruder. Ist es endlich ein Töten? Das Singen und der Anblick der Männer, wie sie auf die Bäume klettern, haben mich sehr bereit gemacht. Wer ist der Mensch, daß wir uns um ihn sorgen sollten – der nackte braune Gräber, der Haarlose und Zahnlose, der Erde-Esser? Ich bin ihm den ganzen Tag gefolgt – zu Mittag – im weißen Sonnenlicht. Ich habe ihn in Herden getrieben, wie die Wölfe den Hirsch. Ich bin Bagheera! Bagheera! Bagheera! Wie ich mit meinem Schatten tanze, so habe ich mit diesen Männern getanzt. Schau!« Der große Panther sprang, wie ein Kätzchen nach einem über ihm entlangwirbelnden toten Blatt springt; er schlug rechts und links in die leere Luft, die unter den Hieben sang, landete lautlos und sprang wieder und wieder hoch, wobei sein halbes Schnurren und halbes Knurren an Wucht gewann, wie in einem Kessel grollender Dampf. »Ich bin Bagheera – im Dschungel – in der Nacht, und meine Stärke ist in mir. Wer soll meinem Hieb widerstehen? Menschenjunges, mit einem Streich meiner Tatze könnte ich deinen Kopf so platt schlagen wie einen toten Frosch im Sommer!«

»Dann schlag!« sagte Mowgli, im Dialekt des Dorfes, *nicht* in der Sprache des Dschungels, und die menschlichen Worte brachten Bagheera jäh zum Halt, zurückgeschleudert auf Hinterbacken die unter ihm bebten, sein Kopf genau auf der Höhe von Mowglis. Wieder starrte Mowgli, wie er die rebellischen jungen Wölfe angestarrt hatte, voll in die beryllgrünen Augen, bis das rote Lohen hinter ihrem Grün ausging wie das Licht eines Leuchtturms, der zwanzig Meilen über See entfernt abgeschaltet wird; bis die Augen sanken und der große Kopf mit ihnen – tiefer und tiefer sanken, und die rote Raspel der Zunge über Mowglis Innenrist rieb.

»Bruder – Bruder – Bruder!« flüsterte der Junge; stetig und leicht streichelte er vom Nacken den wogenden Rücken abwärts. »Sei ruhig, sei ruhig! Es ist der Fehler der Nacht, nicht dein Fehler.«

»Die Gerüche der Nacht waren es«, sagte Bagheera zerknirscht. »Diese Luft schreit mir laut zu. Aber wie kannst *du* das wissen?«

Natürlich ist die Luft um ein indisches Dorf herum voll von jeder Art Gerüchen, und für ein Geschöpf, das nahezu all sein Denken mit der Nase erledigt, sind Gerüche so aufpeitschend wie Musik oder Drogen für Menschen. Mowgli besänftigte den Panther noch einige Minuten, und wie eine Katze am Feuer legte er sich nieder, die Pfoten unter die Brust gezogen und die Augen halb geschlossen.

»Du bist aus dem Dschungel und *nicht* aus dem Dschungel«, sagte er schließlich. »Und ich bin nur ein schwarzer Panther. Aber ich liebe dich, Kleiner Bruder.«

»Sie reden sehr lange, da unter dem Baum«, sagte Mowgli, ohne den letzten Satz aufzunehmen. »Buldeo muß viele Geschichten erzählt haben. Bald müßten sie herkommen, um die Frau und ihren Mann aus der Falle zu zerren und in die Rote Blume zu stoßen. Sie werden diese Falle leer finden. Hoh! Hoh!«

»Nein, hör zu«, sagte Bagheera. »Es ist jetzt kein Fieber mehr in meinem Blut. Sie sollen *mich* dort finden! Kaum einer würde sein Haus verlassen, nachdem er mir begegnet ist. Es ist nicht das erste Mal, daß ich in einem Käfig bin; und ich glaube nicht, daß sie *mich* mit Schnüren binden werden.«

»Dann geh schlau vor«, sagte Mowgli lachend; denn er begann, so verwegen zu werden wie der Panther, der in die Hütte geglitten war.

»Hah!« knurrte Bagheera. »Dieser Ort stinkt nach Mensch,

aber hier ist ein Bett genau wie das, was man mir in den Käfigen des Königs in Udaipur als Lager gab. Ich lege mich jetzt hin.« Mowgli hörte die Streben der Pritsche unter dem Gewicht des großen Tieres knacken. »Bei dem Zerbrochenen Riegel, der mich befreite, sie werden glauben, daß sie Großwild gefangen haben! Komm und setz dich neben mich, Kleiner Bruder; wir wollen ihnen zusammen ›Gutes Jagen‹ singen!«

»Nein; ich habe einen anderen Gedanken im Bauch. Das Menschen-Rudel soll nicht wissen, welchen Anteil ich an dem Vergnügen habe. Mach du dein eigenes Jagen. Ich will sie nicht sehen.«

»So sei es«, sagte Bagheera. »Ah, jetzt kommen sie!«

Die Konferenz unter dem Pipal-Baum war lauter und lauter geworden, am anderen Ende des Dorfs. Sie endete in wildem Gellen, und Männer und Frauen stürzten die Straße herauf, schwenkten Keulen und Bambus und Sichel und Messer. Buldeo und der Brahmane waren an der Spitze, aber die Menge folgte ihnen dicht auf den Fersen, und sie schrien: »Die Hexe und der Zauberer! Wir wollen sehen, ob heiße Münzen sie geständig machen! Brennt die Hütte über ihren Köpfen nieder! Wir wollen es ihnen zeigen, Wolfsteufel zu beherbergen! Nein, prügelt sie zuerst! Fackeln! Mehr Fackeln! Buldeo, mach die Gewehrläufe heiß!«

An dieser Stelle gab es ein kleines Problem mit dem Türverschluß. Man hatte ihn sehr gut befestigt, aber die Menge riß ihn einfach ab, und das Licht der Fackeln strömte in den Raum wo, lang auf dem Bett ausgestreckt, die Pfoten gekreuzt und leicht über eines der Enden heraushängend, schwarz wie die Hölle und schrecklich wie ein Dämon, Bagheera lag. Eine halbe Minute herrschte entsetztes Schweigen, während die Vorderreihen der Menge sich ihren Weg von der Schwelle zurück freirissen und stießen, und in dieser Zeit hob Bagheera den Kopf und gähnte – kunstvoll, sorgsam und prahlerisch –, wie er zu gähnen pflegte, wenn er einen Gleichrangigen beleidigen wollte. Die befransten Lippen zogen sich zurück und nach oben; die rote Zunge kräuselte sich; der Unterkiefer sackte und sackte, bis man den heißen Schlund halb hinabsehen konnte; und die riesigen Fangzähne waren bis zum Zahnfleisch entblößt; dann klackten sie aneinander, die oberen und die unteren, wie stahlbesetzte Sicherungsriemen um die Kanten eines Geldkastens schnappen. Im nächsten Moment war die Straße leer; Bagheera sprang zurück durch das Fenster und stand neben Mowgli, während ein gellender, kreischender Sturzbach von Menschen übereinander trampelte und stolperte in ihrer panischen Hast, zu ihren eigenen Hütten zu gelangen.

»Sie werden sich nicht rühren, bis der Tag kommt«, sagte Bagheera ruhig. »Und jetzt?«

Die Stille des Nachmittagsschlafs schien über das Dorf gekommen zu sein; aber als sie lauschten, konnten sie das Geräusch von schweren Kornkisten hören, die über Lehmböden geschleift und an die Türen geschoben wurden. Bagheera hatte völlig recht; das Dorf würde sich bis zum Tagesanbruch nicht rühren. Mowgli saß still und grübelte, und sein Gesicht wurde finsterer und finsterer.

»Was habe ich denn getan?« sagte Bagheera schließlich; geduckt kam er zu Mowglis Füßen.

»Nichts, nur viel Gutes. Bewache sie jetzt bis zum Tag. Ich schlafe.« Mowgli lief fort in den Dschungel, fiel wie ein Toter auf einen Felsen und schlief und schlief sich durch den ganzen Tag und wieder zurück durch die Nacht.

Als er erwachte war Bagheera neben ihm, und zu seinen Füßen lag ein frisch getöteter Bock. Bagheera schaute neugierig zu, als Mowgli sich mit seinem Häutemesser an die Arbeit machte und sich dann umwandte, das Kinn in der Hand.

»Der Mann und die Frau sind sicher bis in Sichtweite von Kaniwara gekommen«, sagte Bagheera. »Deine Lagermutter hat Chil, den Geier, die Nachricht überbringen lassen. Am Abend ihrer Befreiung haben sie noch vor Mitternacht ein

Pferd gefunden und sind sehr schnell gegangen. Ist das nicht gut?«

»Das ist gut«, sagte Mowgli.

»Und dein Menschen-Rudel im Dorf hat sich nicht bewegt, bis die Sonne diesen Morgen hoch stand. Dann haben sie ihr Essen gegessen und sind schnell in ihre Häuser zurückgerannt.«

»Sie haben dich nicht zufällig gesehen, oder?«

»Das könnte schon sein. Ich habe mich im Morgengrauen vor dem Tor im Staub gewälzt, und vielleicht habe ich mir auch selbst ein kleines Lied gesungen. Jetzt, Kleiner Bruder, ist nichts mehr zu tun. Komm jagen mit mir und Baloo. Er hat neue Bienenstöcke, die er dir zeigen will, und wir alle möchten dich zurückhaben, so wie früher. Leg dieses Gesicht ab, das sogar mir Angst macht! Der Mann und die Frau werden nicht in die Rote Blume gesteckt werden, und im Dschungel ist alles wohl. Stimmt das etwa nicht? Laß uns das Menschen-Rudel vergessen.«

»Sie werden sehr bald vergessen sein. Wo weidet Hathi heute nacht?«

»Wo es ihm gefällt. Wer weiß schon, was der Schweigsame tut? Aber warum? Was gibt es denn, was Hathi tun kann, aber wir nicht?«

»Sag ihm und seinen drei Söhnen, sie sollen hierher zu mir kommen.«

»Aber wirklich und wahrhaftig, Kleiner Bruder, es ist nicht – es gehört sich nicht, zu Hathi ›Komm‹ und ›Geh‹ zu sagen. Bedenke, er ist der Herr des Dschungels, und ehe das Menschen-Rudel den Ausdruck auf deinem Gesicht änderte, hat er dich die Meisterworte des Dschungels gelehrt.«

»Das ist alles eins. Jetzt habe ich ein Meisterwort für ihn. Sag ihm, er soll zu Mowgli dem Frosch kommen; und wenn er zuerst nicht hören will, dann sag ihm, er soll kommen wegen der Verwüstung der Felder von Bhurtpur.«

»Die Verwüstung der Felder von Bhurtpur.« Bagheera wiederholte es zwei- oder dreimal, um sicher zu sein. »Ich gehe. Schlimmstenfalls kann Hathi zornig werden, und ich würde das Jagen eines ganzen Mondes dafür geben, ein Meisterwort zu hören, das den Schweigsamen zwingt.«

Er ging fort und ließ Mowgli zurück, der wütend mit seinem Häutemesser in die Erde stieß. Mowgli hatte in seinem ganzen Leben kein Menschenblut gesehen, bis er auf den Riemen, mit denen man sie gebunden hatte, Messuas Blut sah und – was ihm viel wichtiger war – roch. Messua war gut zu ihm gewesen, und sofern er überhaupt etwas von Liebe wußte, liebte er Messua so vollständig, wie er den Rest der Menschheit haßte. Aber so abgründig er sie auch verachtete, ihr Gerede, ihre Grausamkeit und ihre Feigheit, konnte er sich doch für nichts, das der Dschungel zu bieten hatte, dazu bringen, ein Menschenleben zu nehmen und wieder diesen schrecklichen Ruch von Blut in der Nase zu haben. Sein Plan war einfacher, aber weit gründlicher; und er lachte vor sich hin, als er daran dachte, daß ihm ausgerechnet eine der Geschichten des alten Buldeo, abends unter dem Pipal-Baum erzählt, diese Idee in den Kopf gesetzt hatte.

»Es *war* ein Meisterwort«, flüsterte Bagheera in sein Ohr. »Sie waren am Fluß beim Essen, und sie haben gehorcht, als ob sie Ochsen wären. Schau, so kommen sie jetzt!«

Hathi und seine drei Söhne waren in ihrer gewöhnlichen Art angekommen, ohne jedes Geräusch. Der Schlamm des Flusses war noch frisch auf ihren Flanken, und Hathi kaute nachdenklich den grünen Stamm eines jungen Pisangbaumes, den er mit den Stoßzähnen aus dem Boden gebrochen hatte. Aber jede Linie seines riesigen Körpers zeigte Bagheera, der Dinge sehen konnte, wenn sie ihm vor Augen kamen, daß sich hier nicht der Herr des Dschungels an ein Menschenjunges wandte, sondern daß einer, der sich fürchtete, zu einem kam, der keine Angst hatte. Seine drei Söhne schaukelten Seite an Seite, hinter ihrem Vater.

Mowgli hob kaum den Kopf, als Hathi ihn mit »Gut Jagen« begrüßte. Bevor er zu sprechen begann, ließ er ihn sehr lange schwanken und wiegen und von einem Fuß auf den anderen treten; und als er den Mund öffnete, sprach er zu Bagheera, nicht zu den Elefanten.

»Ich will eine Geschichte erzählen, die mir von dem Jäger erzählt wurde, den ihr heute gejagt habt«, sagte Mowgli. »Sie betrifft einen Elefanten, alt und weise, der in eine Falle geriet, und der spitze Pfahl in der Grube hat ihm eine lange Wunde beigebracht, von kurz über dem Fuß bis zum Kamm der Schulter, und ein weißes Zeichen zurückgelassen.« Mowgli streckte jäh seine Hand aus, und als Hathi sich im Mondlicht drehte, zeigte sich eine lange weiße Narbe auf seiner schieferfarbenen Seite, als hätte man ihn mit einer glühenden Peitsche geschlagen. »Männer sind gekommen, um ihn aus der Falle zu nehmen«, fuhr Mowgli fort, »aber er hat die Fessel zerbrochen, denn er war stark, und er ist fortgegangen, bis seine Wunde geheilt war. Dann ist er nachts im Zorn zu den Feldern dieser Jäger gekommen. Und nun erinnere ich mich, daß er drei Söhne hatte. Diese Dinge haben sich vor vielen, vielen Regenzeiten ereignet, und sehr weit entfernt – auf den Feldern von Bhurtpur. Was geschah diesen Feldern bei der nächsten Ernte, Hathi?«

»Sie wurden von mir und meinen drei Söhnen abgeerntet«, sagte Hathi.

»Und was war mit dem Pflügen, das dem Ernten folgt?« sagte Mowgli.

»Es gab kein Pflügen«, sagte Hathi.

»Und die Menschen, die von den grünen Saaten auf der Erde leben?« sagte Mowgli.

»Sie sind fortgegangen.«

»Und die Hütten, in denen die Menschen schliefen?« sagte Mowgli.

»Wir haben die Dächer in Stücke gerissen, und der Dschungel hat die Wände verschlungen«, sagte Hathi.

»Und was noch?« sagte Mowgli.

»So viel guten Boden, wie ich in zwei Nächten von Ost nach West abschreiten kann, und vom Norden zum Süden so viel, wie ich in drei Nächten abschreiten kann, hat der Dschungel genommen. In fünf Dörfer haben wir den Dschungel hineingelassen; und in diesen Dörfern und auf ihrem Boden, dem Weidegrund und dem weichen Ackerland, gibt es heute keinen Menschen, der sein Essen aus der Erde nimmt. Das war die Verwüstung der Felder von Bhurtpur, durch mich und meine drei Söhne; und nun frage ich, Menschenjunges, wie die Nachricht darüber zu dir gelangt ist?« sagte Hathi.

»Ein Mensch hat es mir erzählt, und nun sehe ich, daß sogar Buldeo die Wahrheit sagen kann. Es war gut gemacht, Hathi mit der weißen Narbe; aber das zweite Mal wird es besser gemacht werden, weil ein Mensch da ist, um euch zu leiten. Du kennst das Dorf des Menschen-Rudels, das mich ausgestoßen hat? Sie sind träge, vernunftlos und grausam; sie spielen mit ihren Mündern, und sie töten den Schwächeren nicht zum Essen, sondern zum Vergnügen. Wenn sie ganz satt sind, würden sie ihre eigene Brut in die Rote Flamme stoßen. Das habe ich gesehen. Es ist nicht gut, daß sie hier noch länger leben. Ich hasse sie!«

»Dann töte«, sagte der Jüngste von Hathis drei Söhnen; er pickte ein Grasbüschel auf, staubte es an seinen Vorderbeinen ab und warf es fort, während seine kleinen roten Augen verstohlen von einer Seite zur anderen lugten.

»Was habe ich von weißen Knochen?« antwortete Mowgli ärgerlich. »Bin ich denn ein Wolfsjunges, daß ich mit wundem Kopf in der Sonne spielen soll? Ich habe Shere Khan getötet, und sein Fell modert auf dem Ratsfelsen; aber – aber ich weiß nicht, wohin Shere Khan gegangen ist, und mein Bauch ist noch immer leer. Jetzt will ich das nehmen, was ich sehen und berühren kann. Laß den Dschungel in dieses Dorf ein, Hathi!«

Bagheera erschauerte und kauerte nieder. Er konnte, wenn es zum Schlimmsten kam, einen schnellen Sturm die Dorfstraße hinunter verstehen, und Hiebe rechts und links in eine Menge, oder geschicktes Töten von Männern, wenn sie im Zwielicht pflügten; aber dieser Plan, ein ganzes Dorf mit Vorbedacht aus den Augen von Mensch und Tier zu tilgen, erschreckte ihn. Nun begriff er, warum Mowgli nach Hathi geschickt hatte. Keiner außer dem langlebigen Elefanten konnte solch einen Krieg planen und durchführen.

»Sie sollen rennen, wie die Menschen von den Feldern von Bhurtpur gerannt sind, bis wir das Regenwasser als einzigen Pflug haben, und das Geräusch des Regens auf den dicken Blättern anstelle des Schnarrens ihrer Spindeln – bis Bagheera und ich im Haus des Brahmanen lagern und der Bock aus der Zisterne hinter dem Tempel trinkt! Laß den Dschungel ein, Hathi!«

»Aber ich – aber wir haben keinen Streit mit ihnen, und das rote Rasen eines großen Schmerzes ist nötig, ehe wir die Plätze niederreißen, wo Menschen schlafen«, sagte Hathi zweifelnd.

»Seid ihr denn die einzigen Grasesser im Dschungel? Treibt eure Leute hin. Laßt den Hirsch und das Schwein und den Nilghai sich darum kümmern. Ihr braucht nicht einmal eine Handbreit eurer Haut sehen zu lassen, bis die Felder nackt sind. Laß den Dschungel ein, Hathi!«

»Es wird kein Töten geben? Meine Zähne waren rot bei der Verwüstung der Felder von Bhurtpur, und ich will diesen Geruch nie mehr wecken.«

»Ich auch nicht. Ich möchte nicht einmal ihre Knochen auf der reinen Erde liegen haben. Laß sie gehen und eine neue Lagerstatt finden. Hier können sie nicht bleiben. Ich habe das Blut der Frau, die mir Essen gab, gesehen und gerochen – der Frau, die sie ohne mich getötet hätten. Nur der Geruch von frischem Gras auf ihren Türschwellen kann diesen

Geruch wegnehmen. Er brennt in meinem Mund. Laß den Dschungel ein, Hathi!«

»Ah!« sagte Hathi. »So hat die Narbe von dem Pfahl auf meiner Haut gebrannt, bis wir die Dörfer unter dem Wachsen des Frühlings haben sterben sehen. Nun verstehe ich. Dein Krieg soll unser Krieg sein. Wir werden den Dschungel einlassen!«

Mowgli hatte kaum Zeit Luft zu holen – er zitterte am ganzen Körper vor Wut und Haß –, ehe der Platz, wo die Elefanten gestanden hatten, leer war, und Bagheera sah ihn voller Entsetzen an.

»Bei dem Zerbrochenen Riegel, der mich befreite!« sagte der Schwarze Panther schließlich. »Bist *du* das nackte Ding, für das ich im Rudel gesprochen habe, als alles jung war? Herr des Dschungels, wenn meine Kraft mich verläßt, dann sprich für mich – sprich für Baloo – sprich für uns alle! Wir sind Welpen vor dir! Geknickte Zweige unter dem Fuß! Kitze, die ihre Mutter verloren haben!«

Der Gedanke an Bagheera als verirrtes Kitz brachte Mowgli völlig aus der Fassung, und er lachte und schnappte nach Luft und schluchzte und lachte wieder, und schließlich mußte er in einen Teich springen, um aufhören zu können. Dann schwamm er immer im Kreis herum und tauchte über und unter die Streifen des Mondlichts wie der Frosch, sein Namensvetter.

Inzwischen hatten Hathi und seine drei Söhne sich aufgemacht, jeder in eine Himmelsrichtung, und schritten schweigend die Täler eine Meile entfernt hinab. Zwei Tagesmärsche gingen sie weiter und weiter – das heißt, sechzig lange Meilen – durch den Dschungel; und jeder Schritt den sie machten und jeder Schlenker ihrer Rüssel wurde bekannt und bemerkt und beredet, von Mang und Chil und dem Affenvolk und allen Vögeln. Dann begannen sie zu grasen, und etwa eine Woche lang aßen sie gelassen. Hathi und seine Söhne sind wie Kaa, der Felspython. Sie hasten niemals, bis sie müssen.

Am Schluß dieser Zeit – und keiner wußte, wer damit angefangen hatte – lief ein Gerücht durch den Dschungel, daß in diesem und jenem Tal besseres Essen und Wasser zu finden sei. Die Schweine – die natürlich für ein volles Mahl bis ans Ende der Welt laufen – setzten sich als erste in Kompanien in Bewegung, schlurften über die Felsen, und die Hirsche folgten, mit den kleinen wilden Füchsen, die von den Toten und Sterbenden der Herde leben; und die wuchtigen Nilghai bewegten sich auf gleicher Höhe mit den Hirschen, und die wilden Büffel der Sümpfe kamen hinter den Nilghai. Die letzte Kleinigkeit hätte die verstreuten, schweifenden Herden umkehren lassen, die grasten und schlenderten und tranken und wieder grasten; aber sobald irgendwo Aufregung herrschte, erhob sich jemand und besänftigte sie. Einmal war es Ikki das Stachelschwein, voll von Geschichten über gutes Essen nur ein bißchen weiter geradeaus; ein andermal war es Mang, der munter schrie und ein Tal hinab flatterte, um zu zeigen, daß es ganz leer war; oder Baloo, das Maul voller Wurzeln, watschelte eine schwankende Reihe entlang und brachte sie täppisch auf den richtigen Weg zurück, indem er sie halb erschreckte, halb stieß. Sehr viele Geschöpfe schraken zurück oder liefen fort oder verloren das Interesse, aber es blieben sehr viele übrig, die vorwärts gingen. Ungefähr nach weiteren zehn Tagen sah die Sache so aus: Die Hirsche und die Schweine und die Nilghai wogten immer wieder in einem Kreis mit acht oder zehn Meilen Radius herum, während die Fleischesser um den Rand des Kreises plänkelten. Und der Mittelpunkt dieses Kreises war das Dorf, und rings um das Dorf reiften die Ernten, und in den Feldern saßen Männer auf etwas, was sie *machans* nannten – Plattformen wie Taubenstangen, bestehend aus vier Pfosten mit Querstöcken an der Spitze –, um Vögel und andere Diebe zu verscheuchen. Dann wurden die Hirsche nicht mehr ermuntert; die Fleischesser waren dicht hinter ihnen und zwangen sie nach vorn und nach innen.

Es war eine dunkle Nacht, als Hathi und seine drei Söhne aus dem Dschungel herunterglitten und die Pfosten der *machans* mit ihren Rüsseln zerbrachen; sie fielen wie geknickte Schierlingsstengel in der Blütezeit, und die Männer, die von ihnen herabtaumelten, hörten gleich neben sich das tiefe Gurgeln der Elefanten. Dann brach die Vorhut der verwirrten Hirscharmeen los und überflutete die Weidegründe des Dorfs und die gepflügten Felder; und die wühlenden Wildschweine mit ihren scharfen Hufen kamen mit ihnen, und was die Hirsche übrigließen, das verdarben die Schweine, und von Zeit zu Zeit rüttelte ein Wolfsalarm die Herden auf und sie stürmten verzweifelt hin und her, wobei sie die junge Gerste zertraten und die Böschungen der Bewässerungskanäle einebneten. Vor Morgengrauen ließ der Druck auf die Außenseite des Kreises an einer Stelle nach. Die Fleischesser hatten sich zurückgezogen und einen Weg nach Süden freigegeben, und Herde um Herde von Hirschen floh dort entlang. Andere, die kühner waren, legten sich ins Dickicht, um ihr Mahl in der nächsten Nacht zu beenden.

Aber die Arbeit war so gut wie getan. Als die Dorfleute sich morgens umschauten, sahen sie, daß ihre Ernten verloren waren. Und das bedeutete den Tod, wenn sie sich nicht davonmachten, denn sie lebten jahraus jahrein so nah am Hungertod, wie der Dschungel ihnen nahe war. Als sie die Büffel zum Grasen hinausschickten, fanden die hungrigen Tiere, daß die Hirsche die Weidegründe kahlgefressen hatten, und deshalb wanderten sie in den Dschungel und zogen mit ihren wilden Verwandten davon; und als die Dämmerung kam, lagen die drei oder vier Ponies des Dorfs mit eingeschlagenen Köpfen in ihren Ställen. Nur Bagheera konnte diese Hiebe verteilt haben, und nur Bagheera konnte auf den Gedanken gekommen sein, den letzten Kadaver dreist auf die Straße zu zerren.

Die Dorfleute hatten nicht den Mut, in dieser Nacht Feuer auf den Feldern zu machen; also brachen Hathi und seine drei Söhne zur Nachlese unter den Überresten auf, und wo Hathi Nachlese hält, braucht man nichts mehr zu suchen. Die Menschen beschlossen, bis zur Regenzeit von ihrem eingelagerten Saatgetreide zu leben und dann als Knechte zu arbeiten, bis sie das verlorene Jahr aufholen konnten; aber während der Getreidehändler an seine gut gefüllten Kornkästen dachte und an die Preise, die er beim Verkauf verlangen würde, rissen Hathis scharfe Stoßzähne eine Ecke aus seinem Lehmhaus und sprengten die große, mit Kuhdung bedeckte Korbtruhe, in der das kostbare Gut lag.

Als man diesen letzten Verlust entdeckte, war es an dem Brahmanen, etwas zu sagen. Er hatte zu seinen eigenen Göttern gebetet, ohne Antwort. Es könne sein, sagte er, daß das Dorf unabsichtlich irgendeinen der Götter des Dschungels beleidigt habe, denn ohne Zweifel sei der Dschungel gegen sie. Deshalb schickten sie nach dem Obmann des nächsten Stamms von wandernden Gonds – kleine, kluge und sehr schwarze Jäger, die im tiefen Dschungel leben und deren Väter der ältesten Rasse Indiens entstammen – die Ureinwohner und Urbeherrscher des Landes. Sie hießen den Gond mit dem willkommen, was sie noch hatten, und er stand auf einem Bein, den Bogen in der Hand, mit zwei oder drei Giftpfeilen in seinem Haarknoten, und halb furchtsam, halb verächtlich musterte er die ängstlichen Dorfleute und ihre verwüsteten Felder. Sie wollten wissen, ob seine Götter – die alten Götter – ihnen zürnten, und welche Opfer darzubringen seien.

Der Gond sagte nichts, sondern hob eine Ranke der *Karela* auf, der Schlingpflanze, die den bitteren wilden Kürbis hervorbringt, und flocht sie hin und her über die Tempeltür, vor dem Antlitz des starrenden roten Hindugottes. Dann schob er seine Hand in die leere Luft in Richtung der Straße nach Kaniwara und ging zurück zu seinem Dschungel und sah, wie die Dschungel-Völker hindurchzogen. Er wußte, daß, wenn der Dschungel sich bewegt, nur Weiße ihn vielleicht aufhalten können.

Es war nicht nötig ihn zu fragen, was er meinte. Der wilde

Kürbis würde wachsen, wo sie ihren Gott verehrt hatten, und je eher sie sich in Sicherheit brachten, desto besser.

Aber es ist schwierig, ein Dorf aus seiner Verankerung zu reißen. Sie hielten aus, solange ihnen noch irgendeine Sommerspeise blieb, und sie versuchten, im Dschungel Nüsse zu sammeln, aber Schatten mit lodernden Augen bewachten sie und wälzten sich sogar mittags vor ihnen herum; und wenn sie verängstigt wieder zu ihren Wänden zurückliefen, dann war an den Baumstämmen, die sie vor nicht einmal fünf Minuten passiert hatten, die Rinde vom Hieb einer großen kralligen Tatze gestreift und gemeißelt. Je mehr sie sich an ihr Dorf hielten, desto kühner wurden die wilden Tiere, die über die Weidegründe am Wainganga sprangen und brüllten. Sie hatten keine Zeit, die dem Dschungel zugewandten Rückwände der leeren Ställe auszubessern und zu verputzen; die Wildschweine trampelten sie nieder, und die Kletterpflanzen mit ihren knotigen Wurzeln drängten nach und reckten ihre Ellbogen über den neugewonnenen Boden, und hinter den Kletterpflanzen sträubte sich das harte Gras wie die Lanzen einer Trollarmee bei der Verfolgung eines abziehenden Gegners. Die unverheirateten Männer liefen als erste fort und verbreiteten nah und fern die Nachricht, daß das Dorf verloren sei. Wer könnte denn, sagten sie, gegen den Dschungel oder die Götter des Dschungels kämpfen, wenn sogar die Dorfkobra ihr Loch in der Plattform unter dem Pipal-Baum verlassen hatte? So schrumpfte ihr geringer Verkehr mit der Außenwelt, wie die ausgetretenen Wege über das offene Land seltener und schmaler wurden. Schließlich bekümmerte das nächtliche Trompeten von Hathi und seinen drei Söhnen sie nicht mehr; denn sie besaßen nichts, was man ihnen noch hätte rauben können. Die Pflanzen auf der Erde und die Saaten in der Erde waren ihnen genommen. Die vorgeschobenen Felder verloren bereits ihre Gestalt und es war Zeit, sich der Mildtätigkeit der Engländer in Kaniwara anzuvertrauen.

Nach Art der Eingeborenen verschoben sie ihren Aufbruch von einem Tag zum anderen, bis die ersten Regenfälle sie überraschten und die ungeflickten Dächer eine Flut einließen, und auf den Weideflächen stand es knöcheltief, und nach der Hitze des Sommers brach alles Leben stürmisch hervor. Dann wateten sie hinaus – Männer, Frauen und Kinder – durch den blendenden heißen Morgenregen, aber natürlich wandten sie sich um zu einem letzten Abschiedsblick auf ihre Heimat.

Sie hörten, als noch die letzte beladene Familie, einer nach dem anderen, durch das Tor ging, das Krachen von fallenden Balken und Strohdächern hinter den Wänden. Einen Moment sahen sie einen schimmernden schlangenartigen schwarzen Rüssel, der sich erhob und modriges Dachstroh verstreute. Er verschwand, und dann hörten sie noch ein Krachen, gefolgt von einem Quieken. Hathi pflückte die Dächer der Hütten ab, wie man Wasserlilien pflückt, und ein abprallender Balken hatte ihn gepiekt. Das war alles was er brauchte, um seine volle Kraft zu entfesseln, denn von allen Wesen im Dschungel ist der wütende wilde Elefant der böswilligste Zerstörer. Er trat rückwärts gegen eine Lehmwand, die unter dem Stoß zerbröckelte und dabei unter dem Sturzbach des Regens zu gelbem Schlamm zerschmolz. Dann drehte er sich um und röhrte und raste durch die engen Straßen, rammte die Hütten rechts und links, zerfetzte die schiefen Türen und zerdrückte die Traufen; dabei tobten seine drei Söhne hinter ihm her, wie sie bei der Verwüstung der Felder von Bhurtpur getobt hatten.

»Diese Schalen wird der Dschungel verschlingen«, sagte eine gelassene Stimme zwischen den Trümmern. »Es geht um die äußere Wand; sie muß umgelegt werden«, und Mowgli, dem der Regen über die bloßen Schultern und Arme strömte, sprang fort von einer Wand, die sich wie ein müder Büffel niederließ.

»Alles zu seiner Zeit«, keuchte Hathi. »Ah, wie rot meine Zähne in Bhurtpur waren! Zur äußeren Mauer, Kinder! Mit dem Kopf! Zusammen! Jetzt!«

Die Vier preßten Seite an Seite; die äußere Mauer wölbte sich, riß und fiel, und die Dorfleute, von Grauen betäubt, sahen die wüsten, lehmverschmierten Köpfe der Zerstörer in der schartigen Bresche. Dann flohen sie, ohne Häuser und ohne Essen, das Tal hinab, während ihr Dorf zerfetzt und zerwühlt und zertrampelt hinter ihnen schmolz.

Einen Monat später war der Ort eine fleckige Kuppe, bedeckt von weichem jungen Grün; und am Ende der Regenzeit schoß der tosende Dschungel an der Stelle empor, die keine sechs Monate zuvor noch unter dem Pflug gewesen war.

MOWGLI'S SONG AGAINST PEOPLE

I will let loose against you the fleet-footed vines—
I will call in the Jungle to stamp out your lines!
    The roofs shall fade before it,
      The house-beams shall fall,
    And the *Karela*, the bitter *Karela*,
      Shall cover it all!

In the gates of these your councils my people shall sing,
In the doors of these your garners the Bat-folk shall cling;
    And the snake shall be your watchman,
      By a hearthstone unswept;
    For the *Karela*, the bitter *Karela*,
      Shall fruit where ye slept!

Ye shall not see my strikers; ye shall hear them and guess;
By night, before the moon-rise, I will send for my cess,
    And the wolf shall be your herdsman
      By a landmark removed,
    For the *Karela*, the bitter *Karela*,
      Shall seed where ye loved!

I will reap your fields before you at the hands of a host;
Ye shall glean behind my reapers, for the bread that is lost;
    And the deer shall be your oxen
      By a headland untilled,
    For the *Karela*, the bitter *Karela*,
      Shall leaf where ye build!

MOWGLIS LIED WIDER LEUTE

Ich will gegen euch loslassen die flugfüßigen Lianen –
ich will den Dschungel rufen, eure Reihen zu zerstampfen!
    Die Dächer sollen vor ihm schwinden,
      die Haus-Balken sollen fallen,
    und die *Karela*, die bittre *Karela*
      soll alles bedecken!

In euren Ratsräumen sollen meine Leute singen,
in den Türen eurer Speicher das Fledermaus-Volk hängen;
    und die Schlange soll euer Wächter sein,
      neben einem ungefegten Herdstein;
    denn die *Karela*, die bittre *Karela*
      soll Frucht tragen wo ihr schlieft!

Ihr sollt meine Angreifer nicht sehen, nur hören und ahnen;
nachts, vor Mondaufgang, will ich um meine Schatzung
    schicken,
    und der Wolf soll euer Hirt sein
      bei einer beseitigten Landmarke,
    denn die *Karela*, die bittre *Karela*
      soll keimen wo ihr liebtet!

Ich will eure Felder vor euch ernten, mit einem Heerbann;
ihr sollt hinter meinen Schnittern auflesen, für das Brot, das
    verloren ist;
    und der Hirsch soll euer Ochse sein
      bei einem ungepflügten Rain,
    denn die *Karela*, die bittre *Karela*
      Soll Blätter treiben wo ihr baut!

I have untied against you the club-footed vines,
I have sent in the Jungle to swamp out your lines!
    The trees—the trees are on you!
    The house-beams shall fall,
    And the *Karela*, the bitter *Karela*,
        Shall cover you all!

Ich habe wider euch die keulenfüßigen Lianen entfesselt,
ich habe den Dschungel hineingeschickt, eure Reihen zu über-
        fluten!
    Die Bäume – die Bäume sind über euch!
    Die Haus-Balken sollen fallen,
    und die *Karela*, die bittre *Karela*
        soll euch alle bedecken!

DIE BESTATTER

When ye say to Tabaqui, 'My Brother!' when ye call the
  Hyena to meat,
Ye may cry the Full Truce with Jacala—the Belly that runs
  on four feet.

Jungle Law.

[Erst wenn du zu Tabaqui »Mein Bruder!« sagst, die Hyäne
  lädst zum Mahl,
dann darfst du Großen Frieden erklären mit Jacala – dem
  Bauch der auf vier Füßen läuft.

Dschungel-Gesetz]

Ehret die Alten!«

Es war eine dicke Stimme – eine schlammige Stimme, bei der
einem schaudern konnte – eine Stimme wie etwas Weiches, das
in zwei Teile zerbricht. Es war ein Beben in ihr, ein Krächzen
und ein Wimmern.

»Ehret die Alten! O Gefährten vom Fluß – ehret die
Alten!«

Auf der breiten Fläche des Flusses war nichts zu sehen außer
einer kleinen Flotte von Kähnen, zusammengehalten durch
Holznägel, mit viereckigen Segeln und beladen mit Bausteinen;
sie waren eben unter der Eisenbahnbrücke hervorgekommen
und trieben stromab. Die plumpen Steuerruder wurden über-
gelegt, um die hinter den Brückenpfeilern angeschwemmte
Sandbank zu umgehen, und als sie zu dritt nebeneinander vor-
übertrieben, begann die grausige Stimme erneut:

»O Brahmanen des Flusses – ehret die Alten und Schwachen!«

Ein Schiffer, der auf dem Dollbord saß, wandte sich um, hob
die Hand, sagte etwas, das kein Segen war, und die Boote
knirschten durch die Abenddämmerung weiter. Der breite
indische Fluß, der eher wie eine Kette kleiner Seen denn wie ein
Strom aussah, war im Mittellauf, wo er den sandig roten Him-

mel widerspiegelte, so glatt wie Glas, aber an und unter den niedrigen Ufern durchsetzt mit gelben und dunkelbraunen Flecken. Kleine Bäche flossen in der nassen Jahreszeit in den Strom, aber nun hingen ihre trockenen Mäuler deutlich über der Wasserlinie. Auf dem linken Ufer und fast unter der Eisenbahnbrücke stand ein Lehm-und-Ziegel- und Stroh-und-Stock-Dorf, dessen Hauptstraße, voll von Rindern auf dem Heimweg zu den Ställen, direkt zum Fluß lief und auf einer Art grob aus Ziegeln gemauerten Molenkopfs endete, wo Leute, die waschen wollten, Stufe um Stufe hineinwaten konnten. Das war der Ghât des Dorfes Mugger-Ghât.

Die Nacht senkte sich schnell über die Felder mit Linsen und Reis und Baumwolle auf dem tiefliegenden Land, das jedes Jahr vom Fluß überschwemmt wurde; über das Schilf, das den Ellbogen der Flußbiegung säumte, und den wirren Dschungel der Weideflächen hinter dem stillen Ried. Die Papageien und Krähen, nach viel Geplapper und Geschrei über ihrem Abendtrunk, waren zu ihren Schlafbäumen landeinwärts geflogen, wobei sie den Weg der ausziehenden Bataillone fliegender Füchse kreuzten; und Wolke um Wolke von Wasservögeln kam pfeifend und schreiend in die Deckung der Riedbetten. Da waren Gänse, plumpköpfig und schwarzrückig, Krickenten, Pfeifenten, Stockenten und Brandenten, mit Brachvögeln und hier und da einem Flamingo.

Ein schwerfälliger Adjutantkranich bildete die Nachhut; er flog, als sollte jeder langsame Flügelschlag sein letzter sein.

»Ehret die Alten! Brahmanen des Flusses – ehret die Alten!«

Der Adjutant drehte halb den Kopf, wich ein wenig zu der Stimme hin vom Kurs ab und landete steif auf der Sandbank unter der Brücke. Nun sah man, was für ein scheußliches Biest er wirklich war. Seine Rückansicht war ungeheuer respekteinflößend, denn er war fast sechs Fuß hoch und sah einem sehr anständigen kahlköpfigen Pfarrer ziemlich ähnlich. Ganz anders von vorne, denn auf seinem Ally-Sloper-Kopf und Nakken fand sich keine einzige Feder, und unterm Kinn saß ein gräßlicher Beutel aus roher Haut an seinem Hals – eine Reisetasche für alles, was sein Spitzhackenschnabel stehlen mochte. Seine Beine waren lang und dünn und häutig, aber er bewegte sie geziert und betrachtete sie voller Stolz, während er seine aschgrauen Schwanzfedern putzte; dann warf er einen Blick über die Glätte seiner Schulter und nahm Habachtstellung an.

Ein räudiger kleiner Schakal, der hungrig an einer niedrigen Uferstelle herumgekläfft hatte, stellte Ohren und Schwanz auf und wetzte durch das seichte Wasser hinüber zum Adjutanten.

Er war der niedrigste seiner Kaste – nicht als ob die besten Schakale zu irgend etwas gut wären, aber als halber Bettler, halber Verbrecher war dieser besonders mies –, Stöberer in den Abfallhaufen der Dörfer, hoffnungslos schüchtern oder rücksichtslos kühn, ewig hungrig und voll von einer Gerissenheit, die ihm nie etwas einbrachte.

»Ugh!« sagte er; er schüttelte sich trübselig, als er ankam. »Die rote Räude soll die Hunde dieses Dorfs vernichten! Für jeden Floh auf mir habe ich drei Bisse abgekriegt, und alles nur, weil ich mir einen alten Schuh in einem Kuhstall angeschaut habe – nur angeschaut, wohlgemerkt. Kann ich etwa Schlamm essen?« Er kratzte sich unter dem linken Ohr.

»Ich habe gehört«, sagte der Adjutant, mit einer Stimme ähnlich einer stumpfen Säge, die sich durch ein dickes Brett arbeitet – »ich habe *gehört*, in diesem Schuh soll ein neugeborener Hund gesteckt haben.«

»Hören ist eines; wissen etwas anderes«, sagte der Schakal; er kannte sich ganz gut mit Sprichwörtern aus, die er aufschnappte, indem er abends den Männern am Dorffeuer lauschte.

»Das stimmt. Um sicher zu gehen, habe ich mich deshalb der Welpe angenommen, solange die Hunde woanders beschäftigt waren.«

»Sie waren *sehr* beschäftigt«, sagte der Schakal. »Na ja, ich darf mich eine Weile nicht im Dorf sehen lassen, um im Abfall zu wühlen. Dann war also wirklich eine blinde Welpe in dem Schuh?«

»Sie ist hier«, sagte der Adjutant; er schielte über seinen Schnabel hinweg auf seinen vollen Hautbeutel. »Ein kleines Ding, aber annehmbar, nun, da die Mildtätigkeit tot ist in der Welt.«

»Ahai! Die Welt ist ehern in diesen Tagen«, klagte der Schakal. Dann nahm sein ruheloses Auge ein unendlich winziges Kräuseln auf dem Wasser wahr, und er fuhr schnell fort: »Das Leben ist hart für uns alle, und ich bezweifle nicht, daß sogar unser vortrefflicher Herr, Stolz des Ghât und Neid des Flusses . . .«

»Ein Lügner, ein Schmeichler und ein Schakal schlüpften alle aus demselben Ei«, sagte der Adjutant, zu niemandem im Besonderen; er selbst war nämlich ein ganz guter Lügner, wenn er sich die Mühe machte.

»Ja, der Neid des Flusses«, wiederholte der Schakal, wobei er seine Stimme hob. »Sogar er findet zweifellos, daß, seit die Brücke gebaut wurde, gutes Essen spärlich geworden ist. Aber andererseits, wenn ich ihm das auch keineswegs in sein edles Antlitz sagen würde, ist er so klug und so tugendhaft – was ich leider nicht bin . . .«

»Wenn der Schakal zugibt, daß er grau ist, wie schwarz muß der Schakal dann sein!« murmelte der Adjutant. Er wußte nicht, worauf das hinauslaufen sollte.

»Daß *ihm* das Essen niemals ausgeht, und folglich . . .«

Ein leises scharrendes Geräusch war zu hören, als ob ein Boot in seichtem Wasser leicht aufgesetzt hätte. Der Schakal wirbelte schnell herum und sah dem Geschöpf ins Auge (es ist immer das Beste, die Stirn zu bieten), von dem er eben geredet hatte. Es war ein vierundzwanzig Fuß langes Krokodil, umkleidet mit etwas, das aussah wie dreifach vernietetes Kesselblech, mit Beschlagnägeln, Kiel und Kamm versehen; die gelben Spitzen seiner Oberzähne ragten knapp über seinen wunderschön geriffelten Unterkiefer. Es war der stumpfnasige Mugger von Mugger-Ghât, älter als jeder Mann im Dorf, das ihm seinen Namen verdankte; der Dämon der Furt, ehe die Eisenbahnbrücke gebaut wurde; Mörder, Menschenfresser und Ortsfetisch in einem. Er lag mit dem Kinn im seichten Wasser, hielt sich durch kaum sichtbare Schwanzbewegungen an der Stelle, und der Schakal wußte sehr wohl, daß ein einziger Schlag mit diesem Schwanz im Wasser den Mugger mit der Wucht einer Dampflokomotive ans Ufer bringen würde.

»Glückverheißende Begegnung, Beschützer der Armen!« schmeichelte er; bei jedem Wort wich er weiter zurück. »Eine ersprießliche Stimme war zu hören, und wir kamen in der Hoffnung auf liebliche Konversation. Während des Wartens riß mich jedoch meine schwanzlose Anmaßung dazu hin, von dir zu sprechen. Ich hoffe sehr, daß nichts davon zu hören war.«

Natürlich hatte der Schakal nur gesprochen, damit man es hörte, denn er wußte, daß Schmeichelei der beste Weg ist, an Eßbares zu kommen, und der Mugger wußte, daß der Schakal zu diesem Zweck gesprochen hatte, und der Schakal wußte, daß der Mugger es wußte, und der Mugger wußte, daß der Schakal wußte, daß der Mugger wußte, und deshalb waren alle miteinander sehr zufrieden.

Der alte Unhold schob und keuchte und grunzte sich das Ufer hinauf; dabei murmelte er »Ehret die Alten und Schwachen!« und die ganze Zeit brannten seine kleinen Augen wie Kohlen unter den schweren, hornigen Lidern oben auf seinem dreieckigen Kopf, während er seinen aufgeblähten Tonnenkörper zwischen den Krückenbeinen entlanghievte. Dann ließ er sich nieder, und obwohl der Schakal mit seinen Gewohnheiten vertraut war, schrak er doch zum hundertstenmal auf, als er sah, wie genau der Mugger einen ans Ufer gespülten Baumstamm imitierte. Er hatte sich sogar die Mühe gemacht, sich exakt in dem Winkel niederzulegen, den ein natürlich angetriebener Stamm mit dem Wasser bilden würde, unter Berücksichtigung der Strömung und der Jahreszeit zu dieser Stunde und an diesem Ort. All dies geschah natürlich rein gewohnheitsmäßig, denn der Mugger war zum Vergnügen an Land gekommen; aber ein Krokodil ist nie ganz gefüllt, und wenn der Schakal sich von der Ähnlichkeit hätte täuschen lassen, hätte er nicht mehr lange genug gelebt, um darüber philosophieren zu können.

»Mein Kind, ich habe nichts gehört«, sagte der Mugger, wobei er ein Auge schloß. »Ich hatte Wasser in den Ohren, und außerdem bin ich kraftlos vor Hunger. Seit die Eisenbahnbrücke gebaut wurde, haben meine Leute in meinem Dorf aufgehört, mich zu lieben; und das bricht mir das Herz.«

»Ah, welche Schande!« sagte der Schakal. »Und solch ein edles Herz! Aber die Menschen sind alle gleich, wie ich finde.«

»Nein, da gibt es wirklich gewaltige Unterschiede«, antwortete der Mugger mild. »Einige sind so hager wie Bootspflöcke. Andere wiederum sind fett wie junge Sch . . . Hunde. Nimmer würde ich grundlos Menschen schmähen. Es gibt sie in allen Arten, aber die langen Jahre haben mir gezeigt, daß sie alle, einer wie der andere, sehr gut sind. Männer, Frauen und Kinder – ich finde an ihnen kein Fehl. Und erinnere dich, mein Kind, wer die Welt verwirft, wird von der Welt verworfen.«

»Schmeichelei ist schlimmer als eine leere Blechdose im Bauch. Aber was wir soeben gehört haben ist Weisheit«, sagte der Adjutant; er wechselte das Standbein.

»Bedenke jedoch ihre Undankbarkeit diesem Vortrefflichen gegenüber«, begann der Schakal sehr sanft.

»Nein, nein, nicht Undankbarkeit!« sagte der Mugger. »Sie kümmern sich nicht um andere; das ist alles. Aber auf meinem Posten unterhalb der Furt liegend habe ich bemerkt, daß die Schwellen der neuen Brücke grausam hart zu ersteigen sind, sowohl für alte Leute als auch für kleine Kinder. Zwar sind die Alten pfleglicher Betrachtung nicht so sehr wert, aber ich bin betroffen – ich bin wirklich betroffen – wegen der fetten Kinder. Dennoch glaube ich, daß wir in einer kleinen Weile, wenn die Neuheit der Brücke sich abgenutzt hat, die nackten braunen Beine meiner Leute wieder wacker durch die Furt platschen sehen wie zuvor. Dann wird man den alten Mugger wieder ehren.«

»Aber ich habe doch erst diesen Mittag Ringelblumenkränze gesehen, die von der Kante des Ghât wegtrieben«, sagte der Adjutant.

Ringelblumenkränze sind in ganz Indien ein Zeichen der Ehrfurcht.

»Ein Irrtum – ein Irrtum. Es war die Frau des Zuckerwerkverkäufers. Ihr Augenlicht wird Jahr um Jahr schlechter, und sie kann einen Baumstamm nicht von mir unterscheiden – dem Mugger des Ghât. Ich habe sofort gesehen, daß es ein Irrtum war, als sie die Girlande warf; ich lag nämlich unmittelbar am Fuß des Ghât, und wenn sie noch einen Schritt gemacht hätte, hätte ich ihr den kleinen Unterschied zeigen können. Aber sie hat es gut gemeint, und wir müssen den guten Willen der Darbringung beachten.«

»Was nützen Ringelblumenkränze, wenn man auf dem Abfallhaufen liegt?« sagte der Schakal; er jagte nach Flöhen, hielt aber ein argwöhnisches Auge auf seinen Beschützer der Armen gerichtet.

»Das stimmt, aber sie haben noch nicht mit dem Abfallhaufen angefangen, der *mich* tragen wird. Fünfmal habe ich gesehen, wie sich der Fluß vom Dorf zurückzieht und neues Land am Fuß der Straße macht. Fünfmal habe ich gesehen, wie das Dorf auf den Ufern neu gebaut wird, und ich werde es noch fünfmal neu gebaut sehen. Ich bin kein treuloser, fischjagender Gavial, ich, heute in Kasi und morgen in Prayag, wie das Sprichwort sagt, sondern der treue und beständige Bewacher der Furt. Nicht umsonst, Kind, trägt das Dorf meinen Namen, und ›Wer lange wacht‹, wie das Sprichwort sagt, ›wird schließlich seinen Lohn erhalten.‹«

»*Ich* habe lange gewacht – sehr lange – fast mein ganzes Leben, und mein Lohn waren Bisse und Schläge«, sagte der Schakal.

»Ho! Ho! Ho!« röhrte der Adjutant.

> 'In August was the Jackal born;
>   The Rains fell in September;
> "Now such a fearful flood as this,"
>   Says he, "I can't remember!"'

> [Im August wurde der Schakal geboren;
>   die Regen fielen im September;
> »Also, an so eine furchtbare Flut wie die«,
>   sagt er, »kann ich mich nicht erinnern!«]

Eine sehr unangenehme Eigenart hat der Adjutant. Zu unbestimmten Zeiten leidet er unter heftigen Zuck- oder Krampfanfällen in den Beinen, und wenn er auch tugendhafter anzusehen ist als irgendeiner der Kraniche, die alle ungeheuer achtbar sind, hebt er dann doch in wilden, krüppelstelzigen Kriegstänzen ab, wobei er die Flügel halb ausbreitet und mit dem kahlen Kopf auf- und niederruckt; aus Gründen, die er selbst am besten kennt, stimmt er jedoch seine schlimmsten Anfälle zeitlich genau mit seinen bösartigsten Bemerkungen ab. Beim letzten Wort seines Lieds nahm er wieder Haltung an, zehnmal adjutanter als zuvor.

Der Schakal zuckte zusammen, obwohl er volle drei Jahre alt war, aber man kann Beleidigungen nicht übelnehmen, wenn sie von einer Person kommen, die einen yardlangen Schnabel hat und die Kraft, ihn wie einen Speer zu stoßen. Der Adjutant war ein ganz notorischer Feigling, aber der Schakal war noch schlimmer.

»Wir müssen leben, ehe wir lernen können«, sagte der Mugger, »und dann wäre auch noch zu sagen: Kleine Schakale sind ganz alltäglich, Kind, aber solch ein Mugger wie ich ist es nicht. Trotz alledem bin ich nicht stolz, denn Stolz ist Untergang; sondern merke auf, es ist Schicksal, und gegen sein Schicksal sollte keiner, der schwimmt oder geht oder läuft, irgend etwas sagen. Ich bin mit dem Schicksal ganz zufrieden. Mit etwas Glück, einem scharfen Auge und der Gepflogenheit, ehe man einen Bach oder einen Seitenarm hinaufschwimmt, zu bedenken, ob er einen Ausgang hat, läßt sich viel erreichen.«

»Einmal habe ich gehört, daß sogar der Beschützer der Armen einen Fehler gemacht hat«, sagte der Schakal gehässig.

»Das stimmt; aber da hat mein Schicksal mir geholfen. Das war, bevor ich voll ausgewachsen war – vor der viertletzten Hungersnot (bei der Rechten und Linken von Ganga, wie voll die Ströme doch in diesen Zeiten waren!). Ja, ich war jung und gedankenlos, und als die Flut kam, wer hätte sich da mehr gefreut als ich? Eine Kleinigkeit machte mich damals sehr glücklich. Das Dorf war hoch überflutet, und ich bin über den Ghât und weit landeinwärts geschwommen, bis zu den Reisfeldern, und die lagen tief unter gutem Schlamm. Ich erinnere mich auch an ein paar Armbänder (sie waren aus Glas und haben mir einige Mühe gemacht), die ich an diesem Abend fand. Ja, Armbänder aus Glas; und, wenn mein Gedächtnis mich nicht trügt, ein Schuh. Ich hätte mich ganz schnell verdrücken sollen, aber ich war hungrig. Später wußte ich es dann besser. Ja. Und so habe ich gegessen und mich ausgeruht; aber als ich soweit war, wieder zum Fluß zu gehen, war die Flut gefallen, und ich bin durch den Schlamm der Hauptstraße gegangen. Ich, natürlich, wer sonst? All meine Leute sind herausgekommen, Priester und Frauen und Kinder, und ich habe sie mit Wohlwollen betrachtet. Schlamm ist kein guter Boden zum Kämpfen. Ein Schiffer sagte: ›Holt Äxte und tötet ihn, er ist nämlich der Mugger von der Furt.‹ ›Tut das nicht‹, sagte der Brahmane. ›Schaut, er treibt die Flut vor sich her! Er ist der Kleine Gott des Dorfs.‹ Dann haben sie viele Blumen nach mir geworfen, und einer kam auf den glücklichen Einfall, eine Ziege über die Straße zu führen.«

»Wie gut – wie sehr gut doch Ziege ist!« sagte der Schakal.

»Haarig – zu haarig, und wenn man sie im Wasser findet, steckt meistens ein kreuzförmiger Haken darin. Aber diese Ziege habe ich genommen, und mit großen Ehren bin ich zum Ghât hinuntergegangen. Später hat mir mein Schicksal den Schiffer gesandt, der meinen Schwanz mit einer Axt hatte abschlagen wollen. Sein Boot setzte auf einer alten Sandbank auf, an die ihr euch wohl kaum erinnern werdet.«

»Wir sind nicht *alle* Schakale hier«, sagte der Adjutant. »War das die Bank, die entstanden ist, als die Steinboote im Jahr der großen Trockenheit gesunken sind – eine lange Bank, die drei Fluten überdauert hat?«

»Es waren zwei«, sagte der Mugger; »eine obere und eine untere Bank.«

»Ja, das hatte ich vergessen. Ein Kanal hat sie geteilt und ist später wieder ausgetrocknet«, sagte der Adjutant, der stolz auf sein Gedächtnis war.

»Auf der unteren Bank ist das Boot meines Gönners aufgelaufen. Er hatte im Bug geschlafen und ist dann halb wach bis an die Hüften ins Wasser gesprungen – nein, es ging ihm nur bis an die Knie –, um es abzustoßen. Sein leeres Boot ist weitergetrieben, und am Ende der nächsten freien Strecke, wie der Fluß damals floß, wieder aufgelaufen. Ich bin gefolgt, weil ich wußte, daß Menschen kommen würden, um es an Land zu ziehen.«

»Und, haben sie?« sagte der Schakal, ein wenig von Ehrfurcht ergriffen. Das war Jagen einer Größenordnung, die ihn beeindruckte.

»Sie haben; dort und weiter unten. Weiter abwärts bin ich nicht gegangen, aber es hat mir drei an einem Tag eingebracht – alle gut genährte *manjis* [Schiffer] und, außer beim letzten (da war ich sorglos), nie auch nur ein Schrei, um die am Ufer zu warnen.«

»Ah, ein edler Sport! Aber welche Schlauheit und welch großes Urteilsvermögen dazugehört!« sagte der Schakal.

»Keine Schlauheit, Kind, nur Nachdenken. Ein wenig Nachdenken im Leben ist wie Salz auf Reis, wie die Schiffer sagen, und ich habe immer tief nachgedacht. Der Gavial, mein Vetter, der Fischesser, hat mir erzählt, wie schwierig es für ihn ist, seinen Fischen zu folgen, und wie sehr ein Fisch sich vom anderen unterscheidet, und wie gut er sie alle kennen muß, sowohl zusammen als auch einzeln. Ich finde, dies ist Weisheit; aber andererseits lebt mein Vetter, der Gavial, unter seinen Leuten. *Meine* Leute schwimmen nicht in Kompanien mit dem Maul über dem Wasser wie Rewa es tut; noch tauchen sie dauernd zur Wasseroberfläche hoch und drehen sich auf die Seite, wie Mohoo und der kleine Chapta; sie versammeln sich auch nicht nach einer Flut in Schwärmen, wie Batchua und Chilwa.«

»Alle sind sehr gutes Essen«, sagte der Adjutant; er klapperte mit dem Schnabel.

»Das sagt auch mein Vetter, und er macht viel Wind wegen der Jagd auf sie, aber sie klettern nicht ans Ufer, um seiner scharfen Nase zu entgehen. *Meine* Leute sind anders. Ihr Leben ist auf dem Land, in den Häusern, beim Vieh. Ich muß wissen was sie tun und was sie gleich tun könnten; und indem ich, wie man so sagt, Schwanz und Rüssel zusammenzähle, kriege ich den ganzen Elefanten. Hängt da irgendwo ein grüner Zweig und ein Eisenring über einer Tür? Der alte Mugger weiß, daß in diesem Haus ein Junge geboren wurde und eines Tages zum Spielen zum Ghât herunterkommen wird. Soll da ein Mädchen verheiratet werden? Der alte Mugger weiß es, weil er die Menschen Geschenke hin und her tragen sieht; und auch sie kommt zum Ghât herab um zu baden, vor ihrer Hochzeit, und . . . er ist da. Hat der Fluß seinen Lauf geändert und neues Land gemacht, wo vorher nur Sand war? Der Mugger weiß es.«

»Also, was nützt denn dieses Wissen?« sagte der Schakal. »Sogar in meinem kurzen Leben hat sich der Flußlauf geändert.«

Indische Flüsse wälzen sich fast immer in ihren Betten herum und bewegen sich manchmal bis zu zwei oder drei Meilen in einem Jahr, wobei sie die Felder auf einem Ufer ertränken und auf dem anderen guten Schlick verteilen.

»Kein Wissen ist so nützlich«, sagte der Mugger; »neues Land bedeutet nämlich neue Streitereien. Der Mugger weiß es. Oho! Der Mugger weiß es. Sobald das Wasser abgeflossen ist, kriecht er die kleinen Bäche hinauf, in denen sich nach Meinung der Menschen kein Hund verstecken könnte, und dort wartet er. Bald kommt ein Bauer vorbei und sagt, er will hier Gurken pflanzen und Melonen, in dem neuen Land, das der Fluß ihm gegeben hat. Er befühlt den guten Schlamm mit seinen nackten Zehen. Sehr bald kommt ein anderer und sagt, er will da und da Zwiebeln und Karotten und Zuckerrohr pflanzen. Sie treffen sich wie losgerissen treibende Boote, und unter dem großen blauen Turban rollt jeder von ihnen die Augen gegen den anderen. Der alte Mugger sieht und hört. Jeder nennt den anderen ›Bruder‹, und sie ziehen los, um Grenzen auf dem neuen Land zu markieren. Der Mugger eilt mit ihnen von Punkt zu Punkt; er schlurft sehr niedrig im Schlamm. Jetzt beginnen sie zu zanken! Jetzt sagen sie hitzige Worte! Jetzt ziehen sie an den Turbanen! Jetzt heben sie ihre *lathis* [Knüppel], und schließlich fällt einer hintenüber in den Schlamm und der andere rennt fort. Wenn er zurückkommt, ist der Streit beigelegt, wie der eisenbeschlagene Bambus des Verlierers bezeugt. Trotzdem sind sie dem Mugger nicht dankbar. Nein, sie schreien ›Mord!‹, und ihre Familien kämpfen mit Stöcken, zwanzig auf jeder Seite. Meine Leute sind gute Leute – Jats aus dem Hinterland – Malwais vom Bêt. Die teilen keine Schläge zum Vergnügen aus, und wenn der Kampf vorüber ist, wartet der alte Mugger weit flußab, außer Sicht des Dorfs, hinter dem *kikar*-Gestrüpp da unten. Dann kommen sie zum Ufer, meine breitschultrigen Jats – acht oder neun gemeinsam, im Sternenlicht, und sie tragen den Toten auf einem Bett. Es sind alte Männer mit grauen Bärten und Stimmen so tief wie meine. Sie machen ein kleines

Feuer – ah! Wie gut ich das Feuer kenne! – und sie trinken Tabak und sie nicken gemeinsam mit den Köpfen, nach vorne im Kreis oder seitwärts zum toten Mann am Ufer hin. Sie sagen, das englische Gesetz wird wegen dieser Sache mit einem Strick kommen, und daß die Familie von Soundso beschämt werden wird, weil Soundso auf dem großen Innenhof des Kerkers gehängt werden muß. Dann sagen die Freunde des Toten: ›Soll er doch hängen!‹ Und das ganze Gerede muß wieder von vorne angefangen werden – einmal, zweimal, zwanzigmal in der langen Nacht. Dann sagt schließlich einer: ›Der Kampf war ein anständiger Kampf. Wir wollen Blutgeld annehmen, ein bißchen mehr als der Totschläger anbietet, und dann wollen wir nicht mehr davon sprechen.‹ Dann feilschen sie um das Blutgeld, denn der Tote war ein starker Mann und hinterläßt viele Söhne. Aber vor *amratvela* [Sonnenaufgang] legen sie ihn ein wenig ins Feuer, wie es Sitte ist, und der tote Mann kommt zu mir, und *er* spricht nicht mehr darüber. Hah! Meine Kinder, der Mugger weiß – der Mugger weiß –, und meine Malwa-Jats sind ein gutes Volk!«

»Sie sind zu sparsam – zu geizig für meinen Kropf«, krächzte der Adjutant. »Sie verschwenden nicht einmal den Sonnenschein, den ein Kuhhorn widerspiegelt, wie man so sagt; und wer kann denn noch etwas aufpicken, wenn ein Malwai vor einem durchs Feld gegangen ist?«

»Ah, ich – picke – *sie* auf«, sagte der Mugger.

»Also, in Kalkutta, im Süden, in der alten Zeit«, fuhr der Adjutant fort, »wurde alles auf die Straße geworfen, und wir konnten picken und wählerisch sein. Das waren leckere Jahre. Aber heute halten sie ihre Straßen so sauber wie eine Eierschale außen, und meine Leute fliegen weg. Sauber sein ist eines; aber siebenmal am Tag wischen, fegen und besprengen, das ist sogar den Göttern selbst zu mühsam.«

»Ein Schakal aus dem Tiefland hat von einem Bruder gehört und es mir erzählt, daß in Kalkutta, im Süden, alle Schakale so

fett sind wie Otter in der Regenzeit«, sagte der Schakal; beim
bloßen Gedanken daran lief ihm das Wasser im Mund zusammen.

»Ah, aber die Weißgesichter sind da – die Engländer; sie
bringen von irgendwoher Hunde in Booten den Fluß herunter –
große, fette Hunde –, um eben diese Schakale mager zu halten«,
sagte der Adjutant.

»Dann sind die Hunde also so hartherzig wie diese Leute? Ich
hätte es wissen müssen. Weder Erde, noch Himmel, noch Wasser sind zu einem Schakal barmherzig. Ich habe die Zelte von
einem Weißgesicht gesehen, letztes Jahr, nach den Regen, und
da habe ich mir auch einen neuen gelben Zügel zum Essen
geholt. Die Weißgesichter behandeln ihr Leder nicht anständig.
Es hat mich sehr krank gemacht.«

»Das war immer noch besser, als es mir ergangen ist«, sagte
der Adjutant. »Als ich in meinem dritten Jahr war, ein junger
und verwegener Vogel, bin ich den Fluß hinuntergezogen,
dorthin, wo die großen Boote ankommen. Die Boote der Engländer sind dreimal so groß wie dieses Dorf.«

»Er ist bis Delhi gekommen und sagt, alle Leute dort gehen
auf ihren Köpfen«, murmelte der Schakal. Der Mugger öffnete
sein linkes Auge und musterte den Adjutanten scharf.

»Es stimmt«, beharrte der große Vogel. »Ein Lügner lügt nur
dann, wenn er erwartet, daß man ihm glaubt. Keiner, der diese
Boote nicht gesehen hat, *kann* diese Wahrheit überhaupt glauben.«

»*Das* klingt vernünftiger«, sagte der Mugger. »Und dann?«

»Aus den Innenseiten dieses Boots haben sie große Stücke
von einem weißen Zeug genommen, das nach kurzer Zeit zu
Wasser wurde. Viel ist abgesplittert und hat am Ufer herumgelegen, und den Rest haben sie schnell in ein Haus mit dicken
Wänden gebracht. Aber ein Schiffer hat gelacht und ein Stück
genommen, das nicht größer war als ein kleiner Hund, und es
mir hingeworfen. Und ich – all meine Leute – wir schlucken,

ohne zu überlegen, und dieses Stück habe ich verschluckt, wie es unsere Art ist. Sofort ist eine furchtbare Kälte über mich gekommen, die in meinem Kropf angefangen hat und bis zum äußersten Ende meiner Zehen gelaufen ist, so daß ich nicht einmal mehr sprechen konnte, während die Schiffer mich ausgelacht haben. Nie habe ich solch eine Kälte empfunden. In meiner Betroffenheit und Verwirrung bin ich herumgetanzt, bis ich wieder zu Atem kam, und dann habe ich getanzt und lauthals die Falschheit dieser Welt beklagt; und die Schiffer haben mich ausgelacht, bis sie umgefallen sind. Das Hauptwunder, abgesehen von dieser schrecklichen Kälte, bei der Sache war, daß ich überhaupt nichts in meinem Kropf hatte, als ich mit meinem Wehklagen fertig war!«

Der Adjutant hatte sein Bestes getan, um seine Gefühle zu beschreiben, nachdem er einen sieben Pfund schweren Klumpen Wenham-Lake-Eis verschluckt hatte, aus einem amerikanischen Eisschiff, in den Tagen, ehe in Kalkutta Eis von Maschinen hergestellt wurde; aber da er nicht wußte, was Eis war, und da der Mugger und der Schakal es noch weniger wußten, zündete die Geschichte nicht so recht.

»Alles«, sagte der Mugger, wobei er sein linkes Auge wieder schloß – »*alles* ist möglich, was aus einem Boot kommt, das dreimal so groß ist wie Mugger-Ghât. Mein Dorf ist schließlich nicht klein.«

Über ihnen auf der Brücke ertönte ein Pfiff, und der Postzug nach Delhi glitt hinüber; alle Wagen gleißten vor Licht, und die Schatten folgten getreulich den Fluß entlang. Der Zug ratterte wieder in die Dunkelheit hinein; aber der Mugger und der Schakal waren so daran gewöhnt, daß sie nicht einmal den Kopf wandten.

»Ist das vielleicht weniger wunderbar als ein Boot, das dreimal so groß ist wie Mugger-Ghât?« sagte der Vogel, der aufblickte.

»Ich habe gesehen, wie das gebaut wurde, Kind. Stein um

Stein habe ich die Brückenpfeiler wachsen sehen, und wenn die Männer heruntergefallen sind (die meisten waren wunderbar sicher auf ihren Füßen – aber *wenn* sie gefallen sind), war ich bereit. Nachdem der erste Pfeiler fertig war, haben sie nie mehr daran gedacht, weiter stromabwärts nach dem Körper zu suchen, um ihn zu verbrennen. Auch da ist mir wieder sehr viel Mühe erspart geblieben. Nichts war seltsam beim Bau der Brücke«, sagte der Mugger.

»Aber das, was über die Brücke geht und die Wagen mit den Dächern zieht! Das ist seltsam«, wiederholte der Adjutant.

»Das ist ohne jeden Zweifel eine neue Ochsenzüchtung. Eines Tages wird es da oben das Gleichgewicht nicht mehr halten können und fallen, wie die Männer gefallen sind. Der alte Mugger wird dann bereit sein.«

Der Schakal schaute den Adjutanten an und der Adjutant den Schakal. Wenn es etwas gab, das sie besser wußten als etwas anderes, dann, daß die Lokomotive alles andere in der Welt war als ein Ochse. Der Schakal hatte sie wieder und wieder aus den Aloë-Hecken an der Strecke beobachtet, und der Adjutant hatte solche Maschinen gesehen, seit die erste Lokomotive in Indien fuhr. Aber der Mugger hatte das Ding nur von unten betrachtet, wo die Metallkuppel durchaus dem Buckel eines Ochsen glich.

»Mmh – ja, eine neue Art Ochse«, wiederholte der Mugger gewichtig, um sich selbst ganz davon zu überzeugen; und der Schakal sagte: »Sicherlich ist es ein Ochse.«

»Vielleicht ist es aber auch . . .« begann der Mugger verdrossen.

»Bestimmt – ganz bestimmt«, sagte der Schakal, ohne auf das Ende des Satzes zu warten.

»Was?« sagte der Mugger verärgert, denn er konnte spüren, daß die anderen mehr wußten als er. »Was könnte es sein? *Ich* habe bisher nicht zu Ende geredet. Du hast gesagt, es ist ein Ochse.«

»Es ist alles, was dem Beschützer der Armen gefällt. Ich bin *sein* Diener – nicht der Diener des Dings, das den Fluß überquert.«

»Was immer es ist, es ist Weißgesichter-Werk«, sagte der Adjutant; »und was mich angeht, ich würde nicht an einer Stelle herumliegen, die so nahe daran ist wie diese Sandbank.«

»Du kennst die Engländer nicht so wie ich«, sagte der Mugger. »Ein Weißgesicht war hier, als die Brücke gebaut wurde, und abends hat er oft ein Boot genommen und auf den Bodenbrettern mit den Füßen gescharrt und geflüstert: ›Ist er hier? Ist er hier? Bringt mir mein Gewehr.‹ Ich konnte ihn hören, bevor ich ihn sehen konnte – jedes Geräusch, das er machte – Knarren und Pusten und Gewehrrasseln, den Fluß hinauf und hinab. So sicher, wie ich einen seiner Arbeiter aufgepickt und ihnen damit große Ausgaben an Holz für die Verbrennung erspart habe, so sicher ist er immer zum Ghât heruntergekommen, hat laut geschrien, daß er mich jagen und den Fluß von mir befreien würde – dem Mugger von Mugger-Ghât! Von *mir*! Kinder, ich bin Stunde um Stunde unter dem Boden seines Boots geschwommen und habe gehört, wie er sein Gewehr auf Baumstämme abfeuert; und wenn ich ganz sicher war, daß er müde ist, bin ich neben ihm aufgetaucht und habe vor seiner Nase meine Kiefer zuschnappen lassen. Als die Brücke fertig war, ist er fortgegangen. Alle Engländer jagen so, außer wenn sie gejagt werden.«

»Wer jagt die Weißgesichter?« kläffte der Schakal aufgeregt.

»Heute keiner, aber es gab eine Zeit, da habe ich sie gejagt.«

»Ich erinnere mich ein bißchen an dieses Jagen. Damals war ich jung«, sagte der Adjutant; bedeutsam klapperte er mit dem Schnabel.

»Ich hatte mich hier gut niedergelassen. Mein Dorf, erinnere ich mich, wurde gerade zum dritten Mal gebaut, als mein Vetter, der Gavial, mir etwas von reichen Wassern oberhalb Benares erzählte. Zuerst wollte ich nicht hingehen, denn mein Vetter, der ein Fischesser ist, kann nicht immer gut und schlecht unterscheiden; aber an den Abenden habe ich meine Leute miteinander reden hören, und was sie sagten, hat mich überzeugt.«

»Und was haben sie gesagt?« fragte der Schakal.

»Sie haben genug gesagt, daß ich, der Mugger von Mugger-Ghât, das Wasser verlassen und mich auf die Füße gemacht habe. Ich bin bei Nacht gegangen und habe noch die kleinsten Wasserläufe benutzt, wenn sie mir dienlich waren; aber es war am Anfang der heißen Zeit, und alle Ströme waren niedrig. Ich habe staubige Straßen überquert; ich bin durch hohes Gras gegangen; im Mondschein habe ich Hügel erklettert. Ich bin sogar auf Felsen gestiegen, Kinder – bedenkt das wohl. Ich habe den Schwanz von Sirhind, dem Wasserlosen, durchquert, ehe ich die Gruppe kleiner Flüsse finden konnte, die zu Ganga hinfließen. Ich war eine Monatsreise entfernt von meinen eigenen Leuten und dem Fluß den ich kannte. Das war sehr wundersam!«

»Was hast du unterwegs gegessen?« sagte der Schakal, der seine Seele in seinem kleinen Magen aufbewahrte und von den Landreisen des Muggers überhaupt nicht beeindruckt war.

»Das, was ich finden konnte – Vetter«, sagte der Mugger langsam; er dehnte jedes Wort.

Nun nennt man in Indien niemanden Vetter, es sei denn, man könnte eine Form von Blutsverwandtschaft nachweisen; und da es nur in alten Märchen geschieht, daß der Mugger jemals einen Schakal heiratet, wußte der Schakal, aus welchem Grund er plötzlich in den Familienzirkel des Muggers erhoben worden war. Wenn sie allein gewesen wären, hätte ihn das nicht gekümmert, aber die Augen des Adjutanten zwinkerten vor Entzücken über den häßlichen Scherz.

»Gewiß, Vater, ich hätte es wissen sollen«, sagte der Schakal. Ein Mugger mag nicht Vater von Schakalen genannt werden, und der Mugger von Mugger-Ghât sagte dies auch – und noch viel mehr, was hier nicht wiederholt zu werden braucht.

»Der Beschützer der Armen hat behauptet, wir seien verwandt. Wie soll ich mich denn an den genauen Grad der Verwandtschaft erinnern? Außerdem essen wir die gleiche Nahrung. Er hat es gesagt«, war die Antwort des Schakals.

Das machte die Sache noch schlimmer, denn was der Schakal damit andeutete war, daß der Mugger auf diesem Landmarsch sein Essen jeden Tag frisch gegessen haben müsse, statt es bei sich aufzuheben, bis es in geziemendem und bekömmlichem Zustand war, wie jeder Mugger mit Selbstachtung und die meisten wilden Tiere es tun, wenn sie können. So ist denn auch das ganze Flußbett entlang einer der schlimmsten Ausdrücke von Verachtung »Frischfleisch-Esser«. Es ist fast so schlimm, wie einen Menschen Kannibale zu nennen.

»Dieses Essen wurde vor dreißig Jahren gegessen«, sagte der Adjutant gelassen. »Wenn wir noch dreißig Jahre reden, kommt es doch nie zurück. Erzähl uns lieber, was geschehen ist, als du nach deiner überaus wunderbaren Landreise die guten Gewässer erreicht hattest. Wenn wir dem Heulen jedes einzelnen Schakals zuhören wollten, würden die Geschäfte der Stadt stillstehen, wie man so sagt.«

Der Mugger muß für die Unterbrechung dankbar gewesen sein, denn er fuhr jäh fort:

»Bei der Rechten und Linken von Ganga! Als ich dort ankam – nie habe ich solche Wasser gesehen!«

»Dann waren sie also besser als die große Überschwemmung im letzten Jahr?« sagte der Schakal.

»Besser! Diese Flut war nicht mehr als etwas, was alle fünf Jahre kommt – eine Handvoll von ertrunkenen Fremden, ein paar Küken und ein toter Ochse in schlammigem Wasser mit Gegenströmungen. Aber in dem Jahr, um das es geht, war der Fluß niedrig, glatt und eben, und wie der Gavial mir vorhergesagt hatte, kamen die toten Engländer den Fluß herunter, einer am anderen. In dem Jahr habe ich meine Breite bekommen – meine Breite und meine Tiefe. Von Agra abwärts, bei Etawah und in den breiten Wassern bei Allahabad . . .«

»Oh, der Strudel, der sich unter den Wällen des Forts von Allahabad gebildet hatte!« sagte der Adjutant. »Sie sind dort hineingekommen wie Pfeifenten ins Schilf, dann immer im Kreis gewirbelt worden – so!«

Er begann wieder mit seinem abscheulichen Tanz, während der Schakal neidisch zuschaute. Er konnte sich natürlich nicht an das furchtbare Jahr der Meuterei erinnern, von dem sie redeten. Der Mugger fuhr fort:

»Ja, bei Allahabad lag man ruhig im Stillwasser und ließ zwanzig vorüber, um einen herauszupicken; und vor allem waren die Engländer nicht mit Geschmeide und Nasenringen und Knöchelketten überladen, wie meine Frauen es heute sind. Übermäßiges Entzücken am Schmuck endet mit einem Strick als Halsband, wie das Sprichwort sagt. Alle Mugger aller Flüsse sind damals fett geworden, aber es war mein Schicksal, fetter zu sein als sie alle. Man erzählte sich, daß die Engländer in die Flüsse gejagt würden, und bei der Rechten und Linken von Ganga! wir haben geglaubt, daß es stimmte. Soweit ich nach Süden ging, habe ich geglaubt, daß es stimmte; und ich bin flußab gegangen bis über Monghyr und die Gräber hinaus, die über den Fluß blicken.«

»Ich kenne die Stelle«, sagte der Adjutant. »Seit diesen Tagen ist Monghyr eine verlorene Stadt. Heute lebt dort kaum noch jemand.«

»Danach habe ich mich ganz langsam und träge stromauf gearbeitet, und kurz oberhalb von Monghyr kam ein Boot voll mit Weißgesichtern herab; lebendig! Es waren, wie ich mich erinnere, Frauen; sie lagen unter einem Tuch, das man über Stöcke gebreitet hatte, und weinten laut. Kein einziges Gewehr wurde abgefeuert auf uns, die Bewacher der Furten in jenen Tagen. Alle Gewehre waren anderswo beschäftigt. Wir konnten sie Tag und Nacht landeinwärts hören; das kam und ging, wie der Wind umsprang. Ich habe mich vor dem Boot voll aufgerichtet, weil ich nie lebendige Weißgesichter gesehen hatte, obwohl ich sie gut kannte – anders. Ein nacktes weißes Kind kniete am Rand des Boots, beugte sich vornüber und mußte unbedingt die Hände in den Fluß hängen. Es ist sehr schön zu sehen, wie ein Kind fließendes Wasser liebt. Ich hatte an diesem Tag schon gegessen, aber es war noch ein wenig unausgefüllter Raum in mir. Trotzdem, als ich mich zu den Händen des Kindes erhoben habe, das war zum Zeitvertreib, nicht zum Essen. Sie waren so deutlich zu sehen, daß ich nicht einmal genau hingeschaut habe, als ich die Kiefer schloß; aber sie waren so klein, daß das Kind sie schnell, unverletzt, hochgezogen hat, obwohl meine Kiefer an der richtigen Stelle zusammenklirrten – dessen bin ich ganz sicher. Sie müssen zwischen die Zähne gepaßt haben – diese kleinen weißen Hände. Ich hätte das Kind überkreuz bei den Ellbogen packen sollen; aber wie gesagt es war nur zum Zeitvertreib und weil ich etwas Neues sehen wollte, daß ich mich überhaupt aufgerichtet hatte. Eine nach der anderen haben sie im Boot aufgeschrien, und bald bin ich wieder aufgetaucht, um sie zu beobachten. Das Boot war zu schwer, um es umzukippen. Es waren nur Frauen, aber wer einer Frau traut, wird auch in einem Teich auf Entengrütze gehen, wie man so sagt: Und bei der Rechten und Linken von Ganga, das ist wahr!«

»Einmal hat eine Frau mir trockene Haut von einem Fisch gegeben«, sagte der Schakal. »Ich hatte gehofft, ihr Baby zu kriegen, aber Pferdefutter ist besser als ein Pferdetritt, wie das Sprichwort sagt. Was hat die Frau getan?«

»Sie hat auf mich geschossen, mit einem kurzen Gewehr von einer Art, wie ich es vorher oder seitdem nie gesehen habe. Fünfmal hintereinander« (der Mugger mußte es mit einem altmodischen Revolver zu tun gehabt haben); »und ich habe da staunend und mit offenem Mund gelegen, mein Kopf im Rauch. Nie habe ich so ein Ding gesehen. Fünfmal, so schnell wie ich mit dem Schwanz wedele – so!«

Der Schakal, der sich mehr und mehr für die Geschichte zu interessieren begann, hatte gerade noch Zeit zurückzuspringen, ehe der riesige Schwanz vorbeisauste wie eine Sichel.

»Erst nach dem fünften Schuß«, sagte der Mugger, als ob er nicht einmal im Traum daran gedacht hätte, einen seiner Zuhörer zu zerschmettern – »erst nach dem fünften Schuß bin ich versunken, und ich bin rechtzeitig wieder aufgetaucht um zu hören, wie ein Schiffer all diesen weißen Frauen erzählt, daß ich ganz bestimmt tot bin. Eine Kugel war unter einen meiner Nackenschilde gefahren. Ich weiß nicht, ob sie immer noch da ist, und zwar deshalb, weil ich meinen Kopf nicht drehen kann. Schau du einmal nach, Kind. Sie wird beweisen, daß meine Geschichte wahr ist.«

»Ich?« sagte der Schakal. »Soll denn ein Esser alter Schuhe, ein Knochenknacker sich anmaßen, das Wort dessen zu bezweifeln, der der Neid des Flusses ist? Blinde Hundewelpen sollen meinen Schwanz abbeißen, wenn auch nur der Schatten eines solchen Gedankens auf meinen demütigen Geist gefallen ist! Der Beschützer der Armen hat sich dazu herabgelassen, mich, seinen Sklaven, davon in Kenntnis zu setzen, daß er einmal in seinem Leben von einer Frau verwundet wurde. Das ist übergenug, und ich werde die Geschichte all meinen Kindern erzählen, ohne einen Beweis zu verlangen.«

»Übermäßige Höflichkeit ist manchmal nicht besser als übermäßige Grobheit, denn wie das Sprichwort sagt, kann man einen Gast mit süßem Quark ersticken. Ich wünsche *nicht*, daß irgendwelche Kinder von dir erfahren, daß der Mugger von Mugger-Ghât seine einzige Wunde von einer Frau erhielt. Sie werden viel anderes haben, an das sie denken müssen, wenn sie ihr Essen so erbärmlich zusammensuchen müssen wie ihr Vater.«

»Es ist lange vergessen! Es ist nie gesagt worden! Nie hat es eine weiße Frau gegeben! Es gab kein Boot! Es ist überhaupt nie irgend etwas geschehen.«

Der Schakal wischte mit der Rute durch die Luft um zu zeigen, wie vollständig alles aus seinem Gedächtnis getilgt sei, und ließ sich würdevoll nieder.

»In Wahrheit sind sehr viele Dinge geschehen«, sagte der Mugger, in dieser Nacht zum zweitenmal bei dem Versuch geschlagen, seinen Freund zu überlisten. (Keiner war jedoch dem anderen böse. Essen und gegessen werden war das faire Gesetz am Fluß, und der Schakal erhielt seinen Teil der Beute, wenn der Mugger ein Mahl beendet hatte.) »Ich habe dieses Boot verlassen und bin flußauf gegangen, und als ich Arrah und die Seitenarme dahinter erreicht hatte, gab es keine toten Engländer mehr. Eine Weile war der Fluß leer. Dann kamen ein oder zwei Tote, in roten Röcken, keine Engländer, sondern alle von einer Sorte – Hindus und *purbiyas* –, dann fünf oder sechs nebeneinander, und schließlich war es von Arrah nordwärts über Agra hinaus so, als ob ganze Dörfer ins Wasser gegangen wären. Einer nach dem anderen kamen sie aus kleinen Bächen, wie Baumstämme in der Regenzeit stromabwärts kommen. Als der Fluß stieg, sind auch sie in ganzen Gruppen von den Untiefen gestiegen, auf denen sie geruht hatten, und die fallende Flut hat sie am langen Haar über die Felder und durch den Dschungel mit sich geschleift. Ich habe auch die ganze Nacht, als ich nach Norden ging, die Gewehre gehört, und am Tag die beschuhten Füße von Männern beim Durchqueren von Furten, und das Geräusch, das ein schweres Karrenrad auf Sand unter Wasser macht; und jede kleine Kräuselwelle brachte mehr Tote. Schließlich hatte sogar ich Angst, denn ich sagte mir: ›Wenn so etwas den Menschen geschieht, wie soll dann der Mugger von Mugger-Ghât entkommen?‹ Es gab auch Boote, die hinter mir ohne Segel aufkamen; sie haben gebrannt, wie die Baumwollboote manchmal brennen, aber sie sind nie gesunken.«

»Ah!« sagte der Adjutant. »Boote wie diese kommen nach Kalkutta aus dem Süden. Sie sind groß und schwarz, hinter sich schlagen sie das Wasser mit einem Schwanz auf, und sie . . .«

»Sind dreimal so groß wie mein Dorf. *Meine* Boote waren niedrig und weiß; sie haben das Wasser zu beiden Seiten aufgeschlagen und waren nicht größer, als die Boote von einem, der die Wahrheit sagt, sein sollten. Ich hatte sehr große Angst vor ihnen, und ich habe das Wasser verlassen und bin zu diesem meinem Fluß zurückgekommen; bei Tag habe ich mich versteckt und nachts bin ich gegangen, wenn ich keine kleinen Ströme finden konnte, die mir halfen. Ich bin wieder zu meinem Dorf gekommen, aber ich hatte keine Hoffnung, dort noch welche von meinen Leuten zu finden. Aber da waren sie, sie haben gepflügt und gesät und geerntet und sind auf ihren Feldern hin und her gegangen, so ruhig wie ihr eigenes Vieh.«

»Gab es noch gutes Essen im Fluß?« sagte der Schakal.

»Mehr als ich mir wünschte. Sogar ich – und ich esse keinen Schlamm – sogar ich war müde und, wie ich mich erinnere, ein wenig erschrocken über dieses ständige Herabtreiben der Schweigenden. Ich hörte meine Leute im Dorf sagen, alle Engländer seien tot; aber die die kamen, das Gesicht nach unten, mit der Strömung, waren *keine* Engländer, wie meine Leute sahen. Dann haben meine Leute gesagt, es sei das Beste, überhaupt nichts zu sagen, sondern die Steuer zu zahlen und das Land zu pflügen. Nach einer langen Zeit wurde der Fluß klar, und die, die in ihm herabkamen, waren ganz deutlich in den Fluten ertrunken, wie ich gut sehen konnte; und wenn es dann auch nicht mehr so einfach war, Essen zu bekommen, war ich doch herzlich froh darüber. Ein bißchen Töten hier und da ist nicht schlecht – aber sogar der Mugger ist manchmal satt, wie man so sagt.«

»Wunderbar! Wirklich ganz wunderbar!« sagte der Schakal.

»Ich bin schon fett geworden, indem ich nur von soviel gutem

Essen höre. Und was, wenn es erlaubt ist zu fragen, hat der Beschützer der Armen hinterher getan?«

»Ich habe mir gesagt – und bei der Rechten und Linken von Ganga! Bei diesem Schwur habe ich meine Kiefer zusammengebissen – ich habe gesagt, daß ich mich nie wieder herumtreiben würde. Deshalb habe ich seitdem beim Ghât gelebt, sehr nah bei meinen eigenen Leuten, und ich habe Jahr um Jahr über sie gewacht; und sie haben mich so sehr geliebt, daß sie Ringelblumenkränze nach meinem Kopf geworfen haben, sobald sie ihn erhoben sahen. Ja, und mein Schicksal ist sehr gütig zu mir gewesen, und der Fluß ist so gut, meine arme und gebrechliche Gegenwart zu ehren; nur . . .«

»Keiner ist vom Schnabel bis zum Schwanz völlig glücklich«, sagte der Adjutant mitfühlend. »Was braucht denn der Mugger von Mugger-Ghât noch mehr?«

»Dieses kleine weiße Kind, das ich nicht bekommen habe«, sagte der Mugger mit einem tiefen Seufzer. »Es war sehr klein, aber ich habe es nicht vergessen. Ich bin jetzt alt, aber bevor ich sterbe habe ich noch den Wunsch, eine neue Sache zu versuchen. Zwar sind sie ein schwerfüßiges, lärmendes und närrisches Volk, und das Vergnügen wäre gering, aber ich erinnere mich an die alten Tage oberhalb von Benares, und wenn der Junge noch lebt, wird er sich auch erinnern. Vielleicht geht er nun das Ufer irgendeines Flusses auf und ab und erzählt, wie er einmal seine Hände zwischen den Zähnen des Muggers von Mugger-Ghât gehalten hat und lebend davonkam, um eine Geschichte daraus zu machen. Mein Schicksal ist sehr gütig gewesen, aber dies plagt mich manchmal in meinen Träumen – der Gedanke an den kleinen weißen Jungen im Bug dieses Boots.« Er gähnte und schloß seine Kiefer. »Und jetzt will ich ausruhen und nachdenken. Seid ruhig, meine Kinder, und ehret die Alten.«

Er wandte sich steif um und schlurfte zum anderen Ende der Sandbank, während der Schakal und der Adjutant sich in den

Schutz eines Baumes zurückzogen, der an dem Ende gestrandet war, das der Eisenbahnbrücke am nächsten lag.

»Das war ein angenehmes und ertragreiches Leben.« Der Schakal grinste und blickte fragend zu dem Vogel empor, der ihn überragte. »Und weißt du, nicht ein einziges Mal hat er es für angebracht gehalten, mir zu erzählen, wo am Ufer vielleicht ein Häppchen übriggeblieben sein könnte. Dabei habe ich *ihm* hundertmal von guten Dingen erzählt, die stromab treiben. Wie wahr ist doch das Sprichwort: ›Alle vergessen den Schakal und den Barbier, wenn die Neuigkeit erst erzählt ist!‹ Jetzt geht er schlafen! *Arrh!*«

»Wie kann denn ein Schakal mit einem Mugger jagen?« sagte der Adjutant kühl. »Großer Dieb und kleiner Dieb; es ist ganz leicht zu sagen, wer das bekommt, was übrigbleibt.«

Der Schakal wandte sich ab, winselte unwirsch und wollte sich gerade unter dem Baumstamm zusammenrollen, als er sich plötzlich duckte und durch die verschmierten Äste zur Brücke hinaufschaute, die fast genau über ihm war.

»Was jetzt?« sagte der Adjutant; er spreizte unbehaglich die Flügel.

»Warte bis wir es sehen. Der Wind weht von uns zu ihnen, aber sie schauen nicht nach uns – diese beiden Männer.«

»Männer, ja? Mein Amt beschützt mich. Ganz Indien weiß, daß ich heilig bin.« Da er ein erstklassiger Abfallbeseitiger ist, darf der Adjutant gehen wohin er will; und deshalb zuckte dieser hier mit keiner Feder.

»Ich bin nicht wert, von etwas Besserem als einem alten Schuh auch nur geschlagen zu werden«, sagte der Schakal und lauschte wieder. »Hör dir diese Schritte an!« fuhr er fort. »Das war kein Leder vom Land, sondern der beschuhte Fuß eines Weißgesichts. Hörst du, da wieder! Da oben schlägt Eisen auf Eisen! Es ist ein Gewehr! Freund, diese schwerfüßigen, närrischen Engländer sind gekommen, um sich mit dem Mugger zu unterhalten.«

»Dann warne ihn. Es ist noch gar nicht lange her, da hat jemand, der Ähnlichkeiten mit einem verhungernden Schakal hat, ihn Beschützer der Armen genannt.«

»Mein Vetter soll seine Haut selbst beschützen. Er hat mir wieder und wieder erzählt, vor den Weißgesichtern brauche man sich nicht zu fürchten. Die da müssen Weißgesichter sein. Keiner der Leute von Mugger-Ghât würde es wagen, ihn zu verfolgen. Siehst du, ich habe ja gesagt, daß es ein Gewehr ist! Mit ein bißchen Glück werden wir jetzt vor Tagesanbruch etwas zu essen bekommen. Wenn er aus dem Wasser ist, kann er nicht gut hören, und – dieses Mal ist es keine Frau!«

Einen Moment lang glitzerte ein leuchtender Gewehrlauf im Mondlicht auf den Brückenbalken. Der Mugger lag auf der Sandbank so ruhig wie sein eigener Schatten, die Vorderfüße ein wenig abgespreizt, der Kopf lag zwischen ihnen, und er schnarchte wie ein – Mugger.

Eine Stimme auf der Brücke flüsterte: »Das ist ein komischer Schuß – fast senkrecht runter –, aber so sicher wie ein Amen. Versuchen Sies am besten im Genick. Jesses! Was für ein Biest! Die Dorfleute werden aber wild werden, wenn er geschossen ist. Er ist der *deota* [Götze] der Gegend hier.«

»Ist mir völlig schnurz«, antwortete eine andere Stimme; »er hat an die fünfzehn von meinen besten Kulis geholt, wie wir die Brücke gebaut haben, und es ist Zeit, daß jemand mit ihm Schluß macht. Ich war wochenlang mit nem Boot hinter ihm her. Halten Sie die Martini bereit, sobald ich ihm hiervon beide Läufe gegeben habe.«

»Aber Vorsicht mit dem Rückstoß. Ein doppelläufiger Viertelpfünder ist kein Kinderspiel.«

»Das muß der da beurteilen. Ab gehts!«

Es gab ein Krachen wie beim Abschuß einer kleinen Kanone (die schwerste Art Elefantenbüchse unterscheidet sich nicht sehr von bestimmten Geschützen) und einen doppelten Feuerstrich, gefolgt vom stechenden Knall einer Martini, für deren langes Geschoß ein Krokodilsschild kein Hindernis ist. Aber die Explosionsgeschosse erledigten die Arbeit. Eines von ihnen schlug unmittelbar hinter dem Genick des Muggers ein, eine Handbreit links vom Rückgrat, während das andere ein wenig unterhalb detonierte, am Beginn des Schwanzes. In neunundneunzig von hundert Fällen kann ein zu Tode verwundetes Krokodil noch in tiefes Wasser kriechen und entkommen; aber der Mugger von Mugger-Ghât wurde buchstäblich in drei Stücke zerbrochen. Er konnte kaum noch den Kopf bewegen, ehe das Leben ihn verließ, und er lag dort so platt wie der Schakal.

»Donner und Blitz! Blitz und Donner!« sagte dieses erbärmliche kleine Tier. »Ist das Ding, das die bedeckten Wagen über die Brücke zieht, endlich gefallen?«

»Das ist doch nur ein Gewehr«, sagte der Adjutant, obwohl er bis in die Schwanzfedern zitterte. »Nicht mehr als ein Gewehr. Er ist ganz bestimmt tot. Da kommen die Weißgesichter.«

Die beiden Engländer waren eilig von der Brücke hinab- und zur Sandbank hinübergelaufen, wo sie nun standen und die Länge des Muggers bewunderten. Dann schlug ein Eingeborener mit einer Axt den großen Kopf ab, und vier Männer schleppten ihn über die Bank.

»Als ich das letzte Mal meine Hand im Maul von einem Mugger hatte«, sagte einer der Engländer; er bückte sich (es war der Mann, der die Brücke gebaut hatte), »da war ich ungefähr fünf Jahre alt – mit dem Boot flußabwärts unterwegs nach Monghyr. Ich war ein sogenanntes Meuterei-Baby. Meine arme Mutter war auch im Boot, und sie hat mir oft erzählt, wie sie Daddys alte Pistole auf den Kopf von dem Biest abgefeuert hat.«

»Also, jedenfalls haben Sie sich jetzt am Chef des Clans gerächt – wenn das Gewehr Ihnen auch eine blutende Nase verpaßt hat. Heh, Bootsleute! Hievt den Kopf ans Ufer, und wir werden den Schädel rauskochen. Die Haut hat zu viel abgekriegt um sie aufzuheben. Kommen Sie jetzt schlafen. Es hat sich aber gelohnt, die ganze Nacht dafür aufzubleiben, oder?«

Seltsamerweise machten der Schakal und der Adjutant die gleiche Bemerkung, keine drei Minuten, nachdem die Männer gegangen waren.

A RIPPLE SONG

Once a ripple came to land
   In the golden sunset burning—
Lapped against a maiden's hand,
   By the ford returning.

Dainty foot and gentle breast—
Here, across, be glad and rest.
'Maiden, wait,' the ripple saith;
'Wait awhile, for I am Death!'

'Where my lover calls I go—
   Shame it were to treat him coldly—
'T was a fish that circled so,
   Turning over boldly.'

Dainty foot and tender heart,
Wait the loaded ferry-cart.
'Wait, ah, wait!' the ripple saith;
'Maiden, wait, for I am Death!'

'When my lover calls I haste—
   Dame Disdain was never wedded!'
Ripple-ripple round her waist,
   Clear the current eddied.

Foolish heart and faithful hand,
Little feet that touched no land.
Far away the ripple sped,
Ripple—ripple—running red!

EIN KRÄUSELSANG

Einst kam eine Kräuselwelle zum Land
  im golden brennenden Sonnenuntergang –
plätscherte an die Hand einer Maid,
  die durch die Furt heimkehrte.

Feiner Fuß und sanfte Brust –
hier, hinüber, sei froh und raste.
»Warte, Maid«, sagt das Gekräusel;
»wart ein Weilchen, denn ich bin Der Tod!«

»Wohin mich der Liebste ruft, geh ich –
  schändlich wär es, ihn kalt zu behandeln –
ein Fisch hat diesen Ring da gemacht,
  indem er sich kühn drehte.«

Feiner Fuß und zartes Herz,
wart auf den beladenen Fähr-Karren.
»Wart, ah, warte!« sagt das Gekräusel;
»Warte, Maid, denn ich bin Der Tod!«

»Wenn der Liebste ruft, eile ich –
  Dame Hochmut ward nie vermählt!«
Kräusel-kräusel um ihre Hüfte,
  klar wirbelte die Strömung.

Törichtes Herz und treue Hand,
kleine Füße die kein Land berührten.
Fern fort schoß das Gekräusel,
Kräusel-kräusel – fließt so rot!

DES KÖNIGS ANKUS

These are the Four that are never content, that have never
  been filled since the Dews began—
Jacala's mouth, and the glut of the Kite, and the hands of the
  Ape, and the Eyes of Man.

Jungle Saying.

[Dies sind die Vier die niemals satt sind, die niemals
  voll waren, seit der Tau begann –
Jacalas Mund und die Därme des Geiers und die Hand des
  Affen und die Augen des Menschen.

Dschungel-Sprichwort]

K<small>AA</small>, der große Felspython, hatte seine Haut gewechselt, vielleicht zum zweihundertsten Mal seit seiner Geburt; und
Mowgli, der nie vergaß, daß er Kaa sein Leben wegen einer
Nacht der Arbeit in Kalte Stätten verdankte, woran ihr euch
vielleicht erinnert, ging hin, um ihn zu beglückwünschen.
Hautwechsel macht eine Schlange immer verdrossen und
bedrückt, bis die neue Haut zu leuchten und schön auszusehen
beginnt. Kaa machte sich nicht mehr über Mowgli lustig, sondern akzeptierte ihn wie die anderen Dschungelleute als Herrn
des Dschungels und überbrachte ihm all die Neuigkeiten, die
ein Python seiner Größe eben hört. Was Kaa nicht wußte über
den Mittleren Dschungel, wie er dort genannt wird – das
Leben, das sich nah am Boden oder darunter abspielt, das Felsen-, Höhlen- und Baumstamm-Leben –, hätte man auf die
kleinste seiner Schuppen schreiben können.

An diesem Nachmittag saß Mowgli umringt von Kaas großen
Windungen und betastete die abschuppende, zerbrochene alte
Haut, die ganz verdreht und in Schleifen zwischen den Felsen
lag, wie Kaa sie zurückgelassen hatte. Kaa hatte sich sehr höflich unter Mowglis breite bloße Schultern geschichtet, so daß
der Junge wirklich in einem lebenden Lehnstuhl ruhte.

»Sie ist vollkommen, sogar bis zu den Schuppen der Augen«,

sagte Mowgli halblaut; er spielte mit der alten Haut. »Seltsam, den Überzug des eigenen Kopfs zu den eigenen Füßen zu sehen!«

»Ja, bloß habe ich keine Füße«, sagte Kaa; »und weil das bei all meinen Leuten so üblich ist, finde ich es nicht seltsam. Fühlt sich denn deine Haut nie alt und harsch an?«

»Dann gehe ich mich waschen, Flachhaupt; aber es stimmt schon, bei großer Hitze habe ich mir oft gewünscht, ich könnte meine Haut ohne Schmerzen abstreifen und hautlos herumlaufen.«

»Ich wasche mich und ziehe *außerdem* die Haut aus. Wie macht sich der neue Rock?«

Mowgli fuhr mit der Hand über das diagonale Karomuster des ungeheuren Rückens. »Der Rücken der Schildkröte ist härter, aber nicht so bunt«, sagte er kennerhaft. »Der Frosch, mein Namensträger, ist bunter, aber nicht so hart. Sie sieht wunderschön aus – wie die Tupfer im Mund einer Lilie.«

»Sie braucht Wasser. Die Farbe einer neuen Haut kommt immer erst nach dem ersten Bad richtig heraus. Laß uns baden gehen.«

»Ich trage dich«, sagte Mowgli; und lachend bückte er sich, um den Mittelteil von Kaas großem Körper anzuheben, gerade dort wo die Walze am dicksten war. Ein Mensch hätte ebensogut versuchen können, ein Kanalrohr mit zwei Fuß Durchmesser zu hieven; und Kaa lag ruhig da und schnaufte vor stillem Vergnügen. Dann begann das übliche Abendspiel – der Junge, stolz über seine große Stärke, und der Python in seiner prächtigen neuen Haut, stellten sich einander zu einem Ringkampf – einer Probe von Auge und Stärke. Natürlich hätte Kaa ein Dutzend Mowglis zerquetschen können, wenn er sich hätte gehen lassen; aber er spielte das Spiel behutsam und setzte nie auch nur ein Zehntel seiner Macht ein. Seit Mowgli kräftig genug war, um ein wenig rauhe Behandlung zu ertragen, hatte Kaa ihm dieses Spiel beigebracht, und es machte seine Glieder geschmeidiger, als irgend etwas anderes es gekonnt hätte. Aufrecht stehend war Mowgli dabei manchmal fast bis zum Hals von Kaas Schlingen umwickelt, die sich verschoben; er versuchte, einen Arm freizubekommen und Kaa an der Kehle zu packen. Dann ließ Kaa sich schlaff zurückfallen, und Mowgli versuchte mit seinen beiden schnellen Füßen, diesen riesigen Schwanz zu umklammern und festzuhalten, der nach hinten schnellte und nach einem Felsen oder Baumstumpf tastete. Sie schwankten hin und her, Kopf an Kopf; jeder wartete auf seine Chance, bis die wunderbare statuenhafte Gruppe in einem Wirbel schwarz-gelber Windungen und zuckender Arme und Beine schmolz, um sich wieder und wieder zu erheben. »Da! Da! Da!« sagte Kaa; er machte Finten mit dem Kopf, den nicht einmal Mowglis schnelle Hände abwehren konnten. »Schau! Ich berühre dich hier, Kleiner Bruder! Hier, und hier! Sind deine Hände taub? Hier wieder!« Das Spiel endete immer auf die gleiche Weise – mit einem geraden, wuchtigen Stoß des Kopfs, der den Jungen sich überschlagen ließ. Mowgli fand nie die Abwehr gegen dieses blitzartige Vorschnellen, und wie Kaa sagte, hatte es auch überhaupt keinen Sinn, es zu versuchen.

»Gutes Jagen!« murmelte Kaa schließlich; und Mowgli wurde wie gewöhnlich ein halbes Dutzend Yards fortgeschleudert, keuchend und lachend. Er stand auf, die Finger voller Gras, und folgte der weisen Schlange zu Kaas liebstem Badeplatz – einem tiefen pechschwarzen Teich, umgeben von Felsen, den versunkene Baumstümpfe interessant machten. Der Junge glitt nach Dschungelart ohne einen Laut hinein und tauchte hindurch; er kam ebenso geräuschlos an die Oberfläche und legte sich auf den Rücken, die Arme unterm Kopf, sah dem Mond zu, der über den Felsen aufging, und zerbrach die Mondspiegelung im Wasser mit seinen Zehen. Kaas karoförmiger Kopf schnitt wie ein Rasiermesser durch den Teich, tauchte auf und ruhte dann auf Mowglis Schulter. Sie lagen still und ließen sich wohlig vom kühlen Wasser bespülen.

»Das ist *sehr* gut«, sagte Mowgli schließlich schläfrig. »Also, beim Menschen-Rudel haben sie sich um diese Zeit, wie ich mich erinnere, auf harte Holzstücke gelegt, auf der Innenseite einer Lehmfalle, und nachdem sie sorgsam alle sauberen Winde ausgesperrt hatten, haben sie stinkende Tücher über ihre schweren Köpfe gezogen und schlimme Lieder durch ihre Nasen gemacht. Im Dschungel ist es besser.«

Eine eilige Kobra glitt an den Felsen herab und trank, wünschte ihnen »Gutes Jagen!« und ging wieder fort.

»Sssh!« sagte Kaa, als ob er sich plötzlich an etwas erinnert hätte. »Dann gibt dir der Dschungel also alles, was du dir je gewünscht hast, Kleiner Bruder?«

»Nicht alles«, sagte Mowgli lachend. »Sonst wäre jeden Monat ein neuer und starker Shere Khan zu töten da. Jetzt könnte ich mit meinen eigenen Händen töten, ohne Büffel um Hilfe zu bitten. Und dann habe ich mir auch schon gewünscht, daß mitten in der Regenzeit die Sonne scheint, und daß im tiefen Sommer die Regen die Sonne bedecken; und ich war auch nie leer im Bauch ohne mir zu wünschen, ich hätte eine Ziege getötet; und ich habe auch nie eine Ziege getötet ohne mir zu wünschen, es wäre ein Hirsch gewesen; und keinen Hirsch ohne zu wünschen, es wäre Nilghai. Aber das empfinden wir alle.«

»Du hast keinen anderen Wunsch?« fragte die große Schlange.

»Was kann ich mir denn mehr wünschen? Ich habe den Dschungel und die Gunst des Dschungels! Gibt es irgendwo zwischen Sonnenaufgang und Sonnenuntergang noch mehr?«

»Also, die Kobra hat gesagt . . .« begann Kaa.

»Welche Kobra? Die da eben fortgegangen ist, die hat nichts gesagt. Sie war beim Jagen.«

»Es war eine andere.«

»Hast du viel mit dem Gift-Volk zu tun? Ich lasse sie ihre eigenen Wege gehen. Sie tragen den Tod im Vorderzahn, und das ist nicht gut – sie sind doch so klein. Aber welche Haube ist es, mit der du gesprochen hast?«

Kaa rollte langsam im Wasser wie ein Dampfer in einer Kreuzsee. »Vor drei oder vier Monaten«, sagte er, »habe ich in Kalte Stätten gejagt; diesen Ort hast du nicht vergessen. Und das was ich gejagt habe, ist kreischend an den Zisternen vorbei zu diesem Haus geflohen, dessen Seite ich einmal deinetwegen zerbrochen habe, und in den Boden hineingerannt.«

»Aber das Volk von Kalte Stätten lebt nicht in Höhlen.« Mowgli wußte, daß Kaa vom Affen-Volk sprach.

»Dieses Ding hat nicht gelebt, sondern zu leben versucht«, erwiderte Kaa mit einem Beben seiner Zunge. »Es ist in eine Höhle gerannt, die sich sehr weit erstreckte. Ich bin gefolgt, und nach dem Töten habe ich geschlafen. Als ich erwacht war, bin ich weitergegangen.«

»Unter der Erde?«

»So ist es; und schließlich bin ich einer Weißen Haube [einer weißen Kobra] begegnet; er hat von Dingen gesprochen, von denen ich nichts wußte, und mir vieles gezeigt, was ich nie zuvor gesehen hatte.«

»Neues Wild? War es gutes Jagen?« Mowgli drehte sich schnell auf die Seite.

»Es war kein Wild, und ich hätte mir alle Zähne daran gebrochen; aber Weiße Haube sagte, ein Mensch – er hat geredet wie einer, der die Brut kennt – ein Mensch würde den Atem unter seinen Rippen dafür geben, diese Dinge nur anschauen zu können.«

»Wir wollen es uns ansehen«, sagte Mowgli. »Ich erinnere mich jetzt, daß ich einmal ein Mensch war.«

»Langsam – langsam. Hast war es, was die gelbe Schlange getötet hat, die die Sonne aß. Er und ich, wir haben unter der Erde geredet, ich habe von dir gesprochen und dich als Mensch bezeichnet. Weiße Haube hat gesagt (und er ist wirklich so alt wie der Dschungel): ›Es ist lange her, daß ich einen Menschen gesehen habe. Laß ihn kommen, und er soll all diese Dinge sehen, für deren Geringstes viele Menschen sterben würden.‹«

»Das *muß* neues Wild sein. Und dabei erzählen uns die Gift-Leute nicht, wenn Wild unterwegs ist. Sie sind ein unfreundliches Volk.«

»Es ist *kein* Wild. Es ist – es ist – ich kann nicht sagen, was es ist.«

»Wir werden dorthin gehen. Ich habe noch nie eine Weiße Haube gesehen, und ich möchte die anderen Dinge sehen. Hat er sie getötet?«

»Es sind alles tote Dinge. Er sagt, er ist der Bewahrer von alledem.«

»Ah! Wie ein Wolf sich über dem Fleisch aufstellt, das er in sein eigenes Lager gebracht hat. Laß uns gehen.«

Mowgli schwamm ans Ufer, wälzte sich im Gras, um sich abzutrocknen, und die beiden brachen auf nach Kalte Stätten, der Ruinenstadt, von der ihr vielleicht gehört habt. Mowgli hatte in diesen Tagen keinerlei Angst mehr vor den Affen-Leuten, aber die Affen-Leute empfanden lebhaftes Entsetzen vor Mowgli. Ihre Stämme tobten aber gerade im Dschungel herum, und deshalb stand Kalte Stätten leer und schweigend im Mondlicht. Kaa glitt voraus zu den Ruinen des Pavillons der Königin, der auf der Terrasse stand, schlüpfte über die Trümmer und tauchte die halb zugeschüttete Treppe hinab, die von der Mitte des Pavillons unter die Erde führte. Mowgli stieß den Schlangenruf aus – »Wir sind eines Blutes, ihr und ich« – und folgte auf Händen und Knien. Lange krochen sie einen abfallenden Gang hinunter, der sich einige Male bog und wendete, und schließlich kamen sie zu einer Stelle, wo die Wurzel eines großen Baumes, der dreißig Fuß über ihnen wuchs, einen massigen Stein aus der Wand gedrückt hatte. Sie krochen durch die Lücke und fanden sich in einer großen Gruft, deren gewölbtes Dach ebenfalls von Baumwurzeln aufgebrochen war, so daß ein paar Lichtstriemen in die Dunkelheit hinabfielen.

»Ein sicheres Lager«, sagte Mowgli; er stellte sich auf seine kräftigen Füße. »Aber zu weit weg, um es jeden Tag zu besuchen. Und was gibt es hier zu sehen?«

»Bin ich nichts?« sagte eine Stimme mitten in der Gruft; und Mowgli sah etwas Weißes sich bewegen, bis sich nach und der größte Kobra, den er je gesehen hatte vor ihm erhob – ein Geschöpf von fast acht Fuß Länge und vom Leben im Dunkel zu einem alten Elfenbeinweiß gebleicht. Selbst die Brillenzeichnung seiner gespreizten Haube war zu schwachem Gelb verblaßt. Seine Augen waren rot wie Rubine, und überhaupt war er ganz wunderbar.

»Gutes Jagen!« sagte Mowgli, der seine Manieren mit seinem Messer trug, und dieses verließ ihn nie.

»Was macht die Stadt?« sagte der Weiße Kobra, ohne auf den Gruß zu antworten. »Was macht die große, die umwallte Stadt – die Stadt von hundert Elefanten und zwanzigtausend Pferden und Rindern ohne Zahl – die Stadt des Königs der zwanzig Könige? Ich werde taub hier unten, und es ist lange her, daß ich ihre Kriegsgongs hörte.«

»Über unseren Köpfen ist der Dschungel«, sagte Mowgli. »An Elefanten kenne ich nur Hathi und seine Söhne. Bagheera hat alle Pferde in einem Dorf getötet, und – was ist ein König?«

»Ich habe es dir erzählt«, sagte Kaa sanft zu dem Kobra – »ich habe es dir vor vier Monden erzählt, daß deine Stadt nicht mehr ist.«

»Die Stadt – die große Stadt des Waldes, deren Tore von den Türmen des Königs bewacht sind – kann niemals vergehen. Sie haben sie gebaut, ehe der Vater meines Vaters aus dem Ei kam, und sie wird überdauern, wenn die Söhne meiner Söhne so weiß sind wie ich! Salomdhi, Sohn von Chandrabija, Sohn von Viyeja, Sohn von Yegasuri, hat sie in den Tagen von Bappa Rawal angelegt. Wessen Vieh seid *ihr*?«

»Es ist eine verlorene Fährte«, sagte Mowgli, zu Kaa gewandt. »Ich kenne seine Rede nicht.«

»Ich auch nicht. Er ist sehr alt. Vater der Kobras, hier ist nur der Dschungel, wie seit allem Anfang.«

»Wer ist *er* dann«, sagte der Weiße Kobra, »der sich hier vor mir niederläßt, ohne Furcht, der den Namen des Königs nicht kennt und mit Menschenlippen unsere Sprache spricht? Wer ist er, mit dem Messer und der Schlangenzunge?«

»Mowgli nennt man mich«, war die Antwort. »Ich bin vom Dschungel. Die Wölfe sind mein Volk, und Kaa hier ist mein Bruder. Vater der Kobras, wer bist du?«

»Ich bin der Hüter des Königsschatzes. In den Tagen, da meine Haut dunkel war, baute Kurrun Radscha den Stein über mir, daß ich jene, die zum Stehlen kommen, den Tod lehre. Dann haben sie den Schatz durch den Stein herabgelassen, und ich hörte das Lied der Brahmanen, meiner Meister.«

»Mhm!« sagte Mowgli sich. »Ich hatte schon mit einem Brahmanen zu tun, im Menschen-Rudel, und – ich weiß, was ich weiß. Böses wird bald herkommen.«

»Fünfmal, seit ich herkam, ist der Stein angehoben worden, aber immer um mehr herunterzulassen, und nie um etwas wegzunehmen. Es gibt keine Reichtümer wie diese – die Schätze von hundert Königen. Aber es ist lange, lange her, seit der Stein zuletzt bewegt wurde, und ich glaube, daß meine Stadt vergessen hat.«

»Es gibt keine Stadt. Schau auf. Das da sind Wurzeln großer Bäume, die die Steine auseinanderreißen. Bäume und Menschen wachsen nicht gemeinsam«, beharrte Kaa.

»Zweimal und dreimal haben Menschen ihren Weg hierher gefunden«, antwortete der Weiße Kobra verbissen; »aber sie haben nie gesprochen, bis ich über sie kam, als sie im Dunkel tasteten, und dann haben sie nur kurze Zeit geschrien. Aber *ihr* kommt mit Lügen, Mensch und Schlange, und ihr wollt mich glauben machen, daß die Stadt nicht mehr ist und daß meine Hüterschaft endet. Die Menschen ändern sich wenig mit den Jahren. Aber *ich* ändere mich niemals! Bis der Stein angehoben wird und die Brahmanen herabkommen, die die Lieder singen, die ich kenne, und mich mit warmer Milch füttern und mich wieder ans Licht bringen, bin ich – ich – *ich* und kein anderer der Hüter des Königsschatzes! Die Stadt ist tot, sagt ihr, und hier sind die Wurzeln der Bäume? Dann bückt euch doch und nehmt, was ihr wollt. Die Erde hat keine Schätze, die diesen gleichen. Mensch mit der Schlangenzunge, wenn du lebendig den Weg zurückgehen kannst, über den du hereingekommen bist, dann werden die minderen Könige deine Diener sein!«

»Wieder ist die Fährte verloren«, sagte Mowgli kühl. »Ob ein Schakal sich so tief gewühlt hat, daß er diese große Weiße Haube beißen konnte? Bestimmt ist er verrückt. Vater der Kobras, ich sehe hier nichts, das ich mitnehmen könnte.«

»Bei den Göttern der Sonne und des Mondes, das ist der Wahn des Todes über dem Jungen!« zischte der Kobra. »Ehe deine Augen sich schließen, will ich dir diese Gunst gewähren. Schau hin und sieh, was kein Mensch je gesehen hat!«

»Es ergeht denen im Dschungel nicht gut, die zu Mowgli von Gunst sprechen«, sagte der Junge durch die Zähne; »aber das Dunkel verändert alles, wie ich weiß. Ich will schauen, wenn dir das gefällt.«

Mit zusammengekniffenen Augen starrte er in der Gruft umher, und dann hob er vom Boden eine Handvoll glitzernder Dinge auf.

»Oho!« sagte er. »Das ist wie das Zeug, mit dem sie im Menschen-Rudel spielten; nur ist dies hier gelb und das andere war braun.«

Er ließ die Goldstücke fallen und ging vorwärts. Der Boden der Gruft war fünf oder sechs Fuß tief unter gemünztem Gold und Silber begraben; es war aus den Säcken, in denen man es ursprünglich verpackt hatte, herausgequollen, und mit den langen Jahren hatte das Metall sich gesetzt und geschichtet, wie sich Sand bei Ebbe schichtet. Darauf und darin und daraus hervorragend, wie Wracks sich im Sand heben, lagen juwelenbesetzte Elefanten-Howdahs aus getriebenem Silber, beschlagen mit Platten aus gehämmertem Gold und geziert mit Karfunkeln und Türkisen. Es gab Palankins und Sänften zum Tragen von Königinnen, umrahmt und verstrebt von Silber und Emaille, mit Tragstangen mit Jadegriffen und Vorhang-Ringen aus Bernstein; da gab es goldene Leuchter, behangen mit durchbohrten Smaragden, die auf den Armen bebten; da waren fünf Fuß hohe, verzierte Bilder vergessener Götter, Silber mit Juwelenaugen; Kettenpanzer, Gold eingelegt auf Stahl, und befranst mit morschen und geschwärzten Staubperlen; Helme mit Büschen, geschmückt von taubenblutfarbenen Rubinen; Schilde aus Lack, aus Schildpatt und Rhinozeroshaut, mit Schnüren und Bossen aus rotem Gold und smaragdbesetzten Rändern; Garben von Schwertern, Dolchen und Jagdmessern mit Diamantgriffen; goldene Opferschalen und Kellen, und tragbare Altäre von einer Form, die nie das Licht des Tages sieht; Becher und Armbänder aus Jade; Weihrauchkessel, Kämme, Töpfe für Parfum, Hennah und Augenpuder, alle aus getriebenem Gold; Nasenringe, Armspangen, Kopfbänder, Fingerringe und Gürtel ohne jede Zahl; Schwertgehänge, sieben Finger breit, aus viereckig zugeschliffenen Diamanten und Rubinen, und Holzkästen mit dreifachen Eisenbeschlägen, zwischen denen das Holz zu Staub zerfallen war und nun die Haufen ungeschliffener Sternsaphire, Opale, Katzenaugen, Saphire, Rubine, Diamanten, Smaragde und Granate darinnen sehen ließ.

Der Weiße Kobra hatte recht. Kein bloßes Geld konnte auch nur einen Teil vom Wert dieses Schatzes bezahlen, der erlesenen Erträge aus Jahrhunderten von Krieg, Plünderei, Handel und Besteuerung. Schon die Münzen waren unschätzbar, all die Edelsteine gar nicht gerechnet; und das tote Gewicht des Goldes und Silbers allein mochte zwei- oder dreihundert Tonnen betragen. Jeder eingeborene Herrscher im heutigen Indien hat, so arm er auch sei, einen Hort, den er ständig vergrößert; und wenn auch alle Jubeljahre einmal ein aufgeklärter Fürst viel-

leicht vierzig oder fünfzig Ochsenkarren-Ladungen Silber los-
schickt, um sie gegen Staatspapiere einzutauschen, behalten
doch fast alle ihre Schätze und das Wissen darüber ganz strikt
für sich.

Aber Mowgli begriff natürlich nicht, was diese Dinge
bedeuteten. Die Messer interessierten ihn ein wenig, aber sie
waren nicht so gut ausbalanciert wie sein eigenes, deshalb
ließ er sie fallen. Schließlich fand er etwas wirklich Faszinie-
rendes; es lag auf der Vorderseite eines halb unter den Münzen begrabenen Howdah. Es war ein drei Fuß langer Ankus
oder Elefanten-Stock – ähnlich einem kleinen Bootshaken.
Die Spitze war ein einziger runder, leuchtender Rubin, und
acht Zoll des Griffs darunter waren dicht an dicht mit Roh-
türkisen besetzt, was sicheres Anpacken erlaubte. Darunter
saß ein Jaderand, über den ein Blumenmuster lief – allerdings
waren die Blätter Smaragde und die Blüten Rubine, eingelassen in den kühlen, grünen Stein. Der übrige Griff war ein
Schaft aus reinem Elfenbein, während der Sporn – Stachel
und Haken – aus mit Gold eingelegtem Stahl bestand, mit
Bildern einer Elefantenjagd; und die Bilder zogen Mowgli an,
der sah, daß sie etwas mit seinem Freund Hathi dem
Schweigsamen zu tun hatten.

Der Weiße Kobra war ihm dicht gefolgt. »Ist dieser
Anblick nicht wert, dafür zu sterben?« sagte er. »Habe ich
dir nicht eine große Gunst erwiesen?«

»Ich verstehe es nicht«, sagte Mowgli. »Die Dinge sind
hart und kalt und keineswegs gut zu essen. Aber das hier« –
er hob den Ankus – »will ich sehr gern mitnehmen, damit ich
es in der Sonne sehen kann. Du sagst, all dies gehört dir?
Wirst du es mir geben, und ich bringe dir Frösche zu essen?«

Der Weiße Kobra zitterte förmlich vor bösem Entzücken.
»Gewiß will ich es dir geben«, sagte er. »Alles was hier ist will
ich dir geben – bis du weggehst.«

»Aber ich gehe jetzt. Dieser Ort ist düster und kalt, und ich möchte dieses dornenspitze Ding in den Dschungel mitnehmen.«

»Schau neben deinen Fuß! Was ist das da?«

Mowgli las etwas Weißes und Glattes auf. »Das ist ein Knochen vom Kopf eines Menschen«, sagte er ruhig. »Und da sind noch zwei.«

»Sie sind vor vielen Jahren gekommen, um den Schatz wegzuholen. Im Dunkel habe ich zu ihnen gesprochen, und sie lagen still.«

»Aber was brauche ich denn von dem, was Schatz genannt wird? Wenn du mir den Ankus mitgeben willst, dann ist es gutes Jagen. Wenn nicht, ist es trotzdem gutes Jagen. Ich kämpfe nicht mit den Gift-Leuten, und außerdem hat man mich das Meisterwort deines Stammes gelehrt.«

»Hier gibt es nur ein Meisterwort. Es ist meines!«

Kaa schnellte mit lodernden Augen vorwärts. »Wer hat mich gebeten, den Menschen herzubringen?« zischte er.

»Ich, gewiß«, lispelte der alte Kobra. »Es ist lange her, daß ich einen Menschen gesehen habe, und dieser Mensch spricht unsere Zunge.«

»Aber von Töten war keine Rede. Wie kann ich zurück in den Dschungel gehen und sagen, daß ich ihn in seinen Tod geführt habe?« sagte Kaa.

»Ich spreche nicht über das Töten, bis es Zeit ist. Und was dein Gehen oder Nichtgehen betrifft, da ist das Loch in der Wand. Friede, jetzt, du fetter Affentöter! Ich brauche nur deinen Nacken zu berühren, und der Dschungel weiß nichts mehr von dir. Niemals ist ein Mensch hergekommen und mit dem Atem unter seinen Rippen fortgegangen. Ich bin der Hüter des Schatzes der Königsstadt!«

»Aber, du weißer Wurm im Dunkeln, ich sage dir doch, es gibt weder König noch Stadt! Um uns her ist nur der Dschungel!« rief Kaa.

»Hier ist immer noch der Schatz. Aber eines können wir tun.

Warte ein wenig, Kaa von den Felsen, und sieh den Jungen rennen. Hier ist genug Platz für ein feines Vergnügen. Das Leben ist schön. Lauf ein wenig hin und her und zerstreu uns, Junge!«

Mowgli legte ruhig seine Hand auf Kaas Kopf. »Das weiße Ding hat bisher mit Männern vom Menschen-Rudel zu tun gehabt. Er kennt mich nicht«, flüsterte er. »Er hat dieses Jagen gewollt, er soll es bekommen.« Mowgli hatte dort mit dem Ankus in der Hand gestanden, die Spitze nach unten. Er schleuderte ihn schnell von sich, und der Ankus fiel dicht hinter der Haube quer über die große Schlange und nagelte sie auf den Boden. Blitzschnell lag Kaas Gewicht auf dem sich windenden Körper, lähmte ihn von der Haube bis zum Schwanz. Die roten Augen brannten, und die übrigen sechs Zoll Kopf stießen wütend nach rechts und links.

»Töte!« sagte Kaa, als Mowglis Hand ans Messer ging.

»Nein«, sagte er, als er die Klinge zog, »ich will nie wieder töten, außer zum Essen. Aber sieh her, Kaa!« Er packte die Schlange hinter der Haube, stemmte mit der Messerklinge den Mund auf und zeigte, daß die furchtbaren Giftfänge des Oberkiefers schwarz und verdorrt im Zahnfleisch steckten. Der Weiße Kobra hatte sein Gift überlebt, wie es bei Schlangen vorkommt.

»*Thuu!* [Es ist ausgetrocknet]*«, sagte Mowgli; er winkte Kaa, zur Seite zu gehen, hob den Ankus auf und ließ den Weißen Kobra frei.

»Der Schatz des Königs braucht einen neuen Hüter«, sagte er ernst. »Thuu, du hast nicht wohl getan. Lauf hin und her und zerstreu uns, Thuu!«

»Ich bin beschämt. Töte mich!« zischte der Weiße Kobra.

»Es ist schon zu viel vom Töten geredet worden. Wir werden jetzt gehen. Ich nehme das Ding mit der Dornenspitze, Thuu, weil ich dich bekämpft und bezwungen habe.«

---

* wörtlich: inwendig verfaulter Baumstumpf (Anm. von RK)

»Dann sieh zu, daß das Ding nicht am Ende dich tötet. Es ist der Tod! Denke daran, es ist der Tod! In diesem Ding steckt genug, um die Menschen meiner ganzen Stadt zu töten. Du wirst es nicht lange behalten, Dschungelmensch, und auch der nicht, der es dir abnimmt. Sie werden töten und töten und töten, seinetwegen! Meine Kraft ist ausgetrocknet, aber der Ankus wird mein Werk erledigen. Er ist der Tod! Er ist der Tod! Er ist der Tod!«

Mowgli kroch wieder durch das Loch in den Gang, und das Letzte was er sah war der Weiße Kobra, der wütend mit seinen unschädlichen Fängen nach den gleichmütigen goldenen Gesichtern der Götter hieb, die auf dem Boden lagen, und dabei zischte: »Er ist der Tod!«

Sie waren froh, wieder ans Tageslicht zu kommen; und als sie zu ihrem eigenen Dschungel zurückgekehrt waren und Mowgli den Ankus im Morgenlicht glitzern ließ, gefiel ihm dies fast so gut, als ob er ein Bündel neuer Blumen gefunden hätte, um es in sein Haar zu stecken.

»Das ist heller als Bagheeras Augen«, sagte er entzückt, während er den Rubin hin und her drehte. »Ich will es ihm zeigen; aber was hat der Thuu gemeint, als er vom Tod geredet hat?«

»Ich weiß es nicht. Bis zum Schwanz meines Schwanzes bin ich kummervoll, weil er dein Messer nicht gefühlt hat. Immer ist Übel in Kalte Stätten – über der Erde oder darunter. Aber jetzt bin ich hungrig. Jagst du heute früh mit mir?« sagte Kaa.

»Nein; Bagheera muß dieses Ding sehen. Gutes Jagen!« Mowgli tanzte davon; er schwenkte den großen Ankus und hielt von Zeit zu Zeit an um ihn zu bewundern, bis er zu dem Teil des Dschungels kam, wo Bagheera sich am meisten aufhielt, und ihn dort nach einem schweren Töten beim Trinken fand. Mowgli erzählte ihm all seine Abenteuer von Anfang bis Ende, und dabei beschnüffelte Bagheera bisweilen den Ankus. Als Mowgli zu den letzten Worten des Weißen Kobra kam, schnurrte der Panther zustimmend.

»Dann hat Weiße Haube also gesprochen, was ist?« fragte Mowgli schnell.

»Ich bin in den Käfigen des Königs von Udaipur geboren worden, und bis in meinen Bauch hinein weiß ich ein wenig über Menschen. Sehr viele Männer würden dreimal in einer Nacht töten, allein wegen dieses einen großen roten Steins.«

»Aber der Stein macht den Stab so schwer für die Hand. Mein kleines helles Messer ist besser; und – schau! der rote Stein ist nicht gut zu essen. *Warum* würden sie dann töten?«

»Mowgli, geh und leg dich schlafen. Du hast unter Menschen gelebt...«

»Ich erinnere mich. Menschen töten, weil sie nicht jagen – zur Muße und zum Vergnügen. Wach wieder auf, Bagheera. Zu welchem Zweck ist dieses Ding mit der Dornenspitze gemacht worden?«

Bagheera öffnete die Augen halb – er war sehr schläfrig –, mit einem boshaften Zwinkern.

»Es ist von Menschen gemacht worden, um es in den Kopf der Söhne von Hathi zu stoßen, bis das Blut herausströmt. Ich habe so etwas auf der Straße von Udaipur gesehen, vor unseren Käfigen. Dieses Ding hat das Blut von vielen wie Hathi geschmeckt.«

»Aber warum stoßen sie es in die Köpfe von Elefanten?«

»Um sie die Gesetze des Menschen zu lehren. Weil sie weder Krallen noch Zähne haben, machen Menschen diese Dinge – und schlimmere.«

»Immer mehr Blut, wenn ich den Dingen auch nur nahekomme, die das Menschen-Rudel gemacht hat«, sagte Mowgli angewidert. Das Gewicht des Ankus begann ihn ein wenig zu ermüden. »Wenn ich das gewußt hätte, hätte ich ihn nicht genommen. Zuerst war es Messuas Blut auf den Riemen, und jetzt ist es Hathis. Ich will ihn nicht mehr haben. Schau!«

Der Ankus flog funkelnd und grub sich dreißig Yards entfernt mit der Spitze zwischen den Bäumen ein. »Nun sind meine Hände rein vom Tod«, sagte Mowgli; er rieb seine Handflächen auf der frischen feuchten Erde. »Der Thuu hat gesagt, der Tod würde mir folgen. Er ist alt und weiß und verrückt.«

»Weiß oder schwarz, oder Tod oder Leben, *ich* gehe jetzt schlafen, Kleiner Bruder. Ich kann nicht die ganze Nacht jagen und den ganzen Tag jaulen, wie gewisse andere Leute.«

Bagheera ging fort zu einem etwa zwei Meilen entfernten Jagdlager, das er kannte. Mowgli machte es sich einfach, indem er einen geeigneten Baum erkletterte, drei oder vier Schlingpflanzen zusammenband, und schneller als es erzählt ist schaukelte er fünfzig Fuß über der Erde in einer Hängematte. Zwar hatte er keine ausgesprochene Abneigung gegen kräftiges Tageslicht, aber er befolgte die Gewohnheiten seiner Freunde und mied es soviel er konnte. Als er unter den sehr lauten Stimmen der Völker erwachte, die in den Bäumen leben, war wieder Zwielicht, und er hatte von den wunderschönen Kieseln geträumt, die er fortgeworfen hatte.

»Wenigstens will ich das Ding noch einmal ansehen«, sagte er und glitt eine Schlingpflanze zum Boden hinab; aber Bagheera war vor ihm. Mowgli konnte ihn im Halblicht schnüffeln hören.

»Wo ist das Ding mit der Dornenspitze?« rief Mowgli.

»Ein Mann hat es genommen. Hier ist die Fährte.«

»Jetzt werden wir sehen, ob der Thuu die Wahrheit gesagt hat. Wenn das spitze Ding der Tod ist, dann wird dieser Mann sterben. Laß uns ihm folgen.«

»Töte zuerst«, sagte Bagheera. »Ein leerer Magen macht das Auge unachtsam. Menschen gehen sehr langsam, und der Dschungel ist naß genug, um auch die leichteste Spur zu bewahren.«

Sie töteten sobald sie konnten, aber es vergingen fast drei Stunden, bis sie ihr Essen und Trinken beendet hatten und sich auf die Fährte setzten. Die Dschungel-Leute wissen, daß hastige Mahlzeiten durch nichts wiedergutgemacht werden.

»Meinst du, das spitze Ding dreht sich in den Händen des Mannes um und tötet ihn?« fragte Mowgli. »Der Thuu hat gesagt, es ist der Tod.«

»Wir werden sehen wenn wir finden«, sagte Bagheera; er trabte mit gesenktem Kopf. »Es ist einzelfüßig [er meinte, daß die Spur nur von einem Mann stammte], und das Gewicht des Dinges hat seine Ferse tief in den Grund gedrückt.«

»Hai! Das ist so klar wie Sommerblitze«, antwortete Mowgli; und sie fielen in den schnellen schwankenden Fährtentrab, ein und aus durch die Mondscheinflecken, und folgten den Spuren dieser beiden nackten Füße.

»Jetzt läuft er rasch«, sagte Mowgli. »Die Zehen sind gespreizt.« Sie gingen weiter über nassen Grund. »Warum biegt er jetzt hier ab?«

»Warte!« sagte Bagheera; er schnellte mit einem großartigen Satz nach vorn, so weit er nur konnte. Wenn eine Fährte sich nicht mehr von selbst erklären läßt, sollte man als erstes vorstoßen, ohne die eigenen verwirrenden Fußabdrücke auf dem Boden zu hinterlassen. Bagheera drehte sich bei der Landung, wandte sich Mowgli zu und rief: »Hier kommt eine andere Fährte, die ihm begegnet. Es ist ein kleinerer Fuß, diese zweite Fährte, und die Zehen sind nach innen gedreht.«

Da erst rannte Mowgli zu ihm und schaute. »Das ist der Fuß von einem Gond-Jäger«, sagte er. »Sieh mal! Hier hat er seinen Bogen über das Gras schleifen lassen. Deshalb ist die erste Fährte hier so schnell abgebogen. Großer Fuß hat sich vor Kleiner Fuß versteckt.«

»Das stimmt«, sagte Bagheera. »Damit wir jetzt nicht einander über den Weg laufen und die Zeichen verwischen, sollte jeder eine Fährte nehmen. Ich bin Großer Fuß, Kleiner Bruder, und du bist Kleiner Fuß, der Gond.«

Bagheera sprang zu der ursprünglichen Fährte zurück, während sich Mowgli über die seltsame schmale Fährte des kleinen wilden Mannes aus den Wäldern beugte.

»Jetzt«, sagte Bagheera; er bewegte sich Schritt für Schritt an der Kette der Fußabdrücke entlang, »biege ich, Großer Fuß, hier ab. Jetzt verstecke ich mich hinter einem Felsen und stehe still; ich wage nicht, die Füße zu bewegen. Sing deine Fährte, Kleiner Bruder.«

»Jetzt komme ich, Kleiner Fuß, zum Felsen«, sagte Mowgli; er lief seine Fährte entlang. »Jetzt setze ich mich unter den Felsen, stütze mich auf meine rechte Hand und lasse den Bogen zwischen meinen Zehen ruhen. Ich warte lange, denn das Zeichen meiner Füße ist hier tief.«

»Ich auch«, sagte Bagheera, hinter dem Felsen verborgen. »Ich warte, und ich lasse das Ende des Dings mit der Dornenspitze auf einem Stein ruhen. Es rutscht ab, denn hier ist ein Kratzer auf dem Stein. Sing deine Fährte, Kleiner Bruder.«

»Einer, zwei Zweige und ein großer Ast sind hier zerbrochen«, sagte Mowgli halblaut. »Also, wie soll ich *das* singen? Ah! Jetzt ist es klar. Ich, Kleiner Fuß, gehe weg und mache Lärm und trample, damit Großer Fuß mich hören kann.« Schritt um Schritt ging er unter den Bäumen vom Felsen fort; seine Stimme wurde in der Ferne lauter, als er sich einem kleinen Wasserfall näherte. »Ich – gehe – weit – fort – dahin – wo – der – Lärm – von – fallendem – Wasser – meine – Geräusche – zudeckt; und – hier – warte – ich. Sing deine Fährte, Bagheera, Großer Fuß!«

Der Panther hatte in allen Himmelsrichtungen nachgesehen um festzustellen, wie die Fährte von Großer Fuß vom Felsen fortführte. Dann gab er Laut:

»Ich komme auf meinen Knien hinter dem Felsen hervor und lasse das Ding mit der Dornenspitze schleifen. Weil ich niemanden sehe, renne ich. Ich, Großer Fuß, renne schnell. Die Fährte ist deutlich. Jeder soll seiner eigenen folgen. Ich laufe!«

Bagheera fegte die deutlich gezeichnete Fährte entlang, und

Mowgli folgte den Schritten des Gond. Einige Zeit lang war Schweigen im Dschungel.

»Wo bist du, Kleiner Fuß?« rief Bagheera. Mowglis Stimme antwortete ihm, keine fünfzig Yards zur Rechten.

»Um!« sagte der Panther mit einem tiefen Husten. »Die beiden rennen nebeneinander und kommen sich näher!«

Sie liefen noch eine halbe Meile weiter, immer etwa in der gleichen Entfernung voneinander, bis Mowgli, dessen Kopf nicht so nahe am Boden war wie Bagheeras, rief: »Sie haben sich getroffen. Gutes Jagen – schau! Hier hat Kleiner Fuß gestanden, mit seinem Knie auf einem Felsen – und da drüben, das ist wirklich Großer Fuß!«

Keine zehn Yards vor ihnen, ausgestreckt auf einem Haufen Felstrümmer, lag der Körper eines Dorfbewohners aus dem Distrikt mit einem langen, kleinfiedrigen Gond-Pfeil durch Rücken und Brust.

»War der Thuu wirklich so alt und so verrückt, Kleiner Bruder?« sagte Bagheera sanft. »Hier ist zumindest ein Tod.«

»Weiter hinterher. Aber wo ist der Trinker von Elefantenblut – der rotäugige Dorn?«

»Kleiner Fuß hat ihn – vielleicht. Jetzt ist es wieder einzelfüßig.«

Die einzelne Fährte eines leichten Mannes, der schnell gerannt war und eine Last auf der linken Schulter getragen hatte, führte weiter um einen langen niedrigen Ausläufer dürren Grases; den scharfen Augen der Fährtensucher schien dort jeder Fußabdruck wie mit Brandeisen markiert.

Keiner sprach, bis die Fährte die Asche eines Lagerfeuers erreichte, das in einer Schlucht verborgen war.

»Schon wieder!« sagte Bagheera; er hielt an, als wäre er zu Stein geworden.

Der Körper eines kleinen verschrumpelten Gond lag dort, mit den Füßen in der Asche, und Bagheera schaute Mowgli fragend an.

»Das ist mit einem Bambus gemacht worden«, sagte der Junge nach einem Blick. »Ich habe so etwas bei den Büffeln verwendet, als ich im Menschen-Rudel diente. Der Vater der Kobras – ich bin bekümmert, daß ich ihn verspottet habe – kannte die Brut gut, wie ich hätte wissen müssen. Habe ich nicht gesagt, daß Menschen zum Vergnügen töten?«

»Hier haben sie aber wegen der roten und blauen Steine getötet«, antwortete Bagheera. »Vergiß nicht, ich war in den Käfigen des Königs in Udaipur.«

»Eins, zwei, drei, vier Fährten«, sagte Mowgli; er beugte sich über die Asche. »Vier Fährten von Männern mit Schuhen an den Füßen. Sie gehen nicht so schnell wie Gonds. Aber was hatte der kleine Waldmann ihnen denn Böses getan? Schau, sie haben miteinander geredet, alle fünf, stehend, ehe sie ihn getötet haben. Bagheera, laß uns zurückgehen. Mein Magen ist schwer in mir, und trotzdem wogt er auf und nieder wie ein Pirolnest am Ende eines Astes.«

»Es ist kein gutes Jagen, wenn man Wild laufen läßt. Weiter!« sagte der Panther. »Diese acht beschuhten Füße sind nicht weit gegangen.«

Eine ganze Stunde wurde nichts weiter gesagt, während sie der breiten Fährte der vier Männer mit beschuhten Füßen folgten.

Inzwischen war heller, heißer Tag, und Bagheera sagte: »Ich rieche Rauch.«

»Menschen mögen immer lieber essen als laufen«, antwortete Mowgli; er trabte zwischen den Zwergbüschen des neuen Dschungels umher, den sie erforschten. Bagheera, ein wenig zu seiner Linken, machte ein unbeschreibliches Geräusch in der Kehle.

»Hier ist einer, der mit dem Essen fertig ist«, sagte er. Ein wirres Bündel bunter Kleider lag unter einem Busch, und ringsum war ein wenig Mehl verschüttet.

»Das ist wieder mit dem Bambus gemacht worden«, sagte

Mowgli. »Schau! Dieser weiße Staub ist das, was Menschen essen. Sie haben diesem hier – er hat ihr Essen getragen – die Beute abgenommen und ihn Chil dem Geier zur Beute gegeben.«

»Es ist der dritte«, sagte Bagheera.

»Ich werde mit frischen großen Fröschen zum Vater der Kobras gehen und ihn füttern, bis er fett ist«, sagte Mowgli sich. »Der Trinker von Elefantenblut ist der Tod selbst – aber ich verstehe es noch immer nicht!«

»Weiter!« sagte Bagheera.

Sie waren keine halbe Meile weiter gegangen, als sie Ko, die Krähe, das Todeslied im Wipfel einer Tamariske singen hörten, in deren Schatten drei Männer lagen. Ein halb erloschenes Feuer qualmte im Mittelpunkt des Kreises, unter einer Eisenplatte, die ein geschwärztes und verbranntes Stück ungesäuerten Brotes trug. Nah am Feuer und lodernd im Sonnenschein lag der mit Rubinen und Türkisen besetzte Ankus.

»Das Ding wirkt schnell; alles endet hier«, sagte Bagheera. »Wie sind *diese* gestorben, Mowgli? Auf keinem ist ein Mal.«

Durch Erfahrung lernt ein Dschungelbewohner über giftige Pflanzen und Beeren so viel wie manche Ärzte wissen. Mowgli schnupperte den Rauch, der vom Feuer hochstieg, brach ein Stückchen von dem geschwärzten Brot ab, kostete es und spie es wieder aus.

»Apfel des Todes«, hustete er. »Der erste muß es mit dem Essen für *diese* bereitet haben, die ihn töteten, nachdem sie alle zuerst den Gond getötet hatten.«

»Wahrlich, gutes Jagen! Viel Töten schnell hintereinander«, sagte Bagheera.

»Apfel des Todes« nennt man im Dschungel den Stechapfel oder *dhatura*, das verbreitetste Gift in ganz Indien.

»Was jetzt?« sagte der Panther. »Müssen du und ich einander töten, wegen dieses rotäugigen Mörders dort?«

»Kann es sprechen?« flüsterte Mowgli. »Habe ich ihm ein

335

Unrecht getan, als ich es fortgeworfen habe? Unter uns beiden kann es nichts Böses tun, weil wir nicht begehren, was Menschen begehren. Wenn wir es hierlassen, wird es bestimmt weiter Menschen töten, einen nach dem anderen, so schnell wie in einem Sturm Nüsse fallen. Ich empfinde keine Liebe für die Menschen, aber nicht einmal ich will, daß sechs von ihnen in einer Nacht sterben.«

»Was macht das? Es sind nur Menschen. Sie haben einander getötet, und es hat ihnen sehr gefallen«, sagte Bagheera. »Dieser erste kleine Waldmann hat gut gejagt.«

»Trotzdem sind sie Welpen; und eine Welpe wird sich ertränken, um in den Mondschein auf dem Wasser zu beißen. Es war mein Fehler«, sagte Mowgli; er sprach, als wisse er alles über alles. »Ich werde nie wieder seltsame Dinge in den Dschungel bringen – nicht einmal, wenn sie so schön sind wie Blumen. Das hier« – vorsichtig nahm er den Ankus in die Hand – »geht zurück zum Vater der Kobras. Aber zuerst müssen wir schlafen, und wir können nicht nahe bei diesen Schläfern schlafen. Außerdem müssen wir *ihn* begraben, damit er nicht fortläuft und weitere sechs tötet. Grab mir ein Loch unter dem Baum da.«

»Aber, Kleiner Bruder«, sagte Bagheera; er ging zu der Stelle, »ich sage dir, es ist nicht der Fehler des Bluttrinkers. Der Ärger liegt an den Menschen.«

»Alles eins«, sagte Mowgli. »Mach das Loch tief. Wenn wir erwachen, werde ich ihn aufnehmen und zurückbringen.«

Zwei Nächte später, als der Weiße Kobra klagend im Dunkel der Gruft saß, beschämt und beraubt und allein, wirbelte der Türkis-Ankus durch das Loch in der Wand und klirrte auf den Boden aus goldenen Münzen.

»Vater der Kobras«, sagte Mowgli (er war vorsichtig genug, auf der anderen Seite der Wand zu bleiben), »hol dir einen Jungen und Reifen aus deinem eigenen Volk, der dir hilft, den

Schatz des Königs zu hüten, damit kein Mensch je wieder lebendig entkommt.«

»Ah-ha! Es kommt also zurück. Ich habe gesagt, das Ding ist der Tod. Wie kommt es, daß du noch lebst?« murmelte der alte Kobra; liebevoll wand er sich um das Ankus-Heft.

»Bei dem Bullen der mich gekauft hat, ich weiß es nicht! Das Ding hat sechsmal in einer Nacht getötet. Laß es nie wieder hinausgehen.«

THE SONG OF THE LITTLE HUNTER

Ere Mor the Peacock flutters, ere the Monkey People cry,
    Ere Chil the Kite swoops down a furlong sheer,
Through the Jungle very softly flits a shadow and a sigh—
    He is Fear, O Little Hunter, he is Fear!
Very softly down the glade runs a waiting, watching shade,
    And the whisper spreads and widens far and near;
And the sweat is on thy brow, for he passes even now—
    He is Fear, O Little Hunter, he is Fear!

Ere the moon has climbed the mountain, ere the rocks are rib-
      bed with light,
    When the downward-dipping trails are dank and drear,
Comes a breathing hard behind thee—*snuffle-snuffle* through the
      night—
    It is Fear, O Little Hunter, it is Fear!
On thy knees and draw the bow; bid the shrilling arrow go;
    In the empty, mocking thicket plunge the spear;
But thy hands are loosed and weak, and the blood has left thy
      cheek—
    It is Fear, O Little Hunter, it is Fear!

When the heat-cloud sucks the tempest, when the slivered pine-
      trees fall,
    When the blinding, blaring rain-squalls lash and veer;
Through the war-gongs of the thunder rings a voice more loud
      than all—

DAS LIED DES KLEINEN JÄGERS

Ehe Mor der Pfau flattert, eh die Affen-Leute schrein,
    ehe Chil der Geier hundert Meter stürzt,
huscht ganz leise durch den Dschungel ein Geseufze und ein
        Schatten –
    er ist Furcht, o Kleiner Jäger, er ist Furcht!
Talab läuft ganz leis ein Umriß der beobachtet und wartet,
    und das Flüstern breitet sich aus fern und nah;
und auf deiner Stirn ist Schweiß, denn grad jetzt geht er vor-
        bei –
    er ist Furcht, o Kleiner Jäger, er ist Furcht!

Eh der Mond den Berg erklimmt, eh das Licht die Felsen rippt,
    wenn die Pfade abwärts furchtbar sind und klamm,
kommt dicht hinter dir ein Atmen – *schnüffel-schnüffel* durch die
        Nacht –
    es ist Furcht, o Kleiner Jäger, es ist Furcht!
Auf die Knie und spann den Bogen und laß los den schrillen
        Pfeil;
    stoß den Speer ins leere spottende Gesträuch;
aber deine Hände sind schlaff und schwach, und das Blut hat
        deine Wange verlassen –
    es ist Furcht, o Kleiner Jäger, es ist Furcht!

Wenn die Hitzewolke das Unwetter aufsaugt, wenn die zer-
        splitterten Kiefern fallen,
    wenn die blendenden brüllenden Regenböen peitschen
    und springen
tönt durch die Kriegs-Gongs des Donners eine Stimme, lauter
    als alles andere –

It is Fear, O Little Hunter, it is Fear!
Now the spates are banked and deep; now the footless boulders
    leap—
    Now the lightning shows each littlest leaf-rib clear—
But thy throat is shut and dried, and thy heart against thy side
    Hammers: Fear, O Little Hunter—this is Fear!

    es ist Furcht, o Kleiner Jäger, es ist Furcht!
Nun sind die Fluten geballt und tief; nun hüpfen die fußlosen
    Felsblöcke –
    nun zeigt der Blitz deutlich die kleinste Blattrippe –
aber deine Kehle ist verschlossen und ausgetrocknet, und dein
    Herz hämmert gegen deine
    Seite: Furcht, o Kleiner Jäger – dies ist Furcht!

QUIQUERN

The People of the Eastern Ice, they are melting like the snow—
They beg for coffee and sugar; they go where the white men go.
The People of the Western Ice, they learn to steal and fight;
They sell their furs to the trading-post: they sell their souls
    to the white.
The People of the Southern Ice, they trade with the whaler's
    crew;
Their women have many ribbons, but their tents are torn and few.
But the People of the Elder Ice, beyond the white man's ken—
Their spears are made of the narwhal-horn, and they are the
    last of the Men!

Translation.

[Die Leute vom Östlichen Eis, die schmelzen hin wie Schnee –
sie betteln um Kaffee und Zucker und folgen den Weißen.
Die Leute vom Westlichen Eis erlernen Raub und Kampf;
sie verkaufen die Pelze den Händlern, sie verkaufen
    ihre Seelen den Weißen.
Die Leute vom Südlichen Eis treiben Handel mit den
    Walfängern;
ihre Frauen haben viele Bänder, aber die Zelte
    sind zerfetzt und wenige.
Aber die Leute vom Älteren Eis, von denen die Weißen
    nichts wissen –
ihre Speere sind aus Narwal-Horn, und sie sind die
    Letzten der Menschen!

Übersetzung]

Er hat die Augen aufgemacht. Sieh mal!«

»Steck ihn wieder ins Fell. Er wird ein starker Hund werden. Im vierten Mond werden wir ihn benennen.«

»Für wen?« sagte Amoraq.

Kadlu ließ sein Auge durch das von Fellen gesäumte Schneehaus rollen, bis es auf den vierzehnjährigen Kotuko fiel, der auf der Schlafbank saß und einen Knopf aus Walroß-Elfenbein machte. »Benenne ihn für mich«, sagte Kotuko, mit einem Grinsen. »Ich werde ihn eines Tages brauchen.«

Kadlu grinste zurück, bis seine Augen beinahe im Fett seiner flachen Wangen begraben waren, und nickte Amoraq zu, während die wilde Mutter des kleinen Hundes winselte, weil sie ihr Baby weit außerhalb ihrer Reichweite in dem kleinen Beutel aus Robbenfell zappeln sah, der über der Wärme der Tranlampe hing. Kotuko machte weiter mit seiner Schnitzerei, und Kadlu warf ein zusammengerolltes Bündel lederner Hundegeschirre in einen winzigen Raum, der sich zu einer Seite des Hauses öffnete, streifte seinen schweren Jagdanzug aus Hirschfell ab, legte ihn in ein Walbein-Netz, das über einer anderen Lampe hing, und ließ sich auf die Schlafbank fallen, um an einem Stück gefrorenen Robbenfleischs herumzuschnetzeln, bis Amoraq, seine Frau, das übliche Essen aus gekochtem Fleisch und Blutsuppe bringen würde. Er war seit dem frühen Morgen draußen bei den Seehund-Löchern gewesen, acht Meilen entfernt, und mit drei großen Robben heimgekehrt. Etwa in der Hälfte des langen niedrigen Schneekorridors oder Tunnels, der zur inneren Tür des Hauses führte, konnte man Schnappen und Kläffen hören, wo sich die Hunde seines Schlitten-Gespanns, erlöst vom Tagewerk, um warme Stellen balgten.

Als das Gekläff zu laut wurde, wälzte sich Kotuko träge von der Schlafbank und ergriff eine Peitsche mit einem achtzehn Zoll langen Griff aus federndem Walbein und fünfundzwanzig Fuß schwerer verflochtener Riemen. Er tauchte in den Gang, wo es klang, als ob alle Hunde ihn bei lebendigem Leibe fräßen; aber das war nicht mehr als ihr übliches Gebet vor dem Essen. Als er am anderen Ende hinauskroch, folgte ihm ein halbes Dutzend pelziger Köpfe mit den Augen, während er zu einer Art Galgen aus Walkieferknochen ging, an dem das Fleisch für die Hunde hing; mit einem breitblättrigen Speer meißelte er große Klumpen von dem gefrorenen Zeug ab; dann stand er da, die Peitsche in einer Hand und das Fleisch in der anderen. Jedes Tier wurde mit Namen gerufen, das Schwächste zuerst, und wehe dem Hund der sich bewegte, wenn er nicht an der Reihe war; denn dann zuckte das spitzige Peitschenende vor wie ein Blitzgeflecht und schnitzte vielleicht einen Zoll Haar und Haut weg. Jedes Tier knurrte, schnappte, würgte einmal über seiner Portion und eilte zurück in den Schutz des Gangs, während der Junge auf dem Schnee unter dem flammenden Nordlicht stand und gerechtes Gericht hielt. Als letzter wurde der große schwarze Führer des Gespanns versorgt, der Ordnung hielt wenn die Hunde angeschirrt waren; und ihm gab Kotuko eine doppelte Fleischration und einen Extraknall der Peitsche.

»Ah!« sagte Kotuko, während er die Peitsche aufwickelte; »über der Lampe habe ich einen kleinen, der mal viele große Jauler machen wird. *Sarpok!* Hinein!«

Er kroch zurück über die zusammengekauerten Hunde, stäubte mit dem Walbein-Klopfer, den Amoraq neben der Tür verwahrte, den trockenen Schnee von seinem Pelz, pochte an das mit Fellen verkleidete Dach des Hauses, um die Eiszapfen abzuschütteln, die von der Schneekuppe oben gefallen sein mochten, und kuschelte sich auf die Bank. Die Hunde im Gang schnarchten und winselten im Schlaf, der Babyjunge in Amoraqs tiefer Pelzhaube strampelte und würgte und gurgelte, und die Mutter des frischbenannten kleinen Hundes lag neben Kotuko; ihre Augen hingen an dem Robbenfell-Bündel, warm und sicher über der breiten gelben Flamme der Lampe.

Und all dies ereignete sich weit weg im Norden, jenseits von Labrador, jenseits der Hudson-Straße, wo die großen Tiden das Eis herumwuchten, nördlich der Melville-Halbinsel – nördlich sogar der engen Fury-und-Hecla-Straße –, an der Nordküste von Baffin-Island, wo die Bylot-Insel wie eine umgestülpte Puddingschüssel über das Eis des Lancaster-Sunds ragt. Nördlich des Lancaster-Sunds gibt es wenig, über das wir etwas wissen, außer Devon-Island und Ellesmere-Island; aber sogar dort leben ein paar verstreute Leute, sozusagen direkt um die Ecke vom Nordpol.

Kadlu war ein Innuit – ihr sagt dazu Eskimo –, und sein Stamm, etwa dreißig Leute insgesamt, gehörte zum Tununirmiut – »Das Land Das Hinter Etwas Liegt«. Auf den Karten heißt diese öde Küste Navy-Board-Inlet, aber der Innuit-Name ist der Beste, weil das Land wirklich am Ende von allem anderen in der Welt liegt. Neun Monate des Jahres gibt es dort nur Eis und Schnee, und einen Sturm nach dem anderen, mit einer Kälte die sich keiner vorstellen kann, der nicht wenigstens einmal das Thermometer bei minus zwanzig Grad gesehen hat. Sechs von diesen neun Monaten ist es dunkel; und das ist das, was es so schrecklich macht. In den drei Monaten des Sommers friert es nur jeden zweiten Tag und jede Nacht, und dann beginnt der Schnee von den südlichen Hängen abzutröpfeln, und ein paar Zwergweiden treiben wollige Knospen, ein winziger Mauerpfeffer oder derlei gibt zu blühen vor, Strände aus feinem Kies und gerundeten Steinen erstrecken sich bis ins offene Meer, und polierte Blöcke und gestriemte Felsen erheben sich über den körnig gewordenen Schnee. Aber all das ist in ein paar Wochen vergangen, und der wüste Winter nimmt das Land wieder fest in den Griff; während draußen das Eis auf der offenen See hin und her tost, rammend und reißend, splitternd und stoßend, malmend und mahlend, bis alles zusammenfriert, zehn Fuß dick, vom Land ins tiefe Wasser.

Im Winter pflegte Kadlu den Seehunden bis an den Rand dieses Land-Eises zu folgen und sie zu speeren, wenn sie in ihren Luftlöchern zum Atmen auftauchten. Der Seehund braucht offenes Wasser zum Leben und Fischen, und im tiefen Winter erstreckt sich das Eis manchmal achtzig Meilen ohne jede Lücke von der Küste fort. Im Frühling zogen er und seine Leute sich von den Eisschollen zum felsigen Festland zurück, wo sie Zelte aus Fellen aufschlugen und die Seevögel mit Schlingen fingen oder junge Robben speerten, die sich auf den Stränden aalten. Später zogen sie dann südwärts nach Baffin-Island hinein, um Rentiere zu jagen und ihren Jahresvorrat an Lachs aus den Hunderten von Strömen und Seen des Inselinneren zu holen; im September oder Oktober kamen sie zurück nach Norden, zur Jagd auf Moschusochsen und dem üblichen Robbenfang des

Winters. Dieses Reisen betrieben sie mit Hundeschlitten, zwanzig und dreißig Meilen am Tag, oder manchmal die Küste entlang in großen »Frauenbooten« aus Fellen, wobei die Hunde und die Babies zwischen den Füßen der Ruderer lagen und die Frauen Lieder sangen, während man von Kap zu Kap über die glasigen kalten Wasser glitt. Aller Luxus, den die Tununirmiut kannten, kam aus dem Süden – Treibholz für Schlittenkufen, Stangeneisen für Harpunenspitzen, Stahlmesser, Zinnkessel in denen man Essen viel besser kochen konnte als in den alten Speckstein-Dingern, Feuerstein und Stahl und sogar Streichhölzer, ebenso wie bunte Bänder für die Haare der Frauen, kleine billige Spiegel und rotes Tuch zum Einfassen der feinen Hirschfell-Jacken. Kadlu brachte das prächtige, sahnige, gewundene Narwal-Horn und Moschusochsenzähne (sie sind genau so wertvoll wie Perlen) zu den südlichen Innuit, und diese ihrerseits handelten mit den Walfängern und den Missionsstationen im Exeter- und Cumberland-Sund; und so setzte sich die Kette fort, bis ein Kessel, den ein Schiffskoch im Bhendy-Basar aufgelesen haben mochte, seine Tage über einer Tranlampe irgendwo auf der kühleren Seite des Polarkreises beendete.

Als guter Jäger war Kadlu reich an Eisenharpunen, Schneemessern, Vogelspeeren und all den anderen Dingen, die das Leben da oben in der großen Kälte bequemer machen; und er war das Oberhaupt seines Stammes oder, wie sie sagen: »der Mann der alles darüber weiß weil er es getan hat«. Das gab ihm keinerlei Autorität, außer daß er hin und wieder seinen Freunden raten konnte, ihre Jagdgründe zu wechseln; aber Kotuko nutzte es aus, um in der trägen, fetten Innuit-Art die anderen Jungen ein wenig zu gängeln, wenn sie nachts zum Ballspielen im Mondlicht herauskamen, oder um das Kindeslied an die Aurora Borealis zu singen.

Aber mit vierzehn fühlt sich ein Innuit als Mann, und Kotuko war es leid, Schlingen für Wildvögel und Präriefüchse zu machen, und vor allem war er es leid, den ganzen langen Tag den Frauen beim Kauen von Robben- und Hirschfellen zu helfen (das macht sie so geschmeidig, wie nichts anderes es könnte), während die Männer auf die Jagd gingen. Er wollte in den *quaggi* gehen, das Sing-Haus, wenn die Jäger dort zu ihren Mysterien zusammenkamen und der *angekok*, der Zauberer, ihnen Schrecken einjagte, bis sie die herrlichsten Anfälle erlitten, nachdem die Lampen gelöscht waren und man den Geist des Rentiers auf dem Dach stampfen hören konnte; und wenn ein Speer in die offene schwarze Nacht hinausgestoßen wurde, kam er von heißem Blut bedeckt zurück. Er wollte mit der müden Miene eines Familienoberhauptes seine großen Stiefel ins Netz werfen und mit den Jägern spielen, wenn sie abends hereinschauten und eine Art selbstgemachten Roulettes mit einem Blechtopf und einem Nagel spielten. Es gab Hunderte von Dingen die er tun wollte, aber die erwachsenen Männer lachten ihn aus und sagten: »Warte bis du das erste Mal in der Schnalle bist, Kotuko. Jagen ist nicht *nur* Fangen.«

Nun da sein Vater ihm einen Hund bestimmt hatte, sahen die Dinge freundlicher aus. Ein Innuit vergeudet keinen Hund an seinen Sohn, bis der Junge etwas vom Hundetreiben versteht; und Kotuko war mehr als sicher, daß er mehr als alles wußte.

Wenn der junge Hund keine eiserne Konstitution gehabt hätte, wäre er an Überfütterung und Übertätschelung gestorben. Kotuko machte ihm ein winziges Geschirr mit einem Zugriemen und zerrte ihn hin und her über den Boden des Hauses; dabei schrie er: »Aua! Ja aua!« (Geh nach rechts), »Choiachoi! Ja choiachoi!« (Geh nach links). »Ohaha!« (Halt). Der Hund mochte es gar nicht, aber so herumgezerrt zu werden war ein reines Vergnügen verglichen damit, zum ersten Mal vor den Schlitten gespannt zu werden. Er setzte sich einfach auf den Schnee und spielte mit der Zugleine aus Robbenhaut, die von seinem Geschirr zum *pitu* lief, dem großen Riemen im Bug des

Schlittens. Dann setzte sich das Gespann in Bewegung, und der kleine Hund fühlte den schweren, zehn Fuß langen Schlitten über seinen Rücken fahren und ihn durch den Schnee schleifen, während Kotuko lachte, bis ihm die Tränen über das Gesicht liefen. Es folgten zahllose Tage der grausamen Peitsche, die zischt wie der Wind über Eis, und all seine Gefährten bissen ihn, weil er seine Arbeit nicht kannte, und das Geschirr scheuerte ihn wund und er durfte nicht mehr bei Kotuko schlafen, sondern mußte die kälteste Stelle im Gang nehmen. Es war eine traurige Zeit für den kleinen Hund.

Der Junge lernte auch, so schnell wie der Hund. Es ist aber herzzerreißend schwer, einen Hundeschlitten zu handhaben. Jedes Tier (das Schwächste dem Fahrer am nächsten) wird mit seiner eigenen getrennten Führ-Leine angeschirrt, die unter seinem linken Vorderbein zum Hauptriemen läuft, wo sie mit einer Art Knopf befestigt ist und einer Schleife, die durch eine Bewegung des Handgelenks gelöst werden kann, um jeden Hund einzeln freizulassen. Das ist sehr nötig, weil junge Hunde oft die Führ-Leine zwischen die Hinterläufe bekommen, wo sie bis auf die Knochen schneiden kann. Und sie alle bestehen darauf, beim Laufen ihre Freunde zu besuchen, wobei sie zwischen den Führ-Leinen ein- und aushüpfen. Dann kämpfen sie, und das Ergebnis ist wirrer als eine nasse Angelschnur am Morgen danach. Viel Ärger läßt sich durch systematische Anwendung der Peitsche vermeiden. Jeder Innuit-Junge ist stolz darauf, ein Meister der langen Peitschenschnur zu sein; aber es ist einfach, nach einer bestimmten Stelle auf dem Boden zu schlagen, und schwierig, sich vorzubeugen und einen Hund, der sich drückt, genau unter der Schulter zu erwischen, wenn der Schlitten volles Tempo fährt. Wenn du einen Hund wegen »Freundebesuchens« mit Namen rufst und zufällig einen anderen mit der Peitsche triffst, dann werden die beiden es sofort untereinander auskämpfen und alle anderen anhalten. Wenn du andererseits mit einem Gefährten reist und zu reden beginnst, oder du bist allein und singst, dann werden die Hunde anhalten, sich umdrehen und sich hinsetzen um zu hören, was du zu sagen hast. Kotuko liefen sie ein- oder zweimal weg, weil er vergessen hatte, nach dem Anhalten den Schlitten zu blockieren; und er brach viele Bindungen und ruinierte etliche Riemen, bis man ihm ein volles Achtergespann und den leichten Schlitten anvertrauen konnte. Da fühlte er sich als Mann von Bedeutung, und auf glattem schwarzen Eis, mit kühnem Herzen und schnellem Ellbogen, raste er über die Flächen, schnell wie ein Rudel in voller Jagd. Er fuhr dann zehn Meilen zu den Robbenlöchern, und wenn er die Jagdgründe erreicht hatte, ruckte er eine Führ-Leine vom *pitu* los und befreite den großen schwarzen Leithund, der das klügste Tier des Gespanns war. Sobald der Hund ein Atemloch gewittert hatte, kippte Kotuko den Schlitten um und trieb ein Paar abgesägter Geweihe, die über die Rückenlehne aufragten wie Kinderwagen-Griffe, tief in den Schnee, so daß das Gespann nicht weglaufen konnte. Dann pflegte er Zoll um Zoll vorwärtszukriechen und zu warten, bis der Seehund zum Atmen auftauchte. Dann stieß er schnell den Speer mit der Rückhol-Leine abwärts, und bald hievte er seine Robbe hoch bis zur Kante des Eises, und der schwarze Leithund kam und half ihm, den Kadaver über das Eis zum Schlitten zu schleifen. Das war die Zeit, zu der die angeschirrten Hunde vor Aufregung gellten und schäumten, und Kotuko legte ihnen die lange Peitschenschnur wie eine rotglühende Schranke vor das Gesicht, bis der Kadaver steifgefroren war. Die Heimkehr war Schwerarbeit. Der beladene Schlitten mußte über das rauhe Eis gebracht werden, und statt zu ziehen setzten die Hunde sich hin und betrachteten hungrig die Robbe. Dann erreichten sie endlich die ausgefahrene Schlittenstraße zum Dorf und sausten mit Geschrei über das hallende Eis, die Köpfe gesenkt und die Schwänze gereckt, während Kotuko in das »An-gutivaun tai-na tau-na-ne taina« (Das Lied Des Heimkehrenden Jägers) ausbrach und Stimmen ihn aus einem Haus nach dem anderen grüßten, unter dem ungeheuren matten sternenbeleuchteten Himmel.

Als Kotuko der Hund seine volle Größe erreichte, bekam auch er viel Spaß. Er kämpfte sich stetig im Gespann aufwärts, Kampf um Kampf, bis er eines schönen Abends über ihrem Futter den großen schwarzen Leithund anging (Kotuko der Junge sah eine faire Auseinandersetzung), und er machte ihn zum zweiten Hund, wie man so sagt. Deshalb wurde er befördert, zum langen Riemen des Leithundes, der fünf Fuß vor allen anderen rennt; es war seine heilige Pflicht, alles Kämpfen mit oder ohne Geschirr zu beenden, und er trug einen Kragen aus Kupferdraht, sehr dick und schwer. Bei besonderen Anlässen wurde er im Haus mit gekochtem Essen gefüttert und manchmal durfte er bei Kotuko auf der Bank schlafen. Er war ein guter Robbenhund und konnte einen Moschusochsen stellen, indem er um ihn herumrannte und nach seinen Fersen schnappte. Er stellte sich sogar – und für einen Schlittenhund ist das der äußerste Beweis an Tapferkeit – er stellte sich sogar dem hageren Polarwolf, den alle Hunde des Nordens in der Regel mehr als alles andere fürchten, was auf Schnee läuft. Er und sein Herr – das Gespann gewöhnlicher Hunde zählten sie nicht als Gesellschaft – jagten zusammen, Tag um Tag und Nacht um Nacht, der in Pelze gehüllte Junge und die wilde, langhaarige, schmaläugige, weißzähnige, gelbe Bestie. Alles was ein Innuit tun muß ist, Nahrung und Felle für sich und seine Familie zu beschaffen. Das Frauenvolk macht Kleider aus den Fellen und hilft gelegentlich, kleines Wild zu fangen; aber der größte Teil der Nahrung – und sie essen ungeheuer viel – muß von den Männern aufgetrieben werden. Wenn der Nachschub ausbleibt, gibt es dort oben keinen, von dem man kaufen oder betteln oder borgen könnte. Die Leute müssen sterben.

Ein Innuit denkt nicht an diese Möglichkeit, bis er dazu gezwungen ist. Kadlu, Kotuko, Amoraq und der Babyjunge, der in Amoraqs Pelzhaube herumstrampelte und den ganzen

Tag auf Speckstückchen herumkaute, waren zusammen so glücklich wie nur irgendeine Familie auf der Welt. Sie entstammten einer sehr freundlichen Rasse – ein Innuit verliert selten die Beherrschung und schlägt fast niemals ein Kind –, die nicht genau wußte, was lügen wirklich bedeutete, von stehlen ganz zu schweigen. Sie waren damit zufrieden, ihren Lebensunterhalt aus dem Herzen der bitteren, hoffnungslosen Kälte zusammenzuspeeren, einander tranbeschmierte Lächeln zu schenken, abends merkwürdige Geistergeschichten und Märchen zu erzählen, zu essen bis sie nicht mehr essen konnten und das endlose Frauenlied »Amna aya, aya amna, ah! ah!« zu singen, an den langen, von Lampen erleuchteten Tagen, während sie ihre Kleider und ihre Jagdausrüstung flickten.

Aber in einem schrecklichen Winter wandte sich alles gegen sie. Die Tununirmiut kehrten vom jährlichen Lachsfischen zurück und machten ihre Häuser auf dem frühen Eis nördlich der Bylot-Insel bereit, auf Robbenjagd zu gehen, sobald die See zufror. Aber es war ein früher und wüster Herbst. Den ganzen September gab es unablässig Stürme, die das glatte Seehund-Eis aufbrachen, wenn es erst vier oder fünf Fuß dick war, und es landeinwärts trieben und eine große Barriere auftürmten, an die zwanzig Meilen breit, aus klumpigem und schartigem und nadeligem Eis, über das man die Hundeschlitten unmöglich ziehen konnte. Der Rand der Scholle, wo die Robben im Winter zu fischen pflegten, war vielleicht zwanzig Meilen jenseits dieser Barriere und außer Reichweite der Tununirmiut. Trotzdem hätten sie es knapp durch den Winter schaffen können, mit ihrem Vorrat an gefrorenem Lachs und eingelagertem Speck und dem, was die Fallen ihnen gaben, aber im Dezember fand einer ihrer Jäger zufällig ein *tupik* (ein Fellzelt) mit drei Frauen und einem Mädchen, alle schon fast tot, deren Männer aus dem fernen Norden heruntergekommen und bei der Verfolgung des langhornigen Narwals in ihren kleinen Jagdbooten aus Fell zerquetscht worden waren. Kadlu konnte natürlich nicht anders als die Frauen auf die Hütten des Winterdorfs zu verteilen, denn kein Innuit wagt es, einem Fremden ein Mahl zu verweigern. Er weiß nie, wann er vielleicht mit Betteln an der Reihe ist. Amoraq nahm das Mädchen, das etwa vierzehn war, als eine Art Magd in ihr eigenes Haus auf. Aus dem Schnitt ihrer spitz zulaufenden Kapuze und dem langgezogenen Karomuster ihrer weißen Hirschfell-Hosen schlossen sie, daß sie von Ellesmere-Island kam. Sie hatte nie vorher Kochtöpfe aus Zinn oder Schlitten mit Holzkufen gesehen; aber Kotuko der Junge und Kotuko der Hund mochten sie sehr gern.

Dann zogen alle Füchse nach Süden, und nicht einmal mehr der Vielfraß, dieser knurrende stumpfnasige kleine Dieb des Schneelands, machte sich die Mühe, der Reihe leerer Fallen zu folgen, die Kotuko aufstellte. Der Stamm verlor ein paar der besten Jäger, die beim Kampf mit einem Moschusochsen schlimm verkrüppelt wurden, und das bedeutete noch mehr Arbeit für die anderen. Kotuko ging hinaus, einen Tag nach dem anderen, mit einem leichten Jagdschlitten und sechs oder sieben der stärksten Hunde; er suchte, bis seine Augen schmerzten, nach einem klaren Eisfleck, wo vielleicht eine Robbe ein Atemloch gekratzt haben könnte. Kotuko der Hund zog weite Kreise, und in der Totenstille der Eisfelder konnte Kotuko der Junge sein halbersticktes hungriges Jaulen über einem Robbenloch drei Meilen entfernt hören, so deutlich als wäre er unmittelbar neben ihm. Wenn der Hund ein Loch fand, baute der Junge sich eine kleine niedrige Schneewand, um den schlimmsten bitteren Wind abzuhalten, und dort pflegte er dann zehn, zwölf, zwanzig Stunden darauf zu warten, daß die Robbe zum Atmen auftauchte; seine Augen klebten an der winzigen Markierung, die er für den abwärts gerichteten Stoß seiner Harpune über dem Loch angebracht hatte; unter den Füßen hatte er eine kleine Robbenfell-Matte, und seine Beine waren zusammengebunden mit dem *tutareang* (der Schnalle, von der die alten Jäger gesprochen hatten). Das sorgt dafür, daß einem die Beine nicht zucken, wenn man darauf wartet und wartet und wartet, daß die feinohrige Robbe auftaucht. Wenn es auch nicht aufregend ist, kann man sich doch leicht vorstellen, daß dieses Stillsitzen in der Schnalle bei vielleicht minus vierzig Grad die schwerste Arbeit ist, die ein Innuit kennt. Wenn eine Robbe erlegt war, sprang Kotuko der Hund vorwärts, mit schleifender Führ-Leine, und half den Körper zum Schlitten zu zerren, wo die müden und hungrigen Hunde verdrossen im Windschutz des geborstenen Eises lagen.

Eine Robbe reichte nicht sehr lange, denn jeder Mund in dem kleinen Dorf hatte ein Recht darauf, gefüttert zu werden, und man vergeudete weder Knochen noch Haut noch Sehnen. Das Fleisch für die Hunde wurde von Menschen verzehrt, und Amoraq fütterte das Gespann mit Fellstücken von alten Sommerzelten, die sie unter der Schlafbank hervorscharrte, und sie jaulten und jaulten erneut und erwachten mit hungrigem Jaulen. An den Speckstein-Lampen in den Hütten konnte man ablesen, daß Hungersnot nahe war. In guten Jahren, wenn es reichlich Tran gab, war das Licht in den bootförmigen Lampen oft zwei Fuß hoch – fröhlich, ölig und gelb. Nun waren es kaum sechs Zoll: Amoraq kniff sorgsam den Moosdocht ab, wenn die unbeobachtete Flamme einen Moment heller wurde, und die Augen der ganzen Familie folgten ihrer Hand. Was das Verhungern dort oben in der großen Kälte so schrecklich macht, ist nicht so sehr das Sterben als das Sterben im Dunkel. Alle Innuit fürchten sich vor dem Dunkel, das sie sechs Monate in jedem Jahr ohne Pause bedrängt; und wenn die Lampenflammen in den Häusern klein sind, wird das Gemüt der Leute erschüttert und verwirrt.

Aber Schlimmeres stand noch bevor.

Die unterernährten Hunde kläfften und knurrten in den Gängen, starrten die kalten Sterne an und schnüffelten in den bitteren Wind, Nacht um Nacht. Wenn sie aufhörten zu jaulen, fiel die Stille wieder über alles, dick und schwer wie eine

Schneewehe vor einer Tür, und Menschen konnten das Pochen ihres Bluts in den dünnen Ohrgängen hören und das Klopfen ihrer eigenen Herzen, das so laut klang wie der Schall der Trommeln des Zauberers über dem Schnee. Kotuko der Hund, der im Geschirr ungewöhnlich mürrisch gewesen war, sprang in einer Nacht auf und stieß mit dem Kopf gegen Kotukos Knie. Kotuko tätschelte ihn, aber der Hund schob sich weiter blindlings vorwärts, kriechend. Dann erwachte Kadlu und packte den schweren wolfähnlichen Kopf und starrte in die glasigen Augen. Der Hund winselte und zitterte zwischen Kadlus Knien. Das Haar an seinem Nacken richtete sich auf und er knurrte, als ob ein Fremder an der Tür wäre; dann bellte er fröhlich und wälzte sich auf dem Boden und knabberte an Kotukos Stiefel wie ein kleiner Hund.

»Was ist das?« sagte Kotuko; er begann sich zu fürchten.

»Die Krankheit«, antwortete Kadlu. »Es ist die Hundekrankheit.« Kotuko der Hund hob die Nase und jaulte und jaulte erneut.

»Ich habe das noch nie gesehen. Was wird er tun?« sagte Kotuko.

Kadlu zuckte ein wenig mit der Schulter und ging quer durch die Hütte, um seine kurze Stech-Harpune zu holen. Der große Hund sah ihn an, jaulte noch einmal und verdrückte sich durch den Gang, wo die anderen Hunde rechts und links auswichen, um ihm möglichst viel Platz zu machen. Draußen auf dem Schnee angekommen bellte er wütend, als wäre er auf der Fährte eines Moschusochsen, und bellend und springend und hüpfend geriet er außer Sicht. Woran er litt war nicht Tollwut, sondern einfacher schlichter Wahnsinn. Die Kälte und der Hunger und vor allem das Dunkel hatten ihm den Kopf verdreht, und wenn die schreckliche Hundekrankheit sich einmal in einem Gespann zeigt, breitet sie sich aus wie ein Buschfeuer. Am nächsten Jagdtag wurde ein anderer Hund krank, und als er sich zwischen den Leinen herumwand und biß, tötete Kotuko ihn auf der Stelle. Dann gab der schwarze zweite Hund, der in den alten Tagen der Leiter gewesen war, plötzlich auf einer eingebildeten Rentier-Fährte Laut, und als man ihn vom *pitu* löste, ging er auf eine Eisklippe los und rannte fort, das Geschirr auf dem Rücken, wie sein Leithund es getan hatte. Danach wollte keiner mehr die Hunde hinausführen. Man brauchte sie für etwas anderes, und die Hunde wußten es; und wenn sie auch angebunden und mit der Hand gefüttert wurden, waren ihre Augen doch voller Verzweiflung und Furcht. Um alles noch schlimmer zu machen, begannen die alten Frauen Gespenstergeschichten zu erzählen und zu sagen, sie hätten die Geister der in diesem Herbst gestorbenen Jäger getroffen, und diese hätten alle möglichen grauenhaften Dinge prophezeit.

Kotuko trauerte mehr um den Verlust seines Hundes als um sonst etwas; denn ein Innuit ißt zwar ungeheuer viel, doch kann er sich auch dem Hungertod stellen. Aber Hunger, Dunkel, Kälte und Schutzlosigkeit zehrten an seiner Kraft und er begann, in seinem Kopf Stimmen zu hören und Leute, die nicht da waren, aus den Augenwinkeln zu sehen. In einer Nacht – nach zehnstündigem Warten über einem »blinden« Robbenloch hatte er die Schnalle gelöst und stolperte schwach und schwindlig zum Dorf zurück – blieb er stehen, um sich mit dem Rücken gegen einen Block zu lehnen, der zufällig wie ein Waagstein auf einer einzelnen überstehenden Eisspitze ruhte. Sein Gewicht brachte das Ding aus der Balance; es neigte sich gewichtig, und als Kotuko zur Seite sprang, um ihm zu entgehen, glitt es hinter ihm her und quietschte und zischte auf dem Eishang.

Das war genug für Kotuko. Er war erzogen daran zu glauben, daß jeder Fels und Block einen Besitzer hat (seinen *inua*), gemeinhin eine Art einäugiges Frau-Ding namens *tornaq*, und daß eine *tornaq*, wenn sie einem helfen wollte, in ihrem Steinhaus hinter einem her rollte und fragte, ob man sie als Schutzgeist haben wolle. (Die vom Eis gestützten Felsen und Blöcke rollen und gleiten im sommerlichen Tauwetter überall auf der Landfläche herum; man sieht also ganz leicht, woher die Vorstellung von lebenden Steinen kam.) Kotuko hörte das Blut in seinen Ohren kochen, wie er es den ganzen Tag gehört hatte, und er dachte, das sei die *tornaq* des Steins, die zu ihm sprach. Bis er nach Hause kam war er ganz sicher, mit ihr ein langes Gespräch geführt zu haben, und da all seine Leute glaubten, daß dies durchaus möglich sei, widersprach ihm keiner.

»Sie hat zu mir gesagt: ›Ich springe herab, ich springe herab von meinem Platz auf dem Schnee‹«, rief Kotuko, mit hohlen Augen, vorgebeugt in der halb erhellten Hütte. »Sie hat gesagt: ›Ich werde dich leiten‹. Sie sagt: ›Ich werde dich zu den guten Robbenlöchern führen‹. Morgen gehe ich hinaus, und die *tornaq* wird mich leiten.«

Dann kam der *angekok* herein, der Dorf-Zauberer, und Kotuko erzählte ihm die Geschichte ein zweites Mal. Durch die Wiederholung verlor sie nichts von ihrer Wirkung.

»Folge den *tornait* [den Geistern der Steine], und sie werden uns wieder Essen bringen«, sagte der *angekok*.

Das Mädchen aus dem Norden hatte seit Tagen neben der Lampe gelegen, sehr wenig gegessen und noch weniger gesagt; aber als Amoraq und Kadlu am nächsten Morgen einen kleinen Handschlitten für Kotuko bepackten und verschnürten und mit seiner Jagdausrüstung beluden und so viel Speck und gefrorenem Robbenfleisch wie sie entbehren konnten, da nahm sie die Schleppleine und schritt mutig an der Seite des Jungen aus.

»Dein Haus ist mein Haus«, sagte sie, während der kleine Schlitten mit seinen Knochenkufen hinter ihnen in der furchtbaren Polarnacht knirschte und rumpelte.

»Mein Haus ist dein Haus«, sagte Kotuko; »aber *ich* glaube, daß wir beide zusammen zu Sedna gehen werden.«

Sedna ist die Herrin der Unterwelt, und die Innuit glauben daß jeder, der stirbt, ein Jahr in ihrem schrecklichen Land verbringen muß, ehe er nach Quadliparmiut gehen kann, dem

Glücklichen Ort, wo es nie friert und die fetten Rentiere herbei-traben, wenn man ruft.

Im ganzen Dorf schrien die Leute: »Die *tornait* haben zu Kotuko gesprochen. Sie werden ihm offenes Eis zeigen. Er wird uns die Robbe zurückbringen!« Bald verschluckte das kalte leere Dunkel ihre Stimmen, und Kotuko und das Mädchen drängten sich mit den Schultern eng aneinander, während sie sich am Schleppseil abmühten oder versuchten, den Schlitten durch das Eis in Richtung Polarmeer zu bugsieren. Kotuko beharrte darauf, daß die *tornaq* des Steins ihm gesagt habe, er solle nach Norden gehen, und nach Norden gingen sie unter Tuktuqdjung dem Rentier – den Sternen, die wir Großer Bär nennen.

Kein Europäer hätte über den Eis-Schutt und die scharfkantigen Driften fünf Meilen am Tag geschafft; aber diese beiden kannten ganz genau die Gelenkdrehung, die einen Schlitten um einen Eishügel bringt, den Ruck, der den Schlitten aus einer Eis-Spalte hebt, und die genaue Kraft, die man in die wenigen ruhigen Streiche des Speerblatts legen muß, um einen Pfad möglich zu machen, wenn alles hoffnungslos aussieht.

Das Mädchen sagte nichts; sie hielt den Kopf gesenkt, und der lange Fransensaum aus Vielfraß-Fell an ihrer Hermelin-Kapuze wehte über ihr breites, dunkles Gesicht. Der Himmel über ihnen war tiefes Samtschwarz, das am Horizont, wo die großen Sterne wie Straßenlaternen brannten, zu Streifen von trübem Rot wurde. Von Zeit zu Zeit rollte eine grünliche Woge Nordlichter über die hohe Himmelsgrube, peitschte wie eine Flagge und verschwand; oder ein Meteor knisterte von Dunkelheit zu Dunkelheit und hinterließ eine Funkenschauer-Fährte. Dann konnten sie die gezackte und gefurchte Oberfläche des Eisfelds von seltsamen Farben betreßt und besetzt sehen – rot, kupfern und bläulich; aber im gewöhnlichen Sternenlicht wurde alles zu einem frostzernagten Grau. Die Herbststürme hatten wie gesagt das Eis zerschlagen und gepeinigt, bis es ein gefrorenes Erdbeben war. Es gab dort Rinnen und Schluchten und Löcher wie Kiesgruben, ins Eis geschnitten; Klumpen und verstreute Stücke, die am eigentlichen Boden der Scholle festgefroren waren; Pusteln von altem schwarzen Eis, das von einem Sturm unter die Scholle geschoben und wieder hochgedrückt worden war; rundliche Eisblöcke; Eiskanten wie Sägeblätter, geschnitzt von dem Schnee, der vor dem Wind fliegt; und abgesunkene Gruben, wo fünfzig oder sechzig Morgen tiefer lagen als der Rest des Felds. Aus einiger Entfernung hätte man die Klumpen für Seehunde oder Walrosse halten können, umgestürzte Schlitten oder Männer auf einem Jagdzug, oder sogar den großen zehnbeinigen Weiß-Bär-Geist selbst; aber trotz dieser fantastischen Gestalten, die alle bereit schienen, jederzeit zum Leben zu erwachen, war kein Laut und nicht einmal der leiseste Widerhall eines Lauts zu hören. Und durch diese Stille und diese Wüstenei, wo die jähen Lichter aufflackerten und wieder erloschen, krochen der Schlitten und die beiden, die ihn zogen, wie Dinge in einem Albtraum – einem Albtraum vom Weltende am Ende der Welt.

Wenn sie müde waren, machte Kotuko etwas, was die Jäger ein »Halb-Haus« nennen, eine sehr kleine Schneehütte, in die sie sich mit der Reiselampe kauerten und versuchten, das gefrorene Robbenfleisch aufzutauen. Wenn sie geschlafen hatten, begann der Marsch wieder – dreißig Meilen am Tag, um zehn Meilen nach Norden zu kommen. Das Mädchen war immer sehr schweigsam, aber Kotuko murmelte vor sich hin und brach in Lieder aus, die er im Sing-Haus gelernt hatte – Sommergesänge und Rentier- und Lachslieder –, alle in dieser Jahreszeit schrecklich fehl am Platze. Manchmal erklärte er, er höre, daß die *tornaq* ihm etwas zuknurrte, und dann rannte er wie wild auf einen Eishügel, fuchtelte mit den Armen und redete laut und mit drohendem Ton. In Wahrheit war Kotuko in dieser Zeit ziemlich nahe am Wahnsinn; aber das Mädchen war sicher, daß er von seinem Wächter-Geist geleitet wurde und daß alles gut werden würde. Sie war daher nicht überrascht, als Kotuko, in dessen Kopf die Augen wie Feuerbälle brannten, ihr am Ende des vierten Marschtages erzählte, seine *tornaq* folge ihnen über den Schnee in Gestalt eines zweiköpfigen Hundes. Das Mädchen blickte, wohin Kotuko deutete, und etwas schien sich in eine Schlucht zu verdrücken. Es war bestimmt nicht menschlich, aber jeder wußte, daß die *tornait* es vorzogen, in der Gestalt eines Bären oder Seehunds oder derlei zu erscheinen.

Es hätte der zehnbeinige Weiß-Bär-Geist selbst sein können oder was auch immer, denn Kotuko und das Mädchen waren so ausgehungert, daß ihre Augen unzuverlässig waren. Sie hatten nichts in Fallen fangen können und seit Verlassen des Dorfs keine Spur von Wild gesehen; ihre Nahrung würde keine Woche mehr reichen, und ein Sturm kündigte sich an. Ein Polarsturm kann zehn Tage ohne Pause wehen, und in dieser Zeit bedeutet es den sicheren Tod, unterwegs zu sein. Kotuko machte ein Schnee-Haus, das groß genug auch für den Handschlitten war (man darf sich nie von seinem Essen trennen), und während er den letzten unregelmäßigen Eisblock zuschnitt, der als Schlußstein des Daches dient, sah er ein Ding, das ihn von einer kleinen Eisklippe eine halbe Meile entfernt anblickte. Die Luft war trübe, und das Ding schien vierzig Fuß lang und zehn Fuß hoch zu sein, mit zwanzig Fuß Schwanz und einer Gestalt, die überall in den Umrissen bebte. Auch das Mädchen sah es, aber statt vor Entsetzen laut zu schreien sagte sie ruhig: »Das ist Quiquern. Was kommt danach?«

»Er wird zu mir sprechen«, sagte Kotuko; aber das Schneemesser zitterte in seiner Hand, während er sprach, denn ein Mann mag noch so sehr glauben, daß er der Freund seltsamer und häßlicher Geister ist, er mag doch selten direkt beim Wort genommen werden. Außerdem ist Quiquern der Geist eines riesigen zahnlosen Hundes ohne jedes Haar, von dem es heißt, er lebe im äußersten Norden und wandere über das Land, kurz bevor große Dinge sich ereignen. Es mögen angenehme oder unangenehme Dinge sein, aber nicht einmal die Zauberer sprechen gern über Quiquern. Er läßt die Hunde wahnsinnig werden. Wie der Geist-Bär hat er mehrere zusätzliche Beinpaare – sechs oder acht –, und dieses im Dunst auf und nieder hüpfende Ding hatte mehr Beine als jedem richtigen Hund zustanden. Kotuko und das Mädchen kauerten sich schnell in ihre Hütte. Wenn Quiquern sie hätte haben wollen, hätte er natürlich die Hütte über ihren Köpfen zu kleinen Stücken zerfetzen können, aber das Gefühl, eine fußdicke Schneewand zwischen sich und dem bösen Dunkel zu haben, war ein großer Trost. Der Sturm brach los mit einem Windkreischen gleich dem Kreischen eines Zuges, und er dauerte drei Tage und drei Nächte, ohne je auch nur einen Strich abzuweichen und ohne auch nur für eine Minute nachzulassen. Sie füllten die Steinlampe zwischen ihren Knien auf und knabberten am halbwarmen Robbenfleisch und sahen zweiundsiebzig lange Stunden zu, wie der schwarze Ruß sich am Dach sammelte. Das Mädchen zählte die Vorräte im Schlitten; es gab nur noch für zwei Tage zu essen, und Kotuko untersuchte die Eisenspitzen und Hirschsehnen-Befestigungen seiner Harpune und seiner Robbenlanze und seines Vogelpfeils. Es gab sonst nichts zu tun.

»Wir werden bald zu Sedna gehen – sehr bald«, flüsterte das Mädchen. »In drei Tagen werden wir uns niederlegen und gehen. Wird denn deine *tornaq* nichts tun? Sing ihr ein *angekok*-Lied, damit sie herkommt.«

Er begann, im hohen schrillen Heulen der Zaubererlieder zu singen, und der Sturm schwächte sich langsam ab. Mitten in seinem Lied fuhr das Mädchen auf, legte ihre behandschuhte Hand und dann ihren Kopf auf den Eisboden der Hütte. Kotuko folgte ihrem Beispiel, und beide knieten, starrten einander in die Augen und lauschten mit jeder Faser. Er riß einen dünnen Splitter Walbein vom Rahmen einer Vogelschlinge, die auf dem Schlitten lag, bog ihn gerade und setzte ihn aufrecht in ein kleines Loch im Eis, wobei er ihn mit dem Handschuh festdrückte. Der Splitter war beinahe so fein ausgerichtet wie eine Kompaßnadel, und statt zu lauschen beobachteten sie nun. Das Stäbchen bebte ein wenig – die kleinste vorstellbare Erschütterung in der Welt; dann vibrierte es stetig einige Sekunden lang, kam zur Ruhe und vibrierte wieder; diesmal nickte es in eine andere Himmelsrichtung.

»Zu früh!« sagte Kotuko. »Eine große Scholle ist ganz weit draußen losgebrochen.«

Das Mädchen deutete auf das Stäbchen und schüttelte den Kopf. »Das ist das große Brechen«, sagte sie. »Hör auf das Grundeis. Es klopft.«

Als sie diesmal niederknieten, hörten sie sehr merkwürdige gedämpfte Grunz- und Klopflaute, scheinbar genau unter ihnen. Manchmal klang es, als ob eine blinde Welpe über der Lampe quietschte; dann, als ob ein Stein über hartes Eis schrappte; dann wieder wie gedämpftes Schlagen auf einer Trommel; aber all diese Töne verschleppt und verkleinert, als ob sie in mühseliger Entfernung durch ein kleines Horn kämen.

»Wir werden nicht liegend zu Sedna gehen«, sagte Kotuko. »Es ist das Brechen. Die *tornaq* hat uns betrogen. Wir werden sterben.«

All dies mag reichlich absurd klingen, aber die beiden sahen sich einer sehr wirklichen Gefahr gegenüber. Der dreitägige Sturm hatte das tiefe Wasser der Baffin-Bay nach Süden getrieben und auf den Rand des weit ausgedehnten Landeises getürmt, das sich von der Bylot-Insel nach Westen erstreckt. Außerdem hatte die kräftige Strömung, die vom Lancaster-Sund nach Osten führt, Meile um Meile von dem mitgebracht, was man Packeis nennt – rauhes Eis, das nicht zu Feldern gefroren ist; und dieses Packeis bombardierte die Scholle zur gleichen Zeit, da das Wogen und Hieven der sturmgeplagten See das Eisfeld schwächte und untergrub. Was Kotuko und das Mädchen gehört hatten, waren die schwachen Echos dieses Kampfs, der dreißig oder vierzig Meilen entfernt stattfand, und der kleine verräterische Stab bebte unter den Schockwellen.

Nun sagen die Innuit: Wenn das Eis einmal nach seinem langen Winterschlaf erwacht, kann keiner wissen was geschehen mag, denn festes Scholleneis ändert seine Gestalt fast so schnell wie eine Wolke. Der Sturm war offenbar ein vorzeitiger Frühlingssturm gewesen, und alles war möglich.

Dennoch waren die beiden nun leichteren Herzens als zuvor. Wenn die Scholle aufbrach, würde es kein Warten und Leiden mehr geben. Geister, Kobolde und Hexen-Volk trieben sich auf dem gemarterten Eis herum, und vielleicht würden sie Seite an Seite mit allen möglichen wilden Dingen in Sednas Land gehen, noch immer ganz durchglüht von Erregung. Als sie nach dem Sturm die Hütte verließen, nahm der Lärm am Horizont stetig zu, und das zähe Eis ächzte und summte rings um sie.

»Es wartet noch immer«, sagte Kotuko.

Auf der Spitze eines Eishügels saß oder kauerte das achtbeinige Ding, das sie vor drei Tagen gesehen hatten – und es jaulte fürchterlich.

»Laß uns ihm folgen«, sagte das Mädchen. »Vielleicht kennt es einen Weg, der nicht zu Sedna führt«; aber sie taumelte vor Schwäche, als sie nach der Schleppleine griff. Das Ding bewegte sich langsam und schwerfällig über die Grate davon, immer in Richtung Westen zum Land hin, und sie folgten, während der grollende Donner an der Grenze des Eisfeldes näher und näher rollte. Der Schollenrand war drei oder vier Meilen einwärts in allen Richtungen gespalten und aufgerissen, und große Pfannen aus zehn Fuß dickem Eis, zwischen ein paar Yards und dreißig Morgen groß, stießen und tauchten und stiegen umeinander und in die noch ungebrochene Scholle, während die schwere Dünung sie packte und schüttelte und zwischen ihnen aufspritzte. Dieses Sturmbock-Eis war sozusagen die erste Armee, die das Meer gegen die Scholle schleuderte.

Das unaufhörliche Krachen und Rammen dieser kleineren Schollen übertönte beinahe das reißende Geräusch der Scheiben von Packeis, die ganz unter das Eisfeld geschoben wurden, wie man hastig Spielkarten unter eine Tischdecke schiebt. Wo das Wasser flach war, wurden diese Schichten aufeinander getürmt, bis die unterste in fünfzig Fuß Tiefe Schlamm berührte, und die See verfärbte sich, staute sich hinter dem schlammigen Eis, bis der zunehmende Druck alles wieder vorwärts trieb. Zusätzlich zur Scholle und dem Packeis brachten der Sturm und die Strömungen richtige Eisberge herbei, segelnde Gebirge aus Eis, losgerissen von der Grönland-Seite des Wassers oder der Nordküste der Melville-Bay. Sie näherten sich mit feierlicher Wucht; um sie her brachen weiß die Wellen; und sie rückten gegen die Scholle vor wie eine Flotte aus alter Zeit, unter vollen Segeln. Ein Eisberg der imstande schien, die Welt vor sich her zu schieben, lief hilflos im tiefen Wasser auf Grund, torkelte vornüber und suhlte sich in einem Schaum aus Spritzern und Schlamm und fliegend gefrorener Gischt, während ein viel kleinerer und niedrigerer in die flache Scholle hineinriß und -ritt, viele Tonnen Eis nach beiden Seiten schleuderte und eine Fährte schnitt, die eine halbe Meile lang war, ehe er zum Stillstand kam. Einige fielen wie Schwerter und hieben einen scharfkantigen Kanal auf; und andere zersplitterten zu einem Schauer von Blöcken, jeder Dutzende von Tonnen schwer, die zwischen den Eishügeln wirbelten und kreischten. Wieder andere erhoben sich ganz aus dem Wasser, wenn sie aufliefen, verzerrt wie unter Schmerzen, und fielen voll auf ihre Seiten, während die See über ihre Schultern drosch. Dieses Trampeln und Drängen und Biegen und Krümmen und Wölben des Eises in jede vorstellbare Form geschah, so weit das Auge reichte, an der ganzen Nordseite der Scholle. Von dort, wo Kotuko und das Mädchen waren, sah die Wirrsal nur aus wie eine unbehagliche plätschernde, kriechende Bewegung unter dem Horizont; aber es kam ihnen mit jedem Moment näher, und sie konnten weit fort zum Land hin ein schweres Dröhnen hören, ähnlich dem Dröhnen von Artillerie durch einen Nebel. Das zeigte, daß die Scholle gegen die ehernen Klippen der Bylot-Insel gerammt wurde, des Landes, das südlich hinter ihnen lag.

»Das hat es noch nie gegeben«, sagte Kotuko; er starrte wie betäubt. »Das ist nicht die Zeit. Wie kann denn die Scholle *jetzt* brechen?«

»Folge dem!« rief das Mädchen; sie deutete auf das Ding, das wie toll vor ihnen herlief, halb hinkend, halb rennend. Sie folgten, zerrten am Handschlitten, während der röhrende Vormarsch des Eises näher und näher kam. Schließlich barsten die Felder ringsum und brachen in allen Richtungen sternförmig auf, und die Spalten öffneten sich und schnappten wie die Zähne von Wölfen. Aber wo das Ding sich aufhielt, auf einer etwa fünfzig Fuß hohen Kuppe aus alten zusammengeworfenen Eisblöcken, gab es keine Bewegung. Kotuko sprang wild vorwärts, riß das Mädchen hinter sich her und kroch zum Fuß der Kuppe. Um sie her wurde das Reden des Eises lauter und lauter, aber die Kuppe blieb ruhig, und als das Mädchen ihn anschaute, stieß er seinen rechten Ellenbogen nach oben und nach außen, mit dem Innuit-Zeichen für Land in Form einer Insel. Und Land war es, zu dem das achtbeinige hinkende Ding sie geführt hatte – irgendein granitbesetztes Inselchen mit Sandstränden vor der Küste, beschuht und umhüllt und maskiert von Eis, so daß kein Mensch es von der Scholle hätte unterscheiden können, aber unten feste Erde, kein bewegtes Eis! Das Auftreffen und Abprallen der Schollen, wie sie aufliefen und zersplitterten, markierte die Grenzen des Landes, und eine freundliche Untiefe erstreckte sich weit nach Norden und lenkte den Ansturm des schwersten Eises ab, ganz wie eine Pflugschar Lehm umdreht. Natürlich bestand die Gefahr, daß ein übel eingequetschtes Eisfeld den Strand heraufschießen und die Spitze des Inselchens komplett abhobeln könnte; aber das bekümmerte Kotuko und das Mädchen nicht, als sie ihr Schneehaus bauten und zu essen begannen und das Eis den Strand entlang hämmern und schlittern hörten. Das Ding war verschwunden, und Kotuko redete aufgeregt von seiner Macht über Geister, während er neben der Lampe kauerte. Mitten in seinem wilden Gerede begann das Mädchen zu lachen und sich vor und zurück zu wiegen.

Hinter ihrer Schulter, langsam in die Hütte kriechend und krabbelnd, erschienen zwei Köpfe, einer gelb und einer schwarz, die zweien der bekümmertsten und beschämtesten Hunde gehörten, die man je gesehen hat. Kotuko der Hund war einer, und der schwarze Leithund war der andere. Beide waren nun fett, sahen gut aus und schienen wieder ordentlich zur Vernunft gebracht, aber sie waren in ganz ungewöhnlicher Weise miteinander verbunden. Als der schwarze Leithund fortgelaufen war, hatte er noch sein Geschirr getragen, wie ihr euch erinnern werdet. Er mußte Kotuko den Hund getroffen und mit ihm gespielt oder gekämpft haben, denn seine Schulter-Schlinge hatte sich im abgeplatteten Kupferdraht von Kotukos Kragen verfangen und sich zugezogen, so daß keiner von beiden die Führleine erreichen und zerbeißen konnte, sondern jeder der Länge nach am Rücken seines Nachbarn befestigt war. Zusammen mit der Freiheit, nach eigenem Ermessen jagen zu können, muß das geholfen haben, ihren Wahnsinn zu heilen. Sie waren sehr nüchtern.

Das Mädchen schob die beiden beschämten Geschöpfe zu Kotuko und rief, schluchzend vor Gelächter: »Das ist Quiquern, der uns auf sicheren Boden geführt hat. Schau dir die acht Beine und den doppelten Kopf an!«

Kotuko schnitt sie voneinander los, und sie fielen ihm in die Arme, gelb und schwarz gemeinsam, und versuchten zu erklären, wie sie ihre Sinne wieder zusammen bekommen hatten. Kotuko fuhr mit der Hand über ihre Rippen; sie waren rund und gut gepolstert. »Sie haben Essen gefunden«, sagte er grinsend. »Ich glaube nicht, daß wir so bald zu Sedna gehen werden. Meine *tornaq* hat diese hier geschickt. Die Krankheit hat sie verlassen.«

Sobald sie Kotuko begrüßt hatten, gingen diese beiden Hunde, die gezwungen gewesen waren, in den vergangenen Wochen zusammen zu schlafen und zu essen und zu jagen, einander an die Kehle, und im Schneehaus fand eine wunderbare Schlacht statt. »Leere Hunde kämpfen nicht«, sagte Kotuko. »Sie haben die Robben gefunden. Wir wollen schlafen. Wir werden Essen finden.«

Als sie erwachten, war offenes Wasser vor dem Nordstrand der Insel, und alles lose Eis war landwärts getrieben. Das erste Brandungsgeräusch ist eines der schönsten, die der Innuit hören kann; es bedeutet ja, daß der Frühling nah ist. Kotuko und das Mädchen nahmen einander bei den Händen und lächelten, denn das helle volle Dröhnen der Wogen zwischen dem Eis erinnerte sie an die Lachs- und Rentier-Zeit und den Duft blühender Zwergweiden. Noch während sie hinschauten begann die See zwischen den treibenden Eisschollen zu überfrieren, so gewaltig war die Kälte; aber auf dem Horizont lag ein ungeheures rotes Glühen, und das war das Licht der versunkenen Sonne. Es war weniger als sähe man sie aufgehen, sondern als hörte man sie im Schlaf gähnen, und das Glühen währte nur einige Minuten, aber es markierte die Wende des Jahres. Nichts, so fühlten sie, konnte das ändern.

Kotuko fand die Hunde, die um eine frisch getötete Robbe kämpften, die dem Fisch gefolgt war, den ein Sturm immer aufscheucht. Sie war die erste von etwa zwanzig oder dreißig Robben, die im Verlauf des Tages auf der Insel landeten, und bis die See zufror, tummelten sich Hunderte lebhafter schwarzer Köpfe im seichten freien Wasser und trieben mit dem Treibeis umher.

Es war gut, wieder Robbenleber zu essen, die Lampen achtlos mit Tran zu füllen und die Flamme drei Fuß hoch lodern zu sehen; aber sobald das neue See-Eis trug, beluden Kotuko und das Mädchen den Handschlitten und ließen die beiden Hunde ziehen, wie sie nie in ihrem Leben gezogen hatten; denn sie fürchteten sich vor dem, was in ihrem Dorf geschehen sein mochte. Das Wetter war so gnadenlos wie üblich. Aber es ist leichter, einen mit gutem Essen beladenen Schlitten zu ziehen, als verhungert zu jagen. Sie ließen fünfundzwanzig Robbenkadaver zurück, vergraben im Eis des Strandes, alle fertig zur Verwendung, und eilten zurück zu ihren Leuten. Die Hunde zeigten ihnen den Weg, sobald Kotuko ihnen sagte, was er von ihnen erwartete, und obgleich keine Landmarke zu erkennen war, gaben sie zwei Tage später Laut vor Kadlus Haus. Nur drei Hunde antworteten ihnen; die anderen hatte man gegessen, und die Häuser waren alle dunkel. Aber als Kotuko schrie: »Ojo!« (Gekochtes Fleisch), antworteten schwache Stimmen, und als er die Einwohner des Dorfs sehr deutlich einzeln mit Namen rief, waren keine Lücken in der Musterrolle.

Eine Stunde später loderten die Lampen in Kadlus Haus; Schneewasser wurde erhitzt; die Töpfe begannen zu sieden, und der Schnee tropfte vom Dach, während Amoraq ein Mahl für das ganze Dorf bereitete; und der Baby-Junge in der Kapuze kaute auf einem Streifen fetten leckeren Specks, und die Jäger füllten sich langsam und methodisch bis zum Rand mit Robbenfleisch. Kotuko und das Mädchen erzählten ihre Geschichte. Die beiden Hunde saßen zwischen ihnen, und immer wenn ihre Namen genannt wurden, stellten sie je ein Ohr auf und blickten zutiefst beschämt drein. Ein Hund, der einmal verrückt geworden ist und sich erholt hat, so sagen die Innuit, ist gegen alle weiteren Anfälle gefeit.

»Also hat die *tornaq* uns nicht vergessen«, sagte Kotuko. »Der Sturm blies, das Eis brach, und die Robben schwammen herbei hinter den Fischen, die der Sturm aufgeschreckt hat. Nun sind die neuen Robbenlöcher keine zwei Tage entfernt.

Die guten Jäger sollen morgen losziehen und die Robben herbringen, die ich gespeert habe – fünfundzwanzig Robben, vergraben im Eis. Wenn wir diese gegessen haben, werden wir alle
den Robben auf der Scholle folgen.«

»Und was machst *du*?« sagte der Zauberer, mit dem gleichen
Tonfall, den er Kadlu gegenüber verwendete, dem reichsten
der Tununirmiut.

Kotuko blickte das Mädchen aus dem Norden an und sagte
ruhig: »*Wir* bauen ein Haus.« Er deutete zur Nordwestseite
von Kadlus Haus, denn das ist die Seite, auf der der verheiratete
Sohn oder die verheiratete Tochter immer lebt.

Das Mädchen streckte die Hände aus und drehte die Handflächen nach oben, mit einem kleinen verzweifelten Kopfschüt-
teln. Sie war eine Fremde, man hatte sie verhungert aufgelesen,
und sie konnte nichts in den Haushalt mitbringen. Amoraq
sprang von der Bank auf, wo sie saß, und begann Dinge in den
Schoß des Mädchens zu fegen – Steinlampen, eiserne Haut-
Auskratzer, Zinnkessel, mit Moschusochsen-Zähnen bestickte
Hirschfelle und richtige Nadeln, wie Seeleute sie zum Segel-
nähen verwenden – die beste Mitgift, die jemals am äußersten
Rand des Polarkreises gegeben wurde, und das Mädchen aus
dem Norden beugte ihren Kopf bis auf den Boden hinab.

»Und diese auch!« sagte Kotuko; er lachte und deutete auf die
Hunde, die ihre kalten Schnauzen in das Gesicht des Mädchens
schoben.

»Ah«, sagte der *angekok*, mit einem bedeutungsvollen
Husten, als ob er all dies gründlich überlegt hätte. »Sobald
Kotuko das Dorf verlassen hatte, bin ich in das Sing-Haus
gegangen und habe Zauber gesungen. Ich habe die ganzen
Nächte hindurch gesungen und den Rentier-Geist angerufen.
Mein Gesang hat den Sturm wehen lassen, der das Eis brach
und die beiden Hunde zu Kotuko zog, als das Eis seine Knochen
zerbrochen hätte. *Mein* Lied hat die Robben dem gebrochenen
Eis nachfolgen lassen. Mein Leib lag still im *quaggi*, aber mein

Geist lief auf dem Eis umher und leitete Kotuko und die Hunde bei allem, was sie getan haben. Ich habe es bewirkt.«

Alle waren voll und schläfrig, deshalb widersprach niemand; und der *angekok*, kraft seines Amtes, bediente sich mit noch einem Klumpen gekochten Fleischs und legte sich nieder, um mit den anderen im warmen, gut erleuchteten, ölduftenden Heim zu schlafen.

Nun hat Kotuko, der sehr gut in der Innuit-Art malen konnte, Bilder von all diesen Abenteuern gekratzt, auf ein langes flaches Stück Elfenbein mit einem Loch an einem Ende. Als er und das Mädchen im Jahr des Wundervollen Offenen Winters nach Norden zur Ellesmere-Insel gingen, ließ er die Bilder-Geschichte bei Kadlu zurück, der sie im Kies verlor, als sein Hundeschlitten in einem Sommer auf dem Strand des Netilling-Sees bei Nikosiring zusammenbrach, und dort hat ein See-Innuit sie im nächsten Frühjahr gefunden und an einen Mann in Imigen verkauft, der Dolmetscher auf einem Walfänger im Cumberland-Sund war, und der verkaufte das Elfenbein Hans Olsen, der später Steuermannsmaat an Bord eines großen Dampfers war, der Touristen zum Nordkap in Norwegen brachte. Wenn die Touristen-Saison vorüber war, verkehrte der Dampfer zwischen London und Australien, mit einem Aufenthalt in Ceylon, und dort verkaufte Olsen das Elfenbein an einen singhalesischen Juwelier, für zwei unechte Saphire. Ich fand es unter einigem Plunder in einem Haus in Colombo und habe es von Anfang bis Ende übersetzt.

"ANGUTIVAUN TAINA"

[This is a very free translation of the Song of the Returning Hunter,
as the men used to sing it after seal-spearing. The Inuit always repeat things over
and over again.]

Our gloves are stiff with the frozen blood,
    Our furs with the drifted snow,
As we come in with the seal—the seal!
    In from the edge of the floe.

Au jana! Aua! Oha! Haq!
    And the yelping dog-teams go,
And the long whips crack, and the men come back,
    Back from the edge of the floe!

We tracked our seal to his secret place,
    We heard him scratch below,
We made our mark, and we watched beside,
    Out on the edge of the floe.

We raised our lance when he rose to breathe,
    We drove it downward—so!
And we played him thus, and we killed him thus,
    Out on the edge of the floe.

Our gloves are glued with the frozen blood,
    Our eyes with the drifting snow;
But we come back to our wives again,
    Back from the edge of the floe!

Au jana! Aua! Oha! Haq!
    And the loaded dog-teams go,
And the wives can hear their men come back,
    Back from the edge of the floe!

»ANGUTIVAUN TAINA«

[Das ist eine sehr freie Übersetzung vom Lied des Heimkehrenden Jägers,
wie es die Männer nach dem Robben-Speeren zu singen pflegten. Die Innuit
wiederholen alles immer wieder.]

Unsre Handschuh sind steif vom gefrorenen Blut,
　　unsre Pelze vom treibenden Schnee,
wenn wir heimkommen mit der Robbe – der Robbe!
　　Heim vom Rand der Scholle.

Au jana! Aua! Oha! Haq!
　　Und die kläffenden Hundegespanne laufen,
und die langen Peitschen knallen und die Männer kommen zurück
　　zurück vom Rand der Scholle!

Wir haben unsern Seehund zu seinem Versteck verfolgt,
　　wir hörten ihn unter uns kratzen,
wir haben unser Zeichen gemacht und daneben gewartet,
　　draußen am Rand der Scholle.

Wir hoben unsre Lanze als er hochkam zum Atmen,
　　wir stießen sie abwärts – so!
Und wir haben ihn so gepackt und so getötet,
　　draußen am Rand der Scholle.

Unsre Handschuhe kleben vom gefrorenen Blut,
　　unsre Augen vom treibenden Schnee;
aber wir kommen zu unsren Frauen zurück,
　　zurück vom Rand der Scholle!

Au jana! Aua! Oha! Haq!
　　Und die beladenen Hundesgespanne laufen,
und die Frauen können ihre Männer zurückkommen hören,
　　zurück vom Rand der Scholle!

ROTER HUND

For our white and our excellent nights—for the nights of
    swift running,
      Fair ranging, far-seeing, good hunting, sure cunning!
For the smells of the dawning, untainted, ere dew has departed!
For the rush through the mist, and the quarry blind-started!
For the cry of our mates when the sambhur has wheeled and
    is standing at bay,
        For the risk and the riot of night!
        For the sleep at the lair-mouth by day,
          It is met, and we go to the fight.
            Bay! O Bay!

[Für unsere weißen und prächtigen Nächte – für die Nächte
    schnellen Laufens,
      feines Schweifen, weites Blicken, gutes Jagen, sichere List!
Für die Rüche des Morgens, unbefleckt, ehe der Tau vergeht!
Für das Rasen durch den Nebel und die blind-erschreckte Beute!
Für den Schrei unsrer Gefährten, wenn der Sambhur gewendet
    hat und gestellt ist.
        Für das Wagen und die Wildheit der Nacht!
        Für den Schlaf am Lager-Mund bei Tag,
          es ist wohl, und wir gehen in den Kampf.
            Bellt! O bellt!]

NACHDEM er den Dschungel eingelassen hatte, begann der angenehmste Teil von Mowglis Leben. Er hatte das gute Gewissen dessen, der seine Schulden bezahlt hat; alle im Dschungel waren mit ihm befreundet und hatten ein wenig Angst vor ihm. Die Dinge die er tat und sah und hörte, wenn er von einem Volk zum anderen zog, mit oder ohne seine vier Gefährten, würden viele viele Geschichten ergeben, jede so lang wie diese. Deshalb werdet ihr nie hören, wie er dem irren Elefanten von Mandla begegnete, der zweiundzwanzig Ochsen getötet hatte, die elf Wagen mit gemünztem Silber zur Schatzkammer der Regierung zogen, und der die glitzernden Rupien im Staub verstreute; wie er mit Jacala dem Krokodil kämpfte, eine ganze lange Nacht in den Marschen des Nordens, und sein Häute-Messer auf den Rückenplatten der Bestie brach; wie er ein neues und längeres Messer am Hals eines Mannes fand, der von einem wilden Keiler getötet worden war, und wie er diesen Keiler aufspürte und tötete, als angemessenen Preis für das Messer; wie er einmal in der großen Hungersnot zwischen die Hirschzüge geriet und in den schwankenden hitzigen Herden fast zu Tode gequetscht wurde; wie er Hathi den Schweigsamen davor bewahrte, noch einmal in einer Grube mit einem Pfahl darin gefangen zu werden, und wie er am nächsten Tag selbst in eine sehr geschickt angelegte Leopardenfalle fiel, und wie Hathi die dicken Holzstangen über ihm in Stücke brach; wie er die wilden Büffel im Sumpf molk, und wie . . .

Aber wir müssen eine Geschichte nach der anderen erzählen. Vater und Mutter Wolf starben, und Mowgli rollte einen großen Block vor den Eingang ihrer Höhle und schrie über ihnen den Todes-Gesang; Baloo wurde sehr alt und steif, und selbst Bagheera, dessen Nerven Stahl und dessen Muskeln Eisen waren, war beim Töten eine Idee langsamer als früher. Der graue Akela wurde vor lauter Alter milchweiß; seine Rippen standen hervor und er ging, als sei er aus Holz gemacht, und Mowgli tötete für ihn. Aber die jungen Wölfe, die Kinder des aufgelösten Seoni-Rudels, gediehen und vermehrten sich, und als sie etwa zu vierzig waren, herrenlose, vollkehlige, reinfüßige Fünfjährige, sagte Akela ihnen, sie sollten sich zusammentun und dem Gesetz folgen und unter einem Haupt laufen, wie es dem Freien Volk zukam.

Das war keine Frage, um die Mowgli sich bekümmerte, denn wie er sagte, hatte er saure Frucht gegessen und kannte den Baum, auf dem sie wuchs; aber als Phao, Sohn von Phaona (sein Vater war Grauer Spürer gewesen, in den Tagen von Akelas Führung), seinen Weg zur Leitung des Rudels erkämpfte, gemäß dem Dschungel-Gesetz, und die alten Rufe und Lieder wieder unter den Sternen zu schallen begannen, kam Mowgli um der Erinnerung willen zum Ratsfelsen. Wenn er zu sprechen beschloß, wartete das Rudel, bis er geendet hatte, und er saß neben Akela auf dem Felsen über Phao. Es waren Tage guten Jagens und guten Schlafens. Kein Fremder legte Wert darauf, in die Dschungel einzubrechen, die Mowglis Volk gehörten, wie man das Rudel nannte, und die jungen Wölfe wurden fett und stark, und es gab viele Wölflinge, die zur Musterung gebracht wurden. Mowgli nahm immer an Musterungen teil, im Gedenken an die Nacht, da ein schwarzer Panther die Aufnahme eines nackten braunen Babys in das Rudel erkauft hatte, und der lange Ruf »Seht, gut wägen, Wölfe« ließ sein Herz pochen. Ansonsten hielt er sich weit entfernt im Dschungel auf mit seinen vier Brüdern, um neue Dinge zu schmecken, berühren, sehen und fühlen.

In einem Zwielicht, als er müßig über die Hügel trabte, um Akela die Hälfte eines Bocks zu bringen, den er getötet hatte, und die Vier hinter ihm herliefen, sich ein wenig balgten und aus Freude daran, lebendig zu sein, übereinander purzelten, hörte er einen Schrei, der seit den schlimmen Tagen von Shere Khan nie mehr zu hören gewesen war. Es war, was man im Dschungel den *pheeal* nennt, eine Art gräßlichen Kreischens, das der Schakal ausstößt, wenn er hinter einem Tiger jagt oder wenn großes Töten bevorsteht. Wenn ihr euch eine Mischung aus Haß, Triumph, Furcht und Verzweiflung vorstellen könnt, durchzogen von einem hörbaren Grinsen, dann habt ihr eine Ahnung von dem *pheeal*, der weit fort jenseits des Wainganga stieg und sank und schwankte und zitterte. Die Vier hielten sofort an, knurrend und gesträubt. Mowglis Hand ging zum Messer, und er blieb stehen, das Gesicht voll Blut, die Augenbrauen zusammengekniffen.

»Es gibt keinen Gestreiften, der hier zu töten wagt«, sagte er.

»Das ist nicht der Schrei des Vorläufers«, antwortete Grauer Bruder. »Es ist ein großes Töten. Horch!«

Der Schrei brach wieder auf, halb schluchzend und halb kichernd, ganz als ob der Schakal weiche Menschenlippen hätte. Dann holte Mowgli tief Luft und rannte zum Ratsfelsen;

auf dem Weg überholte er hastende Wölfe des Rudels. Phao und Akela waren zusammen auf dem Felsen, und unter ihnen, jeder Nerv gespannt, saßen die anderen. Die Mütter und die Wölflinge liefen fort zu ihren Lagern; denn wenn der *pheeal* ertönt, ist nicht die Zeit für schwache Dinge, unterwegs zu sein.

Sie konnten nichts hören außer dem Wainganga, der im Dunkel rauschte und gurgelte, und dem leichten Abendwind zwischen den Baumwipfeln, bis plötzlich jenseits des Flusses ein Wolf rief. Es war kein Wolf des Rudels, denn sie waren alle am Felsen. Der Ton änderte sich zu einem langen, verzweiflungsvollen Bellen; und »Dhole!« sagte es, »Dhole! Dhole! Dhole!« Sie hörten müde Füße auf dem Felsen, und ein hagerer Wolf, die Flanken rot gestriemt, die rechte Vorderpfote nutzlos und die Kiefer weiß von Schaum, warf sich in den Kreis und lag keuchend zu Mowglis Füßen.

»Gutes Jagen! Unter wessen Führung?« sagte Phao ernst.

»Gutes Jagen! Won-tolla bin ich«, war die Antwort. Das hieß, er war ein Einzelgänger-Wolf, der in einem entlegenen Lager allein für sich, seine Gefährtin und seine Welpen sorgte, wie es viele Wölfe im Süden tun. Won-tolla bedeutet Aus-Lieger – einer, der sich außerhalb jeden Rudels legt. Dann ächzte er, und sie konnten sehen, wie die eigenen Herzschläge ihn vor und zurück schüttelten.

»Was ist unterwegs?« sagte Phao; denn das ist die Frage, die nach *pheeal*-Schreien der ganze Dschungel stellt.

»Der Dhole, der Dhole aus dem Dekkan – Roter Hund, der Töter! Sie sind in den Norden gekommen, aus dem Süden; sie sagen, der Dekkan ist leer, und auf dem Weg töten sie. Als dieser Mond neu war, waren vier bei mir – meine Gefährtin und drei Wölflinge. Sie wollte sie lehren, wie man auf den Grasebenen tötet, sich versteckt, um den Bock zu treiben, wie wir vom offenen Land es tun. Um Mitternacht hörte ich sie zusammen, mit voller Kehle auf der Fährte. Beim Dämmer-Wind fand ich sie steif im Gras – vier, Freies Volk. Vier, als dieser Mond neu war. Dann habe ich mein Blut-Recht gesucht und die Dhole gefunden.«

»Wie viele?« sagte Mowgli schnell; die Wölfe des Rudels grollten tief in ihren Kehlen.

»Ich weiß es nicht. Drei von ihnen werden nicht mehr töten, aber zuletzt haben sie mich getrieben wie den Bock; auf meinen drei Beinen haben sie mich getrieben. Schaut, Freies Volk!«

Er reckte seinen zerfetzten Vorderfuß, ganz dunkel von getrocknetem Blut. Tief unten auf seiner Flanke waren grausame Bisse, und sein Hals war aufgerissen und zerquält.

»Iß«, sagte Akela; er stand von dem Fleisch auf, das Mowgli ihm gebracht hatte, und der Aus-Lieger warf sich darauf.

»Dies soll kein Verlust sein«, sagte er demütig, als er den ersten Hunger gestillt hatte. »Gebt mir ein wenig Kraft, Freies Volk, und dann werde auch ich töten. Mein Lager ist leer, das voll war, als dieser Mond neu war, und die Blutschuld ist nicht ganz bezahlt.«

Phao hörte einen Hüftknochen unter seinen Zähnen knacken und knurrte beifällig.

»Wir werden diese Kiefer brauchen«, sagte er. »Waren Welpen bei den Dhole?«

»Nein, nein. Alles rote Jäger: erwachsene Hunde ihres Rudels, schwer und stark, obwohl sie da im Dekkan Eidechsen essen.«

Was Won-tolla gesagt hatte bedeutete, daß der Dhole, der rote Jage-Hund des Dekkan, unterwegs war um zu töten, und das Rudel wußte sehr wohl, daß sogar der Tiger den Dhole eine frische Beute überläßt. Sie ziehen geradeaus durch den Dschungel, und was sie treffen, das töten sie und reißen es in Stücke. Wenn sie auch nicht so groß und nicht halb so klug sind wie die Wölfe, sind sie doch sehr stark und sehr zahlreich. So nennen sich die Dhole zum Beispiel erst dann ein Rudel, wenn sie hundert sind, wogegen vierzig Wölfe schon ein sehr gutes

Rudel ergeben. Mowglis Wanderzüge hatten ihn bis an die Grenze des hohen grasigen Hügellandes des Dekkan geführt, und er hatte die furchtlosen Dhole in den kleinen Senken und Grasbüschen, die sie als Lagerstätten verwenden, schlafen und spielen und sich kratzen gesehen. Er verachtete und haßte sie, weil sie nicht rochen wie das Freie Volk, weil sie nicht in Höhlen lebten, und vor allem weil sie Haare zwischen ihren Zehen hatten, während er und seine Freunde reinfüßig waren. Aber er wußte, weil Hathi es ihm erzählt hatte, wie furchtbar ein Jagdrudel der Dhole ist. Selbst Hathi geht ihnen aus dem Weg, und bis sie tot sind oder kein Wild mehr da ist, gehen sie vorwärts.

Auch Akela wußte etwas über die Dhole, denn er sagte leise zu Mowgli: »Es ist besser, in einem vollen Rudel zu sterben als führerlos und allein. Dies ist gutes Jagen, und – mein letztes. Aber so, wie Menschen leben, hast du noch viele weitere Nächte und Tage vor dir, Kleiner Bruder. Geh nach Norden und leg dich nieder, und wenn noch einer lebt, nachdem die Dhole fort sind, wird er dir Nachricht vom Kampf bringen.«

»Ah«, sagte Mowgli sehr ernst. »Muß ich also in die Sümpfe gehen und kleine Fische fangen und in einem Baum schlafen, oder muß ich die *Bandar-log* um Hilfe bitten zum Nüsseknacken in den Bäumen, während unten das Rudel kämpft?«

»Es ist Kampf bis zum Tod«, sagte Akela. »Du bist noch nie dem Dhole begegnet, dem Roten Töter. Selbst der Gestreifte . . .«

»*Aowa! Aowa!*« sagte Mowgli spöttisch. »Ich habe einen gestreiften Affen getötet und bin in meinem Magen ganz sicher, daß Shere Khan seine eigene Gefährtin dem Dhole als Fleisch überlassen haben würde, wenn er über drei Hügelketten hinweg ein Rudel gewittert hätte. Nun hör zu: Es gab da einen Wolf, meinen Vater, und eine Wölfin, meine Mutter, und es gab da einen alten grauen Wolf (nicht besonders weise; jetzt ist er weiß), der mein Vater und meine Mutter war. Deshalb sage ich« – er hob die Stimme – »deshalb sage ich: Wenn der Dhole kommt, und falls der Dhole kommt, sind bei diesem Jagen Mowgli und das Freie Volk von der gleichen Haut; und ich sage, bei dem Bullen der mich gekauft hat – bei dem Bullen, den Bagheera für mich in den alten Tagen gezahlt hat, an die ihr vom Rudel euch nicht erinnert – *ich* sage, daß die Bäume und der Fluß es hören und behalten mögen, falls ich vergesse; *ich* sage, daß dieses Messer für das Rudel wie ein Zahn sein wird – und ich glaube nicht, daß es so stumpf ist. Das ist mein Wort, das von mir ausgegangen ist.«

»Du kennst den Dhole nicht, Mensch mit Wolfszunge«, sagte Won-tolla. »Ich will nur die Blutschuld mit ihnen bereinigen, ehe sie viele Stücke aus mir machen. Sie ziehen langsam, morden während sie gehen, aber in zwei Tagen wird ein wenig Kraft zu mir zurückkommen, und dann gehe ich wieder der Blutschuld nach. Aber für *euch*, Freies Volk, ist mein Rat, daß ihr nach Norden geht und eine Weile nur wenig eßt, bis die Dhole fort sind. Es ist kein Fleisch in diesem Jagen.«

»Hört den Aus-Lieger!« sagte Mowgli lachend. »Freies Volk, wir sollen nach Norden gehen und Eidechsen und Ratten aus der Uferböschung ausgraben, damit wir nicht zufällig dem Dhole begegnen. Er soll unsere Jagdgründe leermorden, während wir im Norden versteckt liegen bis es ihm gefällt, uns das zurückzugeben, was uns gehört. Er ist ein Hund – und die Welpe eines Hundes – rot, gelbbäuchig, lagerlos, zwischen allen Zehen behaart! Zu sechs und acht zählt er mit jedem Wurf seine Jungen, als ob er Chikai wäre, die kleine Springratte. Bestimmt müssen wir weglaufen, Freies Volk, und die Völker des Nordens um den Abfall von totem Vieh anbetteln! Ihr kennt den Spruch: ›Im Norden ist das Geschmeiß; im Süden sind die Läuse. *Wir* sind der Dschungel.‹ Wählt ihr, o wählt. Es ist gutes Jagen! Für das Rudel – für das Voll-Rudel – für das Lager und den Wurf; für das Töten mit dem Rudel und das Töten ohne Rudel; für die Gefährtin, die die Hirschkuh treibt,

und den kleinen, kleinen Wölfling in der Höhle; es steht fest! –
es steht fest! – es steht fest!«

Das Rudel antwortete mit einem tiefen, krachenden Bellen,
das in der Nacht klang wie das Stürzen eines großen Baumes.
»Es steht fest!« riefen sie.

»Bleibt bei ihnen«, sagte Mowgli zu den Vier. »Wir werden
jeden Zahn brauchen. Phao und Akela müssen die Schlacht
bereiten. Ich gehe, um die Hunde zu zählen.«

»Das ist der Tod!« schrie Won-tolla; er erhob sich halb. »Was
kann solch ein Haarloser gegen Roter Hund ausrichten? Sogar
der Gestreifte, erinnert euch . . .«

»Du bist wirklich ein Aus-Lieger«, rief Mowgli zurück;
»aber wir sprechen darüber, wenn die Dhole tot sind. Gutes
Jagen allen!«

Er eilte fort in die Dunkelheit, wild vor Erregung, schaute
kaum, wohin er den Fuß setzte, und die natürliche Folge war,
daß er über Kaas große Windungen stolperte und lang hin-
schlug, dort, wo der Python in Flußnähe lag und einen Hirsch-
pfad beobachtete.

»Kssha!« sagte Kaa verärgert. »Ist das Dschungelwerk, zu
stampfen und zu trampeln und das Jagen einer ganzen Nacht zu
verderben – und dann auch noch, wenn das Wild so fein zieht?«

»Es war mein Fehler«, sagte Mowgli; er raffte sich auf. »Ich
habe dich wirklich gesucht, Flachhaupt, aber jedesmal wenn
wir uns sehen, bist du um eine Armlänge von mir größer und
breiter. Es gibt keinen wie dich im Dschungel, den weisen,
alten, starken und überaus wunderbaren Kaa.«

»Also, wohin führt diese Fährte denn?« Kaas Stimme war mil-
der. »Vor nicht einmal einem Monat gab es einen Menschen mit
einem Messer, der mir Steine an den Kopf geworfen und mich
schlimme kleine Baumkatzen-Namen gerufen hat, weil ich
schlafend unter offenem Himmel gelegen habe.«

»Ja, und weil du alle getriebenen Hirsche in alle Winde zer-
streut hast, und Mowgli war auf der Jagd, und dasselbe Flach-

haupt war zu taub, um seinen Pfiff zu hören und die Hirsch-Straßen freizugeben«, antwortete Mowgli gelassen; er setzte sich zwischen die bunten Windungen.

»Jetzt kommt eben dieser Menschling mit sanften Kitzelworten zu eben diesem Flachhaupt, erzählt ihm, daß er weise und stark und wunderbar ist, und eben dieses alte Flachhaupt glaubt ihm und macht einen Platz, so, für eben diesen steinewerfenden Menschling, und – ist es bequem so? Könnte Bagheera dir einen so guten Ruheplatz geben?«

Kaa hatte sich wie üblich zu einer Art Halb-Hängematte unter Mowglis Gewicht gemacht. Der Junge griff in die Dunkelheit und holte den geschmeidigen trossenartigen Hals ein, bis Kaas Kopf auf seiner Schulter ruhte, und dann erzählte er ihm alles, was sich im Dschungel in dieser Nacht ereignet hatte.

»Vielleicht bin ich klug«, sagte Kaa schließlich; »aber taub bin ich bestimmt. Sonst hätte ich doch den *pheeal* gehört. Es ist kein Wunder, daß die Grasesser unruhig sind. Wie viele Dhole sind es denn?«

»Ich habe sie noch nicht gesehen. Ich bin sofort zu dir geeilt. Du bist älter als Hathi. Aber, o Kaa« – hier wand Mowgli sich aus lauter Freude –, »es wird gutes Jagen sein. Wenige von uns werden einen neuen Mond sehen.«

»Kämpfst *du* dabei mit? Bedenke, du bist ein Mensch; und bedenke, welches Rudel dich ausgestoßen hat. Laß den Wolf sich um den Hund kümmern. *Du* bist ein Mensch.«

»Die Nüsse vom letzten Jahr sind die schwarze Erde von diesem«, sagte Mowgli. »Aber es ist in meinem Magen, was ich diese Nacht gesagt habe, daß ich ein Wolf bin. Ich habe den Fluß und die Bäume angerufen, sich daran zu erinnern. Ich gehöre zum Freien Volk, Kaa, bis der Dhole gegangen ist.«

»Freies Volk«, grunzte Kaa. »Freie Diebe! Und du hast dich in den Todesknoten eingebunden, um die Erinnerung an tote Wölfe? Dies ist kein gutes Jagen.«

»Es ist mein Wort, und ich habe es gesprochen. Die Bäume

wissen, der Fluß weiß. Bis die Dhole vergangen sind, kommt mein Wort nicht zu mir zurück.«

»*Ngssh!* Das ändert alle Fährten. Ich wollte dich in die nördlichen Sümpfe mitnehmen, aber Das Wort – selbst das Wort eines kleinen, nackten, haarlosen Menschlings – ist Das Wort. Nun sage ich, Kaa . . .«

»Überlege gut, Flachhaupt, ehe du dich selbst auch in den Todesknoten bindest. Ich brauche kein Wort von dir, denn ich weiß sehr wohl . . .«

»Dann sei es so«, sagte Kaa. »Ich werde kein Wort geben; aber was ist in deinem Bauch, das du tun willst, wenn die Dhole kommen?«

»Sie sollen im Wainganga schwimmen. Ich habe daran gedacht, auf den Untiefen mit meinem Messer auf sie zu warten, das Rudel hinter mir; und mit Stechen und Stoßen könnten wir sie so ein wenig stromab lenken oder ihre Kehlen kühlen.«

»Die Dhole lassen sich nicht lenken, und ihre Kehlen sind heiß«, sagte Kaa. »Es wird weder Menschling noch Wolfs-Welpe geben, wenn dieses Jagen erledigt ist, sondern nur trockene Knochen.«

»*Alala!* Wenn wir sterben, sterben wir. Es wird überaus gutes Jagen sein. Aber mein Bauch ist jung, und ich habe noch nicht viele Regenzeiten gesehen. Ich bin nicht klug und auch nicht stark. Hast du einen besseren Plan, Kaa?«

»Ich habe hundert und wieder hundert Regen gesehen. Ehe Hathi seine Milch-Zähne abwarf, war meine Spur groß im Staub. Beim Ersten Ei, ich bin älter als viele Bäume, und ich habe alles gesehen, was der Dschungel getan hat.«

»Aber *dies* ist neues Jagen«, sagte Mowgli. »Nie zuvor haben die Dhole unsere Fährte gekreuzt.«

»Was ist, ist gewesen. Was sein wird, ist nicht mehr als ein vergessenes Jahr, das rückwärts peitscht. Sei still, während ich diese meine Jahre zähle.«

Eine lange Stunde lag Mowgli ruhig zwischen den Windungen, während Kaa, den Kopf reglos auf dem Boden, an all das dachte, was er gesehen und getan hatte, seit dem Tag, da er aus dem Ei kam. Das Licht schien aus seinen Augen zu weichen und sie wie schale Opale zurückzulassen, und hin und wieder führte er kleine steife Stöße mit dem Kopf, nach rechts und links, als ob er im Schlaf jagte. Mowgli döste gelassen, denn er wußte, daß vor dem Jagen nichts so gut ist wie Schlaf, und er war dazu erzogen, zu jeder Tages- oder Nachtstunde schlafen zu können.

Dann fühlte er unter sich Kaas Rücken größer und breiter werden, als der riesige Python sich aufblähte und zischte wie ein Schwert, das aus einer stählernen Scheide gezogen wird.

»Ich habe all die toten Jahre gesehen«, sagte Kaa schließlich; »und die großen Bäume und die alten Elefanten, und die Felsen, die kahl und scharfzackig waren, ehe das Moos wuchs. Lebst *du* denn noch, Menschling?«

»Es ist erst kurz nach Monduntergang«, sagte Mowgli. »Ich verstehe nicht . . .«

»*Hssh!* Ich bin wieder Kaa. Ich wußte, es war nur eine kleine Zeit. Jetzt wollen wir zum Fluß gehen, und ich werde dir zeigen, was gegen die Dhole zu tun ist.«

Gerade wie ein Pfeil wandte er sich dem Hauptstrom des Wainganga zu; ein wenig oberhalb des Teichs, der den Friedensfelsen verbarg, tauchte er hinein, Mowgli an seiner Seite.

»Nein, schwimm nicht. Ich gehe schnell. Auf meinen Rücken, Kleiner Bruder.«

Mowgli hakte den linken Arm um Kaas Hals, preßte den rechten an seinen Körper und streckte die Füße. Dann ging Kaa die Strömung an wie nur er es konnte, und die Krause des gestauten Wassers hob sich als Rüschenkragen um Mowglis Nacken, und im Strudel unter den peitschenden Flanken des Pythons wurden seine Füße hin und her geschleudert. Eine oder zwei Meilen oberhalb des Friedensfelsens verengt sich der Wainganga, in einem Schlund aus Marmorfelsen von achtzig bis hundert Fuß Höhe, und wie ein Mühlgerinne läuft die Strömung zwischen und über alle möglichen häßlichen Steine. Aber Mowgli zerbrach sich nicht den Kopf wegen des Wassers; wenige Gewässer der Welt hätten ihn auch nur für einen Moment ängstigen können. Er betrachtete den Schlund auf beiden Seiten und schnüffelte unbehaglich, denn es war ein süßlich-säuerlicher Ruch in der Luft, ganz ähnlich dem Geruch eines großen Ameisenhügels an einem heißen Tag. Instinktiv ließ er sich ins Wasser sinken, hob nur von Zeit zu Zeit den Kopf zum Atmen, und Kaa ging vor Anker, indem er seinen Schwanz zweimal um einen versunkenen Felsen schlug; er hielt Mowgli in der Beuge einer Windung, während das Wasser vorbeiraste.

»Das ist der Ort des Todes«, sagte der Junge. »Warum kommen wir hierher?«

»Sie schlafen«, sagte Kaa. »Hathi würde dem Gestreiften nicht ausweichen. Aber Hathi und der Gestreifte weichen beide den Dhole aus, und die Dhole, heißt es, gehen für gar nichts beiseite. Aber wem weichen denn die Kleinen Leute der Felsen aus? Sag mir, Herr des Dschungels, wer ist der Herr des Dschungels?«

»Diese«, flüsterte Mowgli. »Es ist der Ort des Todes. Laß uns gehen.«

»Nein, schau gut hin, sie schlafen nämlich. Es ist wie es war, als ich nicht einmal die Länge deines Armes hatte.«

Die geborstenen und verwitterten Felsen der Wainganga-Schlucht waren seit Anbeginn des Dschungels von den Kleinen Leuten der Felsen genutzt worden – den geschäftigen, heftigen, schwarzen wilden Bienen Indiens; und wie Mowgli gut wußte, bogen alle Fährten eine halbe Meile vor Erreichen der Schlucht ab. Seit Jahrhunderten hatten die Kleinen Leute dort gehaust und waren wieder und wieder von Felsspalt zu Felsspalt geschwärmt, hatten den weißen Marmor mit schalem Honig befleckt und ihre Waben groß und tief im Dunkel der inneren

Höhlen angelegt, wo weder Mensch noch Tier noch Feuer noch Wasser sie je berührt hatte. Der Schlund schien in ganzer Länge auf beiden Seiten mit schwarzen schimmernden Samtvorhängen überzogen, und Mowgli ließ sich sinken während er schaute, denn das waren die Klumpen der Millionen von schlafenden Bienen. Die Flächen des Felsens waren übersät mit weiteren Beulen und Girlanden und Dingen wie verrotteten Baumstümpfen, den alten Waben vergangener Jahre oder neuen Stätten, gebaut im Schatten des endlosen Schlundes, und gewaltige Mengen schwammigen morschen Plunders waren herabgerollt und zwischen den Bäumen und Schlingpflanzen stecken geblieben, die sich an die Felsfläche klammerten. Während er lauschte, hörte er mehr als einmal das Rascheln und Gleiten einer honigbeladenen Wabe, die irgendwo in den dunklen Gängen kippte oder fiel; dann ein Brummen zorniger Flügel und das matte Tropf, Tropf, Tropf des vergeudeten Honigs der fortkroch, bis er über einen Sims ins Freie leckte und zäh auf die Zweige herabtroff. Es gab einen winzigen Uferstrand, keine fünf Fuß breit, auf einer Seite des Flusses, und dort türmte sich der Schutt ungezählter Jahre. Es waren tote Bienen, Drohnen, Kehricht und schale Waben und Flügel marodierender Motten, die sich auf der Suche nach Honig hineinverirrt hatten, alles zu glatten Haufen von feinstem schwarzen Staub geworden. Allein der scharfe Geruch reichte, um alles abzuschrecken, was keine Flügel hatte und wußte, wer die Kleinen Leute waren.

Kaa bewegte sich wieder stromauf, bis er zu einer Sandbank am Kopf der Schlucht kam.

»Hier ist das Töten dieses Jahres«, sagte er. »Schau!«

Am Ufer lagen die Skelette von ein paar jungen Hirschen und einem Büffel. Mowgli konnte sehen, daß weder Wolf noch Schakal die Knochen berührt hatte, die dort in ihrer natürlichen Zuordnung lagen.

»Sie haben die Grenze überschritten; sie kannten das Gesetz

nicht«, murmelte Mowgli, »und die Kleinen Leute haben sie getötet. Laß uns gehen, ehe sie erwachen.«

»Sie erwachen nicht vor dem Dämmer«, sagte Kaa. »Nun will ich es dir sagen. Ein gehetzter Bock aus dem Süden, vor vielen vielen Regen, kam aus dem Süden hierher; er kannte den Dschungel nicht, ein Rudel war auf seiner Fährte. Von Angst geblendet ist er von oben herab gesprungen; das Rudel rannte auf Sicht, denn sie waren heiß und blind über der Spur. Die Sonne stand hoch; die Kleinen Leute waren viele, und sehr zornig. Viele waren auch die vom Rudel, die in den Wainganga gesprungen sind, aber sie waren tot, ehe sie das Wasser berührten. Die nicht sprangen sind auch gestorben, oben in den Felsen. Aber der Bock hat überlebt.«

»Wie?«

»Weil er als erster kam und um sein Leben rannte und sprang, ehe die Kleinen Leute ihn bemerkten, und weil er im Fluß war, als sie sich zum Töten sammelten. Das Rudel, das folgte, ging unter dem Gewicht der Kleinen Leute ganz verloren.«

»Der Bock hat überlebt?« wiederholte Mowgli langsam.

»Jedenfalls ist er *da* nicht gestorben; es hat aber auch niemand unten auf seine Ankunft gewartet, um ihn mit einem starken Körper vor dem Wasser zu bewahren, wie ein gewisses altes, fettes, taubes, gelbes Flachhaupt auf einen Menschling warten würde – ja, und wenn auch alle Dhole aus dem Dekkan hinter ihm her wären. Was ist in deinem Bauch?« Kaas Kopf war nahe an Mowglis Ohr; es dauerte einige Zeit, bis der Junge antwortete.

»Es ist darin, dem Tod selbst den Bart zu zausen, aber – Kaa, du bist wirklich der Weiseste im ganzen Dschungel.«

»Das haben viele gesagt. Nun sieh mal, wenn die Dhole dir folgen . . .«

»Was sie bestimmt tun werden. Hoh! Hoh! Unter meiner Zunge habe ich viele kleine Dornen, die ich ihnen ins Fell pieken kann.«

»Wenn sie dir heiß und blind folgen und nur auf deine Schultern schauen, dann werden die, die nicht oben sterben, entweder hier oder weiter unten ins Wasser gehen, denn die Kleinen Leute werden sich erheben und sie bedecken. Nun ist der Wainganga hungriges Wasser, und sie werden keinen Kaa haben, der sie hält; aber die die leben werden stromab treiben zu den Untiefen bei den Seoni-Lagerstätten, und dort kann dein Rudel sie an der Gurgel packen.«

»*Ahai! Eowawa!* Besseres könnte es nicht geben, bis die Regen in der trockenen Zeit fallen. Jetzt bleibt nur noch die kleine Sache mit dem Rennen und dem Sprung. Ich will die Dhole mit mir bekannt machen, damit sie mir sehr dicht folgen.«

»Hast du die Felsen über dir gesehen? Von der Landseite?«

»Nein, das stimmt. Das hab ich vergessen.«

»Geh und schau. Es ist ganz morscher Boden, zerschnitten und voll von Löchern. Wenn du einen deiner ungeschickten Füße aufsetzt ohne hinzuschauen, das würde die Jagd beenden. Schau, ich verlasse dich hier, und nur deinetwegen will ich dem Rudel die Nachricht bringen, damit sie wissen, wo sie nach den Dhole suchen sollen. Was mich angeht, ich bin mit keinem Wolf von der gleichen Haut.«

Wenn Kaa einen Bekannten nicht mochte, konnte er unangenehmer sein als sonst einer von den Dschungel-Leuten, außer vielleicht Bagheera. Er schwamm stromab, und gegenüber vom Felsen traf er auf Phao und Akela, die den Nachtgeräuschen lauschten.

»*Hssh!* Hunde«, sagte er fröhlich. »Die Dhole werden stromab kommen. Wenn ihr keine Angst habt, könnt ihr sie in den Untiefen töten.«

»Wann kommen sie?« sagte Phao. »Und wo ist mein Menschenjunges?« sagte Akela.

»Sie kommen wenn sie kommen«, sagte Kaa. »Was *dein* Menschenjunges angeht, von dem du ein Wort genommen und ihn so dem Tod ausgeliefert hast, *dein* Menschenjunges ist bei *mir*, und wenn er nicht jetzt schon tot ist, dann ist es nicht dein Fehler, gebleichter Hund! Warte hier auf die Dhole und sei froh, daß das Menschenjunge und ich auf deiner Seite kämpfen.«

Kaa schoß wieder stromauf und vertäute sich mitten im Schlund; er blickte hinauf zur Kante der Klippe. Bald sah er vor dem Hintergrund der Sterne Mowglis Kopf sich bewegen, und dann war ein Sausen in der Luft, das scharfe deutliche *Schluup* eines Körpers, der mit den Füßen voran ins Wasser fiel, und im nächsten Moment ruhte der Junge wieder in den Schlingen von Kaas Körper.

»Das ist kein Sprung bei Nacht«, sagte Mowgli ruhig. »Ich bin zum Vergnügen schon zweimal so weit gesprungen; aber das da oben ist ein schlimmer Ort – niedrige Büsche und Rinnen, die ganz tief hinabreichen, alle voll vom Kleinen Volk. Ich habe neben drei Spalten große Steine hingelegt, einen über dem anderen. Die werde ich beim Laufen mit meinen Füßen hinabstoßen, und die Kleinen Leute werden hinter mir aufsteigen, sehr zornig.«

»Das ist Menschenrede und Menschenlist«, sagte Kaa. »Du bist klug, aber die Kleinen Leute sind immer zornig.«

»Nein, im Zwielicht ruhen alle Flügel nah und fern für eine Weile. Ich will im Zwielicht mit dem Dhole spielen; der Dhole jagt nämlich bei Tag am besten. Jetzt folgt er Won-tollas Blutspur.«

»Chil verläßt keinen toten Ochsen, und der Dhole nicht die Blutspur«, sagte Kaa.

»Dann will ich ihm eine neue Blutspur legen, mit seinem eigenen Blut, wenn ich kann, und ihm Dreck zu essen geben. Wirst du hierbleiben, Kaa, bis ich mit meinen Dhole wiederkomme?«

»Ja, aber was wenn sie dich im Dschungel töten, oder wenn die Kleinen Leute dich töten, bevor du in den Fluß hinabspringen kannst?«

»Wenn morgen kommt, wollen wir für morgen töten«, sagte Mowgli; er zitierte ein Sprichwort des Dschungels. Und dann: »Wenn ich tot bin, ist es Zeit, das Todeslied zu singen. Gutes Jagen, Kaa!«

Er löste seinen Arm vom Hals des Python und schwamm die Schlucht hinab wie ein Baumstamm bei Überschwemmung, paddelte am anderen Ufer entlang, wo er Stillwasser fand, und lachte laut aus reiner Fröhlichkeit. Es gab nichts was Mowgli mehr liebte als, wie er selbst sagte, »dem Tod den Bart zu zausen« und den Dschungel wissen zu lassen, daß er der Herr war. Er hatte oft mit Baloos Hilfe Bienennester in einzelnen Bäumen geplündert, und er wußte, daß die Kleinen Leute den Geruch von wildem Knoblauch haßten. Also sammelte er davon ein kleines Bündel, umwickelte es mit einem Baststreifen und folgte dann etwa fünf Meilen weit Won-tollas Blutfährte, die von den Lagerstätten nach Süden lief; er betrachtete die Bäume mit schiefgelegtem Kopf und kicherte dabei.

›Mowgli der Frosch bin ich gewesen‹, sagte er sich; ›Mowgli der Wolf bin ich, habe ich gesagt. Nun muß ich Mowgli der Affe sein, bevor ich Mowgli der Hirschbock werde. Am Ende werde ich Mowgli der Mann sein. Hoh!‹ Und er ließ seinen Daumen über die achtzehn Zoll lange Klinge seines Messers gleiten.

Won-tollas Fährte, voll von scharf riechenden dunklen Blutflecken, lief durch einen Wald aus dicken, eng beieinander stehenden Bäumen; allmählich dünner und immer dünner werdend erstreckte er sich nach Nordosten, wo er zwei Meilen vor den Bienenfelsen endete. Zwischen dem letzten Baum und dem niedrigen Gesträuch der Bienenfelsen lag offenes Land, wo es kaum genug Deckung gab, die einen Wolf hätte verbergen können. Mowgli trabte unter den Bäumen entlang, schätzte die Entfernungen zwischen einzelnen Ästen ab, erklomm gelegentlich einen Stamm und machte einen Probesprung von einem Baum zum nächsten, bis er das offene Land erreichte, das er eine Stunde lang sehr sorgfältig untersuchte. Dann kehrte er um, nahm Won-tollas Fährte dort auf wo er sie verlassen hatte, machte es sich auf einem Baum mit einem ausladenden Ast etwa acht Fuß über dem Boden bequem und saß ruhig da, wobei er das Messer an seiner Fußsohle wetzte und vor sich hin sang.

Kurz vor Mittag, als die Sonne sehr warm war, hörte er das Tappen von Füßen und roch den scheußlichen Geruch des Dhole-Rudels, das erbarmungslos auf Won-tollas Fährte entlangtrabte. Von oben betrachtet wirkte der rote Dhole nicht einmal halb so groß wie ein Wolf, aber Mowgli wußte, wie stark seine Füße und Kiefer waren. Er sah den spitzen rotbraunen Kopf des Führers, der sich die Fährte entlang witterte, und wünschte ihm »Gutes Jagen!«

Das Tier blickte auf, und seine Gefährten hielten hinter ihm, Dutzende und Aberdutzende roter Hunde mit tief sitzenden Schwänzen, schweren Schultern, schmalen Hintern und blutigen Mäulern. Die Dhole sind in der Regel ein sehr schweigsames Volk, und selbst in ihrem eigenen Dschungel haben sie keine Manieren. Volle zweihundert mußten sich unter ihm versammelt haben, aber er konnte sehen, daß die Führer hungrig auf Won-tollas Fährte schnupperten und versuchten, das Rudel vorwärts zu ziehen. Das kam nicht in Frage; sonst würden sie die Lagerstätten bei vollem Tageslicht erreichen, und Mowgli plante, sie bis zum Abenddämmer unter seinem Baum festzuhalten.

»Mit wessen Erlaubnis kommt ihr hierher?« sagte Mowgli.

»Alle Dschungel sind unser Dschungel«, war die Antwort, und der Dhole, der sie gab, bleckte seine weißen Zähne. Mowgli blickte mit einem Lächeln hinab und imitierte genau das scharfe *Tschitter-Tschatter* von Chikai, der Springratte des Dekkan; die Dhole sollten begreifen, daß er sie für nicht besser als Chikai hielt. Das Rudel drängte sich um den Baumstamm, und der Führer bellte wütend und nannte Mowgli einen Baum-Affen. Als Erwiderung streckte Mowgli ein nacktes Bein nach unten und wackelte mit seinen bloßen Zehen, knapp über dem Kopf des Führers. Das war genug und mehr als genug, um das Rudel zu besinnungsloser Wut zu reizen. Jene, die Haare zwischen den Zehen haben, legen keinen Wert darauf, daran erinnert zu werden. Als der Führer hochsprang, zog Mowgli den Fuß zurück und sagte sanft: »Hund, roter Hund! Geh zurück zum Dekkan und iß Eidechsen. Geh zu Chikai, deinem Bruder – Hund, Hund – roter, roter Hund! Zwischen allen Zehen hast du Haare!« Er wackelte erneut mit seinen Zehen.

»Komm runter, ehe wir dich aushungern, haarloser Affe!« gellte das Rudel, und das war genau das, was Mowgli wollte. Er streckte sich auf dem Ast aus, die Wange an der Rinde, ließ den rechten Arm baumeln und erzählte dem Rudel, was er über sie, ihre Gewohnheiten, ihre Manieren, ihre Gefährtinnen und ihre Welpen dachte und wußte. Auf der Welt gibt es keine andere Redeweise, die so giftig und so beißend ist wie die Sprache, die die Dschungel-Leute verwenden, um Geringschätzung und Verachtung zu zeigen. Wenn ihr darüber nachdenkt werdet ihr einsehen, daß es so sein muß, und warum. Wie Mowgli Kaa gesagt hatte, hatte er viele kleine Dornen unter seiner Zunge, und langsam und genüßlich trieb er die Dhole vom Schweigen zum Knurren, vom Knurren zum Gellen und vom Gellen zu heiserem, geiferndem Rasen. Sie versuchten seine Schmähungen zu erwidern, aber genauso gut hätte ein Wölfling versuchen können, einem erzürnten Kaa zu antworten; und die ganze Zeit hielt Mowgli die rechte Hand gekrümmt neben sich, bereit zum Einsatz; seine Füße schlossen sich um den Ast. Der große rotbraune Führer war viele Male in die Luft gesprungen, aber Mowgli wagte es nicht, einen unsicheren Hieb zu riskieren. Schließlich schnellte der Führer, über seine natürliche Kraft hinaus wütend gemacht, glatte sieben oder acht Fuß vom Boden auf. Da schoß Mowglis Hand vor wie der Kopf einer Baumschlange und packte ihn am Genick; der Ast erzitterte unter dem Druck des zurückstürzenden Gewichts, das Mowgli fast zu Boden gerissen hätte. Aber er ließ nicht locker, und Zoll um Zoll hievte er das Tier, das da hing wie ein ertrunkener Schakal, auf den Ast. Mit der Linken langte er nach seinem Messer und schnitt den roten buschigen Schwanz ab; dann schleuderte er den Dhole wieder zu Boden. Das war alles was er brauchte. Jetzt würde das Rudel Won-tollas Fährte nicht folgen, bis sie Mowgli getötet hatten oder Mowgli sie. Er sah, wie sie sich in Kreisen niederließen, mit einem Beben der Keulen das sagte, daß sie bleiben würden; deshalb kletterte er zu einer höheren Gabelung, lehnte sich bequem mit dem Rücken an und schlief ein.

Nach drei oder vier Stunden erwachte er und zählte das Rudel. Sie waren alle da, still, stämmig und ungerührt, mit Augen wie Stahl. Die Sonne begann zu sinken. In einer halben Stunde würden die Kleinen Leute der Felsen ihre mühevolle Arbeit einstellen; und wie ihr wißt, ist das Zwielicht nicht die beste Kampfeszeit für den Dhole.

»Solche treuen Wächter brauche ich doch gar nicht«, sagte er höflich; er stellte sich auf einen Zweig, »aber ich will mich daran erinnern. Ihr seid wahre Dhole, aber für meinen Geschmack viel zu viele von einer Sorte. Deshalb gebe ich dem großen Eidechsen-Esser seinen Schwanz nicht zurück. Macht dich das nicht froh, Roter Hund?«

»Ich selbst werde dir den Magen herausreißen!« gellte der Führer; dabei kratzte er am Fuß des Baums.

»Nein, also, überleg doch, kluge Ratte aus dem Dekkan. Es wird jetzt viele Würfe mit kleinen schwanzlosen roten Hunden geben, ja, mit rohen roten Stummeln die wehtun, wenn der Sand heiß ist. Geh nach Hause, Roter Hund, und schrei hinaus, daß ein Affe das getan hat. Ihr wollt nicht gehen? Na gut, dann kommt mit mir und ich werde euch sehr weise machen!« Er begab sich, nach Art der *Bandar-log*, in den nächsten Baum und so weiter in den nächsten und wieder den nächsten, und das Rudel folgte mit erhobenen hungrigen Köpfen. Hin und wieder tat er als ob er fiele, und dann stolperten die Hunde übereinander in ihrer Hast, beim Töten dabei zu sein. Es war ein merkwürdiger Anblick – der Junge mit dem Messer, leuchtend im Licht der tiefstehenden Sonne, das durch die oberen Zweige rieselte, und die stummen Hunde des Rudels mit flammenden roten Röcken, wie sie sich unten zusammendrängten und folgten. Als er den letzten Baum erreichte, nahm er den Knoblauch und rieb sich damit überall sorgfältig ein, und die Dhole stießen ein verächtliches Gellen aus. »Du Affe mit Wolfszunge, glaubst du etwa, du könntest deinen Geruch überdecken?« sagten sie. »Wir folgen bis zum Tod.«

»Da, nimm deinen Schwanz«, sagte Mowgli; er warf ihn weit rückwärts auf den Weg. Instinktiv stürzte das Rudel hinterher. »Und jetzt folgt mir – zum Tod.«

Er war den Baumstamm hinabgerutscht und lief wie der barfüßige Wind zu den Bienenfelsen, bevor die Dhole begriffen, was er tun wollte.

Sie stießen ein einziges tiefes Jaulen aus und fielen in den langen wiegenden Galopp, der am Ende alles was läuft zur Strecke bringen kann. Mowgli wußte, daß ihr Rudel-Tempo viel langsamer war als das der Wölfe, sonst hätte er niemals ein Rennen über zwei Meilen bei voller Sicht gewagt. Sie waren sicher, daß sie den Jungen am Ende bekommen würden, er war sicher, daß er mit ihnen spielen konnte, wie es ihm gefiel. Seine einzige Schwierigkeit war, sie so heiß auf seinen Fersen zu halten, daß sie nicht zu früh abbogen. Er lief sauber, gleichmäßig und federnd; der schwanzlose Führer keine fünf Yards hinter ihm; und dahinter das Rudel vielleicht eine Viertelmeile auseinandergezogen, blind und besinnungslos vor Mordgier. Er verließ sich auf sein Gehör, um den Vorsprung zu halten, und bewahrte seine letzte Kraft für den Sturmlauf über die Bienenfelsen.

Die Kleinen Leute waren im frühen Zwielicht schlafen gegangen, denn es war nicht die Blütezeit der Abendblumen; aber als

Mowglis erste Schritte hohl auf dem hohlen Boden hallten, hörte er ein Geräusch, als ob die ganze Erde summte. Dann rannte er, wie er nie in seinem Leben gerannt war, stieß mit den Füßen einen – zwei – drei seiner Steinhaufen in die dunklen, süß duftenden Spalten; hörte ein Röhren wie das Röhren der See in einer Höhle; sah aus den Augenwinkeln die Luft hinter sich dunkel werden; sah tief unten das Wasser des Wainganga und darin einen flachen, karoförmigen Kopf; sprang hinaus mit aller Kraft; der schwanzlose Dhole schnappte mitten in der Luft nach seiner Schulter; und dann fiel er, die Füße voraus, in die Sicherheit des Flusses, atemlos und triumphierend. Er hatte keinen einzigen Stich abbekommen, denn der Knoblauchgeruch hatte die Kleinen Leute genau die paar Sekunden zurückgehalten, die er unter ihnen gewesen war. Als er auftauchte stützten ihn Kaas Schlingen, und oben sprangen Dinge über den Klippenrand – große Klumpen, schien es, von Bienentrauben, die wie ein Senkblei fielen; aber noch ehe ein Klumpen das Wasser berührte, flogen die Bienen auf und der Körper eines Dhole wirbelte stromab. Weit oben konnten sie wütendes, kurzes Gellen hören, das in einem Röhren wie dem von Brechern unterging – dem Röhren der Flügel der Kleinen Leute der Felsen. Es waren auch einige von den Dhole in die Spalten gefallen, die Verbindung mit den unterirdischen Höhlen hatten, und dort würgten und kämpften und schnappten sie zwischen den umgestürzten Honigwaben, und schließlich, längst tot, doch noch emporgetragen von den steigenden Wogen der Bienen unter ihnen, schossen sie aus Löchern an der Flußseite und rollten über die schwarzen Abfallhaufen. Es gab Dhole die zu kurz gesprungen waren, in die Bäume an der Klippe, und ihre Umrisse waren unkenntlich vor Bienen; aber mehr als die Hälfte von ihnen, toll von Stichen, hatte sich in den Fluß geworfen; und, wie Kaa sagte, der Wainganga war ein hungriges Wasser.

Kaa hielt Mowgli fest, bis der Junge wieder zu Atem gekommen war.

»Wir können hier nicht bleiben«, sagte er. »Die Kleinen Leute sind wirklich aufgebracht. Komm!«

Ins Wasser gedrückt und tauchend, so oft er konnte, schwamm Mowgli flußab, das Messer in der Hand.

»Langsam, langsam«, sagte Kaa. »Ein Zahn kann nicht hundert töten, außer dem einer Kobra, und viele der Dhole sind schnell ins Wasser gesprungen, als sie die Kleinen Leute haben aufsteigen sehen.«

»Also um so mehr Arbeit für mein Messer. *Phai!* Wie anhänglich die Kleinen Leute sind!« Mowgli versank wieder. Die Oberfläche des Wassers war mit einer Decke wilder Bienen überzogen, die unwirsch summten und alles stachen, was sie erwischten.

»Durch Schweigen ging noch nie etwas verloren«, sagte Kaa – kein Stachel konnte seine Schuppen durchdringen –, »und du hast die ganze lange Nacht zum Jagen. Hör sie heulen!«

Nahezu die Hälfte des Rudels hatte die Falle gesehen, in die ihre Gefährten rasten; sie waren scharf abgebogen und hatten sich dort ins Wasser geworfen, wo die Schlucht zu steilen Ufern schrumpfte. Ihre Wutschreie und Drohungen gegen den »Baum-Affen«, der ihnen diese Schmach angetan hatte, mischten sich mit dem Gellen und Grollen jener, die von den Kleinen Leuten bestraft worden waren. An Land zu bleiben bedeutete den Tod, und jeder Dhole wußte es. Das Rudel wurde von der Strömung fortgerissen, hin zu den tiefen Strudeln des Friedensteichs, aber selbst dorthin folgten die zornigen Kleinen Leute und zwangen sie, wieder ins Wasser zu gehen. Mowgli konnte die Stimme des schwanzlosen Führers hören, der seine Leute aufforderte, auszuhalten und jeden Wolf in Seoni umzubringen. Aber er vergeudete seine Zeit nicht mit Zuhören.

»Jemand tötet im Dunkel hinter uns!« schnappte ein Dhole. »Hier ist verfärbtes Wasser!«

Wie ein Otter war Mowgli vorgetaucht, zerrte einen zappelnden Dhole unter Wasser, bevor er den Mund öffnen konnte, und dunkle Ringe stiegen, als der Körper mit einem *Plopp* auftauchte und sich auf die Seite legte. Die Dhole versuchten zu wenden, aber die Strömung hinderte sie daran, und die Kleinen Leute stürzten sich auf ihre Köpfe und Ohren, und sie konnten in der zunehmenden Dunkelheit die Herausforderung des Seoni-Rudels lauter und tiefer werden hören. Wieder tauchte Mowgli, und wieder ging ein Dhole unter und stieg tot auf, und wieder brach das Gezeter am Ende des Rudels aus; einige heulten, daß man besser an Land gehen sollte, andere verlangten von ihrem Führer, sie zum Dekkan zurückzubringen, und wieder andere forderten Mowgli auf, sich zu zeigen und töten zu lassen.

»Sie kommen zum Kampf mit geteilten Bäuchen und verschiedenen Stimmen«, sagte Kaa. »Der Rest ist bei deinen Brüdern weiter unten. Die Kleinen Leute gehen zurück zum Schlafen. Sie haben uns weit gejagt. Jetzt kehre auch ich um, denn ich bin mit keinem Wolf von der gleichen Haut. Gutes Jagen, Kleiner Bruder. Und denk dran: Der Dhole beißt niedrig.«

Ein Wolf kam auf drei Beinen das Ufer entlanggerannt, hüpfte auf und nieder, preßte den Kopf seitlich an die Erde, schob den Rücken vor und schnellte hoch in die Luft, als ob er mit seinen Jungen spielte. Es war Won-tolla, der Aus-Lieger, und er sagte kein einziges Wort, sondern machte weiter mit seinem schrecklichen Spiel neben den Dhole. Sie waren nun lange im Wasser gewesen und schwammen müde, die Röcke durchtränkt und schwer; die buschigen Schwänze schleppten sie wie Schwämme hinterher, so erschöpft und erschüttert, daß auch sie schwiegen, während sie das Paar lodernder Augen beobachteten, das immer neben ihnen blieb.

»Das ist kein gutes Jagen«, sagte einer keuchend.

»Gutes Jagen!« sagte Mowgli, als er kühn an der Seite des Tiers auftauchte und ihm das lange Messer unter der Schulter hineintrieb. Er stieß hart zu, um dem Zuschnappen des Sterbenden zu entgehen.

»Bist du da, Menschenjunges?« sagte Won-tolla über das Wasser hinweg.

»Frag die Toten, Aus-Lieger«, erwiderte Mowgli. »Sind denn keine stromab gekommen? Ich habe die Mäuler dieser Hunde mit Dreck gefüllt; ich habe sie im hellen Tageslicht gefoppt und ihrem Führer fehlt der Schwanz, aber da sind noch ein paar für dich übrig. Wohin soll ich sie treiben?«

»Ich werde warten«, sagte Won-tolla. »Die Nacht liegt noch vor mir.«

Näher und näher kam das Bellen der Seoni-Wölfe. »Für das Rudel, für das Voll-Rudel steht es fest!« Und eine Biegung im Fluß trieb die Dhole vorwärts zwischen die Sandbänke und Untiefen gegenüber den Lagerstätten.

Dann erkannten sie ihren Fehler. Sie hätten eine halbe Meile flußauf landen und auf trockenem Boden gegen die Wölfe losstürmen sollen. Nun war es zu spät. Das Ufer war gesäumt von brennenden Augen, und außer dem schrecklichen *pheeal*, der seit Sonnenuntergang nie ausgesetzt hatte, gab es kein Geräusch im Dschungel. Es schien, als ob Won-tolla sie schmeichlerisch anbettelte, an Land zu kommen; und der Führer der Dhole sagte: »Umdrehen und zupacken!« Das ganze Rudel warf sich an den Strand, drosch und drängte sich durch das seichte Wasser, bis die Oberfläche des Wainganga ganz weiß und zerfetzt war und die großen Kräuselungen sich nach beiden Seiten ausbreiteten, wie Bugwellen eines Boots. Mowgli folgte dem Ansturm, stechend und schlitzend, während die Dhole aneinandergedrängt in einer einzigen Welle das Flußufer erstürmten.

Dann begann der lange Kampf, wogte und preßte und zerfaserte und zerstreute und verengte und verbreiterte sich auf dem roten nassen Sand, und über und zwischen den wirren Baumwurzeln, und unter und durch die Büsche, und in die Grasklumpen hinein und heraus; denn selbst jetzt noch kamen zwei Dhole auf einen Wolf. Aber sie trafen auf Wölfe die für alles kämpften, was das Rudel ausmachte, und nicht nur die kurzen, hohen, breitbrüstigen, weißzähnigen Jäger des Rudels, sondern auch die Lahinis – die Wölfinnen des Lagers, wie man sie nennt – mit eifernden Augen, die für ihre Brut kämpften; und hier und da packte und riß ein Wolfsjährling, den ersten Rock noch halb wollig, an ihrer Seite. Ein Wolf, müßt ihr wissen, geht auf die Kehle los, oder er schnappt nach der Flanke, während ein Dhole am liebsten nach dem Bauch beißt; als die Dhole sich aus dem Wasser herausplagten und die Köpfe heben mußten, lag deshalb der Vorteil bei den Wölfen. An Land hatten die Wölfe zu leiden; aber ob im Wasser oder am Ufer, Mowglis Messer kam und ging ohne Pause. Die Vier hatten sich zu ihm durchgeschlagen. Grauer Bruder, zwischen den Knien des Jungen kauernd, schützte seinen Bauch, während die anderen seinen Rücken und die Seiten bewachten oder sich über ihn stellten, wenn der Aufprall eines springenden, gellenden Dhole, der sich voll auf die stetige Klinge geworfen hatte, ihn niederriß. Alles andere war ein großes wirres Durcheinander – ein verbissener schwankender Haufen, der sich von rechts nach links und von links nach rechts am Ufer entlang bewegte und dabei langsam und mahlend immer um sein eigenes Zentrum kreiste. Hier, wie eine Wasserblase in einem Strudel, war ein wogender Hügel, der wie eine Wasserblase platzte und vier oder fünf zerfleischte Hunde ausspie, die alle versuchten, wieder zurück in die Mitte zu kommen; da mochte ein einzelner Wolf von zwei oder drei Dhole niedergedrückt werden, die er mühsam vorwärts schleppte, und dabei ging er unter; dort wurde ein Jährling vom Druck ringsum aufrecht gehalten, obwohl er längst getötet war, während seine Mutter, toll von stummer Wut, sich um und um wälzte, zuschnappte und starb; und vielleicht mitten im dicksten Gemenge ein Wolf und ein Dhole, alles andere vergessend, einander täuschend um als erster zuzupacken, bis sie von einem Ansturm wütender Kämpfer fortgewirbelt wurden. Einmal kam Mowgli bei Akela vorbei, einen Dhole an jeder Seite, und seine keineswegs zahnlosen Kiefer über den Lenden eines dritten geschlossen; und einmal sah er Phao, die Zähne in die Kehle eines Dhole geschlagen, wie er das widerstrebende Tier dorthin zerrte, wo die Jährlinge ihm ein Ende machen konnten. Aber der Hauptteil des Kampfes war blindes Stürzen und Würgen im Dunkel; Hieb, Tritt und Taumel, Kläffen, Ächzen und Zerren-Zerren-Zerren, um ihn und hinter ihm und über ihm. Als die Nacht verfloß, nahm das schnelle schwindelnde Kreiseln zu. Die Dhole waren entmutigt und fürchteten sich, die stärkeren Wölfe anzugreifen, aber noch wagten sie nicht fortzulaufen. Mowgli fühlte, daß das Ende nicht mehr fern war und gab sich damit zufrieden, nur noch zuzustoßen um zu lähmen. Die Jährlinge wurden immer kühner; hin und wieder gab es Zeit, zu atmen und einem Freund ein Wort zuzurufen, und das bloße Glitzern des Messers ließ manchmal einen Hund ausweichen.

»Das Fleisch ist schon ganz nah am Knochen«, gellte Grauer Bruder. Er blutete aus einem Dutzend Fleischwunden.

»Aber der Knochen will erst noch geknackt sein«, sagte Mowgli. »*Eowawa! So* machen wir es im Dschungel!« Die rote Klinge lief wie eine Flamme über die Flanke eines Dhole, dessen Hinterteil vom Gewicht eines angeklammerten Wolfs verborgen war.

»Mein Töten!« schnaufte der Wolf durch die gerunzelte Nase. »Überlaß ihn mir.«

»Ist dein Bauch noch immer leer, Aus-Lieger?« sagte Mowgli. Won-tolla war furchtbar gestraft, aber sein Zupacken hatte den Dhole gelähmt, daß er sich nicht drehen und ihn erreichen konnte.

»Bei dem Bullen der micht kaufte«, sagte Mowgli, mit einem bitteren Lachen, »das ist der Schwanzlose!« Und wirklich war es der große rotbraune Führer.

»Es ist nicht klug, Junge und Lahinis zu töten«, fuhr Mowgli philosophisch fort, wobei er sich das Blut aus den Augen wischte, »wenn man nicht auch den Aus-Lieger getötet hat; und in meinem Bauch ist, daß dieser Won-tolla dich tötet.«

Ein Dhole sprang seinem Führer zu Hilfe; aber ehe seine Zähne Won-tollas Flanke gefunden hatten, war Mowglis Messer in seiner Kehle, und Grauer Bruder nahm was übrig war.

»Und so machen wir es im Dschungel«, sagte Mowgli.

Won-tolla sagte kein Wort. Seine Kiefer schlossen und schlossen sich um das Rückgrat, während sein Leben verebbte. Der Dhole erschauerte, sein Kopf sackte und er lag still, und Won-tolla brach auf ihm zusammen.

»Huh! Die Blutschuld ist bezahlt«, sagte Mowgli. »Sing das Lied, Won-tolla.«

»Er jagt nicht mehr«, sagte Grauer Bruder. »Und auch Akela ist schon sehr lange still.«

»Der Knochen ist geknackt!« donnerte Phao, Sohn von Phaona. »Sie gehen! Tötet, tötet alle, o ihr Jäger vom Freien Volk!«

Ein Dhole nach dem anderen schlich von diesem düsteren und blutigen Sand hin zum Fluß, zum dichten Dschungel, stromauf oder stromab, wo immer er den Weg frei sah.

»Die Schuld! Die Schuld!« schrie Mowgli. »Zahlt die Schuld! Sie haben den Einsamen Wolf getötet! Laßt keinen Hund gehen!«

Er flog schon zum Fluß, das Messer in der Hand, um jeden Dhole aufzuhalten der es wagte, ins Wasser zu gehen, als sich unter einem Hügel von neun Toten Akelas Kopf und Vorderkörper erhoben, und Mowgli fiel neben dem Einsamen Wolf auf die Knie.

»Habe ich nicht gesagt, es würde mein letzter Kampf sein?« ächzte Akela. »Es ist gutes Jagen. Und du, Kleiner Bruder?«

»Ich lebe, nachdem ich viele getötet habe.«

»Gut so. Ich sterbe, und ich möchte – ich möchte bei dir sterben, Kleiner Bruder.«

Mowgli nahm den furchtbaren vernarbten Kopf auf seine Knie und legte die Arme um den zerfleischten Nacken.

»Es ist lange her, seit den alten Tagen von Shere Khan und einem Menschenjungen, das sich nackt im Staub wälzte.«

»Nein, nein, ich bin ein Wolf. Ich bin von einer Haut mit dem Freien Volk«, rief Mowgli. »Es ist nicht mein Wille, daß ich ein Mensch bin.«

»Du bist ein Mensch, Kleiner Bruder, Wölfling meines Wachens. Du bist ein Mensch, sonst wäre das Rudel vor den Dhole geflohen. Mein Leben danke ich dir, und heute hast du das Rudel so gerettet wie ich einst dich gerettet habe. Hast du es vergessen? Alle Schulden sind nun bezahlt. Geh zu deinem eigenen Volk. Ich sage es dir noch einmal, Auge meines Auges, dieses Jagen ist zu Ende. Geh zu deinem eigenen Volk.«

»Ich werde nie gehen. Ich werde allein im Dschungel jagen. Ich habe gesprochen.«

»Nach dem Sommer kommt der Regen, und nach dem Regen kommt der Frühling. Geh zurück, bevor du getrieben wirst.«

»Wer soll mich treiben?«

»Mowgli wird Mowgli treiben. Geh zurück zu deinem Volk. Geh zum Menschen.«

»Wenn Mowgli Mowgli treibt, dann werde ich gehen«, antwortete Mowgli.

»Es gibt nicht mehr zu sagen«, sagte Akela. »Kleiner Bruder, kannst du mich auf die Füße heben? Auch ich war einmal ein Führer des Freien Volks.«

Sehr sanft und behutsam legte Mowgli die Körper beiseite und hob Akela auf seine Füße, beide Arme um ihn gelegt, und der Einsame Wolf tat einen tiefen Atemzug und begann den Todesgesang, den ein Führer des Rudels singen sollte, wenn er stirbt. Das Lied wurde kräftiger als Akela weitersang, höher und höher, weit über den Fluß hallend, bis es zum letzten

»Gutes Jagen!« kam, und Akela schüttelte sich für einen Moment von Mowgli frei und schnellte in die Luft und fiel rücklings tot auf sein letztes schrecklichstes Töten.

Mowgli blieb mit dem Kopf auf den Knien sitzen, gleichgültig allem anderen gegenüber, während der Rest der fliehenden Dhole von den erbarmungslosen Lahinis eingeholt und zur Strecke gebracht wurde. Ganz allmählich erstarben die Schreie, und die Wölfe – hinkend, weil ihre Wunden sich verhärteten – kehrten zurück, um die Verluste zu zählen. Fünfzehn vom Rudel und ein halbes Dutzend Lahinis lagen tot am Fluß, und von den übrigen war keiner ungezeichnet. Und bei alledem saß Mowgli bis zum Tagesanbruch, als Phaos feuchte rote Schnauze sich in seine Hand drückte, und Mowgli lehnte sich zurück, um den hageren Körper von Akela zu zeigen.

»Gutes Jagen!« sagte Phao, als ob Akela noch lebte, und dann, über seine zerbissene Schulter zu den anderen: »Heult, Hunde! In dieser Nacht ist ein Wolf gestorben!«

Aber von dem ganzen Rudel der zweihundert kämpfenden Dhole, die damit geprahlt hatten, alle Dschungel seien ihr Dschungel und kein Lebewesen könne ihnen widerstehen, kehrte nicht einer zum Dekkan zurück, um zu berichten.

CHIL'S SONG

[This is the song that Chil sang as the kites dropped down one after
another to the river-bed, when the great fight was finished. Chil is good friends
with everybody, but he is a cold-blooded kind of creature at heart, because
he knows that almost everybody in the Jungle comes to him in the long-run.]

These were my companions going forth by night—
    (For Chil! Look you, for Chil!)
Now come I to whistle them the ending of the fight.
    (Chil! Vanguards of Chil!)
Word they gave me overhead of quarry newly slain,
Word I gave them underfoot of buck upon the plain.
Here's an end of every trail—they shall not speak again!

They that called the hunting-cry—they that followed fast—
    (For Chil! Look you, for Chil!)
They that bade the sambhur wheel, and pinned him as he
    passed—
    (Chil! Vanguards of Chil!)
They that lagged behind the scent—they that ran before,
They that shunned the level horn—they that overbore.
Here's an end of every trail—they shall not follow more.

These were my companions. Pity 'twas they died!
    (For Chil! Look you, for Chil!)
Now come I to comfort them that knew them in their pride.
    (Chil! Vanguards of Chil!)
Tattered flank and sunken eye, open mouth and red,
Locked and lank and lone they lie, the dead upon their dead.
Here's an end of every trail—and here my hosts are fed.

CHILS GESANG

[Dies ist der Gesang den Chil sang, als die Geier einer nach dem anderen
sich zum Flußbett fallen ließen, da der große Kampf beendet war. Chil ist mit allen
gut Freund, aber im Herzen ist er ein kaltblütiges Geschöpf, denn er
weiß, daß am Schluß fast jeder im Dschungel zu ihm kommt.]

Dies waren meine Gefährten, sie zogen aus bei Nacht –
      (Für Chil! Schaut her, für Chil!)
Nun komm ich, um ihnen das Kampf-Ende zu pfeifen.
      (Chil! Vorhuten von Chil!)
Nachricht gaben sie mir oben, von Beute frisch getötet,
Nachricht gab ich ihnen unten vom Bock in der Ebene.
Hier ist jede Fährte zu Ende – sie werden nie mehr sprechen!

Die den Jage-Ruf riefen – die ihm schnell folgten –
      (Für Chil! Schaut her, für Chil!)
die den Sambhar herumfahren ließen und ihn stellten, als er
      vorbeikam –
      (Chil! Vorhuten von Chil!)
Die der Witterung folgten – die ihr vorausliefen,
die das gerade Horn scheuten – die es überwanden.
Hier ist jede Fährte zu Ende – sie werden nie mehr folgen.

Dies waren meine Gefährten. Schade daß sie starben!
      (Für Chil! Schaut her, für Chil!)
Nun komm ich sie zu trösten, der ich sie kannte in ihrem Stolz.
      (Chil! Vorhuten von Chil!)
Zerfetzte Flanke, eingesunkenes Auge, Mund offen und rot,
verbissen und ausgestreckt und allein liegen sie, die Toten auf
      ihren Toten.
Hier ist jede Fährte zu Ende – und hier speisen meine Heere.

DAS FRÜHLINGS-LAUFEN

Man goes to Man! Cry the challenge through the Jungle!
  He that was our Brother goes away.
Hear, now, and judge, O ye People of the Jungle,—
  Answer, who shall turn him—who shall stay?

Man goes to Man! He is weeping in the Jungle:
  He that was our Brother sorrows sore!
Man goes to Man! (Oh, we loved him in the Jungle!)
  To the Man-Trail where we may not follow more.

[Mensch geht zu Mensch! Ruft es aus im ganzen Dschungel!
  Er der unser Bruder war geht fort.
Hört nun und urteilt, o ihr Leute des Dschungels –
  sagt, wer soll ihn wenden – wer ihn halten?

Mensch geht zu Mensch! Er weint nun im Dschungel:
  Er der unser Bruder war ist voll schlimmen Kummers!
Mensch geht zu Mensch! (Ah, wir haben ihn geliebt im Dschungel!)
  Zur Menschen-Fährte können wir ihm nicht mehr folgen.]

Im zweiten Jahr nach dem großen Kampf mit Roter Hund und dem Tod von Akela muß Mowgli fast siebzehn Jahre alt gewesen sein. Er sah älter aus, denn harte Übung des Körpers, das Beste an gutem Essen und Bäder, so oft er sich nur im geringsten heiß oder staubig fühlte, hatten ihm weit über sein Alter hinaus Kraft und Größe gegeben. Er konnte an einer Hand eine halbe Stunde lang von einem Wipfel-Ast schaukeln, wenn er Gelegenheit hatte, die Baum-Straßen entlang zu blicken. Er konnte einen jungen Bock im vollen Galopp am Kopf packen, stoppen und auf die Seite schleudern. Er konnte sogar die großen blauen wilden Eber werfen, die in den Marschen des Nordens lebten. Das Dschungel-Volk, das ihn wegen seiner Klugheit gefürchtet hatte, fürchtete ihn nun wegen seiner Kraft, und wenn er still seinen Angelegenheiten nachging, machte das bloße Flüstern von seinem Kommen die Waldpfade frei. Und dabei war der Ausdruck seiner Augen immer sanft. Selbst wenn er kämpfte, loderten seine Augen nie so wie die von Bagheera. Sie wurden nur immer interessierter und aufgeregter; und das war eines der Dinge, die selbst Bagheera nicht verstand.

Er fragte Mowgli danach, und der Junge lachte und sagte: »Wenn ich die Beute verfehle, bin ich verärgert. Wenn ich zwei Tage mit leerem Bauch verbringen muß, bin ich sehr verärgert. Sprechen meine Augen dann nicht?«

»Der Mund ist hungrig«, sagte Bagheera, »aber die Augen sagen nichts. Jagen, Essen oder Schwimmen, das ist alles eins – wie ein Stein bei nassem oder trockenem Wetter.« Mowgli betrachtete ihn träge unter seinen langen Wimpern, und wie gewöhnlich senkte sich der Kopf des Panthers. Bagheera kannte seinen Herrn.

Sie lagen draußen, hoch an der Flanke eines Berges oberhalb des Wainganga, und unter ihnen hingen die Morgennebel, in weißen und grünen Bändern. Als die Sonne aufging, wurde alles zu siedenden Seen aus rotem Gold, schäumte auf und ließ dann die schrägen Strahlen das trockene Gras striemen, in dem Mowgli und Bagheera ruhten. Es war das Ende des kalten Wetters, die Blätter und die Bäume schienen abgenutzt und verblichen, und wenn der Wind wehte, war überall ein trockenes tickendes Rascheln. Ein kleines Blatt tap-tap-tappte hektisch gegen einen Zweig, wie ein einzelnes Blatt in einer Strömung tanzt. Es weckte Bagheera, der die Morgenluft mit einem tiefen hohlen Husten einsog, sich auf den Rücken warf und mit den Vordertatzen nach dem nickenden Blatt über ihm schlug.

»Das Jahr wendet sich«, sagte er. »Der Dschungel geht vorwärts. Die Zeit der Neu-Rede ist da. Dieses Blatt weiß es. Es ist sehr gut.«

»Das Gras ist trocken«, antwortete Mowgli; er rupfte ein Büschel aus. »Sogar Auge-des-Frühlings [das ist eine kleine trompetenförmige, wachsrote Blume, die hier und da am

Grasrand wächst] – sogar Auge-des-Frühlings ist geschlossen, und … Bagheera, ist es wirklich in Ordnung für den Schwarzen Panther, so auf dem Rücken zu liegen und mit den Tatzen in die Luft zu schlagen, als ob er eine Baumkatze wäre?«

»*Aowh?*« sagte Bagheera. Er schien an andere Dinge zu denken.

»Ob es in Ordnung ist, daß der Schwarze Panther so mault und hustet und jault und sich wälzt? Bedenke, wir sind die Herren des Dschungels, du und ich.«

»Das stimmt, ja; ich höre, Menschenjunges.« Bagheera wälzte sich schnell auf den Bauch und setzte sich hin, mit Staub auf seinen zottigen schwarzen Flanken. (Er warf gerade seinen Winterpelz ab.) »Natürlich sind wir die Herren des Dschungels! Wer ist so stark wie Mowgli? Wer so klug?« In der Stimme war ein merkwürdiger Unterton, der Mowgli sich umdrehen ließ um zu sehen, ob der Schwarze Panther sich zufällig über ihn lustig machte, denn der Dschungel ist voll von Wörtern, die wie ein Ding klingen, aber ein anderes bedeuten. »Ich sagte, wir sind ohne Zweifel die Herren des Dschungels«, wiederholte Bagheera. »Habe ich einen Fehler gemacht? Ich wußte nicht, daß das Menschenjunge nicht mehr auf dem Boden liegt. Fliegt er jetzt etwa?«

Mowgli saß da, die Ellbogen auf den Knien, und schaute über das Tal hinweg ins Tageslicht. Irgendwo tief in den Wäldern unter ihnen probte ein Vogel mit belegter schwankender Stimme die ersten Noten seines Frühlingslieds. Es war nicht mehr als ein Schatten des flüssigen, tanzenden Rufs, den er später verströmen würde, aber Bagheera hörte es.

»Ich sagte, die Zeit der Neu-Rede ist da«, schnurrte der Panther; er zuckte mit dem Schwanz.

»Ich habe es gehört«, erwiderte Mowgli. »Bagheera, warum zitterst du am ganzen Leibe? Die Sonne ist warm.«

»Das ist Ferao, der scharlachrote Specht«, sagte Bagheera. »*Er* hat es nicht vergessen. Jetzt muß auch ich mich an meinen

Gesang erinnern«, und er begann vor sich hin zu schnurren und zu summen, wobei er immer wieder unzufrieden neu ansetzte.

»Es ist kein Wild unterwegs«, sagte Mowgli.

»Kleiner Bruder, sind denn deine *beiden* Ohren verstopft? Das ist kein Töte-Wort, sondern mein Gesang, den ich für alle Fälle vorbereite.«

»Ich hatte es vergessen. Ich werde es wissen, wenn die Zeit der Neu-Rede da ist; du und die anderen laufen dann nämlich weg und lassen mich allein.« Mowgli sagte dies ziemlich heftig.

»Aber, also wirklich, Kleiner Bruder«, begann Bagheera, »es ist doch nicht immer so, daß wir . . .«

»Tut ihr aber doch«, sagte Mowgli; verärgert ließ er seinen Zeigefinger vorschnellen. »Ihr lauft *doch* weg, und ich, der ich der Herr des Dschungels bin, bleibe ganz allein zurück. Wie war es denn letztes Jahr, als ich Zuckerrohr von den Feldern eines Menschen-Rudels sammeln wollte? Ich habe einen Läufer – ich! – zu Hathi geschickt, um ihm zu sagen, daß er in einer bestimmten Nacht kommen und das süße Gras für mich mit seinem Rüssel pflücken soll.«

»Er ist doch nur zwei Nächte später gekommen«, sagte Bagheera; er duckte sich ein wenig; »und von diesem langen süßen Gras, das du so gern hast, hat er mehr gesammelt, als irgendein Menschenjunges in allen Nächten der Regenzeit essen könnte. Das war nicht mein Fehler.«

»Er ist nicht in der Nacht gekommen, in der ich ihm die Nachricht geschickt habe. Nein, er mußte im Mondlicht durch die Täler trompeten und rennen und röhren. Seine Fährte war wie die Fährte von drei Elefanten, weil er sich nicht zwischen den Bäumen verstecken wollte. Er ist im Mondlicht vor den Häusern des Menschen-Rudels herumgetanzt. Ich habe ihn gesehen, und trotzdem wollte er nicht zu mir kommen; und *ich* bin doch der Herr des Dschungels!«

»Das war die Zeit der Neu-Rede«, sagte der Panther, noch immer ganz demütig. »Vielleicht, Kleiner Bruder, hast du ihn damals nicht mit einem Meister-Wort gerufen? Hör Ferao zu und sei froh!«

Mowglis schlechte Laune schien verköchelt zu sein. Er legte sich hin, mit dem Kopf auf den Armen, die Augen geschlossen. »Ich weiß es nicht – es kümmert mich auch nicht«, sagte er schläfrig. »Laß uns schlafen, Bagheera. Mein Magen ist schwer in mir. Bette meinen Kopf.«

Der Panther legte sich wieder nieder und seufzte, denn er konnte Ferao wieder und wieder sein Lied üben hören, für die Frühlingszeit der Neu-Rede, wie sie es nennen.

In einem indischen Dschungel gleiten die Jahreszeiten nahezu übergangslos ineinander. Es scheint nur zwei zu geben – die nasse und die trockene; aber wenn man unter den Sturzbächen des Regens und den Wolken aus Staub und Versengung genau hinschaut, wird man alle vier in ihrem gewöhnlichen Kreis herumgehen sehen. Die schönste Zeit ist der Frühling, denn er braucht kein nacktes geräumtes Feld mit neuen Blättern und Blumen zu bedecken, sondern nur das angeklammerte, überlebende Durcheinander halbgrüner Dinge auszutreiben und zu beseitigen, das der milde Winter am Leben gelassen hat, und dafür zu sorgen, daß sich die halbbekleidete, schale Erde wieder neu und jung fühlt. Und das macht er so gut, daß auf der Welt kein anderer Frühling ist wie der Dschungel-Frühling.

Es gibt einen Tag, da alles müde ist, und selbst die Gerüche, wie sie auf der schweren Luft treiben, sind alt und verbraucht. Man kann das nicht erklären, aber so fühlt es sich an. Dann gibt es einen anderen Tag – für das Auge hat sich überhaupt nichts geändert –, da alle Gerüche neu und köstlich sind und die Barthaare der Dschungel-Leute bis in die Wurzeln erbeben, und das Winterhaar löst sich in langen schmierigen Locken von ihren Seiten. Dann fällt vielleicht ein bißchen Regen, und alle Bäume und Büsche und der Bambus und die Moose und die Pflanzen mit samtigen Blättern erwachen zu einem Geräusch des Wachsens, das man beinahe hören kann, und unter diesem

Geräusch liegt Tag und Nacht ein tiefes Summen. *Das* ist das Geräusch des Frühlings – ein vibrierendes Dröhnen, das weder Bienen ist noch fallendes Wasser noch der Wind in Baumwipfeln, sondern das Schnurren der warmen glücklichen Welt.

Bis zu diesem Jahr hatte der Wechsel der Jahreszeiten Mowgli immer entzückt. Im allgemeinen war er es, der das erste Auge-des-Frühlings tief unten zwischen den Gräsern sah und die erste Bank von Frühlingswolken, die mit nichts anderem im Dschungel zu vergleichen sind. Man konnte seine Stimme an allen möglichen nassen, sternbeleuchteten, blühenden Orten hören, wie er den großen Fröschen durch ihre Gesänge half, oder die kleinen kopfunter hängenden Eulen verspottete, die durch die hellen Nächte tobten. Wie für all seine Leute war für ihn der Frühling die Jahreszeit, die er für sein Geflitze wählte – aus bloßer Freude daran, durch die warme Luft zu stürmen, legte er dreißig, vierzig oder fünfzig Meilen zurück, zwischen Abenddämmer und Morgenstern, und kam keuchend und lachend und mit seltsamen Blumen bekränzt heim. Die Vier folgten ihm nicht bei diesem wilden Gebrause durch den Dschungel, sondern sie gingen fort, um mit anderen Wölfen Lieder zu singen. Die Dschungel-Leute sind im Frühling sehr geschäftig, und Mowgli konnte sie je nach ihrer Art knurren und kreischen und pfeifen hören. Zu dieser Zeit sind ihre Stimmen ganz anders als zu anderen Jahreszeiten, und das ist einer der Gründe, weshalb der Frühling im Dschungel die Zeit der Neu-Rede genannt wird.

Aber wie er es Bagheera erzählt hatte, fühlte sich in diesem Frühjahr sein Magen anders. Seit die Bambus-Schößlinge fleckig braun geworden waren, hatte er sich auf den Morgen gefreut, an dem die Gerüche verändert sein würden. Aber als der Morgen kam und Mor der Pfau, bronzen und blau und golden flammend, ihn überall in den nebligen Wäldern ausschrie, und Mowgli den Mund öffnete um den Schrei weiterzugeben, erstickten die Wörter zwischen seinen Zähnen, und ein Gefühl überkam ihn, das bei seinen Zehen begann und in seinen Haaren endete – ein Gefühl reinen Elends, so daß er sich überall untersuchte um sicher zu sein, daß er nicht auf einen Dorn getreten war. Mor schrie die neuen Gerüche aus, die anderen Vögel nahmen die Schreie auf, und von den Felsen am Wainganga hörte er Bagheeras heiseres Kreischen – etwas zwischen dem Kreischen eines Adlers und dem Wiehern eines Pferdes. Oben in den frisch knospenden Ästen war das Gellen und Tosen der *Bandar-log*. Und da stand Mowgli; seine Brust, gefüllt um Mor zu antworten, sank in kleinen Ächzern ein, als der Atem von seinem Elend ausgetrieben wurde.

Er starrte rings umher, konnte aber nichts anderes sehen als die hämischen *Bandar-log*, die durch die Bäume wuselten, und Mor, der unten auf dem Abhang herumtanzte, den Schwanz zu voller Pracht gespreizt.

»Die Gerüche haben sich geändert«, kreischte Mor. »Gutes Jagen, Kleiner Bruder! Wo bleibt deine Antwort?«

»Kleiner Bruder, gutes Jagen!« pfiffen Chil der Geier und seine Gefährtin, die sich gemeinsam herabstürzten. Die beiden sausten so dicht an Mowglis Nase vorbei, daß sich daran ein Geflöck daunig weißer Federn abrieb.

Ein leichter Frühlingsregen – Elefanten-Regen nennen sie es – blieb in einem Gürtel, der eine halbe Meile breit war, über dem Dschungel, ließ die neuen Blätter naß und nickend zurück, erstarb in einem doppelten Regenbogen und einem lichten Donnergrollen. Einen Moment brach das Frühlings-Summen aus und verstummte wieder, aber alle Dschungel-Leute schienen gleichzeitig Laut zu geben. Alle außer Mowgli.

›Ich habe gutes Essen gegessen‹, sagte er sich. ›Ich habe gutes Wasser getrunken. Und meine Gurgel brennt auch nicht und zieht sich nicht zusammen wie es war, als ich in die blaufleckige Wurzel gebissen habe, von der Oo die Schildkröte sagte, es sei sauberes Essen. Aber mein Bauch ist schwer und ich habe böse Worte gesagt, zu Bagheera und anderen, Leuten des Dschungels und meinen Leuten. Und jetzt bin ich auch heiß, und jetzt bin ich kalt, und jetzt weder heiß noch kalt, sondern zornig auf etwas, was ich nicht sehen kann. Huhu! Es ist Zeit für ein großes Laufen! Heute nacht will ich die Hügelkette überqueren; ja, ich will ein Frühlings-Laufen zu den Marschen des Nordens und wieder zurück machen. Ich habe zu lange zu leicht gejagt. Die Vier sollen mit mir kommen; sie werden nämlich so fett wie weiße Maden.‹

Er rief, aber keiner der Vier antwortete. Sie waren zu weit fort um ihn zu hören, und sie sangen die Frühlingslieder, die Mond- und Sambhur-Gesänge – mit den Wölfen des Rudels; denn in der Frühlingszeit kümmert es die Dschungel-Leute sehr wenig, ob es Tag ist oder Nacht. Er stieß den scharfen, bellenden Ton aus, aber als einzige Antwort kam das spöttische *Maiou* der kleinen gefleckten Baumkatze, die sich zwischen und über die Äste schlängelte auf der Suche nach den Nestern früher Vögel. Daraufhin zitterte er am ganzen Körper vor Wut und zog das Messer halb aus der Scheide. Dann wurde er sehr hochmütig, obwohl keiner da war der ihn sehen konnte, und stapfte streng den Berg hinunter, das Kinn gereckt und die Augenbrauen herabgezogen. Aber nicht einer von seinen Leuten stellte ihm eine Frage, denn sie waren alle viel zu beschäftigt mit ihren eigenen Angelegenheiten.

›Ja‹, sagte Mowgli sich, obwohl er tief im Herzen wußte, daß er keinen Grund dafür hatte. ›Laß den Roten Dhole aus dem Dekkan kommen oder die Rote Blume im Bambus tanzen, und dann kommt der ganze Dschungel wimmernd zu Mowgli gerannt und gibt ihm große Elefanten-Namen. Aber jetzt, weil Auge-des-Frühlings rot ist und Mor unbedingt seine nackten Beine bei irgendeinem Frühlingstanz zeigen muß, wird der Dschungel verrückt wie Tabaqui... Bei dem Bullen der mich gekauft hat! Bin ich denn der Herr des Dschungels oder bin ich es nicht?‹ – »Seid ruhig! Was macht ihr hier?«

Ein paar junge Wölfe des Rudels kamen einen Pfad herabgejagt, auf der Suche nach offenem Grund, auf dem sie kämpfen konnten. (Ihr werdet euch daran erinnern, daß das Gesetz des Dschungels Kämpfen dort verbietet, wo das Rudel es sehen kann.) Ihre Nacken-Borsten waren steif wie Draht, und sie bellten wütend, zusammengekauert zum ersten Zupacken. Mowgli sprang vor, packte mit jeder Hand eine gereckte Kehle, in der Erwartung, die Tiere zurückschleudern zu können, wie er es oft in Spielen oder Rudel-Jagden getan hatte. Aber er hatte sich nie zuvor in einen Frühlings-Kampf eingemischt. Die beiden sprangen vor und stießen ihn beiseite, und ohne ein Wort zu vergeuden wälzten sie sich ineinander verbissen hin und her.

Fast ehe er fiel war Mowgli wieder auf den Beinen, das Messer und die weißen Zähne entblößt, und in diesem Moment hätte er beide aus keinem anderen Grund getötet, als daß sie kämpften während er wollte, daß sie ruhig waren, obwohl jeder Wolf nach dem Gesetz das Recht zu kämpfen hat. Mit gesenkten Schultern und bebender Hand tanzte er um sie herum, bereit, einen doppelten Stoß anzubringen, sobald das erste Gewirr des Gebalges vorbei war; aber während er wartete, schien die Kraft aus seinem Körper fortzuebben; die Messerspitze senkte sich, er schob das Messer in die Scheide und schaute zu.

»Bestimmt habe ich Gift gegessen«, seufzte er schließlich. »Seit ich mit der Roten Blume den Rat aufgelöst habe – seit ich Shere Khan getötet habe –, hat keiner vom Rudel mich beiseite stoßen können. Und die hier sind nur Nachläufer im Rudel, kleine Jäger! Meine Kraft hat mich verlassen, und bald werde ich sterben. O Mowgli, warum tötest du sie nicht beide?«

Der Kampf ging weiter bis ein Wolf fortlief, und Mowgli blieb allein zurück auf dem aufgerissenen und blutigen Boden, blickte einmal auf sein Messer, dann auf seine Beine und Arme, während das Gefühl des Elends, das er nie zuvor gekannt hatte, ihn bedeckte, wie Wasser einen Baumstamm bedeckt.

Er tötete früh an diesem Abend und aß nur wenig, um in

guter Form für sein Frühlings-Laufen zu sein, und er aß allein, weil alle Dschungel-Leute unterwegs waren, um zu singen oder zu kämpfen. Es war eine vollkommene, weiße Nacht, wie sie es nennen. Alle grünen Dinge schienen seit dem Morgen um einen Monat gewachsen zu sein. Der Ast, der am Vortag gelbe Blätter getragen hatte, troff vor Saft, als Mowgli ihn brach. Die Moose kuschelten sich tief und warm über seine Füße, das junge Gras hatte keine schneidenden Kanten, und alle Stimmen des Dschungels dröhnten wie eine tiefe Harfensaite, die der Mond berührt hat – der Mond der Neu-Rede, der sein Licht voll über Fels und Teich goß, zwischen Baum und Schlingpflanze schob und durch eine Million Blätter siebte. Mowgli vergaß sein Elend und sang laut aus reinem Entzücken, als er zu laufen begann. Es war eher wie Fliegen als sonst etwas, denn er hatte den langen sanften Hang gewählt, der zu den Nord-Marschen durch das Herz des eigentlichen Dschungels führt, wo der federnde Grund den Prall seiner Füße dämpfte. Ein von Menschen erzogener Mensch hätte sich seinen Weg durch das trügerische Mondlicht mit vielfachem Stolpern gesucht, aber Mowglis Muskeln, ausgebildet durch die Erlebnisse vieler Jahre, trugen ihn als ob er eine Feder wäre. Wenn ein morscher Baum oder ein verborgener Stein unter seinem Fuß rutschte, fing er sich ohne Mühe und ohne zu überlegen, ohne je seine Geschwindigkeit zu verringern. Wenn ihn das Boden-Gehen langweilte, hob er nach Affenart die Hände zur nächsten Schlingpflanze und schien zu den dünnen Zweigen hinauf eher zu fließen als zu klimmen, und von dort folgte er einer Baum-Straße, bis seine Laune sich änderte und er in einer langen Laubkurve wieder zum Boden hinabschoß. Da gab es stille heiße Senken, umgeben von nassen Felsen, wo er ob der schweren Düfte der Nachtblumen und der aufblühenden Lianen-Knospen kaum atmen konnte; düstere Alleen wo das Mondlicht in Streifen lag, regelmäßig wie bunte Marmorfliesen in einem Kirchenschiff;

Dickichte wo das feuchte junge Grün brusthoch um ihn stand und die Arme um seine Hüfte legte; und Hügelkuppen, gekrönt mit zerbrochenen Felsen, wo er von Stein zu Stein über die Lager der kleinen furchtsamen Füchse hüpfte. Dann hörte er, ganz schwach und weit fort, das *Tschag-dlag* eines Keilers, der seine Hauer an einem Stamm wetzte; ganz allein begegnete er dem großen grauen Tier, das die Borke von einem riesigen Baum schrappte und riß, das Maul schaumtriefend und die Augen lodernd wie Feuer. Oder er bog ab, hin zum Klang klirrender Hörner und zischenden Geknurres, und jagte hinter einem Paar wütender Sambhurs vorbei, die mit gesenkten Köpfen hin und her wankten, gestreift von Blut das im Mondlicht schwarz schien. Oder er hörte an einer rauschenden Furt Jacala das Krokodil wie einen Bullen brüllen, oder störte einen verschlungenen Knoten des Gift-Volks auf, aber bevor sie zustoßen konnten war er weiter und über den glitzernden Kies hinweg und wieder tief im Dschungel.

So rannte er, manchmal rufend, manchmal vor sich hin singend, in dieser Nacht das glücklichste Wesen im ganzen Dschungel, bis der Geruch der Blumen ihm sagte, daß er nahe an den Marschen war, und diese lagen weit jenseits seiner entferntesten Jagdgründe.

Hier wiederum wäre ein von Menschen erzogener Mensch mit drei Schritten bis über den Kopf eingesunken, aber Mowglis Füße hatten Augen und trugen ihn von Büschel zu Büschel und von einem schmatzenden Klumpen zum nächsten, ohne von den Augen in seinem Kopf Hilfe anfordern zu müssen. Er rannte mitten in den Sumpf hinaus, störte beim Lauf die Enten auf und setzte sich auf einen moosüberzogenen Baumstamm, an dem das schwarze Wasser leckte. Rings um ihn war die Marsch wach, denn im Frühling schlafen die Vogel-Leute sehr leicht, und die ganze Nacht hindurch kamen und gingen ganze Gesellschaften von ihnen. Aber keiner nahm die geringste Notiz von Mowgli, der im hohen Schilf saß und Lieder ohne Worte summte und die Sohlen seiner harten braunen Füße betrachtete, für den Fall übersehener Dornen. All sein Elend schien er in seinem eigenen Dschungel zurückgelassen zu haben, und er begann eben mit einem Gesang aus voller Kehle, als es wieder über ihn kam – zehnmal schlimmer als zuvor.

Diesmal war Mowgli erschrocken. »Hier ist es auch!« sagte er halblaut. »Es ist mir gefolgt«, und er blickte über seine Schulter um zu sehen, ob dieses Es nicht hinter ihm stand. »Hier ist keiner.« Die Nachtgeräusche der Marsch gingen weiter, aber kein Vogel oder Tier sprach mit ihm, und das neue Gefühl von Trübsal wuchs.

»Ganz bestimmt habe ich Gift gegessen«, sagte er mit schreckerfüllter Stimme. »Ich muß wohl unachtsam Gift gegessen haben, und meine Kraft verläßt mich. Ich hatte Angst – und trotzdem war nicht *ich* es, der Angst hatte – Mowgli hatte Angst, als die beiden Wölfe kämpften. Akela oder selbst Phao hätte sie zum Schweigen gebracht; aber Mowgli hatte Angst. Das ist ein sicheres Zeichen, daß ich Gift gegessen habe... Aber was kümmert es die im Dschungel? Sie singen und heulen und kämpfen und rennen in großen Gruppen unter dem Mond umher, und ich – *Hai-mai!* – ich sterbe in den Marschen, an dem Gift das ich gegessen habe.« Er hatte so großes Mitleid mit sich, daß er fast weinte. »Und später«, fuhr er fort, »werden sie mich im schwarzen Wasser liegend finden. Nein, ich will zurückgehen zu meinem eigenen Dschungel, und ich will auf dem Ratsfelsen sterben, und Bagheera, den ich liebe, wenn er nicht gerade im Tal herumkreischt – Bagheera wird vielleicht ein bißchen neben dem wachen, was übrig bleibt, damit Chil mich nicht nimmt, wie er Akela genommen hat.«

Eine große warme Träne tropfte auf sein Knie hinab, und elend wie er war fühlte Mowgli sich glücklich, daß er so elend war, wenn ihr diese kopfunter hängende Art von Glück verstehen könnt. »Wie Chil der Geier Akela genommen hat«, wiederholte er, »in der Nacht, in der ich das Rudel vor Roter Hund gerettet habe.« Eine Weile war er still, dachte an die letzten Worte des Einsamen Wolfs, an die ihr euch natürlich erinnert. »Akela hat mir aber viele närrische Dinge gesagt bevor er starb, denn wenn wir sterben, ändert sich unser Magen. Er hat gesagt... Trotzdem: Ich *gehöre* zum Dschungel!«

In seiner Erregung, als er sich an den Kampf am Ufer des Wainganga erinnerte, schrie er die letzten Worte laut, und eine wilde Büffel-Kuh im Schilf erhob sich auf die Knie und schnaubte: »Mensch!«

»*Uhh!*« sagte Mysa der Wilde Büffel (Mowgli konnte hören, wie er sich in seiner Suhle drehte), »*das* ist kein Mensch. Das ist nur der haarlose Wolf vom Seoni-Rudel. In solchen Nächten rennt er hin und her.«

»*Uhh!*« sagte die Kuh; sie senkte ihren Kopf wieder zum Grasen. »Ich dachte, es wäre ein Mensch.«

»Ich sage nein. O Mowgli, gibt es Gefahr?« muhte Mysa.

»O Mowgli, gibt es Gefahr?« rief der Junge spöttisch zurück. »Das ist alles, woran Mysa denkt: Gibt es Gefahr? Aber kümmert ihr euch denn um Mowgli, der nachts im Dschungel hin und her geht und wacht?«

»Wie laut er schreit!« sagte die Kuh.

»So schreien die«, antwortete Mysa verächtlich, »die das Gras ausgerissen haben und nun nicht wissen, wie sie es essen sollen.«

»Für weniger als das«, ächzte Mowgli leise, »– für weniger als das hätte ich noch in der letzten Regenzeit Mysa mit einem Stachel aus seiner Suhle gejagt und ihn mit einem Binsenhalfter durch den Sumpf geritten.« Er streckte eine Hand aus, um ein fiedriges Ried abzubrechen, zog sie aber mit einem Seufzer zurück. Mysa käute weiterhin stetig wieder, und wo die Kuh weidete, warf das lange Gras Wellen. »Ich will nicht *hier* sterben«, sagte er verärgert. »Mysa, der eines Blutes mit Jacala und dem Schwein ist, würde mich sehen. Laß uns bis jenseits des Sumpfes gehen und sehen, was kommt. Nie bin ich solch ein

Frühlings-Laufen gerannt – heiß und kalt zusammen. Auf, Mowgli!«

Er konnte der Versuchung nicht widerstehen, durch das Ried zu Mysa zu schleichen und ihn mit der Spitze seines Messers zu pieken. Der große triefende Bulle brach aus seiner Suhle wie ein explodierendes Geschoß, und Mowgli lachte so sehr, daß er sich setzen mußte.

»Jetzt kannst du sagen, daß der haarlose Wolf vom Seoni-Rudel einmal dein Hirte war, Mysa«, rief er.

»Wolf! *Du?*« schnaubte der Bulle; er trampelte im Schlamm. »Der ganze Dschungel weiß, daß du ein Hirte von zahmem Vieh gewesen bist – genau solch ein Menschen-Flegel, wie sie drüben auf den Feldern im Staub herumbrüllen. *Du* aus dem Dschungel! Welcher Jäger wäre denn wohl wie eine Schlange zwischen den Blutegeln herumgekrochen und hätte mich für einen schlammigen Scherz – einen Schakal-Scherz – vor meiner Kuh beschämt? Komm auf festen Boden, und dann werde ich – werde ich...« Mysa hatte Schaum vor dem Mund; von allen im Dschungel hat nämlich Mysa so ziemlich die schlechteste Laune.

Mit Augen, die den Ausdruck nie veränderten, sah Mowgli ihm beim Schnauben und Prusten zu. Als er sich über dem Platschen des Schlamms wieder vernehmlich machen konnte, sagte er: »Welches Menschen-Rudel-Lager gibt es hier bei den Marschen, Mysa? Dies ist für mich ein neuer Dschungel.«

»Dann geh nach Norden«, röhrte der Bulle verärgert, denn Mowgli hatte ihn ziemlich scharf gestochen. »Das war der Scherz eines nackten Kuhhirten. Geh und erzähl es denen im Dorf am Ende der Marsch.«

»Das Menschen-Rudel mag keine Dschungelgeschichten, und ich glaube auch nicht, Mysa, daß ein Kratzer mehr oder weniger auf deinem Fell ein Fall für eine Ratssitzung ist. Aber ich will gehen und dieses Dorf ansehen. Ja, ich werde gehen. Ruhig jetzt, der Herr des Dschungels kommt nicht jede Nacht her, um für dich den Hirten zu spielen.«

Er ging hinaus auf den schwankenden Boden am Rand des Sumpfs; Mysa würde, wie er wohl wußte, niemals auf diesem Grund angreifen, und beim Rennen lachte er, als er an die Wut des Bullen dachte.

»Meine Stärke ist doch nicht ganz vergangen«, sagte er. »Vielleicht ist das Gift doch nicht bis zum Knochen vorgedrungen. Da drüben sitzt ein Stern ganz niedrig.« Zwischen halb zusammengelegten Händen blickte er dorthin. »Bei dem Bullen der mich kaufte, es ist die Rote Blume – die Rote Blume, neben der ich gelegen habe, ehe... ehe ich noch zum ersten Seoni-Rudel gekommen bin! Jetzt, da ich das gesehen habe, will ich mit dem Laufen Schluß machen.«

Die Marsch endete in einer breiten Ebene, auf der ein Licht zwinkerte. Es war lange her, seit Mowgli sich mit dem Treiben von Menschen beschäftigt hatte, aber in dieser Nacht zog ihn das Glimmen der Roten Blume an.

»Ich will nachschauen«, sagte er, »wie ich es in den alten Tagen gemacht habe, und ich will sehen, wie weit sich das Menschen-Rudel geändert hat.«

Ohne daran zu denken, daß er nicht mehr in seinem eigenen Dschungel war, wo er tun konnte was ihm gefiel, trabte er wortlos durch die taubeladenen Gräser, bis er zu der Hütte kam, wo das Licht stand. Drei oder vier kläffende Hunde gaben Laut, denn er befand sich am Rand eines Dorfs.

»Hoh!« sagte Mowgli; er setzte sich geräuschlos nieder, nachdem er ein tiefes Wolfs-Grollen zurückgegeben hatte, das die Köter zum Schweigen brachte. »Was kommt wird kommen. Mowgli, was hast du denn noch mit den Lagerstätten des Menschen-Rudels zu schaffen?« Er rieb sich den Mund und bedachte, daß ihn dort vor Jahren ein Stein getroffen hatte, als das andere Menschen-Rudel ihn ausstieß.

Die Tür der Hütte öffnete sich, und eine Frau stand dort und spähte hinaus in die Dunkelheit. Ein Kind schrie, und die Frau sagte über die Schulter: »Schlaf. Das war nur ein Schakal, der die Hunde geweckt hat. Bald wird der Morgen kommen.«

Mowgli begann im Gras zu zittern, als ob er Fieber hätte. Er kannte diese Stimme gut, aber um sicher zu gehen, rief er leise, wobei er überrascht war, wie leicht ihm die Menschensprache wieder in den Mund kam: »Messua! O Messua!«

»Wer ruft?« sagte die Frau, mit einem Beben in der Stimme.

»Hast du vergessen?« sagte Mowgli. Seine Kehle war trokken, als er sprach.

»Wenn *du* es bist, welchen Namen habe ich dir gegeben? Sag es!« Sie hatte die Tür halb geschlossen, und ihre Hand preßte sich gegen ihre Brust.

»Nathoo! Ohé, Nathoo!« sagte Mowgli, denn wie ihr euch erinnern werdet war das der Name, den Messua ihm gab, als er das erste Mal zum Menschen-Rudel kam.

»Komm, mein Sohn«, rief sie, und Mowgli trat ins Licht und blickte Messua voll an, die Frau, die gut zu ihm gewesen war und deren Leben er vor so langer Zeit vor dem Menschen-Rudel gerettet hatte. Sie war älter und ihr Haar war grau, aber ihre Augen und ihre Stimme hatten sich nicht verändert. Nach Frauenart erwartete sie, Mowgli so wiederzusehen wie sie ihn verlassen hatte, und verwirrt wanderten ihre Augen von seiner Brust aufwärts zu seinem Kopf, der die Oberkante der Tür berührte.

»Mein Sohn«, stammelte sie, und dann, zu seinen Füßen niedersinkend: »Aber das ist nicht länger mein Sohn. Es ist ein Gott der Wälder! Ahai!«

Als er da im roten Licht der Öllampe stand, stark, groß und schön, das lange schwarze Haar über die Schultern fallend, das Messer von seinem Hals baumelnd und den Kopf gekrönt mit einem Kranz aus weißem Jasmin, hätte man ihn leicht für einen wilden Gott aus einer Dschungel-Legende halten können. Das Kind, das auf einer Pritsche wieder halb eingeschlafen war, sprang auf und kreischte laut vor Entsetzen. Messua wandte sich um ihn zu beruhigen, während Mowgli still dort stand und hinein blickte zu den Wasserkrügen und den Kochtöpfen, dem Kornkasten und all den anderen menschlichen Gerätschaften, an die er sich plötzlich so gut erinnerte.

»Was willst du essen oder trinken?« murmelte Messua. »Dies ist alles dein. Wir verdanken dir unser Leben. Aber bist du denn wirklich der, den ich Nathoo genannt habe, oder ein Gott?«

»Ich bin Nathoo«, sagte Mowgli. »Ich bin sehr weit von meinem eigenen Ort. Ich habe dieses Licht gesehen und bin hergekommen. Ich wußte nicht, daß du hier bist.«

»Nachdem wir nach Kaniwara gekommen sind«, sagte Messua scheu, »wollten die Engländer uns gegen diese Dorfleute helfen, die uns hatten verbrennen wollen. Erinnerst du dich?«

»Ja; ich habe es nicht vergessen.«

»Aber als das englische Gesetz bereit war, sind wir zu dem Dorf dieser bösen Leute gegangen, und es war nicht mehr zu finden.«

»Auch daran erinnere ich mich«, sagte Mowgli mit einem Beben seiner Nasenflügel.

»Mein Mann hat deshalb eine Arbeit auf dem Feld angenommen, und schließlich – denn er war wirklich ein starker Mann – besaßen wir hier ein wenig Land. Es ist nicht so reich wie das alte Dorf, aber wir brauchen nicht viel – wir beide.«

»Wo ist er – der Mann der im Schmutz gegraben hat, als er in jener Nacht Angst hatte?«

»Er ist tot – seit einem Jahr.«

»Und er?« Mowgli deutete auf das Kind.

»Mein Sohn, der vor zwei Regenzeiten geboren wurde. Wenn du ein Gott bist, dann schenk ihm die Gunst des Dschungels, damit er sicher ist unter deinen . . . deinen Leuten, so wie wir in jener Nacht sicher waren.«

Sie hob den kleinen Jungen hoch, der seine Angst vergaß und

nach dem auf Mowglis Brust hängenden Messer langte, um damit zu spielen, und Mowgli schob ganz behutsam die kleinen Hände zur Seite.

»Und wenn du Nathoo bist, den der Tiger fortgeschleppt hat«, fuhr Messua fort; sie schluckte, »dann ist er dein jüngerer Bruder. Gib ihm den Segen eines älteren Bruders.«

»*Hai-mai!* Was weiß ich denn von dem Ding, das du Segen nennst? Ich bin weder ein Gott noch sein Bruder und – o Mutter, Mutter, mein Herz ist schwer in mir.« Er schauerte, als er das Kind absetzte.

»Ganz natürlich«, sagte Messua; sie machte sich zwischen den Kochtöpfen zu schaffen. »Das kommt davon, wenn man nachts durch die Sümpfe läuft. Keine Frage, das Fieber hat dich bis aufs Mark durchtränkt.« Mowgli lächelte ein wenig bei der Vorstellung, daß irgend etwas im Dschungel ihm wehtun könnte. »Ich will ein Feuer machen, und du sollst warme Milch trinken. Nimm den Jasmin-Kranz ab; der Duft ist schwer in einer so kleinen Hütte.«

Mowgli setzte sich, murrend, das Gesicht in den Händen. Alle möglichen seltsamen Gefühle, die er nie zuvor gekannt hatte, überliefen ihn, ganz als ob er vergiftet worden wäre, und er fühlte sich schwindlig und ein wenig krank. In großen Schlucken trank er die warme Milch; von Zeit zu Zeit tätschelte ihm Messua die Schulter, nicht ganz sicher, ob er ihr Sohn Nathoo aus den längst vergangenen Tagen oder ein wunderbares Dschungelwesen war, aber froh zu spüren, daß er wenigstens aus Fleisch und Blut bestand.

»Sohn«, sagte sie schließlich – ihre Augen waren voller Stolz –, »hat dir jemals jemand gesagt, daß du schön bist über alle Menschen hinaus?«

»Hah?« sagte Mowgli, denn natürlich hatte er niemals etwas derartiges gehört. Messua lachte leise und glücklich. Der Ausdruck seines Gesichts war genug für sie.

»Dann bin ich also die Erste? Es ist recht, wenn es auch selten geschieht, daß eine Mutter ihrem Sohn diese guten Dinge sagt. Du bist sehr schön. Nie habe ich solch einen Mann gesehen.«

Mowgli verdrehte den Kopf und versuchte über seine harte Schulter zu schauen, und Messua lachte wieder, so lange daß Mowgli, ohne zu wissen warum, mit ihr lachen mußte, und das Kind lief von einem zum anderen und lachte auch.

»Nein, du darfst deinen Bruder nicht verspotten«, sagte Messua; sie zog den Kleinen an ihre Brust. »Wenn du einmal nur halb so schön bist, werden wir dich mit der jüngsten Tochter eines Königs verheiraten, und du wirst auf großen Elefanten reiten.«

Mowgli verstand nicht einmal jedes dritte Wort dieser Rede; nach seinem langen Lauf begann die warme Milch nun auf ihn zu wirken, deshalb rollte er sich zusammen und schlief eine Minute später tief, und Messua strich ihm das Haar aus den Augen, warf ein Tuch über ihn und war glücklich. Nach Dschungelart verschlief er den Rest dieser Nacht und den ganzen nächsten Tag; denn seine Instinkte, die nie ganz schliefen, sagten ihm, daß es nichts zu fürchten gab. Endlich erwachte er mit einem Satz der die Hütte erschütterte, denn das Tuch über seinem Gesicht hatte ihn von Fallen träumen lassen; und dort stand er, die Hand auf dem Messer, die rollenden Augen ganz schwer vom Schlaf, zu jedem Kampf bereit.

Messua lachte und setzte ihm das Abendmahl vor. Es gab nur ein paar grobe Kuchen, über dem qualmenden Feuer gebacken, etwas Reis und einen Klumpen säuerlich eingemachter Tamarinden – gerade genug um ihn auf den Beinen zu halten, bis er zu seinem Abend-Töten kam. Der Duft von Tau in den Marschen machte ihn hungrig und rastlos. Er wollte sein Frühlings-Laufen beenden, aber das Kind bestand darauf, auf seinen Armen zu sitzen, und Messua meinte, sein langes blauschwarzes Haar müsse unbedingt ausgekämmt werden. Also sang sie, während sie kämmte, närrische kleine Baby-Lieder, nannte Mowgli einmal ihren Sohn und bat ihn dann wieder, dem Kind ein wenig von seiner Dschungel-Macht zu geben. Die Hüttentür war verschlossen, aber Mowgli hörte einen Ton den er gut kannte und sah Messuas Kiefer entsetzt sacken, als eine große graue Tatze unter der Tür hindurchkam, und draußen ließ Grauer Bruder ein gedämpftes und reumütiges Winseln von Besorgnis und Furcht hören.

»Hinaus und warten! Du bist auch nicht gekommen, als ich gerufen habe«, sagte Mowgli in der Dschungel-Zunge, ohne den Kopf zu wenden, und die große graue Tatze verschwand.

»Bring – bring nicht deine – deine Diener mit herein«, sagte Messua. »Ich – wir haben immer in Frieden mit dem Dschungel gelebt.«

»Es ist Friede«, sagte Mowgli; er stand auf. »Denk an jene Nacht auf dem Weg nach Kaniwara. Da waren Dutzende solcher Leute vor dir und hinter dir. Aber wie ich sehe, vergessen die Dschungel-Leute sogar im Frühling nicht alles. Mutter, ich gehe.«

Messua trat demütig beiseite – er war wirklich ein Wald-Gott, dachte sie; aber als seine Hand auf der Tür lag, ließ die Mutter in ihr sie immer wieder die Arme um Mowglis Hals werfen.

»Komm zurück!« flüsterte sie. »Sohn oder nicht Sohn, komm zurück, denn ich liebe dich – schau, auch er ist traurig.«

Das Kind weinte, weil der Mann mit dem glänzenden Messer gehen wollte.

»Komm wieder zurück«, wiederholte Messua. »Bei Nacht oder bei Tag, diese Tür ist für dich nie verschlossen.«

Mowglis Kehle arbeitete, als ob jemand an den Sehnen darin zöge, und seine Stimme schien daraus hervorgezerrt zu sein, als er antwortete. »Ich werde bestimmt zurückkommen.«

»Und jetzt«, sagte er, als er neben dem Kopf des

unterwürfigen Wolfs auf der Schwelle stand, »habe ich einen kleinen Schrei gegen dich auszubringen, Grauer Bruder. Warum seid ihr nicht alle Vier gekommen, als ich euch vor so langer Zeit gerufen habe?«

»Vor so langer Zeit? Es war doch erst letzte Nacht. Ich – wir – haben im Dschungel die neuen Lieder gesungen, denn dies ist die Zeit der Neu-Rede. Erinnerst du dich?«

»Ja, das stimmt.«

»Und sobald die Lieder fertig gesungen waren«, fuhr Grauer Bruder ernsthaft fort, »bin ich deiner Fährte gefolgt. Ich bin von allen anderen fortgelaufen und dir eilig gefolgt. Aber, oh Kleiner Bruder, was hast *du* getan, daß du mit dem Menschen-Rudel gegessen und geschlafen hast?«

»Wenn ihr gekommen wärt als ich gerufen habe, dann wäre das nie geschehen«, sagte Mowgli; er lief immer schneller.

»Und was wird nun sein?« sagte Grauer Bruder.

Mowgli wollte eben antworten, als ein Mädchen in einem weißen Gewand auf einem Pfad vom Dorfrand herkam. Grauer Bruder machte sich sofort unsichtbar, und Mowgli zog sich geräuschlos in ein Feld mit hohen Ähren zurück. Er hätte sie fast mit der Hand berühren können, als die warmen grünen Halme sich vor seinem Gesicht schlossen und er wie ein Geist verschwand. Das Mädchen kreischte, denn sie glaubte ein Gespenst gesehen zu haben, und dann stieß sie ein tiefes Seufzen aus. Mowgli schob die Halme mit den Händen beiseite und schaute ihr nach, bis sie nicht mehr zu sehen war.

»Und jetzt – ich weiß es nicht«, sagte er; er seufzte seinerseits. »*Warum* seid ihr denn nicht gekommen, als ich gerufen habe?«

»Wir folgen dir – wir folgen dir«, murmelte Grauer Bruder; er leckte Mowglis Ferse. »Wir folgen dir immer, außer in der Zeit der Neu-Rede.«

»Und würdet ihr mir zum Menschen-Rudel folgen?« flüsterte Mowgli.

»Bin ich dir denn nicht in der Nacht gefolgt, als unser altes Rudel dich ausgestoßen hat? Wer hat dich denn geweckt, als du zwischen den Ähren lagst?«

»Ja, aber noch mal?«

»Bin ich dir nicht diese Nacht gefolgt?«

»Ja, aber nochmal und nochmal, und vielleicht dann noch einmal, Grauer Bruder?«

Grauer Bruder war still. Als er wieder sprach, knurrte er vor sich hin: »Der Schwarze hat die Wahrheit gesagt.«

»Und was hat er gesagt?«

»Der Mensch geht schließlich zum Menschen. Raksha, unsere Mutter, sagte . . .«

»Das hat auch Akela in der Nacht von Roter Hund gesagt«, murmelte Mowgli.

»Auch Kaa sagt das, der klüger ist als wir alle.«

»Und was sagst du, Grauer Bruder?«

»Sie haben dich einmal ausgestoßen, mit schlimmen Reden. Sie haben deinen Mund mit Steinen zerschnitten. Sie haben Buldeo ausgeschickt, um dich zu töten. Sie hätten dich in die Rote Blume gestoßen. Du warst es, nicht ich, der gesagt hat, daß sie böse und ohne Verstand sind. Du, nicht ich – ich folge meinen eigenen Leuten – hast den Dschungel zu ihnen eingelassen. Du, nicht ich, hast gegen sie einen Gesang gemacht, der noch bitterer war als unser Lied gegen Roter Hund.«

»Ich frage dich, was *du* sagst?«

Sie redeten, während sie rannten. Grauer Bruder lief eine Weile weiter ohne zu antworten, und dann sagte er – gewissermaßen zwischen zwei Sprüngen: »Menschenjunges – Herr des Dschungels – Sohn von Raksha, mein Lager-Bruder – wenn ich es auch im Frühling für eine kleine Zeit vergesse, ist doch deine Fährte meine Fährte, dein Lager ist mein Lager, dein Töten ist mein Töten, und dein Todes-Kampf ist mein Todes-Kampf. Ich spreche für die Drei. Aber was willst du dem Dschungel sagen?«

»Das ist ein guter Gedanke. Zwischen dem Sichten und dem Töten soll kein langes Warten sein. Geh voraus und ruf sie alle zum Ratsfelsen, und ich will ihnen sagen, was in meinem Magen ist. Aber vielleicht kommen sie nicht – in der Zeit der Neu-Rede vergessen sie mich vielleicht.«

»Hast du denn nie etwas vergessen?« schnappte Grauer Bruder über die Schulter, als er in Galopp fiel, und Mowgli folgte nachdenklich.

Zu jeder anderen Jahreszeit hätte die Nachricht den ganzen Dschungel mit gesträubten Nackenhaaren zusammengerufen, aber nun waren sie mit Jagen und Kämpfen und Töten und Singen beschäftigt. Von einem zum anderen rannte Grauer Bruder und rief: »Der Herr des Dschungels geht zu den Menschen zurück! Kommt zum Ratsfelsen!« Und das glückliche, eifrige Volk antwortete nur: »Er wird in der Sommerhitze zurückkehren. Die Regen werden ihn ins Lager treiben. Lauf und sing mit uns, Grauer Bruder.«

»Aber der Herr des Dschungels geht zurück zu den Menschen«, wiederholte Grauer Bruder.

»*Eee – Yoawa?* Ist die Zeit der Neu-Rede deshalb weniger süß?« antworteten sie. Und als Mowgli dann mit schwerem Herzen durch die wohlbekannten Felsen zu der Stelle kam, wo er in den Rat gebracht worden war, fand er dort nur die Vier, Baloo, der fast blind war vor Alter, und den schweren kaltblütigen Kaa, der sich um Akelas leeren Sitz gewunden hatte.

»Dann endet also deine Fährte hier, Menschling?« sagte Kaa, als Mowgli sich auf den Boden warf, das Gesicht in den Händen. »Ruf den Ruf. Wir sind eines Blutes, du und ich – Mensch und Schlange zusammen.«

»Warum bin ich denn nicht unter Roter Hund gestorben?« ächzte der Junge. »Meine Kraft hat mich verlassen, und es ist kein Gift. Bei Tag und bei Nacht höre ich einen doppelten Schritt auf meiner Fährte. Wenn ich den Kopf wende ist es, als ob sich in diesem Moment einer vor mir versteckt hätte. Ich geh und schau hinter den Bäumen nach, und er ist nicht da. Ich rufe und niemand ruft zurück; aber es ist, als ob einer zuhörte und die Antwort zurückhielte. Ich lege mich hin, aber ich finde keine Ruhe. Ich laufe das Frühlings-Laufen, aber ich werde nicht ruhig. Ich bade, aber es macht mich nicht kühl. Das Töten macht mich krank, aber ich habe kein Herz zum Kämpfen, außer ich töte. Die Rote Blume ist in meinem Leib, meine Knochen sind Wasser – und – ich weiß nicht, was ich weiß.«

»Wozu reden?« sagte Baloo langsam; er wandte seinen Kopf dorthin, wo Mowgli lag. »Akela hat es beim Fluß gesagt, daß Mowgli Mowgli zum Menschen-Rudel zurücktreiben würde. Ich habe es gesagt. Aber wer hört heute noch auf Baloo? Bagheera – wo ist Bagheera diese Nacht? – der weiß es auch. Es ist das Gesetz.«

»Als wir uns in Kalte Stätten begegnet sind, Menschling, da habe ich es gewußt«, sagte Kaa; er wand sich ein wenig in seinen mächtigen Schlingen. »Am Ende geht der Mensch zum Menschen, obwohl der Dschungel ihn nicht ausstößt.«

Die Vier schauten einander an und dann Mowgli, verwirrt aber gehorsam.

»Dann stößt der Dschungel mich nicht aus?« stammelte Mowgli.

Grauer Bruder und die Drei grollten wütend. Sie begannen: »So lange wir leben wird niemand wagen...« Aber Baloo unterbrach sie.

»Ich habe dich das Gesetz gelehrt. Mir steht es zu zu sprechen«, sagte er; »und wenn ich auch die Felsen vor mir nicht mehr sehen kann, sehe ich doch weit. Kleiner Frosch, such deine eigene Fährte; mach dein Lager bei deinem eigenen Blut und Rudel und Volk; aber wenn Fuß oder Zahn oder Auge oder ein schnell durch die Nacht getragenes Wort nötig ist, dann denk daran, Herr des Dschungels, daß der Dschungel dein ist, wenn du rufst.«

»Auch der Mittlere Dschungel ist dein«, sagte Kaa. »Ich spreche für ein Volk, das nicht klein ist.«

»*Hai-mai*, meine Brüder«, rief Mowgli; mit einem Schluchzen warf er die Arme in die Luft. »Ich weiß nicht was ich weiß! Ich will nicht gehen; aber mit beiden Füßen zieht es mich. Wie soll ich denn diese Nächte hinter mir lassen?«

»Nein, schau auf, Kleiner Bruder«, wiederholte Baloo. »In diesem Jagen ist keine Scham. Wenn der Honig gegessen ist, verlassen wir den leeren Bienenstock.«

»Wenn wir die Haut abgeworfen haben«, sagte Kaa, »können wir nicht wieder in sie hineinkriechen. Es ist das Gesetz.«

»Lausch, der du mir von allen der Liebste bist«, sagte Baloo. »Hier ist weder Wort noch Wille, dich zurückzuhalten. Schau auf! Wer darf den Herrn des Dschungels in Frage stellen? Ich habe dich zwischen den weißen Kieseln dort spielen sehen, als du ein kleiner Frosch warst; und Bagheera, der dich um den Preis eines frisch getöteten jungen Bullen gekauft hat, hat dich auch gesehen. Von diesem Mustern sind nur wir zwei geblieben; Raksha, deine Lager-Mutter, ist tot wie dein Lager-Vater; das alte Wolfs-Rudel ist schon lange tot; du weißt, wohin Shere Khan gegangen ist, und Akela ist unter den Dhole gestorben als, ohne deine Klugheit und Kraft, das zweite Seoni-Rudel ebenfalls gestorben wäre. Nichts bleibt als alte Knochen. Es ist nicht länger das Menschenjunge, das sein Rudel um Erlaubnis bittet, sondern der Herr des Dschungels, der seine Fährte wechselt. Wer soll den Menschen in Frage stellen bei dem, was er tut?«

»Aber Bagheera und der Bulle der mich kaufte«, sagte Mowgli. »Ich kann doch nicht . . .«

Seine Worte wurden von einem Brüllen und Krachen im Dickicht weiter unten abgeschnitten, und Bagheera, leicht, stark und furchtbar wie immer, stand vor ihm.

»*Deshalb*«, sagte er, wobei er die triefende rechte Tatze ausstreckte, »bin ich nicht gekommen. Es war ein langes Jagen, aber nun liegt er tot in den Büschen – ein Bulle in seinem zweiten Jahr – der Bulle der dich befreit, Kleiner Bruder. Alle Schulden sind nun beglichen. Im übrigen ist mein Wort Baloos Wort.« Er leckte Mowglis Fuß. »Denk daran, Bagheera hat dich geliebt«, rief er und schnellte fort. Am Fuß des Hügels rief er wieder, lang und laut: »Gutes Jagen auf einer neuen Fährte, Herr des Dschungels! Denk daran, Bagheera hat dich geliebt.«

»Du hast es gehört«, sagte Baloo. »Mehr ist nicht zu sagen. Geh jetzt; aber zuerst komm zu mir. O kluger Kleiner Frosch, komm zu mir!«

»Es ist schwer, die Haut abzustreifen«, sagte Kaa, als Mowgli schluchzte und schluchzte, mit dem Kopf auf der Flanke des blinden Bären und den Armen um seinen Nacken, während Baloo schwach versuchte, seine Füße zu lecken.

»Die Sterne werden dünn«, sagte Grauer Bruder; er schnupperte nach dem Morgenwind. »Wo werden wir heute lagern? Denn von nun an folgen wir neuen Fährten.«

Und dies ist die letzte der Mowgli-Geschichten.

THE OUTSONG

[This is the song that Mowgli heard behind him in the Jungle till he came to Messua's door again.]

BALOO

For the sake of him who showed
One wise Frog the Jungle-Road,
Keep the Law the Man-Pack make—
For thy blind old Baloo's sake!
Clean or tainted, hot or stale,
Hold it as it were the Trail,
Through the day and through the night,
Questing neither left nor right.
For the sake of him who loves
Thee beyond all else that moves,
When thy Pack would make thee pain,
Say: 'Tabaqui sings again.'
When thy Pack would work thee ill,
Say: 'Shere Khan is yet to kill.'
When the knife is drawn to slay,
Keep the Law and go thy way.
(Root and honey, palm and spathe,
Guard a cub from harm and scathe!)
Wood and Water, Wind and Tree,
Jungle-Favour go with thee!

KAA

Anger is the egg of Fear—
Only lidless eyes are clear.
Cobra-poison none may leech;
Even so with Cobra-speech.
Open talk shall call to thee
Strength, whose mate is Courtesy.
Send no lunge beyond thy length;
Lend no rotten bough thy strength.
Gauge thy gape with buck or goat,
Lest thine eye should choke thy throat.
After gorging, wouldst thou sleep,
Look thy den is hid and deep,
Lest a wrong, by thee forgot,
Draw thy killer to the spot.
East and West and North and South,
Wash thy hide and close thy mouth.
(Pit and rift and blue pool-brim,
Middle-Jungle follow him!)
Wood and Water, Wind and Tree,
Jungle-Favour go with thee!

BAGHEERA

In the cage my life began;
Well I know the worth of Man.
By the Broken Lock that freed—
Man-cub, 'ware the Man-cub's breed!
Scenting-dew or starlight pale,
Choose no tangled tree-cat trail.

Pack or council, hunt or den,
Cry no truce with Jackal-Men.
Feed them silence when they say:
'Come with us an easy way.'
Feed them silence when they seek
Help of thine to hurt the weak.
Make no *bandar's* boast of skill;
Hold thy peace above the kill.
Let call nor song nor sign
Turn thee from thy hunting-line.
(Morning mist or twilight clear,
Serve him, Wardens of the Deer!)
Wood and Water, Wind and Tree,
Jungle-Favour go with thee!

THE THREE

On the trail that thou must tread
To the thresholds of our dread,
Where the Flower blossoms red;
Through the nights when thou shalt lie
Prisoned from our Mother-sky,
Hearing us, thy loves, go by;
In the dawns when thou shalt wake
To the toil thou canst not break,
Heartsick for the Jungle's sake:
Wood and Water, Wind and Tree,
Wisdom, Strength, and Courtesy,
Jungle-Favour go with thee!

THE END

DER ABGESANG

[Dies ist der Gesang, den Mowgli hinter sich im Dschungel hörte, bis er wieder Messuas Tür erreichte.]

BALOO

Um dessentwillen, der einem
klugen Frosch die Dschungel-Straße wies,
achte das Gesetz, das das Menschen-Rudel macht –
um deines alten blinden Baloos willen!
Rein oder befleckt, heiß oder schal,
achte es, als wäre es Die Fährte,
durch den Tag und durch die Nacht,
weder links noch rechts zweifelnd.
Um dessentwillen, der dich mehr
liebt als alles was sich bewegt:
Wenn dein Rudel dir Schmerz bereiten will,
sag »Tabaqui singt wieder.«
Wenn dein Rudel dir übel will,
sag »Shere Khan ist noch zu töten.«
Wenn das Messer zum Töten gezogen ist,
achte das Gesetz und geh fort.
(Wurzel und Honig, Palme und Blüte,
hütet einen Wölfling vor Harm und Schaden!)
Wald und Wasser, Wind und Baum,
Dschungel-Gunst begleite dich!

KAA

Zorn ist das Ei der Furcht –
nur lidlose Augen sind klar.
Kobra-Gift kann keiner heilen;
Gleiches gilt für Kobra-Rede.
Offenes Sprechen soll dir bringen
Stärke, deren Gefährtin Höflichkeit ist.
Stoß nicht weiter als du reichen kannst;
leih deine Kraft keinem morschen Ast.
Miß dein Maul an Bock oder Ziege,
daß nicht dein Auge deine Kehle würge.
Willst du nach dem Essen schlafen,
sorg, daß deine Grube verborgen und tief ist,
daß nicht ein von dir vergessenes Unrecht
deinen Töter herbeilocke.
Ost und West und Nord und Süd,
wasch deine Haut und schließ deinen Mund.
(Grube und Spalt und voller blauer Teich,
Mittlerer Dschungel, folge ihm!)
Wald und Wasser, Wind und Baum,
Dschungel-Gunst begleite dich!

BAGHEERA

Im Käfig begann mein Leben;
gut kenne ich den Wert des Menschen.
Beim Zerbrochenen Riegel der mich freiließ –
Menschenwelpe, hüte dich vor Menschenwelpen-Brut!
Bei Witter-Tau oder Sternlicht fahl,
wähl keinen wirren Baumkatzen-Pfad.

In Rudel oder Rat, Jagd oder Lager,
ruf keinen Frieden aus mit Schakal-Menschen.
Gib ihnen Schweigen, wenn sie sagen:
»Komm mit uns einen leichten Weg.«
Gib ihnen Schweigen, wenn sie deine
Hilfe suchen, Schwache zu verletzen.
Protz nicht *bandar*-gleich mit Können;
wahre Schweigen über deinem Töten.
Laß nicht Ruf noch Sang noch Zeichen
dich von deiner Jagdspur locken.
(Morgennebel oder klares Zwielicht,
dient ihm, Heger der Hirsche!)
Wald und Wasser, Wind und Baum,
Dschungel-Gunst begleite dich!

DIE DREI

Auf dem Pfad den du gehen mußt
zu den Schwellen unseres Schreckens
wo die Blume rot erblüht;
durch die Nächte, wenn du von unserem
Mutter-Himmel abgesperrt liegst
und uns, die du liebst, vorbeigehen hörst;
an den Morgen, wenn du erwachst
zu Mühsal, die du nicht brechen kannst,
kranken Herzens ob des Dschungels:
Wald und Wasser, Wind und Baum,
Klugheit, Kraft und Höflichkeit,
Dschungel-Gunst begleite dich!

ENDE

ANHANG

EDITORISCHE NOTIZ

The Jungle Book erschien zuerst im Mai 1894 bei Macmillan & Co., London, und The Century Co., New York. Textzusätze in eckigen Klammern von RK. In einigen Fällen des Abweichens von deutschen Interpunktionsregeln (wenn diese z. B. für einen durchaus durchschaubaren Satz 5 oder 6 Kommata vorschreiben) habe ich mich an RKs Zeichensetzung gehalten, die – noch freier als im Englischen ohnehin – eher Atem- und Sinneinheiten denn syntaktischen Erwägungen folgt. Beide Ausgaben waren illustriert von J. L. Kipling, W. H. Drake und P. Frenzeny. In der englischen Erstausgabe lautete der Titel der letzten Erzählung »The Servants of the Queen«; ab 1899 in der revidierten Fassung der »Uniform Edition« dann, wie schon in der ersten Magazinveröffentlichung, »Her Majesty's Servants«. Die Versanfänge und -einschübe der Erzählungen finden sich bereits in den Magazinveröffentlichungen, vgl. die *Anmerkungen* zu den einzelnen Titeln; die Gedichte zwischen den Erzählungen sowie das Vorwort stehen erstmals in den Erstausgaben.

The Second Jungle Book erschien zuerst im Oktober 1895 bei Macmillan and Co., London, und im Dezember 1895 bei The Century and Co., New York. Zur Erstveröffentlichung der einzelnen Erzählungen und Gedichte vgl. die Anmerkungen.

Die Gedichte der beiden *Dschungelbücher* wurden später sämtlich in *Songs from Books* (1912) und ab 1919 in die diversen ergänzten Auflagen von *Rudyard Kipling's Verse – Inclusive Edition* bzw. ab 1940 *Definitive Edition* aufgenommen.

Deutsche Ausgaben erschienen ab 1898 in verschiedenen Verlagen: *Im Dschungel* (üb. v. C. Abel-Musgrave), Freiburg i. Br. 1898; *Das neue Dschungelbuch* (üb. v. S. Harms), Berlin 1899; *Das Dschungel* (beide Bücher üb. v. A. Redlich), Berlin 1907; *Das neue Dschungelbuch* (üb. v. B. Hauptmann), Leipzig 1925; *Das Dschungelbuch* (ders.); Leipzig 1927; *Die Dschungelbücher* (üb. v. D. v. Mikusch), München 1950, diese Fassung findet sich in der dreibändigen Kipling-Auswahl *Gesammelte Werke* des List-Verlags; *Das Dschungelbuch. Das neue Dschungelbuch* (üb. v. H. Reisiger), München 1965.

Die beiden mir zugänglichen Fassungen des *Zweiten Dschungelbuchs* von Benvenuto Hauptmann und Dagobert von Mikusch weichen inhaltlich vom Original ab (zur Übersetzung vgl. *Kipling Companion*, Zürich 1987). Hauptmann ließ »A Ripple Song« aus; Mikusch nahm »Her Majesty's Servants« (ohne Begleitgedicht) aus *The Jungle Book* (»Diener ihrer Majestät« in *Das Dschungelbuch*) und »In the *Rukh*« aus *Many Inventions* (»Im *Rukh*«, in *Vielerlei Schliche*, Zürich 1987) ohne Versanfang in sein *Neues Dschungelbuch* auf.

Die vorliegende Neuübersetzung ist vollständig und folgt dem Text in Macmillans »Uniform Edition«, 1899 f.

Zur Entstehung

Die beste geraffte Darstellung der Entstehungsgeschichte der beiden *Jungle Books*, einschließlich einer Auswertung der bis zu diesem Zeitpunkt veröffentlichten Sekundärliteratur, findet sich bei Roger Lancelyn Green, *Kipling and the Children*, London 1965 (Kap. VI: »Letting in the Jungle«). Die erste Mowgli-Geschichte, geschrieben 1892 und veröffentlicht 1893, war »In the *Rukh*« (vgl. »Im *Rukh*« in *Vielerlei Schliche*, Zürich 1987, und Anm. dazu), die den späteren erwachsenen Mowgli behandelt. Einige sich aus dieser Erzählung ergebende Assoziationen sowie Erinnerungen an andere (z. T. Jugend-) Lektüre scheinen Anfang 1893 die eigentlichen Dschungelbücher ausgelöst zu haben; hinzu kommt das Werk von John Lockwood Kipling, *Beast and Man in India* (1891), zu dem RK Gedichte beisteuerte und dem er viele Informationen verdankte.

Green erörtert die geographischen Bezüge, findet aber keine plausible Antwort auf die Frage, warum RK die Mowgli-Geschichten aus den Aravulli-Bergen im Staat Mewar, die er kannte und auf die etliche Einzelheiten hindeuten (dort liegt z. B. Udaipur, wo der Panther Bagheera in einem Käfig im Königspalast zur Welt kam; nicht weit finden sich auch die Ruinen von Chitor – Chittaurgarh –, das, möglicherweise zusammen mit den Ruinen der ebenfalls dort liegenden alten Stadt Amber, die Vorlage für »Kalte Stätten« lieferte), weiter nach Süden in die Seoni-Berge verlegte, die er nur aus Berichten kannte. Einiges deutet darauf hin, daß zu RKs Indien-Zeit Wolfsgeschichten und Wolfskinder-Berichte häufig die Seoni-Berge erwähnten oder von dort stammten, aber das ist nicht schlüssig nachzuweisen.

Im Oktober 1895 schrieb RK an Henry Rider Haggard: »Ein Satz von Ihnen in *Nada the Lily* hat mich auf eine Fährte gesetzt, die damit endete, daß ich viele Wolfsgeschichten schrieb ... Erinnern Sie sich, wie in Ihrer Geschichte die Wölfe zu Füßen eines Toten aufspringen, der auf einem Felsen sitzt? Irgendwo auf dieser Seite kam mir die Idee...«

Green weist Übernahmen verschiedener Elemente aus RKs Kindheitslektüre nach. In einem Gedicht in *Child-Nature* von Elisabeth Anna Harte taucht ein »Wolfie« genannter Junge auf, der von einer Wolfsmutter erzogen wird, zusammen mit ihren eigenen Jungen, die ihm gutes Wolfsbenehmen beibringen; in einem Gedicht »A North Pole Story« von Menella Smedley können Weiße Wölfe einem Schneewanderer nicht in die Augen schauen – vermutlich die Quelle für RKs Annahme, daß es den Tieren mit Mowgli ähnlich gehe.

Zu Beziehungen zwischen Tierwelt der Dschungelbücher und Hindu-Mythologie vgl. Anm. zu »Wie Furcht kam«.

Zur Rezeption

In der gesamten Kipling-Literatur findet sich keine substantielle negative Äußerung zu den *Jungle Books*, was angesichts der sonstigen kontroversen Meinungsvielfalt erstaunlich ist. Harsche Töne sind nur dort zu vernehmen, wo einzelne Kritiker miteinander hadern – z. B. bei der Frage, ob auf der allegorisch-politischen Ebene der Erzählungen mit den »*Bandar-Log*« die damaligen Amerikaner oder alle redselig-inkonsequenten Demokratien gemeint seien. Auch der ansonsten freundliche Eintrag in *Kindlers Literaturlexikon* geht allegorisch in die Irre; man solle bedenken, heißt es, daß die »Gesetze des Dschungels« in der imperialistischen Ideologie verwurzelt seien. »Begriffe wie ›Autorität‹, ›Befehlsgehorsam‹, ›Selbstzucht‹ und ›sportliche Fairness‹ ergeben ein für den englischen Kolonialismus typisches Wortfeld.« Es ist mit Varianten auch typisch für die Stoa, den Konfuzianismus, Teile der Bibel und des Koran; hier kommt es jedoch aus einer anderen Quelle, nämlich der genauen Beobachtung tierischen Verhaltens. »Hackordnung« ist kein imperialistischer Begriff. Die Rudelhierarchie ist ebenfalls nicht imperialistisch, sondern zunächst wölfisch; Konrad Lorenz hat, anders als *Kindler*, anscheinend nichts dagegen einzuwenden, da er Kipling vielfach billigend zitiert. Und eine oberflächlich eindeutig imperialistische Fabel wie »Diener Ihrer Majestät« läßt sich mit geringen Modifizierungen auf die arbeitsteilige Industriegesellschaft oder jeden beliebigen Gruppenprozeß anwenden.

Die meisten Studien befassen sich entweder mit der ersten Ebene, der des Erzählens magischer Geschichten, oder mit der dritten, der des Archetypischen. (RK war Platoniker; der konkrete, individuelle Bagheera der ersten Ebene ist gleichzeitig Der Panther.) Die Ebene der präzisen Tierbeobachtung wird meistens lediglich als gegeben zur Kenntnis genommen. Zur ersten Ebene schrieb die Jugendbuchautorin Rosemary Sutcliff im Januar 1963 in der ›Parents' Review‹, als Schriftstellerin könne sie heute »die ungeheure, meisterliche Kunstfertigkeit studieren und bewundern, mit der die Dschungelbewohner dargestellt sind: Jeder einzelne ist ... ein vollständig durchgeführter Charakter, der das bedruckte Blatt verläßt, so daß man das Gefühl hat, wenn man um sie herumginge, würde jeder gewissermaßen auch ... eine Rückenansicht aufweisen, und doch alle ganz als Tierwesen, keineswegs als Menschen in Tierhaut.«

Zur dritten Ebene schrieb J. M. S. Tompkins 1959 in *The Art of Rudyard Kipling*, RK sei lange vor C. G. Jungs Erörterungen erstaunlich tief ins Archetypische eingedrungen; sie stellte die *Dschungelbücher* neben Aesop und faßte den Gesamteindruck ihrer ersten Vorlese-Bekanntschaft mit den Texten so zusammen: »Die Geschichten waren außerordentlich packend, und während ich zuhörte, wurde ich von etwas Wildem und Tiefem und Altem durchdrungen.«

Zur »Rezeption« gehören auch die zahllosen Imitationen, die die *Dschungelbücher* auslösten; erwähnt seien vor allem die 25 *Tarzan*-Bände von E. R. Burroughs, die allerdings bestenfalls gute Abenteuergeschichten ohne literarische, psychologische oder gar mythische Tiefe sind. Nicht zu vergessen ferner einige außerliterarische Übernahmen wie Filme (*Elephant Boy*, basierend auf »Toomai von den Elefanten«, und die beiden *Dschungelbuch*-Filme von Zoltan Korda und Walt Disney) und große Teile der Boy-Scout-Riten: Als Baden-Powell 1911 die »Wolf-Cubs«, Wölflinge, gründete, bediente er sich (mit Billigung und Mitwirkung von RK) ausgiebig aus den *Dschungelbüchern*.

ANMERKUNGEN

Außer in einigen Fällen, in denen RK mit Bedeutungen spielt (z. B. »Die weiße Robbe«), habe ich die Namen der Figuren in RKs englischer Form übernommen: Bagheera statt Bagiera, Baloo statt Baluh etc. Aus dem Hindi oder Urdu stammende Beinamen, Gattungsbezeichnungen oder Ortsnamen habe ich dagegen, soweit es möglich und sinnvoll war, in der nicht nur an der englischen Received Pronunciation orientierten modernen internationalen Umschrift wiedergegeben: Langri statt Lungri, Udaipur statt Oodeypore, Sambhar statt Sambhur etc.

Die Namen in den Mowgli-Geschichten:

Akela (Akehla)	– hind. *akelā*, einsam.
Bagheera (Bagiera)	– evtl. Diminutiv zu hind. *bāgh*, Tiger; oder von Gondi *bay-heera*, Leopard.
Baloo (Baluh)	– hind. *bhālū*, Bär.
Bandar	– hind. *bandar*, Affe.
Chil (Tschiel)	– hind. *chīl*, Geier, Falke.
Dhole (Doul)	– laut RK »einer der Eingeborenen-Namen für den jagenden Wildhund Indiens«; nicht zu ermitteln.
Gidur	– hind. *gīdar*, Schakal, »Feigling«.
Hathi	– hind. *hāthī*, Elefant.
Ikki	– zu Gondi *ho-igoo*, Stachelschwein; in der US-Erstausgabe lautet der Name des Stachelschweins Sahi, zu hind. *sayi*, Stachelschwein.
Kaa	– von RK erfunden: »nach dem seltsamen, offenmundigen Zischen großer Schlangen«.
Lahini	– von RK erfunden: »Wölfinnen«.
Langri	– hind. *langrā*, lahm.
Mang	– Fledermaus, von RK erfunden.
Mor	– hind. *mor*, Pfau.
Mowgli	– von RK erfunden, »kleiner Frosch«; entweder Mougli oder Maugli.
Mysa (Maisa)	– hind. *mhaiṅs*, *bhaiṅsa*, Büffel.
Shere (Schir) Khan	– pers./Urdu *sher*, Löwe, Tiger.
Tabaqui (Tabahki)	– *tabaqi katta* (hind.) »Schüssel(leckender)hund«, Schakal.
Tha	– vermutlich von RK erfunden, evtl. zu hind. *thāh*, Grund, Boden, Tiefe.
Won-tolla	– nicht zu ermitteln.

DAS DSCHUNGELBUCH

Vorwort

Hindu-Gentlemen: Die Bewohner der oberen Hänge des Jakko-Bergs bei Simla sind Affen (Languren, *Presbytes illiger*). –/– Sahi, ein Wissenschaftler…: hind. *sayi*, Stachelschwein. Die beiden anderen genannten Quellen sind ein Wolf und ein Tanzbär. –/– Der führende Herpetologe (Schlangenexperte) ist vermutlich gleichzeitig ein RK persönlich bekannter Mungo, der an eine überlegene Kobra geriet, und Sir Joseph Fayrer, Verfasser von *Thanatophidia of India* (1872), ein Freund von RKs Vater. –/– Der Mitreisende auf der *Empress of India:* Limmershin, der Winter-Zaunkönig.

Mowglis Brüder

»Mowgli's Brothers«, zuerst Januar 1894 in ›St. Nicholas‹.
(Hier und in den weiteren Fußnoten häufiger zitierte Quellen:
JLK – John Lockwood Kipling, *Beast and Man in India*, London 1891
Mammalia – R. A. Sterndale, *Natural History of the Mammalia of India and Ceylon*, Calcutta 1884
Seonee – ders., *Seonee or Camp Life on the Satpura Range*, London 1877.)
Chil: In der amerikanischen Erstausgabe heißt der Geier Rann. –/– leichter als jeder andere … wird Tabaqui manchmal verrückt: »Ein tollwütiger Schakal ist tödlich, und es gibt ihn häufiger, als man meint« (*JLK*, 313). »In Seonee hatten wir einmal eine wahre Seuche verrückter Schakale, die viel Unheil anrichteten« (*Mammalia*, 238). –/– Gidurlog: hind. *log*, Volk, Leute; zu Gidur vgl. S. 199. –/– das hat er mir jedenfalls gesagt: Laut *JLK* (312) hielt man den Schakal für einen Freund und Begleiter des Tigers. –/– Seit seiner Geburt ist er auf einem Fuß lahm. Deshalb hat er auch nur Vieh getötet: G. P. Sanderson (*Thirteen Years Among the Wild Beasts of India*, London 1878) erwähnt einen menschenfressenden Tiger, den »Tiger von Benkipur«, für dessen Erlegung eine große Belohnung ausgesetzt war (vgl. »Tiger! Tiger!«) und der angeblich eine Verletzung an einem Vorderfuß hatte; ferner stellt Sanderson fest, menschenfressende Tiger seien oft durch alte Verletzungen an der Jagd auf schnelles Wild gehindert und »unweigerlich Viehtöter«. –/–… daß Menschenesser die Räude bekommen: von Sanderson und Sterndale bestritten; vgl. auch »Tiger! Tiger!«, wo von Räude keine Rede ist, als Mowgli das Tigerfell auf dem Ratsfelsen ausbreitet. –/– Raksha [die Dämonin]: RK leistet sich hier ein (von ihm diskret verschwiegenes) Hindi-Wortspiel: *rākshas* ist Dämon, raksha

Schutz, Verteidigung, »Hüterin«. –/– Gut wägen, Wölfe: im Orig. *Look well o Wolves*. RKs Formel imitiert den mit uuu-äää-uuu umschreibbaren Wolfsschrei; die deutsche Fassung versucht, Kipling zu imitieren. –/– Baloo, der schläfrige braune Bär: Eine der wenigen poetischen Freiheiten von Kipling: Der europäische braune Bär *(Ursus arctos)* kommt in Indien nicht vor. Der braune Himalaya-Bär *(Ursus isabellinus)* ist ebenfalls nicht in Seoni zu finden. Der in Teilen Indiens vorkommende Lippenbär *(Ursus labiatus)* hingegen ist schwarz und »häßlich«, außerdem oft sehr aggressiv, und eignet sich nicht als Lehrer und Bezugsperson. –/– niemals Vieh zu berühren, weil er um den Preis eines Bullen...: Mit diesem diskreten Tabu wird von RK auch berücksichtigt, daß der Hindu-Junge später wieder zu Menschen zurückgehen wird und dann kein heiliges Rind getötet haben darf. –/– Königspalast in Udaipur: In »Letters of Marque« VIII *(From Sea to Sea*, Bd. 1) beschreibt Kipling die Menagerie der Durbar Gardens in Udaipur; dort sieht er »einen schwarzen Panther, der der Fürst der Finsternis ist und ein Gentleman«. Sterndale berichtet *(Mammalia*, 173) von zwei aus dieser Menagerie geflohenen Tigern. –/– Sambhar: ind. Hirsch, *Rusa Aristotelis*. –/– Kinder von den Türschwellen der Dörfer stehlen: Laut Sterndale *(Mammalia*, 233) wurden jährlich »Hunderte von Kindern von Wölfen verschleppt«.

Hunting-Song of the Seonee-Pack / Jagdgesang des Seoni-Rudels
Zuerst in Erstausgabe (EA).

Kaas Jagd
»Kaa's Hunting«, zuerst 31. 3. und 7. 4. 1894 in ›*To-day*‹, dann Juni 1894 in ›*McClure's Magazine*‹.
Die Flucht des Affen-Volks durch Baum-Land: *JLK* (75/6) und *Mammalia* (13) enthalten bewundernde Beschreibungen. –/– Felsschlange/Felspython: *Python molurus*, der indische Python; die gewaltige Länge und die leuchtende Färbung nach der Häutung deuten jedoch eher auf den malaiischen Python *(Python reticulatus)*. –/– Kalte Stätten: *Cold Lairs*, kalte Tierlager, kalte Höhlen. Kipling hatte u. a. die Ruinen von Amber bei Jaipur und Chitor (Chittaurgarh) bei Udaipur besichtigt; die Geschichte von Kalte Stätten, wie in »Des Königs Ankus« dargelegt (vgl. *Zweites Dschungelbuch* und Anm. dazu), lehnt sich an die von Chitor an, während die äußere Beschreibung eher an Amber erinnert. Allerdings sind beide nicht von Dschungel überwuchert,

doch finden sich Dschungelruinen allenthalben in Indien (vgl. auch *Seonee*, 444).

Road Song of the Bandar-Log / *Wanderlied der* Bandar-Log
Zuerst in EA.

»Tiger! Tiger!«
»Tiger! Tiger!« zuerst Februar 1894 in ›*St. Nicholas*‹.

Der Titel ist eine Anspielung auf William Blakes »The Tiger« *(Songs of Experience):* »Tiger! Tiger! burning bright / In the forests of the night, / What immortal hand or eye / Could frame thy fearful symmetry?« Die Anspielung ist eher ironisch; Shere Khan ist lahm, feige und dumm. –/– ... denn der Töpfer gehört einer niedrigen Kaste an, und sein Esel ist noch übler: »Hier in Indien würden nur der Zigeuner, der Töpfer, der Wäscher und derlei Leute, Kastenlose oder von niedrigster Kaste, einen Esel besteigen oder besitzen« (*JLK*, 85). –/– Tower-Muskete: Steinschloß-Muskete von Anfang des 19. Jh. mit »Tower« im Kolben eingebrannt als Zeichen dafür, daß die Waffe von Waffenschmieden nahe dem Londoner Tower hergestellt oder geprüft worden war. –/– hundert Rupien: fürstliche Belohnung; einer anderen Kipling-Story zufolge bezog damals z. B. ein eingeborener Telegraphenbeamter einen Monatslohn von vierzig Rupien. –/– *dhâk*-Baum: *Butea frondosa.* –/– Anna: 16 Annas = 1 Rupie. –/– *tulsi:* Art Basilikum, dem Gott Vishnu geweiht. –/– ... eine Geschichte für Erwachsene: »Im *Rukh*«, *Vielerlei Schliche*, Zürich 1987.

Mowgli's Song / Mowglis Gesang
Zuerst in EA.

Die weiße Robbe
»The White Seal«, zuerst August 1893 in ›*National Review*‹.

Laut Green, *Kipling and the Children*, verdankt RK den Hintergrund der Erzählung, die Orts- und »Eigen«namen (s. u.) sowie vor allem die detaillierten Beschreibungen der Lebens- und Kampfgewohnheiten der Tiere dem 1881 veröffentlichten Werk *The Seal Islands of Alaska* von H. W. Elliot. Weitere Informationen erhielt RK von einem Seefahrer namens Hans Olsen, der hier evtl. als Limmershin karikiert ist. Topographische Einzelheiten (Strände, Lukannon, Hügel usw.) entstammen der Karte, die Elliots Buch enthält.

Namen: Kotick (= kleiner Kater, junger Seehund), Matkah (= Muttertier), Starik (= alter Mann, Greis), die von RK selbst im nächsten Halbsatz übersetzten Vögel (Chickies, Guveruskies, Epatkas), der Heilbutt (poltuus) finden sich so oder nicht viel anders in Russisch-Lexika (Dank für Hilfe an Peter Urban, Frankfurt). Andere Begriffe sind entweder stark verballhornt (z. B. die *hollustschickie*, im Orig. *holluschikkie*, aus russ. kholostjak, Junggeselle), in der Bedeutung verschoben (das Walroß »Seesam« heißt im Orig. Sea Vitch; laut RK russ. für Walroß; Pawlowski führt ein *sivuč* = Seelöwe, Löwenrobbe auf) oder gar nicht zu finden (der »Seekerl« ist im Orig. Sea Catch, laut RK russ. sikatchi, Seehundbulle; so ebenfalls im Artikel »Seal-Fisheries« der 11 *Encyclopedia Britannica*). Auch die Klage von Kotick, »Otschen skuutschnie«, was RK mit »Ich bin so einsam« übersetzt, gibt eigentlich nicht mehr als »sehr langweilig« her. Allerdings muß man hier und bei den anderen Begriffen ostsibirisch-aleütische Verschiebungen einkalkulieren. Die Beiklänge, die Sea Catch (»See-Fang«, aber auch – catch = »Schnäppchen« – »das beste Stück aus dem Meer«) und Sea Vitch (durch Anklang an witch, »Hexe« gerät der Name zur dämonischen Verkörperung allen Meer-Wissens) bergen, und das russisch-englische Wortspiel mit den Namen müssen an der Sprachgrenze zurückbleiben. –/– Der Froschbutler: vgl. *Alice in Wonderland*, Kap. 6.

Lukannon
Zuerst in EA.

Rikki-Tikki-Tavi
»Rikki-Tikki-Tavi«, zuerst November 1893 in ›*St. Nicholas*‹ und ›*Pall Mall Magazine*‹.
Die präzisen Beobachtungen in dieser Erzählung (Konrad Lorenz nennt RTT »einzigartig«, was die dichterische Behandlung tierischen Verhaltens angeht) beruhen zum Teil auf eigenem Erleben RKs (so schrieb er, der neugierige Mungo, der sich die Nase an der Zigarre verbrannte, habe ihn in seinem Büro in Allahabad aufgesucht). –/– Nag: hind. *nāg*, Kobra. –/– Segowlee: fiktiv; Vorlage für Bungalow und Garten war ein Belvedere genanntes Anwesen in Allahabad, das Freunden von RK gehörte. –/– Darzee: hind. *darzī*, Schneider; der hier von RK beschriebene Schneidervogel *(Sutoria Nich.)* ist ein Sperlingsvogel aus der Familie der Fliegenschnäpper, nicht zu verwechseln mit dem Webervogel (verschiedene Formen, Gattung der Ploceidae), der zu den

Finkenvögeln gehört. –/– Chuchundra: hind. *chachūdar*, Moschusratte. –/– Maréchal-Niel-Rosen: 1864 gezüchtete gelbe Rose, benannt nach Adolphe Niel, einem der Marschälle Napoleons. –/– Karait: Krait *(Bungarus ceruleus)*, sehr giftige Schlange. –/– Chua: hind. *chūhā*, Maus, Ratte. –/– Kupferschmied: *Xantholaema indica*.

Darzee's Chaunt / Darzees Preislied
Zuerst in EA.

Toomai von den Elefanten
»Toomai of the Elephants«, zuerst Dezember 1893 in ›*St. Nicholas*‹.

Kaiser Theodor, Abessinien-Krieg: 1867/68 wurden britische Missionare und Gesandte in Äthiopien eingekerkert; eine Strafexpedition unter Napier wurde geschickt; Kaiser Tewodros II. wurde bei Magdala besiegt und beging Selbstmord. –/– Ali Masjid: Grenzfestung in Afghanistan; Kala Nag war also Teilnehmer am Zweiten Afghanistan-Krieg 1878–80, in dem die Briten versuchten, den wachsenden russischen Einfluß zurückzudrängen. –/– Moulmein: Hafen in Burma. –/– Garo-Berge: in Assam. –/– *howdah*: hind., ex arab. *haudaj*, im Arab. ursprünglich von Kamelen getragene Sänfte, in Indien der von einem Elefanten getragene Sitzkorb, auch als »Thron« verziert. –/– Keddah: aus hind. *khedā*, jagen. Die Beschreibung einer ähnlichen Form der Elefantenjagd findet sich bereits bei Arrian. –/– Dihang: Quellfluß des Brahmaputra. –/– Gaj (gadsch): hind. »Elefant«. –/– Die vor allem im Osten Indiens kursierende Legende vom Ballsaal der Elefanten wurde erst nach Kiplings Tod widerlegt; 1953 schrieb J. H. Williams, bei den großen Dschungellichtungen mit hartgestampftem Boden handle es sich um Elefanten-Kinderstuben, wo ganze Herden wilder Elefanten ihre neugeborenen Kälber gehütet hätten (*Bandoola*, 1953).

Shiv and the Grasshopper / Shiv und der Heuschreck
Zuerst in EA.

Shiv: Shiwa. –/– *gaddi*: hind. Thron. –/– Mahadeo: *maha deva*, großer Gott.

Diener Ihrer Majestät
»Her Majesty's Servants«, zuerst als »Servants of the Queen«, 3. März 1894 in ›*Harper's Weekly*‹ und März 1894 in ›*Pall Mall Magazine*‹.

Hintergrund der Geschichte ist der große Rawalpindi Durbar,

März/April 1885; der Vizekönig Lord Dufferin empfing den König/ Emir von Afghanistan, Abdur Rahman, zu nicht ganz einfachen Verhandlungen über die künftigen Beziehungen, auch im Hinblick auf die russische Expansion. RK war als Sonderkorrespondent der ›Civil and Military Gazette‹, Lahore, in Rawalpindi und schrieb insgesamt dreizehn Artikel; vgl. *Kipling's India*, Thomas Pinney (ed.), London 1986.

Maultier/Maulesel: Maultier ist das Ergebnis der Paarung eines Eselhengsts mit einer Pferdestute, Maulesel das einer Kreuzung von Pferdehengst und Eselstute; ich habe dennoch die beiden Begriffe als Synonyme verwendet, um bei dem von RK gewählten, zur Armee passenden »er« für Billy & Co. bleiben zu können. –/– Hapur: Stadt östlich von Delhi. –/– Sunol: berühmtes amerikanisches Rennpferd. –/– pachydermisch: dickhäutig.

Parade-Song of the Camp Animals / Paradelied der Lagertiere
Zuerst in EA.

Die einzelnen Texte passen zu englischen Märschen, z. B. »Elephants« und »Gun-Bullocks« zu »The British Grenadiers«, »Cavalry Horses« zu »Bonnie Dundee« etc.

DAS ZWEITE DSCHUNGELBUCH

Wie Furcht kam
»How Fear Came« erschien zuerst 7. und 14. VI. in ›Pall Mall Budget‹, 10. VI. in ›World‹ (New York) 14. und 15. VI. 1894 in ›Pall Mall Gazette‹ als »*A Strange Tale of the Jungle*«, mit den vorangestellten Versen.

Baloo, brauner Bär: Die Figur des gutmütigen Baloo ist eine poetische Freiheit von RK, die von der Zoologie nicht bestätigt wird. Der »gemütliche« braune Bär existiert in der fraglichen Gegend Indiens nicht; in Frage kämen der häßliche und bisweilen bösartige Lippenbär oder der schwarze Bär des Himalaya, die sich aber beide nicht als »Lehrer« und positive Bezugsfigur eignen. –/– mohwa: lt. RK *Bassia Longifolia*, Baum mit süßlich riechenden Blüten, aus denen Arrak gewonnen werden kann.

Zu den mythologischen Implikationen der *Jungle Books* insgesamt und von »Wie Furcht kam« speziell gibt es keine tiefergehenden Untersuchungen; daß die Dschungelgeschichten eine mythologische

Ebene haben, wird eher beiläufig angemerkt. Über diese dritte Ebene schrieb J. M. S. Tompkins: ».. . was ich nur die Welt des Wilden und Fremdartigen nennen kann, des Uralten und Fernen. Sie schließt den Mythos ein, geht jedoch darüber hinaus. . . . Der Bereich des Wunder(n)s liegt jenseits der Grenzen des Mythos. Magische Distanz und Fremdheit ... umgeben uns.« Also eher »mythisch« als »mythologisch«. Einerseits trifft das sicher zu, da die Dschungelwelt von RK »gottlos« ist; andererseits nähern sich die gleichzeitig konkret-individuellen und abstrakt-platonischen Figuren (Bagheera ist auch Der Panther, Hathi ist auch Der Elefant) in einigen Passagen elementaren Tiergottheiten und bilden ansatzweise ihre eigene, »dschungelbuchinterne« Mythologie aus. Ferner sollte man bei der Betrachtung des Engländers RK, der die meisten der *Jungle*-Erzählungen in den USA schrieb, nicht den Hintergrund vergessen, Indien (mit Ausnahme der beiden arktischen Geschichten). Es gibt Anklänge/Anlehnungen an die Hindu-Mythologie. So ist z. B. der elefantenköpfige Ganesha nicht nur der Gott des glückhaften Beginnens von Geschäften und Büchern (in diesem Sinn verwendete RK die von seinem Vater Lockwood Kipling entworfene Vignette, die auch die ZÜRCHER EDITION ziert), Gott der Weisheit, des Erfolgs und der Beseitigung von Hindernissen, sondern auch ein uralter, möglicherweise prävedischer Aspekt des Universums und der Schöpfung, Herr der Volksmengen und Herr des Bodens – ähnlich Tha in »Wie Furcht kam«. Und neben dem Gott Hanuman und den fünf weisen Affen auf dem Gipfel gibt es in den Hindu-Epen auch die »ge-

wöhnlichen« Affen, die bisweilen wunderbare Dinge tun, in der Regel aber, wie unter einem Verhängnis, Sklaven des eigenen Unfugs und der Sinnlosigkeit sind – wie RKs *bandar-log*. Hier zeigt sich ein weiteres Versäumnis der Kipling-Forschung – die Frage nach seiner »indischen« Lektüre wurde nie gestellt. Nicht zur Kenntnis genommen (wofür es allerdings Gründe gibt – Unzugänglichkeit des Materials) wurde bisher z. B., daß der junge RK 1886 in der ›*Civil and Military Gazette*‹, Lahore, *Mahabhárata* und *Ramayana* mit unfreundlichen

Worten bedachte. Vielleicht hat er später seine Meinung geändert, vielleicht nicht, aber er hat die Epen gekannt.

»The Law of the Jungle« / »Das Gesetz des Dschungels«

Zuerst als »The Law of the Wolves« in *A Victorian Anthology*, 1895.

Die Art, wie aus RKs »Law of the Jungle«, mit seiner Festlegung für Rechte und Pflichten und der Betonung von Schutz und Fürsorge für die Schwachen, das sprichwörtliche »Gesetz des Dschungels« wurde, unter dem nur der Starke Rechte hat und die Schwächeren frißt, liefert ein gutes Beispiel für die Verzerrungen der bis 1950 so maßgeblichen und z. T. noch heute nachwirkenden Kipling-Rezeption.

Das Wunder des Purun Bhagat

»The Miracle of Purun Bhagat« erschien zuerst als »A Miracle of the Present Day« 14. x. in ›World‹ (New York) und 18. x. 1894 in ›Pall Mall Gazette‹ und ›Pall Mall Budget‹.

Halbunabhängige Eingeborenenstaaten: Native States, in denen die brit.-ind. Regierung in der Regel nur durch einen politischen Berater (»Resident«) vertreten war, machten etwa die Hälfte des brit.-ind. Territoriums aus. –/– Touristen… in der kalten Jahreszeit: Hierzu gehörten auch die von RK besonders geliebten englischen Abgeordneten, die in der für Europäer erträglichen Jahreszeit nach Indien kamen und später über Indien betreffende Gesetze berieten, ohne die geringste Ahnung von den tatsächlichen Problemen, die sich in den heißen Monaten zeigten: Dürre, Hungersnöte, Seuchen, Versorgungslücken, Geld- und Personalknappheit etc. (vgl. »The Enlightenments of Pagett, M.P.«, 1890) –/– ›Pioneer‹: damals wichtigste Tageszeitung, in Allahabad; RK arbeitete dort 1887–89. –/– schwarze See: Ozean, *kala pani*, »schwarzes Wasser« (hind.). –/– K.C.I.E.: Knight Commander of the Order of the Indian Empire. –/– Dewan (pers. *divan*): Hof, Hofrat, Minister. –/– *sanyasi* (skrt. *saṃnyāsin*, ablegen): Einer, der der Welt entsagt hat und in Besitzlosigkeit die Befreiung vom Kreislauf der Geburten sucht. –/– Meerkokos: *coco de mer*, große Nuß einer Seychellen-Palme. –/– Fünf-Pfund-Note: nicht ganz so bescheiden, wie es aussieht; der heutige Kaufkraft-Gegenwert läge je nach der verwendeten Bezugsgröße zwischen DM 1000 und DM 1500. –/– Kala Pir: (*kālā*, hind. schwarz; *pir* pers. Heiliger, Religionsgründer) vermutlich von RK erfundenes synkretistisches Heiligtum, allerdings nicht ungewöhnlich im damaligen Indien. Pir deutet auf einen moslemischen

Heiligen; die um den Schrein versammelten *yogis* (zu hind./skrt. *joga*, »Joch«, zahlreiche asketische Disziplinen zur Vereinigung des Ich mit dem »All«) sind Hindus. –/– Bhagat: (hind. gläubig, fromm) Heiliger. –/– Kulu: Bergregion ca. 100 km nördlich von Simla. –/– Chota Simla: Klein-Simla; damals das hinterste Ende der Eingeborenen-Teile der brit.-ind. »Sommerhauptstadt«. –/– Himalaya-Tibet-Straße: RK kannte die Gegend sehr gut, die er z. T. auch in *Kim* beschreibt; vgl. auch seine Erzählung »Collar Wallah and the Poison Stick« etc. –/– Kali (Kāli), Durga, Sitala: unterschiedliche Aspekte der Gemahlin Shivas; für »Purun Bhagat« bezeichnend ist, daß Kali die Nicht-Erkenntnis zerstört, die Weltordnung (». . . verneigte sich ehrfürchtig vor dem Gesetz, da er dessen Wert kannte und ein Gesetz für sich selbst suchte.«) aufrechterhält und diejenigen segnet und befreit, die nach transzendentaler Erkenntnis streben; auf vielen Darstellungen macht sie eine Gebärde, die in der Hindusymbolik »Furchtlosigkeit« bedeutet. –/– *bhai:* (hind.) Bruder. –/– D. C. L.: Doktor des Zivilrechts; Ph. D.: Dr. phil. –/– Mohiniwala: fiktiv.

»Purun Bhagat« hat ein gleichzeitig einmütiges und zwiespältiges Echo ausgelöst. Fast alle Kipling-Autoren heben die Erzählung als eine seiner besten hervor; fast alle betonen, daß die simple Präsenz von Tieren eigentlich kein ausreichender Grund sein, »Purun Bhagat« in den Kreis der *Jungle Books* einzubeziehen. Fast alle befinden, implizit oder explizit, wer nach der Lektüre dieser Erzählung RK noch immer für einen sturen angelsächsischen Imperialisten usw. halte, dem sei nicht zu helfen; fast alle quälen sich mit dem Widerspruch zwischen westlichem Handeln und östlichem Denken herum. Angus Wilson: ». . . das *dénouement* der Erzählung, als der Heilige . . . seine . . . Zelle verläßt, um Dorfbewohner vor der drohenden Lawine zu warnen, ist eher ein Tribut an den westlichen *code of action* denn an Hindu-Passivität.« Hierzu schrieb Nirad C. Chaudhuri, RKs Formulierung »Er war nicht länger der Heilige, sondern Sir Purun Dass . . .« sei falsch; »der Mann der Tat zum Zeitpunkt einer Krise und der Heilige sind derselbe – die Unterscheidung existiert im Hinduismus nicht . . . Hindu-Spiritualität enthält, selbst im Moment größter Weltferne und Entrücktheit . . . Wucht und *action*, eine Art super-magischer Motivation, die nicht mit vollkommener Seligkeit und mystischem Quietismus vereinbar ist.« Chaudhuri ist vermutlich näher am Kern der Geschichte als Wilson u. a., übersieht jedoch, daß RK nach dem Aufbruch Puruns aus dem Schrein den »Heiligen« dauernd zwischen »Bhagat«

und »Premier« oszillieren läßt. Hier stellt sich die Frage nach dem Titel. Die meisten Kommentatoren sehen das Wunder im Verhältnis des Bhagat zu den Tieren und in der von den Tieren kommenden Warnung; RK schreibt jedoch ausdrücklich: »... das ganze Wunder beruht darauf, still zu halten ...« Was also ist das »Wunder des Purun Bhagat« – Westöstlichkeit?

A Song of Kabir / Ein Lied von Kabir
Zuerst in EA.

Kabir: Dichter und Mystiker (ca. 1440–1520), versuchte Hindus und Moslems einander näherzubringen. –/– *gaddi:* (hind.) Thron. –/– *bairagi:* frommer Bettler. –/– *sal:* Nutzholzbaum, mit teakähnlichem Holz. –/– *kikar:* Baum der Akazienfamilie.

Laßt den Dschungel ein
»Letting in the Jungle« erschien zuerst 12. und 13. XII. 1894 in ›Pall Mall Gazette‹, 13. XII. in ›Pall Mall Budget‹ und Januar 1895 in ›McClure's Magazine‹, mit Versanfang.

Raksha: hind. *rākshas,* Dämon(in), und *raksha,* Schutz, »Hüterin«. –/– *talao:* hind. *tālāb,* Teich, Bassin, Pfuhl. –/– *dhâk*-Baum: *Butea frondosa.* –/– Wer ist der Mensch ... der Erde-Esser: vgl. Psalm 8,5 f. und Psalm 144,3 f. –/– Pipal-Baum: ind. Feige. –/– Bhurtpur: evtl. Bharatpur, Stadt und Distrikt in Rajasthan. –/– Nilghai: blaue Antilope (hind. »blauer Bulle«). –/– *Karela:* bitterer Springkürbis *(Momordica charantia).*

Mowgli's Song Against People / Mowglis Lied wider Leute
Zuerst in ›Pall Mall Magazine‹, Dezember 1894

Die Bestatter
»The Undertakers« erschien zuerst 8., 9., 10., 12. XI. in ›World‹ (New York), 8. und 15. XI. in ›Pall Mall Budget‹, 14. und 15. XI. in ›Pall Mall Gazette‹ und Dezember 1894 in ›Pall Mall Magazine‹ mit Versanfang.

Ghât: (hind.) Treppe, Kai, Anlagestelle; auch Bergpaß. –/– Fliegender Fuchs: Kalong (Pteropus celaeno *Herm.*) –/– Adjutantkranich: Argala (Leptoptilus dubius *Gmel.*), Marabuvogel. –/– Ally-Sloper-Kopf: Ally Sloper war der vermutlich erste englische Comic-Held bzw. -Antiheld, erschien erstmals im Magazin ›Judy‹ am 14. August 1867. Er war häßlich, mit roter Knubbelnase, trug einen zerknautschten Zylinder und verfügte über eine zutiefst schäbige Moral. –/– Mugger: hind. *magar*, Krokodil, aber auch im engl. Slang *mugger*, mit zahlreichen Bedeutungen – Würger, Wegelagerer, Rowdy, »Vandale«. –/– Gavial: hier der Gangesgavial, ein Krokodil mit langer schmaler Schnauze (der *magar* ist stumpfschnauzig). –/– Kasi: (bzw. Kashi) Benares; Prayag: Allahabad. –/– Rewa, Mohoo, Chapta usw.: kleine Süßwasserfische. –/– Jats: Angehörige eines meist in der Landwirtschaft tätigen Volks im Punjab, hier aus der Region Malwa; Bêt (Punjabi) ist fruchtbares Flachland, das bei Hochwasser überschwemmt ist. –/– *kikar:* Akazienart. Wenham Lake: Massachusetts, USA. –/– Sirhind: Wüste zwischen den Oberläufen von Sutlej und Yamuna. –/– Ganga: Ganges. –/– Jahr der Meuterei: 1857; die Zahl der dem *magar* willkommenen Todesopfer wird auf ca. eine halbe Million geschätzt. –/– *purbiyas:* (hind. »Ostmenschen«) Zur Zeit der Ostindischen Kompanie Bezeichnung für moslemische Sepoys aus den östlichen Gebieten Oudh, Benares, Bihar. –/– doppelläufiger Viertelpfünder: im Orig. »double four-bore«; laut *Encyclopaedia Britannica* (11. Aufl., 1911) beziehen sich derlei Kaliberangaben auf Zehntel eines brit. Pfunds (453 gr.); »four-bore« folglich $4 \cdot {}^{453}/_{10}$ gr. = ca. 181 gr. In seinen »Notes on the Names in the *Jungle Books* gibt RK den Durchmesser der von den alten, mit Schwarzpulver geladenen Martinis verschossenen Projektile mit etwa 1 Zoll (2,54 cm) an.

A Ripple Song / Ein Kräuselgesang
Erstmals in EA.

Des Königs Ankus
»The King's Ankus«, zuerst im März 1895 in ›St. Nicholas‹, mit Versanfang.

Dschungel-Sprichwort: vgl. Sprüche 30,15 f. –/– Ankus: Elefanten-Treibstachel. –/– Salomdhi, Chandrabija usw.: In »Letters of Marque« X *(From Sea to Sea I)* erwähnt RK einige Namen aus der Geschichte der Stadt Chitor, darunter Bappa Rawal (dort Bappa Rawul), ca. 700 AD; die anderen Namen waren nicht zu ermitteln. –/– Howdah: Oft domartiger, geschmückter »Sitzpavillon« für Elefantenrücken. –/– Thuu: Herkunft der von RK in der Fußnote genannten Übersetzung bzw. Be-Deutung nicht zu ermitteln.

Wilson nennt »The King's Ankus« die Krönung beider Dschungelbücher und »Kiplings beste Anwendung des Mythischen in seinem

ganzen Werk«: Paradies (Mowgli und Kaa, das Bad im Teich), die Ein-
flüsterung der Schlange (Kaas Bericht über seltsame Dinge in Kalte
Stätten), ein verborgener Schatz, ein unheimlicher Schatzhüter, ein
Gegenstand, der über okkulte, tödliche Macht zu verfügen scheint,
schließlich dessen Rückgabe und der Verzicht auf Erkenntnis, deren
Preis mörderisch wäre: Mowgli »ist noch nicht bereit, sein Dschungel-
Eden zu verlassen«.

The Song of the Little Hunter / Das Lied des Kleinen Jägers
Zuerst zusammen mit »The King's Ankus« in ›*St. Nicholas*‹, März
1895.

Quiquern
Zuerst mit Versanfang in ›*Pall Mall Gazette*‹, 24. und 25. x., ›*South
African Telegraph*‹ 26. x., ›*McClure's Magazine*‹ Nov. 1895.
   In »Notes on the Names in the *Jungle Book*« schrieb RK: »QUI-
QUERN wird *Kwai-kwern* ausgesprochen, und die in der Geschichte erwähnten Orte sind auf Karten der Gebiete jenseits des Polarkreises zu
finden...« Ausnahme: Bhendy-Basar, in Kalkutta. –/– Nach Auskunft
von Völkerkundlern sind die von RK aufgeführten bzw. verarbeiteten
Eigennamen, Bezeichnungen, Mythen etc. korrekt; es fand sich jedoch
kein zugängliches Werk, mit dessen Hilfe einzelne Punkte verifizier-
bar gewesen wären. Ferner fehlt in der gesamten Kipling-Literatur
jeglicher Hinweis auf mögliche Quellen, aus denen RK geschöpft
haben könnte. (Wallace Robsons Verweis auf H. W. Elliotts *The Seal
Islands of Alaska*, 1881, ist ein Blindgänger; das war RKs Quelle für
»Die weiße Robbe« im *Dschungelbuch*.)

»Angutivaun Taina«
Zuerst 24. x. 1895 in ›*Pall Mall Gazette*‹.

Roter Hund
»Red Dog« erschien zuerst mit Versanfang in ›*Pall Mall Gazette*‹, 29.
und 30. VII., ›*McClure's Magazine*‹, August, und ›*Civil and Military
Gazette*‹, Lahore, 19., 20., 22., 26., 27., 29. VII. 1895; jeweils unter dem
Titel »Good Hunting«.
   ...wie er dem irren Elefanten von Mandla begegnete...: In seiner
Autobiographie *Something of Myself* erwähnt RK mehrere Mowgli-
Geschichten, die er schrieb und unveröffentlicht vernichtete, getreu

der Eingabe seines inneren *Daemon:* »Schreib nie einen ›Nachzieher‹ zu einem Erfolg.«

Philip Mason: »›Red Dog‹ ist ... superb. Es ist alles darin ... die Drohung einer Invasion durch barbarische Horden ... Das Antreten eines ganzen Volks zum Kampf, zum Schutz von Heim und Kindern; der weise alte Ratgeber, der sich in die Vergangenheit zurückdenkt; die glanzvolle Tat eines Helden, der ... die Feinde in die Falle führt; die Verteidigung eines Engpasses ...; die Rache von Won-tolla, dessen Familie von den Roten Hunden getötet wurde; der Tod des ruhmreichen alten Führers, und Mowgli, der als Sieger klagend auf dem Schlachtfeld zurückbleibt ... Jede einzelne Situation ist archetypisch; ... aber so frisch und original in der Verarbeitung, daß es einen zur Identifizierung zwingt.«

Angus Wilson: »Die Manöver, mit denen Mowgli die rasenden Horden der Dhole ... in ihren Tod lockt, und die Schlacht zwischen den Dhole und den Wölfen sind eine der besten *action*-Darstellungen in der gesamten Literatur.«

Chil's Song / Chils Lied
Zuerst in EA.

Das Frühlings-Laufen
»The Spring Running« erschien zuerst mit Versanfang in ›*Pall Mall Gazette*‹, 25. IX., ›*Cosmopolitan*‹, Oktober, und ›*Civil and Military Gazette*‹, Lahore, 27., 28., 30. IX. und 4., 5., 7. X. 1895 unter dem Titel »Mowgli Leaves the Jungle Forever«.

The Outsong / Der Abgesang
Zuerst in EA.

RUDYARD KIPLING

»ZÜRCHER EDITION«
HERAUSGEGEBEN UND ÜBERSETZT VON
GISBERT HAEFS

Die Ausgabe lehnt sich an die von Kipling selbst gestaltete »Uniform
Edition« seiner Werke an. Alle Bände sind originalgetreu, vollständig
neu übersetzt und jeweils mit einem Anhang versehen.

Die Ballade von Ost und West
Selected Poems/Ausgewählte Gedichte (zweisprachig)

Das Dschungelbuch
Erzählungen und (zweisprachige) Gedichte

Das Zweite Dschungelbuch
Erzählungen und (zweisprachige) Gedichte

Genau-so-Geschichten
Erzählungen mit Illustrationen des Autors

Kim
Roman

Kühne Kapitäne
Roman

Stalky & Co.
Erzählungen und (zweisprachige) Gedichte

Vielerlei Schliche
Erzählungen

Die Vielfalt der Geschöpfe
Erzählungen

Kipling Companion
*Essay, Daten über Leben und Werk, Fotos, Zitate über RK,
Übersetzungsbeispiele, Ausgaben, Werkliste*

im Haffmans Verlag

LAURENCE STERNE

Leben und Ansichten von
Tristram Shandy, Gentleman.
In einem Band.
Unter Weglassung aller bisherigen
Eindeutschungen vollständig neu
übersetzt von Michael Walter.

»Hier hat ein Übersetzer gewirkt, der weit tiefer
in die Sprach- und Ideenwelt des achtzehnten
Jahrhunderts in England eingedrungen ist als
seine Vorgänger.«
Frankfurter Allgemeine Zeitung

»Wo ist ein solcher Mann, in dessen Händen
›Tristram‹ nicht schon wäre, der nicht lieber alle
seine Bücher und seinen Mantel und Kragen im
Notfall dazu verkaufen wollte, um sich dies
unschätzbare Buch anzuschaffen und von Stund'
an zu seinem Leibbuch zu machen?«
Christoph Martin Wieland

»Sie sollten nicht Dickens lesen, sondern Sterne.
Der war auch Ire.«
James Joyce

im Haffmans Verlag

MARK TWAIN

Tom Sawyers Abenteuer
Ein klassischer Kinder-Roman.
Neu übersetzt von Gisbert Haefs
und neu illustriert von
Tatjana Hauptmann.

Der Klassiker der Abenteuerliteratur in einer neuen
Übersetzung und mit neuen Illustrationen der bekannten
Kinderbuch-Illustratorin versehen – eine Augenweide –
nicht nur für Kinder.
Frankfurter Allgemeine Zeitung

Diesen neu übersetzten Kinderklassiker zu lesen,
ist ein tolles Vergnügen.
Stern

Mark Twains Meisterwerk wurde für diese schöne Ausgabe
neu (und gut!) von Gisbert Haefs übersetzt und von Tatjana
Hauptmann einfühlsam illustriert.
Hamburger Abendblatt

Abenteuer von Huckleberry Finn
Neu übersetzt und mit Anmerkungen von
Friedhelm Rathjen und neu illustriert
von Pierre Thomé.

»Die ganze moderne amerikanische Literatur stammt von
einem Buch von Mark Twain ab, das Huckleberry Finn heißt.
Es ist das beste Buch, das wir gehabt haben. Die ganze
amerikanische Schriftstellerei kommt daher. Vorher gab's
nichts. Danach hat es nichts gleich Gutes gegeben.«
Ernest Hemingway

im Haffmans Verlag

SAKI

Sämtliche Geschichten.
Fünf Bücher in einem Band.
Erstmals und vollständig in deutscher Übersetzung.
Herausgegen von Fritz Senn

Buch 1

Reginald oder die Blutfehde von Toad-Water
Deutsch von Werner Schmitz

Buch 2

Die Clovis-Chroniken
Deutsch von Claus Sprick

Buch 3

Biest und Überbiest
Deutsch von Claus Sprick

Buch 4

Das Friedensspielzeug und Das Eckige Ei
Deutsch von Werner Schmitz und Claus Sprick

Buch 5

Der Almanach
Deutsch von Claus Sprick,
mit einem Nachwort von Fritz Senn

im Haffmans Verlag

ARTHUR SCHOPENHAUER
Werke in 5 Bänden

Die hier angezeigte Ausgabe ist die erste und einzige unveränderte
Ausgabe der Werke Schopenhauers in den Fassungen und der
Anordnung letzter Hand.

Band 1
Die Welt als Wille und Vorstellung I
Nach der dritten Auflage, Leipzig 1859

Band 2
Die Welt als Wille und Vorstellung II
Nach der dritten Auflage, Leipzig 1859

Band 3
Kleinere Schriften
*»Über die vierfache Wurzel des Satzes vom zureichenden Grunde«,
zweite Auflage, Frankfurt a.M. 1847; »Über den Willen in der
Natur«, zweite Auflage, Frankfurt a.M. 1854; »Die beiden Grund-
probleme der Ethik«, zweite Auflage, Leipzig 1860; »Über das Sehn
und die Farben«, zweite Auflage, Leipzig 1854*

Band 4
Parerga und Paralipomena I
Nach der ersten Auflage, Berlin 1851

Band 5
Parerga und Paralipomena II
Nach der ersten Auflage, Berlin 1851

Dazu ein
Beibuch
*zur Schopenhauer-Werkausgabe letzter Hand. Mit einem Grund-
kurs über Schopenhauer-Editionen von Ludger Lütkehaus.
Übersetzung und Nachweis der Zitate sowie je ein Sach- und
Namenregister von Michel Bodmer*

im Haffmans Verlag